Thomas Mann Jahrbuch · Band 20

# THOMAS MANN JAHRBUCH
## Band 20
2007

Begründet von
Eckhard Heftrich und Hans Wysling

Herausgegeben von
Thomas Sprecher und Ruprecht Wimmer

VITTORIO KLOSTERMANN · FRANKFURT AM MAIN

Herausgegeben in Verbindung mit der Deutschen Thomas-Mann-Gesellschaft
Sitz Lübeck e.V. und der Thomas Mann Gesellschaft Zürich

Redaktion und Register:
Michael Harnischmacher

© Vittorio Klostermann GmbH Frankfurt am Main 2008

Gedruckt auf alterungsbeständigem Papier ⊗ISO 9706
Satz: Fotosatz L. Huhn, Linsengericht
Druck: Hubert & Co., Göttingen
Printed in Germany
ISSN 0935–6983
ISBN 978-3-465-03537-4

# Inhalt

# Vorwort

Der diesjährige Band enthält die Beiträge des Internationalen Herbst-Kolloquiums „Abschied und Avantgarde", das vom 7. bis 10. Oktober 2006 in Lübeck stattfand. Die Beiträge von Herbert Lehnert (*Thomas Mann: Schriftsteller für und gegen deutsche Bildungsbürger*), Anja Schonlau (*Altersliebe im Alterswerk. Thomas Manns Novelle „Die Betrogene" aus der Perspektive des „Michelangelo-Essays"*), Stefan Müller-Doohm (*Thomas Mann und Theodor W. Adorno als öffentliche Intellektuelle. Eine Analyse ihres Denkstils*), Ulrich Karthaus (*Der Geschichtliche Takt. Thomas Mann: ein moderner Klassiker*), Thomas Sprecher (*Altes und Neues*), Gert Sautermeister (*Tony Buddenbrook. Lebensstufen, Bruchlinien, Gestaltwandel*), Markus Gasser (*Was sich hinter Vladimir Nabokovs Verachtung für Thomas Mann verbirgt*), Manfred Dierks (*Ambivalenz. Die Modernisierung der Moderne bei Thomas Mann*), Hans Rudolf Vaget (*Thomas Mann, der Amerikaner*) und Ruprecht Wimmer (*„Neu doch auch wieder". Späte Selbstüberbietungsversuche Thomas Manns*) sind in der Ablauffolge des Tagungsprogramms hier dokumentiert. Sie werden ergänzt durch die Abhandlungen von Daniel Jütte (*„Placet experiri". Ein unbekanntes Vorbild für Lodovico Settembrini*), Holger Rudloff (*Die Sendung mit der Maus. Über den „Urenkel Schillers, Herrn von Gleichen-Rußwurm" in Thomas Manns Roman „Doktor Faustus"*), Rainer-Maria Kiel (*Thomas Mann – Bayreuth – Karl Würzburger: Thomas Mann und Bayreuth – ein abgegriffenes Thema?*) und Elisabeth Galvan (*Aschenbachs letztes Werk. Thomas Manns „Tod in Venedig" und Gabriele d'Annunzios „Il Fuoco"*). Wir danken den Autorinnen und Autoren für die Erlaubnis zum Abdruck ihrer Beiträge im Jahrbuch.

Die Herbsttagung 2006 war die letzte unter der Leitung von Ruprecht Wimmer und Manfred Dierks, deren Amtszeit als Präsident und Vizepräsident der Deutschen Thomas-Mann-Gesellschaft zu Ende ging.

Die Herausgeber

*Herbert Lehnert*

# Thomas Mann: Schriftsteller für und gegen deutsche Bildungsbürger

Thomas Manns Äußerungen über seine eigenen Werke sind erst dann richtig zu verstehen, wenn man weiß, wann und für wen sie geschrieben wurden. Das gilt auch für den Kommentar zu seinem Roman *Der Erwählte*, den er im April 1951 auf Wunsch seines amerikanischen Verlegers verfasste. Darin spielt er die Rolle eines alten Weisen, der aus einer besseren Zeit kommt und die Gegenwart der Mitlebenden aus Distanz betrachtet. Sein Roman sei „ein Spätwerk in jedem Sinn", das „mit Alt-Ehrwürdigem, einer langen Überlieferung sein Spiel treibt". Er habe „wenig dagegen, ein Spätgekommener und Letzter, ein Abschließender zu sein." Eine solche Rolle hatte er schon einer Figur in seinem ersten Roman zugeteilt: „Als ich ganz jung war, ließ ich den kleinen Hanno Buddenbrook unter die Genealogie seiner Familie einen langen Strich ziehen, und als er dafür gescholten wurde, ließ ich ihn stammeln: ‚Ich dachte – ich dachte – es käme nichts mehr'" (Ess VI, 205). Auch dem gegenwärtigen Fünfundsiebzigjährigen sei es, „als käme nichts mehr, [...] bevor die Nacht sinkt, eine lange Nacht vielleicht und ein tiefes Vergessen". Sein Werkchen sei „Spätkultur, die vor der Barbarei kommt" (Ess VI, 206).

Der Erzähler des Romans *Der Erwählte* spricht als mittelalterlicher Mönch. Wenn diese Stimme aus der Schein-Vergangenheit gegen Ende des Textes von der milden Regierung des Papstes Gregor berichtet, die „Segen" spende, „über die bunte Notdurft der Erde" (VII, 238), dann verbirgt sich darin der Wunsch seines Autors nach einer besseren Aussicht, als die Wirklichkeit sie bot, die er um sich sah. Die autoritäre, aber milde und aufgeklärte Regierung des Märchen-Gregors steht im Gegensatz zu der Wiederkehr des Kapitalismus im Nachkriegs-Amerika, die der Thomas Mann dieser Jahre leidenschaftlich bekämpfte in englischen Reden und Zeitungsartikeln. Thomas Mann sah den konformistischen Anti-Kommunismus seines Exillandes sich der Barbarei nähern, einem Faschismus, ähnlich dem, der ihn aus seinem Land vertrieben hatte. Sein Glaube an das gute amerikanische Volk, das die Barbarei verhindern würde, nahm ab und von dieser Enttäuschung ist in seinen Selbstkommentar ebensoviel die Rede wie von dem Roman *Der Erwählte*.

Auch an das gute deutsche Volk hatte er geglaubt. Noch 1929 hatte der Erzähler von *Mario und der Zauberer* den Faschismus als fremde, undeutsche Krankheit dargestellt. Lange war es Thomas Mann undenkbar gewesen, dass intellektuelle Deutsche dem kleinbürgerlichen Populismus Hitlers folgen könnten. In die biblische Geschichte des Romans *Joseph und seine Brüder* hatte er die Erzählung eines kreativen Intellektuellen eingebracht, der seiner Welt eine bessere soziale Ordnung gibt. Darin steckte eine Hoffnung für die eigene, die deutsche Welt seines Autors und seiner Leser. Am Ende von *Der Erwählte* wird diese Hoffnung wiederholt, aber ironisch-distanziert, in ein schein-mittelalterliches Märchenland versetzt.

Schon immer hatte sich in Thomas Manns Werk eine Zukunfts-Aussicht gemeldet. Die besteht neben der skeptischen Sicht auf „Komik und Elend" (2.1, 264) der bürgerlichen Welt. Zunächst war sie die Aussicht auf künstlerische Verwandlung der schlechten Wirklichkeit. Schopenhauers Pessimismus hatte Nietzsche den Wert der Kreativität für das aufsteigende Leben entgegen gestellt. So sehr die Linie des Romans vom Verfall einer Familie abwärts zu zeigen scheint, neben Hanno Buddenbrook, der den Schlussstrich zieht, steht Kai Graf Mölln, der den Verfall kreativ, als Literatur veredeln wird.

Dieser Kai liebt Hanno und diese Liebe ist anders und besser als die gebundene, unterdrückte Liebe, die sich der bürgerlichen Geldwirtschaft fügt. Diese falsche Liebe ist ein Grundmotiv des Romans neben dem anderen, der Insuffizienz der christlich verbrämten bürgerlichen Ordnung, mit dem der Text beginnt. Auch das Motiv der unterdrückten Liebe meldet sich in den ersten Szenen, in dem Papier, das dem Konsul Buddenbrook in der Brusttasche knistert, dem Brief Gottholds, der aus Liebe geheiratet hat (1.1, 21). Breit ausgespielt wird das Motiv in dem Zwang, der auf Tonys Liebe ausgeübt wird. Die andere Seite der Kritik bürgerlicher Geldwirtschaft in *Buddenbrooks* ist der Wunsch nach einer anderen als der konventionellen bürgerlichen Moral, mit Liebe als höherem Wert.

Ein solcher Wunsch liegt auch dem „strengen Glück" am Ende von *Königliche Hoheit* zugrunde. Das in der Zukunft erhoffte Märchen-Glück der repräsentativen Hoheit ist dort das Symbol eines beherrschten hohen literarischen Stils, der Liebe und Güte aufnehmen soll. – Der letzte Satz des *Zauberbergs* stellt die Frage nach der Möglichkeit einer zukünftigen Regeneration von Liebe in einer Gesellschaft, die ihre alte bürgerliche Ordnung zusammen mit der alten Religion verloren hat.

Diese Wunsch-Gedanken reflektieren Nietzsches „Menschheits-Mission"[1], das Verlangen nach einer anderen Moral für vornehme und kreative Menschen, die sich selbst bestimmen, die ohne die alten metaphysischen Sicherungen auskommen. Auch Richard Wagner, dessen Werk vorbildlich auf das Tho-

---

[1] Friedrich Nietzsche: Kritische Studienausgabe, hrsg. von Giorgio Colli und Mazzino Montinari, Band II, München: dtv 1988, S. 668. Von jetzt ab im Text zitiert als KSA + Band und Seite.

mas Manns wirkte, drückte einen solchen Wunsch aus. Sein Wotan wünscht sich einen Menschen, der freier ist als er, der Gott der alten Welt der Verträge, der Gott, der das Ende der alten Welt in der Götterdämmerung voraussieht.[2] Solche Zukunftsprojektionen Wagners, Nietzsches und Thomas Manns fiktionalisieren und intellektualisieren die bürgerliche Fortschritts-Erwartung, noch wenn sie der bürgerlichen Gesellschafts-Ordnung widersprechen.

\*

Der Ort von Thomas Manns Werk in der Literaturgeschichte, ja in der Geschichte überhaupt, wird nicht von den erzählten Inhalten, auch nicht von der gebrauchten Technik bestimmt, sondern durch das Verhältnis des Autors zu seinen Lesern, den Bildungsbürgern. Die Angehörigen dieser Klasse sahen in der wilhelminischen Ära ihren Selbstwert in Bildung, nicht im Besitz oder Einkommen.[3] Von den Arbeitern und Bauern unterschieden sie sich durch ihre bürgerliche Kleidung mit Stehkragen und Manschetten. Der Kern des Bildungsbürgertums waren die höheren Beamten, die Universitätsbildung vorzuweisen hatten. Sachlichkeit war ihr Stolz und Ethos. Dabei waren sie sich immer bewusst, dass ihr Ansehen ihnen von der monarchischen Hoheit verliehen wurde. Da auch adlige Beamte studieren mussten, wuchsen Bildungsbürgertum und Oberschicht im wilhelminischen Deutschland zusammen. Sie umfassten eine kleine Minderheit von weniger als einem Prozent der deutschen Bevölkerung.[4] Eine noch geringere Zahl von ihnen nahm aktiv an der lebenden Kultur teil, erst diese sind die eigentlichen Bildungsbürger, die Leser moderner Literatur, die sich durch eine flexiblere, modernere „Bildung" von den konventionellen Bürgern unterschieden.

Das politische Interesse der Bildungsbürger und ihr Machtbewusstsein

[2] Richard Wagner: Die Walküre. Ende des dritten Aufzugs, in: Richard Wagner: Der Ring des Nibelungen, hrsg. von Julius Burghold, Nachdruck der Ausgabe von 1913, Mainz: Schott Musik International 2004, S. 163.

[3] Einen Versuch, den deutschen Bildungsbürger als „soziale Sonderform" zu beschreiben – mit der widersprüchlichen Spannung zwischen seiner konservativ-praktischen Anpassung an die bestehende Gesellschaft und dem Genuss des kulturell-artistischen Modernismus –, sowie die geschichtlichen Hintergründe seiner Entstehung aus dem Beamtentum der deutschen Staaten, habe ich 1995 veröffentlicht: Herbert Lehnert: Bildungsbürger als Leser der deutschen Literatur am Anfang des 20. Jahrhunderts, in: Weltbürger-Textwelten. Helmut Kreuzer zum Dank, hrsg. v. Leslie Bodi u.a., Frankfurt/Main u.a.: Peter Lang 1995, S. 302–324. Ein Überblick bietet Jens Flemming: Intellektuelle, Philister, Gebildete. Selbst- und Fremdwahrnehmungen des deutschen Bürgertums um 1900, Heinrich Mann Jahrbuch 23, Lübeck: Schmidt-Römhild 2005, S. 7–26.

[4] Hans Ulrich Wehler: Deutsche Gesellschaftsgeschichte, Band 3, München: Beck 1995, S. 705, 713, 732.

nahm nach 1900 zu. Wir können das in den Zeitschriften vom „Rundschau"-
Typ verfolgen. Die Zeitschrift Die Schaubühne zum Beispiel rechnete, wie ihr
Name anzeigt, ursprünglich nur auf Leser, die sich für das reichhaltige deutsche Theaterleben interessierten. Schon vor 1914 begann sie sich zur „Welt-
bühne" zu entwickeln. Die Neue Rundschau hatte eine politische Sektion
aufgenommen. In der Marokko-Krise von 1911, während der monatelang ein
europäischer Krieg drohte, wurde in allen Rundschau-Zeitschriften die Politik der Regierung lebhaft diskutiert. Wer solche Artikel heute liest, gewinnt
den Eindruck, dass deren Leser, die Bildungsbürger, überzeugt waren, sie
seien die Nation selbst. Diese Überzeugung teilte Thomas Mann. Wenn er
von „den Deutschen" sprach, noch 1945 in seinem Vortrag „Deutschland und
die Deutschen", meinte er die Bildungsbürger, seine Leser.

Das historische Selbstbewusstsein der bildungsbürgerlichen Klasse war
zu erklären aus dem Charakter des wilhelminischen deutschen Reiches. Das
war ein Verwaltungsstaat, in dem die höheren Beamten viel Einfluss und
Macht besaßen. Die Parteien schickten Volksvertreter in den Reichstag und
in die Landtage. Diese beschlossen die Gesetze, durften öffentliche Ausga-
ben genehmigen oder ablehnen, waren also nicht ganz machtlos, aber an der
Auswahl der Beamten waren sie nicht beteiligt, die eigentliche Ausübung der
Macht war nicht ihre Sache. Für die Laufbahn der Beamten wiederum war es
nicht günstig, in einer Partei aktiv zu sein. Eine parlamentarische Laufbahn
lohnte sich erst recht nicht, die Abgeordneten erhielten keine Diäten und sie
wurden nicht in staatliche Ämter berufen. Politik hatte im wilhelminischen
Deutschland kaum schöpferische Aspekte, darum auch wenig Prestige. Bildungsbürger waren unpolitisch. Ihre Oberklassen-Überlegenheit ließen sie
sich gerne durch Anlehnung an die monarchische Hoheit bestätigen.

Nietzsche hatte das nicht genügt. Er wollte, dass der kreative Mensch sich
Vornehmheit und Macht selbst erwirbt, zum Übermenschen sich entwickelt.
Nietzsche repräsentierte und übertrieb das soziale Überlegenheitsgefühl der
Bildungsbürger-Klasse, der er entstammte. Thomas Mann nahm Nietzsches
Entwicklungs-Humanität nicht in dessen steilen Formen an, er war kein
Anhänger von Nietzsches Macht-Philosophem. Seine Entwicklungs-Huma-
nität ist zarter ausgedrückt, so wie in der frühen Erzählung Die Hungernden:
„Eine andere Liebe tut not, eine andere ..." (2.1, 380).[5] Aber Thomas Mann
teilte den Glauben an Nietzsches Menschheits-Mission, an den Aufstieg der
kreativen Menschen zu einer anderen Moral, von weiter, toleranter Liebe
geprägt.

[5] Um der besseren Lesbarkeit willen gebe ich hier und in anderen Zitaten Thomas Manns
Schreibeigentümlichkeiten nicht wieder, sondern wende die gegenwärtig geltende Rechtschrei-
bung an.

Lesende Bildungsbürger erwarteten eine Literatur, die dem Überlegenheits-Bewusstsein ihrer Klasse entsprach. Solche Literatur durfte und wollte nicht populär sein. Als es noch keine Filmtheater und kein Fernsehen gab, erfüllte die „höhere" Literatur das Bedürfnis der Bildungsbürger nach dem imaginären Heraustreten aus der geregelten alltäglichen Welt, nach der Freiheit, die Literatur gewährt. Diese Freiheit hatte immer auch einen autoritären Charakter: es war die elitäre Freiheit der kreativ begabten Menschen.

Heinrich und Thomas Mann waren aus der Lernschule ausgeschieden, die ihre Kreativität zu ersticken drohte. Sie mussten auf eine Universitätsbildung verzichten. Eine Zeitlang ordneten sie sich der Tendenz einer nationalistischen und antisemitischen Zeitschrift unter, um sich als Journalisten zu etablieren. Aber den Ehrgeiz, den ihre großbürgerliche Familie ihnen mitgegeben hatte, konnten sie nur als freie Schriftsteller befriedigen, wenn sie „höhere Literatur" für Bildungsbürger produzierten. Nietzsches Kritik an der herrschenden bürgerlichen Moral rechtfertigte ihren Austritt aus der traditionellen bürgerlichen Ordnung. Sie konnten sich zu einer intellektuellen Elite rechnen, der Nietzsche künftige Autorität und Herrschaft zuwies, „eine neue, ungeheure, auf der härtesten Selbst-Gesetzgebung aufgebaute Aristokratie", aus „philosophische[n] Gewaltmenschen" und „Künstler-Tyrannen", deren Aufgabe es ist, am Menschen selbst künstlerisch zu arbeiten, das heißt ihn zur Größe und Herrschaft über das demokratische Europa zu befähigen (KSA XII, 87 f.). Mochten Nietzsches Zukunfts-Träume auch utopisch erscheinen, sie entstammten dem Überlegenheits-Bewusstsein der bildungsbürgerlichen Klasse und wirkten deshalb auf das künstlerische Selbstbewusstsein.

Einen Führungsanspruch meldete Thomas Mann an, als er die Rundfrage einer Zeitschrift nach dem Kulturwert des Theaters benutzte, um gegen die „Anmaßung" der Schul-Lehre vom Vorrang des Dramas in der Dichtkunst zu protestieren. Er wollte den Roman, seine Art zu schreiben, zur Geltung bringen, mit ihm wirken. Auch begann er sich ein Notizen-Konvolut für ein Literatur-Essay anzulegen, das den Titel „Geist und Kunst" tragen und ihn zum autoritären Richter der Kultur seiner Zeit machen sollte.

Autorität wollte auch Bruder Heinrich. Seine Vorbilder waren die Schriftsteller Frankreichs, die er als soziale Führer der Nation bewunderte. So sollten auch in Deutschland die Intellektuellen, die Schriftsteller, der „Geist", herrschen (MM, 19).[6] Statt wie Voltaire als Vorbild für eine bessere Gesellschaft zu wirken, wiederhole ein deutscher Schriftsteller, der es weit bringe, nur „das tatlose, dem Volk unbekannte Leben Goethes" (MM, 22). Im Januar

---

[6] Voltaire-Goethe, ursprünglicher Titel: Der französische Geist (1910), in: Macht und Mensch: Essays, Frankfurt/Main: Fischer Taschenbuch Verlag 1989, S. 19. Macht und Mensch wird zukünftig als MM + Seite im Text zitiert.

1911 erschien in der links-bildungsbürgerlichen, vorwiegend politischen Zeitschrift Pan Heinrich Manns Manifest eines literatur-politischen Programms unter dem Titel *Geist und Tat*. In Deutschland sei der „Geist" macht- und kraftlos; die französischen Schriftsteller dagegen hätten ihr Volk bewogen, sich gegen die herrschenden Mächte zu erheben. Napoleon und seine Soldaten hätten für die Revolution erkämpft, was die Schriftsteller erdacht hatten. In Deutschland dagegen denke man bis ans Ende der reinen Vernunft, ließe aber den Herrenstaat bestehen. Darum sei das deutsche kein großes Volk, es habe nur große Männer" (MM, 15). Statt sich für die Befreiung der Nation einzusetzen, wirke der deutsche Literat für den Todfeind des Geistes, für die Macht. „Was erklärt diesen Nietzsche, der dem Typus sein Genie geliehen hat?" fragte Heinrich (MM, 17) und zielte auf die Nietzsche-Faszination des Bruders Thomas zusammen mit dessen Goethe-Bewunderung. Die „abtrünnigen Literaten", abtrünnig von der Verpflichtung zum Fortschritt, seien Außenseiter, eine „ungeheuerlich angewachsene Entfernung" trenne sie von ihrem Volk (MM, 17). Sie sollten „Agitatoren werden". Das Genie müsse sich für den Bruder des letzten Reporters halten, damit der „Typus des geistigen Menschen" der „herrschende" werde in einem Volk, „das jetzt noch empor will". Empor-Wollen, Ehrgeiz nach Größe, sollte das national denkende Bildungsbürgertum ansprechen, dem Großbritannien vorschwebte, die damals führende Weltmacht, die schon oben war. Thomas Mann dagegen hielt an Nietzsches Verurteilung aller gleichmachenden Tendenzen fest. Wenn Heinrich in Kauf nahm, die Sprachkunst zu nivellieren, um die Nation höher zu bringen (MM, 16), konnte Thomas das nicht akzeptieren; er brauchte die Vornehmheit des Stils, die ihm seinen Wert bei den bildungsbürgerlichen Lesern sicherte; Nietzsches Menschheits-Mission verlangte stilisierte Vornehmheit.

Obwohl die Brüder den offenen Konflikt vermieden, hat Thomas die feindlich-kritische Absicht in *Geist und Tat* genau verstanden. In den *Betrachtungen eines Unpolitischen* wird er aus *Geist und Tat* zitieren, ein „Meister" habe „den letzten Reporter" für seinen Bruder im Geiste erklärt, „gesetzt nur, dass sein Blatt demokratischen Grundsätzen huldigt". So werde man „zum Abgott und Schutzkind der großen, der linksliberalen Presse".[7] Das enthielt eine Erinnerung an die gemeinsame Abhängigkeit von den Geldgebern der Zeitschrift Das Zwanzigste Jahrhundert. Schon 1904 hatte Thomas Mann in Heinrichs politischer Wendung eine Gefährdung der unabhängigen und vornehmen Stellung des Außenseiter-Schriftstellers über der Gesellschaft gesehen. In einem Brief an Heinrich von Ende Februar 1904 über dessen Novelle *Fulvia* kommentiert Thomas ein wenig spöttisch die „Entwicklung" der Welt-

---

[7] Vgl. XII, S. 204 mit MM, S. 18; vgl. auch XII, S. 315f. mit MM, S. 16.

anschauung des Bruders „zum Liberalismus hin". Er selbst habe eine andere Anschauung:

> Fürs Erste verstehe ich wenig von „Freiheit". Sie ist für mich ein rein moralisch-geistiger Begriff, gleichbedeutend mit „Ehrlichkeit". (Einige Kritiker nennen es bei mir „Herzenskälte".) Aber für politische Freiheit habe ich gar kein Interesse. Die gewaltige russische Literatur ist doch unter einem ungeheuren Druck entstanden? Wäre vielleicht ohne diesen Druck gar nicht entstanden? Was mindestens bewiese, dass der Kampf für die „Freiheit" besser ist, als die Freiheit selbst. Was ist überhaupt „Freiheit"? Schon weil für den Begriff so viel Blut geflossen ist, hat er für mich etwas unheimlich Unfreies, etwas direkt Mittelalterliches ... (21, 269 f.)

Solange er sich von den Konventionen, Vorlieben und Vorurteilen der Gesellschaft frei hält, könne ein Schriftsteller ehrlich sein und so einer künftigen Wahrheit zur Geltung verhelfen. Er brauche diese Distanz, erscheine sie auch als Kälte, um Alternativ-Welten zu schaffen, die den Lesern ermöglichen, sich von ihrer alltäglichen Welt zu lösen. Das Bedürfnis danach sei besonders groß, wenn die Lebensbedingungen bedrückend sind. Darum habe der soziale Druck in Russland große Literatur hervor getrieben. Wenn Literatur „Kampf für die Freiheit" sei, dann nicht als Propaganda für einen politischen System-Wechsel, sondern als Angebot individueller, „innerer" Freiheit. „Freiheit" in der Form von Ideologie dagegen sei wie Gehorsam gegen ein mittelalterliches Dogma, das blutige Verfolgungen und Kämpfe verlange. Thomas Manns „Freiheit" ist Selbstbestimmung, Überlegenheit, Nietzsches Herrenmoral.

*Der Tod in Venedig*, die Geschichte eines fiktiven Nationalschriftstellers, der Größe mit moralischer Autorität verbindet, ist ein Gedanken-Experiment Thomas Manns. Durch das Mittel des strengen Stils hat Aschenbach die Nation aus der Anomie der Moderne zur moralischen Verantwortung zurückgeführt. Das war eine soziale Funktion, wie Heinrich verlangte, aber ohne Anpassung an eine Ideologie. Auf Urlaub von dieser Verpflichtung, in der Fremde auf sich selbst verwiesen, überfällt Aschenbach sein bisher unterdrücktes Liebes-Begehren, veranlasst durch einen schönen, fremden, heranwachsenden Knaben, den er nicht einmal anzusprechen wagt. Die Moralität, die er sich auferlegt hat, wirft er nicht ab, vielmehr empfindet er seine illegitime Liebe als erniedrigend. Weil diese Liebe dennoch stärker ist, befreit sie ihn von dem Sklavendienst an der Moral der Gesellschaft. Der Gegenstand der Liebe, Tadzio, „der bleiche und liebliche Psychagog" (2.1, 592), winkt Aschenbach im Augenblick des Todes, als keine Moral mehr gilt, in der Gestalt des Gottes Hermes. Der weist ihn auf das offene Meer, das „Nebelhaft Grenzenlose", das auch das „Verheißungsvoll-Ungeheure" ist, das Symbol alles Entgrenzenden, das Erfüllung verheißt im ungeheuren und irrationalen Urgrund der Welt, der Quelle der Kreativität.[8] Aschenbachs Dienst an der sozialen Wirklichkeit hatte ihm Ruhm und anerkannte Größe gebracht, aber erst die verbotene Liebe gibt ihm die Distanz, die ihm Zugang zu dem irrationalen Ganzen gewährt im Symbol des fremden Gottes, Dionysos. Der Gott war ihm in einem bildhaften Traum als Lust zur Vernichtung und zum Untergang erschienen. Kreativität muss offen sein für die Sympathie mit dem Tod, der alle Ordnungen ungültig macht.

Jedoch gibt es neben dem Bewusstsein des großen kreativen Künstlers eine andere Perspektive in *Der Tod in Venedig*, die Stimme des bürgerlichen Lesers, der Aschenbach als moralischen Mentor schätzt, als Nationalschriftsteller und ethische Autorität. Wenn Aschenbach sich von seiner Rolle als moralischer Mentor befreit, sich seiner Liebe ergibt, dann gewinnt er seine Freiheit von dem Zwang der Gesellschaft um den Preis des Ausschlusses aus der sozialen Ordnung. Aschenbachs Befreiung aus seiner sozialen Funktion ist eine Antwort auf Heinrichs Manifest. Ein Schriftsteller, der ein Programm vertritt, hat sich auf eine Rolle, eine soziale Funktion beschränkt; er konnte den Beifall der bürgerlich-ethischen Stimme gewinnen, aber das schloss ihn von den Quellen seiner Kunst ab, die aus den irrationalen Tiefen kommt, zu denen nur sein eigenes unverfälschtes Ich Zugang hat. Dort hatte Schopenhauer den Willen, den irrationalen Urgrund gefunden. Wer dem Schriftsteller ein Ziel seines Schreibens aus der wirklichen Welt auferlegen will, entfernt ihn von der Quelle des entgrenzten Irrationalen, legt ihn auf ein eindeutiges Ziel fest, bindet ihn ein, hindert ihn, seinen Lesern die Befreiung von ihrer alltäglichen Welt vorzustellen.

In Thomas Manns *Betrachtungen eines Unpolitischen* erscheint das Eintauchen ins Chaotische einmal geradezu als Kriterium des Kunst-Werts. Der echte Künstler halte sich nicht an einer vorgegebenen, konventionellen „Tugend" fest, sondern setze sich dem „Bösen" aus, widerstehe ihm nicht.[9] Das „Böse" sei das moralische Experiment, „der Zweifel", „der Zug zum Ver-

---

[8] Auch Nietzsche konnte den Ozean als Symbol für das Ungeheure sehen. Siehe Aph. 314 der *Morgenröthe*, KSA III, S. 227. Werner Frizen weist mich auf den Schluss von Wagners *Tristan und Isolde* hin, den Thomas Mann hoch schätzte. Dort beruft Isolde die Wellen des Meeres, „in des Welt-Atems wehendem All", als Erfüllung der Liebe im Weltganzen, des umgedeuteten schopenhauerischen Willens.

[9] Thomas Mann zitiert nicht die Lutherbibel. Matthäus 5, Vers 38–39, lautet dort so: „Ihr habt gehört, dass da gesagt ist: Auge um Auge, Zahn um Zahn. Ich aber sage euch, dass ihr nicht widerstreben sollt dem Übel, sondern, so dir jemand einen Streich gibt auf den rechten Backen, dem biete den anderen auch dar." Der Bergprediger Jesus empfiehlt keine Experimente mit dem Bösen. Thomas Mann zitierte aus Nietzsches *Antichrist* (zuerst so in: Süßer Schlaf, 1909, 14.1, S. 207. Siehe den Kommentar in: 14.2, S. 287). Bei Nietzsche heißt es: „„widerstehe nicht dem Bösen' das tiefste Wort der Evangelien, ihr Schlüssel in gewissem Sinne" (KSA VI, 200). Nietzsche gibt den Kontext, die Moral der Gewaltlosigkeit, korrekt wider.

botenen, der Trieb zum Abenteuer, zum Sichverlieren, Sichhingeben, Erleben, Erforschen, Erkennen", das „Verführende und Versucherische". Das drückt diskursiv das Gleiche aus wie die Erzählung von Aschenbachs dionysischer, immoralistischer Befreiung. Jedoch will der Verfasser der *Betrachtungen* seine bürgerlichen Leser nicht verprellen. Er schickt einleitend voraus, er spreche nicht für eine amoralische Lebensform, vielmehr schreibe er dem produktiven Künstler, also sich selbst, ein „anständiges Maß" von „persönlicher Ethik" und von „sozialer Liebe" zu (XII, 399). Die ethische Stimme soll die immoralistische ausgleichen und annehmbar machen, der Kontakt mit den bildungsbürgerlichen Lesern erhalten bleiben.

✳

Der nationale Enthusiasmus des August 1914 riss Thomas Mann mit, und jetzt fühlte auch er sich berufen, der Nation eine bestimmtere Orientierung zu zeigen. Der erste seiner Kriegsaufsätze, *Gedanken im Kriege*, spricht von Dichtern, die vom Krieg als „Heimsuchung, als sittliche Not" begeistert gewesen seien, ihnen sei es nicht um Interessen gegangen, um „Imperium, Handelsherrschaft [...] Sieg" (15.1, 33). Dem entsprach die Zukunfts-Erwartung der kulturellen „Reinigung" und „Befreiung" (15.1, 32). Zu reinigen war die Vorkriegszeit, die „von den Zersetzungsstoffen der Zivilisation" gestunken habe (15.1, 31 f.). In den *Betrachtungen eines Unpolitischen* ist die Vorkriegszeit polemischer ein „Geschäfts- und Lusteuropa", charakterisiert durch den modebewussten britischen König Edward VII. und das Casino von Monte Carlo (XII, 66); „Plutokratie und Wohlstandsbegeisterung" (XII, 241) sei die genaue Bestimmung der Demokratie. Nietzsche hatte die Autorität des Geldes und die Demokratie bekämpft.[10] Der Widerstand gegen die Demokratie, den die *Betrachtungen* leisten, wird aus dem Arsenal des bildungsbürgerlichen Anti-Kapitalismus gespeist, der wiederum aus dem Ressentiment des Beamten-Bildungsbürgertums stammt, dessen Lebensstandard hinter dem der Industriellen und Banker zurückblieb. Thomas Mann wird am Anti-Kapitalismus festhalten, am intensivsten in den letzten Jahren des amerikanischen Exils, im Widerstand gegen die Wiedereinführung der Marktwirtschaft nach dem Krieg. Demokratie verstand der Thomas Mann der *Betrachtungen* als rhetorisch festgelegte Literatur, als Ideologie, seine unabhängige Kreativität im Symbol der Musik.[11]

Bruder Heinrich teilte nicht das Gefühl, mit seinem Volk solidarisch zu

---

[10] Zum Beispiel in den Aphorismen 203 und 204 der *Morgenröthe*, KSA III, 179 f..

[11] Siehe Hans Rudolf Vaget: Seelenzauber. Thomas Mann und die Musik, Frankfurt/Main: S. Fischer 2006, S. 24–27, S. 314–316. Hiernach: Vaget, Seelenzauber.

sein. Wir wissen von Heinrichs Worten, die er Anfang September 1914 an seinen Bruder gerichtet haben soll: „Weißt du denn nicht, dass Deutschland den Krieg verlieren wird, dass seine herrschenden Stände die Schuld daran tragen, dass er zum Sturz der Monarchie führen muß?" So hat Maria Mann, Heinrich Manns erste Frau, ihrem Neffen Golo Mann 1937 in Prag den Vorgang erzählt. Thomas Mann habe mit „schroffem Abgang" geantwortet.[12] Heinrich muss damals etwas gesagt haben, das Thomas im Innersten angriff. Vielleicht hat er den Bruder mitverantwortlich gemacht für die falsche Politik des Deutschen Reiches und damit für den Krieg. Die reaktionären „Wortführer", so wird Heinrich es in seinem Essay *Zola* beschreiben, hätten „Lüge und Schändlichkeit eigenhändig mit herbeigeführt" (MM 112). Heinrich hatte im Frühjahr 1914 den Roman *Der Untertan* beendet, der größte Teil des Textes erschien vor Kriegsausbruch im Vorabdruck einer Münchener illustrierten Zeitschrift. Der Roman malte ein extrem negatives Bild Deutschlands. Thomas Mann musste es scheinen, als ob der Bruder sich von seinem Land und dem Publikum, das ihnen gemeinsam war, getrennt und so sich ihm umso mehr entfremdet habe.[13] Thomas dagegen wollte den Bildungsbürgern den Sinn des Krieges zeigen. Er fand das deutsche Kriegsziel gerade in dem, was ihn von seinem Bruder trennte, der Unabhängigkeit seines Schreibens, der Selbstschöpfung im Sinne von Nietzsches „Menschheits-Mission" und Herren-Moral. Deutschland verteidige die Freiheit seiner Kultur gegen den politischen Konformismus, der auf der parlamentarischen Demokratie als einzig gültiger politischer Tugend bestand. Der Staat sollte von Fachleuten, von Bildungsbürger-Beamten, verwaltet werden, so dass die Schriftsteller frei blieben. „Freiheit, Pflicht und abermals Freiheit, das ist Deutschland" meint der Betrachter (XII, 279). Die Freiheit der Künstler steht den pflichttreuen Bildungsbürgern gegenüber. Ihnen vermitteln sie das in der deutschen sozialen Wirklichkeit defiziente Gefühl der Freiheit, das jedoch auf den Weg der schöpferischen „Menschheits-Mission" wies, den Weg zum höheren Menschen. Dieses Deutschland durfte sich in keine Ideologie einsperren. Wenn Thomas Mann in den *Betrachtungen eines Unpolitischen* gelegentlich auch von den „Herrschaftsaufgaben" sprach, zu denen Deutschland sich berufen fühlte (XII, 272), dann ist das im Sinne von Nietzsches „Menschheits-

---

[12]  Golo Mann: Erinnerungen und Gedanken: Eine Jugend in Deutschland, Frankfurt/Main: S. Fischer 1986, S. 40. – Peter de Mendelssohn berichtet in: Der Zauberer: Das Leben des deutschen Schriftstellers Thomas Mann, überarbeitet von Cristina Klostermann, Frankfurt/Main: S. Fischer, 1996, S. 1591, von einer Erinnerung Agnes Speyer-Ulmanns an eine Auseinandersetzung im Beisein des Ehepaares Ulmann. Sie datierte das Ereignis im Juli 1914, da Heinrich bis Ende Juli außer Landes war, ist der 1. oder 2. August das mir wahrscheinlichste Datum. Thomas Manns Brief vom 18. September 1914 schließt meiner Ansicht nach ein gestörtes Verhältnis nicht aus, wie Mendelssohn meint. Das Verhältnis war wohl nie ungestört.

[13]  Siehe in den *Betrachtungen*: XII, S. 294–299.

Mission" zu verstehen, als Politik, die kreative Kultur ermöglicht. Obwohl Vieles in den *Betrachtungen* abwegig ist, die Forderung, dass Literatur sich nicht dogmatischer Ideologie unterwerfen darf, wenn sie ihre Leser von überlebten Konventionen befreien will, bleibt bedenkenswert.

Die *Betrachtungen eines Unpolitischen* wurden von vielen Bildungsbürgern in Deutschland nationalistisch verstanden; dieses Missverständnis brachte Thomas Mann den Ehrendoktor der Universität Bonn ein. Nationalismus als Ideologie (XII, 206 f.) war nicht im Sinne von Nietzsches „Menschheits-Mission", der Schöpfung einer neuen Welt unter Führung der freien Geister. Die *Betrachtungen* teilen den Nationalismus vielmehr der westlichen Demokratie zu (u.a. XII, 206 f.). Aber die Mehrheit der Bildungsbürger hing dem nationalistischen Alldeutschen Verband an, der einen Sieg-Frieden mit Annexionen forderte. Thomas Mann hatte die Alldeutschen in den *Betrachtungen* als „unabkömmliche Bäuche" lächerlich gemacht (XII, 153) und sagte im Frühjahr 1917, leider richtig, voraus, diese würden nach einer deutschen Niederlage „den Nationalismus zu furchtbarer [...], jede Geistigkeit in Bann schlagender Macht erstarken lassen" (15.1, 203 f.). Unter der „Geistigkeit", die dann wirkungslos werden wird, ist Thomas Manns Anhänglichkeit an Nietzsches „Menschheits-Mission" der Herrschaft der Kreativen zu verstehen.

Die deutsche Niederlage von 1918 hatte den Träumen von deutschen Herrschaftsaufgaben ein Ende gemacht, nicht aber der Anhänglichkeit Thomas Manns an Nietzsches Vision einer intellektuell-kreativen Elite, die sich eine neue Moral, neue Weisen des Zusammenlebens schaffen sollte. 1929 nennt er Nietzsche den „Initiator alles Neuen und Besseren, was aus der anarchischen Verworrenheit unserer Gegenwart zum Lichte ringt" (Ess III, 131). Vorher hat er einen neu verstandenen Nietzsche in den Schlusspartien des *Zauberbergs* eingeführt. Die Erzählerrede am Ende des Abschnitts „Fülle des Wohllauts" spricht vom Fall des wilhelminischen Reiches. Dessen bester Sohn sei einer, der in der Überwindung der Romantik, seiner Liebe Wagners, sein Leben verzehrt habe, „auf den Lippen das *neue* Wort der Liebe, das er noch nicht zu sprechen wusste" (5.1, 990). Der Name Nietzsche erscheint nicht, aber fast die gleichen Worte braucht Thomas Mann in seiner Nietzsche-Rede von 1924. Dort steht statt „Liebe": „Lebensfreundschaft und Zukunft" (15.1, 791).[14] Die Liebe, von der Nietzsche noch nicht sprechen konnte,[15] die aber

---

[14] Siehe dazu: Hermann Kurzke: Selbstüberwindung: Thomas Manns Rede zu Nietzsches 80. Geburtstag und ihre Vorgeschichte, in: Bejahende Erkenntnis: Festschrift für T. J. Reed, hrsg. v. Kevin F. Hilliard u. a., Tübingen: Niemeyer, 2004, S. 163–174.

[15] Tatsächlich gibt es viele Stellen in Nietzsches Werk, an denen er Liebe positiv bewertet. Thomas Mann denkt an soziale Liebe, gegen die Nietzsche immer wieder seinen anti-christlichen Impetus wendet: Mitleid, Gutmütigkeit, Nächstenliebe gehört für ihn zur Sklavenmoral.

zur Initiation alles Neuen und Besseren gehört, zur Lebensfreundschaft, nahm Thomas Mann in seine Vorstellung der gesellschaftlichen Erneuerung auf. Konkret erstrebte er das Bündnis des Bildungsbürgertums mit der sozialdemokratischen Partei. Die bürgerlich-ethische Stimme überlagert jetzt die dionysische, die jedoch nicht verschwindet. Aber seine Werbung lief ins Leere; der Beamten-Kern der deutschen Bildungsbürger trauerte seiner alten Vornehmheit nach, die von der monarchischen Hoheit legitimiert wurde. Diese Nostalgie erwies sich als wesentlich stärker als das humanistische Selbst-Schöpfungs-Motiv der deutschen Bildung.[16] Thomas Mann gab Nietzsches elitäre Menschheits-Mission nicht auf, suchte sie vielmehr mit sozialistischem Inhalt zu füllen. In seiner Rede vor Wiener Arbeitern 1932 bestand er darauf, Zarathustras Aufforderung: „bleibt der Erde treu" (KSA IV, 15) sei Sozialismus (XI, 899).[17] Für diesen Sozialismus in Nietzsches Geist einer neuen Moral warb er vor und nach 1933 in öffentlichen Reden und Zeitungsartikeln.

Die soziale Liebe, von der Nietzsche „noch" nicht sprechen konnte, ein humaner Sozialismus, ist in Wahrheit unvereinbar mit Nietzsches Utopie einer aristokratischen Herrschaft über eine Sklavengesellschaft. Soziale Liebe passt auch nicht in die Rolle des Außenseiter-Künstlers, der seine freie Unabhängigkeit über der Gesellschaft wahrt.

*

Thomas Mann hatte seinen bildungsbürgerlichen Lesern Aufgeschlossenheit für eine zukünftige Kultur mit sozialer Gerechtigkeit zugetraut. In fiktiven Werken wie dem Josephsroman und in Essays wie seinen Goethereden von 1932 wollte er diese Kultur vorbereiten helfen als eine revidierte Erfüllung von Nietzsches Menschheits-Mission einer kreativen Elite. Die nationalsozialistische Schein-Revolution sah Thomas Mann als die schlechte, falsche Erfüllung dieser Mission. *Doktor Faustus* verbindet den Ausdruck der Enttäuschung über die fehlgehende Zukunft mit einer Selbstkritik des Künstler-Ideals der ästhetischen Größe. In den letzten Worten des Romans ruft sein Erzähler Zeitblom die Gnade Gottes an, für seinen Freund und für sein Vaterland, gesprochen zum Zeitpunkt von dessen Niederlage 1945. Eine Hoffnung,

---

[16] Dass die Nationalsozialisten das Machtpotential dieser Nostalgie erkannten, beweist der Titel eines Gesetzes von 1933, das den deutschen Beamtenapparat ihrer Herrschaft unterwerfen sollte: „Gesetz zur Wiederherstellung des Berufsbeamtentums".

[17] Der Text der Wiener Rede im Band XI der Ausgabe von 1960/74 ist der authentische, er beruht auf einem Manuskript. Der Text in Essays III, dagegen, basiert auf der Mitschrift eines Journalisten. Er ist dort gedruckt, weil der originale Text 1933 nicht zur Wirkung kam.

die von der Gnade Gottes abhängt, fällt hinter die kreative „Menschheits-Mission" zurück; die menschliche Selbst-Schöpfung hat keine Größe hervorgebracht.

Zeitblom bewundert die überlegene Größe seines Freundes mit Liebe, die jedoch nicht erwidert wird, denn wie Wagners Alberich hat Leverkühn auf Liebe verzichtet, nicht für Gold und Macht, sondern für ein höheres, vornehmeres bürgerliches Ansehen: künstlerische Größe. Verschiedene Liebesgeschichten im Roman enden katastrophal; Leverkühn muss seine Liebe, Schwerdtfeger, auf intrigante Weise in den Tod schicken. Wie schon in *Buddenbrooks* passt Liebe nicht in die bürgerliche Ordnung, ist nicht mehr gemeinschaftsbildend, aber im *Doktor Faustus* gibt es keine Erinnerungen an eine wahre Liebe wie die Tony Buddenbrooks, wenn sie immer wieder ihren geliebten Morten zitiert. Das Liebesmotiv im *Doktor Faustus* ist aussichtslos: Adrian liefert Schwerdtfeger der eifersüchtigen Gewalt aus. Zeitblom hat eine Hausfrau geheiratet, mit der er Söhne hat, die der nationalsozialistischen Ideologie verfallen.

Bildungsbürger Zeitbloms Liebe zu Adrian, der schöpferischen Größe, hat den falschen Gegenstand. Der intelligente Leser muss gleich auf den ersten Seiten des Romans beunruhigend entdecken, dass aus Zeitblom eine Stimme aus der Vergangenheit spricht, der nicht zu trauen ist. Zeitbloms humane Bildung passt nicht mehr in die Welt des Lesers. Der Autor distanziert sich von seinem bildungsbürgerlichen Erzähler, wenn er Zeitblom vom Ende des Zweiten Weltkrieges mit der Stimme eines inneren Emigranten erzählen lässt. Der Text macht darauf aufmerksam, dass etwas fehlt, wenn Zeitblom von der Biographie seines Freundes in die Darstellung des Kriegsgeschehens abschweift und das naiv begründet, er sei sie „dem Leser wieder einmal schuldig" gewesen (VI, 449). Der Leser soll den fehlenden Zusammenhang herstellen, nämlich die Diskrepanz erkennen zwischen Zeitbloms Schicht der Bildungsbürger, ihrem „Deutschtum", das, wie Thomas Mann seinen Erzähler spüren lässt, der Welt unerträglich geworden ist (VI, 449). Der Autor lässt durchblicken, dass ein unzuverlässiger Erzähler spricht, aber er distanziert sich nicht völlig. Es gibt auch Stellen, an denen Zeitblom Ansichten Thomas Manns vertritt, darunter den deutschen Patriotismus von 1914, gelegentlich auch solche aus des Autors Gegenwart, zum Beispiel seine Betrachtungen über Bolschewismus und Demokratie (VI, 450–452).

Leverkühns Kreativität, unzweifelhaft in Zeitbloms Augen, schreibt der Romantext der Hilfe des Teufels zu, in naturalistischer Perspektive der syphilitischen Infektion. Leverkühns Musik ist die Stimme eines überbürgerlichen, anti-konventionellen Außenseiters, dessen avantgardistischer Ehrgeiz auf das Übertreffen aller anderen Komponisten gerichtet ist und zwar im „deutschen" Medium der Musik,[18] der nicht auf Worte festlegbaren Übermoral. Wie die Wirtschaft und der Machtstreit der Nationen unterliegt das Genie in der bürgerlichen Gesellschaft dem Gesetz des Konkurrenzkampfes, der in der Moderne zu schwer, das heißt unbeherrschbar geworden ist. Leverkühns Teufel verspricht Abhilfe: „die Epoche der Kultur und ihres Kultus wirst du durchbrechen, und dich der Barbarei erdreisten" (VI, 324). „Durchbruch" ist ein Motivwort in *Doktor Faustus*, das sich zugleich auf Deutschlands Kriege mit dem Ziel der „dominierenden Weltmacht" (VI, 401, 408, 410) und auf Leverkühns Ehrgeiz nach einer neuen, die Kultur dominierenden Kunst bezieht (VI, 428, 643). In der Ansprache an seine Bildungsbürger-Freunde bekennt Leverkühn seinen Durchbruch in die moderne Musik mit Hilfe des Teufels als Übernahme der „Schuld der Zeit", eine Schuld, die ihn verdammt (VI, 662).[19]

Elitäre provokative Kunst, nicht nur deutsche Musik, will nicht mehr mit ihrem Publikum auf gleicher Welt-Ebene kommunizieren, sondern die Fragmentierung der modernen Welt wiedergeben, mit der Folge, dass sie sich dem unmittelbaren Verständnis des Publikums entzieht. In Leverkühns moderner Musik überschlägt sich der Geniekult in eine absolute, menschenfeindliche Kunst. Seine atonalen und Zwölf-Ton-Kompositionen speisen sich aus der irrationalen Romantik[20] und wenden sich an eine Elite kreativ-intellektueller Menschen. Auf der Ebene der elitären höheren Menschen gerät der künstlerische Konkurrenzkampf ins Über- und Unmenschliche und verzichtet auf die Liebe unter Gleichen.

Der *Doktor Faustus* legt dem Leser einen emotionalen Widerspruch auf. Folgt er Zeitbloms Bewunderung der Größe seines Freundes, dann wendet er den Maßstab einer Kultur an, die aufs streitbare Übertreffen des anderen Künstlers aus ist. Das ist die „Schuld der Zeit", die Leverkühn sich auferlegt (VI, 662). In einer Zeit, in der keine religiös begründete Moral gilt, scheint der Kampf ums Dasein in der Natur die Konkurrenz in der Wirtschaft und die unter den Nationen zu legitimieren und damit auch den faschistischen Herr-

---

[18] Vielen von Leverkühns Werken sind Texte unterlegt. Jedoch bestimmt die Musik deren Bedeutung, nach dem Vorbild des Musikdramas Wagners, auch wenn der Stil der Musik entschieden nach-wagnerisch ist. Vgl. Vaget: Seelenzauber, S. 102 f.

[19] Vgl. Hans Rudolf Vagets Interpretation des Durchbruch-Motivs als „Gedanke der Suprematie" in: Philosophisch alarmierende Musik. Noch einmal: Thomas Mann und Adorno, in: Vaget: Seelenzauber, S. 379–413.

[20] Die 13 Brentano-Gesänge beschreibt Zeitblom als „schmerzlich erinnerungsvolle Ironisierung der Tonalität, des temperierten Systems, der traditionellen Musik selber": VI, S. 243. Im Kontext spricht Leverkühn mit der Stimme Adornos: VI, S. 241 f. Die Komposition ist angeregt von einer Gedichtsammlung von Brentano, die Zeitblom Leverkühn aus Naumburg mitbringt, der Stadt, in der Nietzsche als braver Knabe aufwuchs und wo Zeitblom Nietzsches Militärdienst abgeleistet hat: VI, S. 246.

schaftswillen. Distanziert der Leser sich von diesem Komplex, dann muss er sich auch von Zeitblom und dessen Humanität, dessen Liebe zu Kunst und Wissenschaften, von seiner Bildung distanzieren. Die „Liebe zu den ‚besten Künsten und Wissenschaften'" nennt Zeitblom selbst veraltet: „einstmals" sagte man so (VI, 15). Als perfekter Bildungsbürger gehört Zeitblom der Vergangenheit an, jedoch gilt das nicht eindeutig für seinen Gegenstand, Leverkühn. Sein Autor lässt ihn gelegentlich von einer ganz anderen, künftigen Kunst sprechen, einer heiter-bescheidenen, sozialen Kunst, „mit der Menschheit auf du und du" (VI, 429). Zeitblom widerspricht: das wäre nicht mehr seine Kunst bildungsbürgerlichen Ehrgeizes, die Adrian ausübt trotz seiner Einsichten.

Leverkühns Affinität zu einem amoralischen, narzisstischen Erfolgs- und Herrschafts-Streben und dessen Verurteilung ist ein Grundmotiv des Romans. Das hinderte seinen Autor nicht, zu sagen und zu schreiben, dass er seine Figur geliebt habe (XI, 203). Dem entspricht Thomas Manns eigene festgehaltene Sympathie für Nietzsche in seinem Vortrag *Nietzsches Philosophie im Lichte unserer Erfahrung* von 1947. Mit dem *Doktor Faustus* bekannte Thomas Mann sich zur Solidarität mit der deutschen Kultur, ihrem Sonderweg, der zum falschen Durchbruch zur Größe führte, ihrem Mangel an Weltläufigkeit.[21] Zugleich kritisierte er die Richtung der modernen Kunst auf lieblose Wiedergabe der fragmentierten modernen Welt in Leverkühns Musik. Zeitblom flüchtet seinen aussichtslosen Humanismus in die Innere Emigration. Leverkühn, der seine Mitmenschen nicht lieben darf, drückt die Apokalypse, das Ende seiner Welt aus und akzeptiert seine Verdammnis als Preis des Durchbruchs in modernistische Vortrefflichkeit, „statt", wie es seine Rede vor dem Zusammenbruch ausdrückt, „klug zu sorgen, was vonnöten auf Erden, damit es dort besser werde und besonnen dazu zu tun, dass unter Menschen solche Ordnung sich herstelle, die dem schönen Werk wieder Lebensgrund und redlich Hineinpassen bereiten" (VI, 662). Dieser implizite Wunschgedanke des Autors nach einer neuen Gemeinschaft von Künstler und Publikum, zusam-

---

[21] Leverkühns Weigerung, sich mit seiner Musik der außerdeutschen Welt zu öffnen, wird im Kapitel XXXVII, dem Besuch Saul Fitelbergs in Pfeiffering, dargestellt. Fitelberg ist einer der fragwürdigen Juden des Romans, die Thomas Manns eigene Überzeugung von jüdischer Alterität widerspiegeln. Der Schluss von Fitelbergs Rede weist auf den deutschen Sonderweg hin mit den Wörtern „Nationalismus, Hochmut, Unvergleichlichkeitspuschel, Hass auf Einreihung und Gleichstellung, Weigerung, sich bei der Welt einführen zu lassen und sich gesellschaftlich anzuschließen" (VI, 542). Hervorzuheben ist das Wort „Unvergleichlichkeitspuschel", das Leverkühns elitären Außenseiter-Stolz, das Erbe Nietzsches, trifft. Leverkühn reagiert auf den Ersten Weltkrieg und die deutsche Niederlage mit einer apokalyptischen Komposition, einer Dichtung der Weltkatastrophe, während Zeitblom das deutsche Gefühl der „auflösenden Niederlage" als einer „Mutation des Lebens" mit der Abwesenheit ähnlicher Gefühle bei den „Siegervölkern" vergleicht (VI, 469).

men mit dem Verlangen Leverkühns nach der Gnade Gottes, streitet mit dem Thema der Verdammnis in Leverkühns letztem Werk. „Fausti Höllenfahrt" ist die „Umkehrung" der christlichen Tradition, die Umwertung aller Werte. Der Bildungsbürger Zeitblom findet darin ein tröstliches „religiöse[s] Paradoxon" (VI, 651). Das ist jedoch nur seine Perspektive. Die Botschaft des Romans bleibt ambivalent.

*

Wenn man Thomas Manns Begriffe von Demokratie auf ihre Schwachstellen abklopft, dann kommt Nietzsches aristokratische Utopie zum Vorschein. Die *Deutsche Ansprache* von 1930, so tapfer anti-nationalsozialistisch sie war, enthielt den Ausdruck eines „Zweifels", „ob die [...] parlamentarische Verfassung" Deutschlands „politische Sittlichkeit nicht in gewissem Grade und Sinne entstellt". Beim parlamentarischen System solle man bleiben, solange es dem Deutschtum nicht gelinge, „aus seiner eigenen Natur in politicis etwas Neues und Originales zu erfinden" (Ess III, 265). Der Gedanke stammt aus einer Nachlassnotiz Nietzsches, die Thomas Mann schon in den *Betrachtungen eines Unpolitischen* (XII, 273 f.) zitiert hatte. Nietzsche hatte sich gewünscht, die Deutschen mögen etwas erfinden, was den „Aberglaube[n] an Majoritäten" ersetzen könne (KSA XI, 457).

Thomas Manns Eintreten für die Republik war ein historisches Verdienst. Aber sein Republikanismus hielt an dem Glauben fest, dass ein elitäres, kreatives deutsches Bildungsbürgertum zur Führung der Nation berufen war. Dieser Glaube ist zeitgebunden. Demokratie war für ihn kein Instrument zum friedlichen Austrag von kontroversen politischen Interessen, keine Gleichstellung von unten, sondern Güte und Liebe von „oben". Das ist ein Gedanke der *Betrachtungen* (XII, 485), der 1944 in *Schicksal und Aufgabe* wiederkehrt (Ess V, 232 f.). In diesem Sinn verehrte Thomas Mann Franklin Roosevelt als besseren Führer. Das in Literatur umgesetzte Modell der guten Führung „von oben" ist der Joseph des letzten Bandes von *Joseph und seine Brüder, Joseph der Ernährer*. Jedoch litt der Autor des *Doktor Faustus* unter dem Bewusstsein, dass das deutsche Bildungsbürgertum seine Berufung verfehlt habe. Diese Berufung war lediglich Nietzsches Utopie; war doch der Nationalsozialismus eine praktisch verwirklichte aber gräuliche Führungs-Aristokratie, die ihre Welt aus irrationalen, amoralischen Tiefen erneuern wollte und sich von dort ihre Verbrechen legitimierte.

Während Thomas Mann sich an der Ausbildung einer großen Epoche der deutschen Literatur beteiligte, verstand er Nietzsches aristokratische Utopie des selbstschöpferischen Menschen als Zukunfts-Horizont des Bildungsbürgertums, auch noch, nachdem er dieser Zukunft eine moralische Wendung in der Form eines kulturbewussten Sozialismus gegeben hatte. Die idealistische Erwartung war nicht zu erfüllen. Thomas Manns Anhänglichkeit an Nietzsches Utopie der elitären Herrschaft des Kreativen ist zugleich der Grund für sein Demokratie-Defizit. Nietzsches über-moralische Vision bestärkte jedoch seinen Sinn für Unabhängigkeit, und seinen Widerstand gegen mörderische Ideologien. Der Widerspruch von Moral und Übermoral ist in Thomas Manns Werk und sein Denken eingelassen. Er ist zugleich zeitgebunden und überzeitlich. Ein Schriftsteller regt zum freien, alternativen Denken an. Mehr sollten weder wir von ihm noch er von seinen Lesern verlangen.[22]

---

[22] Ich danke Werner Frizen, Ingeborg Lehnert, Douglas Milburn, Hannelore Mundt, Hans Vaget für das kritische Lesen früherer Entwürfe.

*Anja Schonlau*

## Altersliebe im Alterswerk

Thomas Manns Novelle *Die Betrogene* aus der Perspektive
des „Michelangelo-Essays"

Das Thema der Altersliebe hat Thomas Mann sehr bewegt und dies nicht
erst, seit er mit fünfzig Jahren selbst in der Begegnung mit Klaus Heuser die
Erfahrung einer großen Liebe ein letztes Mal zu machen glaubte.[1] Ein Autor,
der wie Mann die Liebe früh literarisch als „Heimsuchung" begreift und sie
persönlich angesichts seiner Bisexualität und seiner Wurzeln wie seiner Ziele
in einem bürgerlichen Umfeld wohl so begreifen muss, dem erschließt sich die
mögliche Tiefe des Motivs in besonderer Weise: „Altersliebe" gilt als natur-
und als gesellschafts-nonkonforme Liebe, als eine vermeintlich unzeitgemäße
Erfahrung, deren berauschende Intensität in Widerspruch zur absehbaren
Lebensneige zu stehen scheint. Als literarischer Topos setzt sie seit der Antike
den betroffenen *senex amans* oder die *vetula* in ein zweifelhaftes Licht.[2]

Thomas Manns nachweisbare Auseinandersetzung mit diesem Gegenstand
beginnt mit Goethe und dessen später, unerfüllter Liebe zu Ulrike zu Levet-
zow, die ihren literarischen Niederschlag in der *Marienbader Elegie* gefunden hat. Altersliebe interessiert Mann literarisch also zunächst als Ereignis in
der Biographie eines großen Künstlers und in Zusammenhang mit dadurch
inspirierter Kunst. Eine erste Notiz dazu wird auf den Zeitraum zwischen
September 1912 und Juli 1913 datiert, auch wenn Mann sich mit dieser Goetheschen Altersliebe schon früher beschäftigt haben mag.[3] Unter der Überschrift *Novellen, die zu machen* hat Thomas Mann im 9. Notizbuch „Goethe

---

[1] Mann lernte Heuser im Sommer 1927 auf Sylt kennen und schrieb 1933 dazu im Tagebuch:
„Nach menschlichem Ermessen war das meine letzte Leidenschaft, – und es war die glück-
lichste." Tb, 22.9.1933. Seit Veröffentlichung der Tagebücher ist bekannt, dass Thomas Mann
tatsächlich erst fünfundzwanzig Jahre später mit 75 Jahren ein letztes Mal liebte, als er 1950 den
Kellner Franz Westermeier in Zürich kennen lernte. Vgl. Marcel Reich-Ranicki: Thomas Mann
als literarischer Kritiker, in: TM Hb, 707–720, 716 f.

[2] Vgl. zum *senex amans* das Lemma „Alte, Der verliebte" bei Elisabeth Frenzel: Motive der
Weltliteratur. Ein Lexikon dichtungsgeschichtlicher Längsschnitte, Stuttgart: Alfred Kröner
1992 (Kröners Taschenausgabe 301), S. 1–11. Zur *vetula* vgl. Winfried Menninghaus: Ekel. Theorie und Geschichte einer starken Empfindung, Frankfurt/Main: Suhrkamp 1999, S. 132–143.

[3] Vgl. zu einer früheren Datierung Hans Rudolf Vaget: Der Tod in Venedig, in: TM Hb,
S. 580–591, 585 f.

in Marienbad" aufgeführt und später hinzugefügt: „Das wurde der Tod in Venedig".[4] Bei der geplanten selbstständigen Novelle sollte es sich um eine Groteske über die Entwürdigung des großen Greises handeln.[5] Thomas Mann begreift Altersliebe also zunächst als Entwürdigung des großen Künstlers, wobei seine literarische Sympathie bekanntlich in der Regel den „Entwürdigten" gilt, jedenfalls soweit es sich um künstlerisch ambitionierte Figuren handelt.

Das Thema Altersliebe zieht sich in Modifikationen durch das Gesamtwerk, ohne sich ganz zu entfalten. Bei Gustav von Aschenbachs sanfter Liebe zum polnischen Tadzio im *Tod in Venedig* (1913) wiegt die Homosexualität schwerer als der Altersunterschied. Mut-em-enets unzeitgemäßes Begehren des schönen Joseph schildert Thomas Mann in *Joseph in Ägypten* (1936) als vor allem formales, nicht als physisch-psychisches Problem. Und die taktlosen Anspielungen der gealterten Lotte in *Lotte in Weimar* (1939) auf Goethes ehemalige Leidenschaft thematisieren die Überalterung der Jugendliebe, aber eben keine Altersliebe.[6]

Erst in einem der letzten Texte Thomas Manns steht die unzeitgemäße Liebe im Zentrum des literarischen Geschehens. Thomas Mann ist nicht der erste Autor, der in einer Anwandlung von „Greisen-Avantgardismus" – ein Lob, mit dem er selbst mehrfach Heinrich Manns Altersroman *Der Atem* bedacht hat – ausgerechnet „Altersliebe" zum Gegenstand seines Alterswerks macht.[7] Selten hat aber wohl ein Autor einen so radikalen Schritt in der Behandlung eines traditionsreichen Motivs innerhalb seines Alterswerks so schlüssig in Auseinandersetzung mit seinem Werk und der Tradition vollzogen, wie die Untersuchung im Folgenden zeigen will. Ihr Ziel ist Thomas Manns späte Novelle *Die Betrogene* von 1953; der Weg dorthin führt über Manns zeitnahen Essay *Michelangelos Dichtungen* (1950). Durch die Analyse des Essays soll zunächst Thomas Manns Verständnis von Altersliebe ermittelt werden: Hier denkt ein Autor, ergriffen von eigener Altersliebe, in seinem Alterswerk über die Altersliebe und Alterslyrik eines anderen großen Künst-

---

[4] Notb IX, S. 67.

[5] Br I, S. 123; vgl. Vaget (Anm. 3), TM Hb, S. 583.

[6] In Thomas Manns an Liebesvariationen reichem letzten Roman *Bekenntnisse des Hochstaplers Felix Krull* (1955) liebt der stolze Lord Kilmarnock den jungen Felix, allerdings ist hier auch wieder die „Knabenliebe" von größerer Bedeutung als der Altersunterschied.

[7] X, S. 522; BrHM, S. 326. Vgl. dazu Andrea Bartl: Heinrich Manns letzter Roman „Der Atem" zwischen ‚Greisenavantgardismus' und innovativem Stilexperiment, in: Heinrich Mann-Jahrbuch, Bd. 17, Lübeck: Schmidt-Römhild 1999, S. 81–102, 81 f. So formuliert auch Vaget mit Bezug auf die Thematisierung von Gebärmutterkrebs: „[M]an ist versucht zu sagen: in einem Akt von Greisenavantgardismus." Hans Rudolf Vaget: Die Betrogene, in: TM Hb, 610–617, 610.

lers nach (I.). Anschließend wird dann mit der *Betrogenen* eine Darstellung der Altersliebe vorgestellt, die mit der Perspektive des Essays bricht und doch wieder modifiziert daran anknüpft. Außerdem ist das Verhältnis der Novelle zur literarischen Tradition der Altersliebe im 20. Jahrhundert zu berücksichtigen (II.). Abschließend soll Thomas Manns Schritt vom „Michelangelo-Essay" zur Novelle analysiert werden (III.).

## I. Michelangelos Altersgedichte

Im Juli 1950 begegnet Thomas Mann im Züricher Grandhotel Dolder dem Kellner Franz Westermeier und damit, gerade 75 Jahre alt geworden, seiner letzten großen Liebe. Nur wenige Tage später erhält er eine deutsche Übersetzung der Gedichte Michelangelo Buonarrotis durch den Schriftsteller und Übersetzer Hans Mühlestein. Der Band enthält 76 Gedichte im italienischen Original und Mühlesteins deutscher Übersetzung.[8] Damit umfasst er etwa die Hälfte des überlieferten Textbestands von Michelangelos Lyrik. Ergriffen von der „verzweifelten Gefühlsmacht"[9] der Gedichte verfasst Mann nach der Lektüre den Essay *Michelangelo in seinen Dichtungen*, den er auch als *Die Erotik Michelangelos* bezeichnet.[10] Mann nennt den Essay im Tagebuch seinen „Liebes-Aufsatz";[11] der 75jährige reflektiert also sehr genau, dass hier die eigene, schmerzhaft aktuelle Liebeserfahrung in seine Arbeit eingeht.

In der Kulturgeschichte des Alterswerks sind Michelangelos Gedichte eine Besonderheit, weil es sich nach jetzigem Forschungsstand um die ersten literarischen Texte handelt, in denen ein Künstler(-Ich) das altersbedingte Nachlassen seiner Fertigkeiten beklagt.[12] Die innovative Alterspathologie des Bildhauers und Malers hat Thomas Mann an diesen Gedichten allerdings nicht interessiert. Er sieht in der „Ausdauer der Liebeskraft und Fähigkeit zu ihrer seligen Tortur" die Grundlage der großen Bildkraft des Künstlers, „wie man sie auch bei einigen anderen sensiblen und ausharrenden Kraftnaturen, bei Goethe und

---

[8] Michelangelo Buonarroti [Übs. Hans Mühlestein]: Ausgewählte Dichtungen des Michelangelo Buonarroti. Italienische Originale samt deutschen Umdichtungen von Hans Mühlestein, Velerina: Quos Ego Verlag o.J. [1950]. Im Weiteren zitiert als Michelangelo/Mühlestein.

[9] Thomas Mann: Michelangelo in seinen Dichtungen, in: Ess VI, S. 191–201, 191.

[10] ebd., S. 502.

[11] Tb, 31.7.1950; Ess VI, S. 502.

[12] Vgl. Hans Joachim Raupp: Der alte Künstler und das Alterswerk, in: Ursel Berger/Jutta Desel: Bilder vom alten Menschen in der niederländischen und deutschen Kunst 1550–1750, Ausstellung im Herzog Anton-Ulrich-Museum Braunschweig 1993–1994, Braunschweig o. V. 1993, S. 87–97, 95.

Tolstoi findet."[13] Ähnlich argumentiert Thomas Mann bekanntlich zu „Kunst und Krankheit": So wie es nicht gleichgültig ist, wer krank ist – es muss schon ein Nietzsche sein, den die Syphilis dionysisch inspirieren kann –, so ist auch hier nicht gleichgültig, wer liebt. Nur den Ausnahmekünstler beflügelt diese Liebe bis ins hohe Alter, die gleichzeitig leiden macht: „Er steht immer in Liebe, ist immer verliebt, und tief rührend ist sie, diese rettungslose Verfallenheit des Gewaltigen, weit über die schickliche Altersgrenze hinaus."[14] Weit über die schickliche Altersgrenze hinaus? – Es gibt für Thomas Mann also eine Altersgrenze, nach der sich die Liebe nicht mehr schickt. Für sich selbst hat er sie während des erwähnten Klaus Heuser-Erlebnisses bei 50 Jahren angesetzt.[15] In diesem Zusammenhang und ohne dass Thomas Mann es ausspricht, wird das Überschreiten der Altersgrenze der Liebe zum Beweis des künstlerisch potenten Genies, d.h., hier liegt ein romantisiertes Verständnis der künstlerischen Altersliebe vor. Altersliebe hat hier die gleiche inspirierende Funktion, die Krankheit – in Zusammenhang mit Liebe – im Mannschen Verständnis für den Künstler zukommt; sie ist eine Verdichtung dieses Motivs. Gleichzeitig deutet sich das spezifisch Thomas Mannsche Interesse an der „Entwürdigung" an: Wie bereits 1912 bzw. 1913 zu Goethe fokussiert der Thomas Mannsche Begriff der Altersliebe die Gefährdung der Würde des großen Künstlers. Hier ist die eingangs vermutete positive Umdeutung ausgesprochen: Thomas Mann versteht die Altersliebe des großen Künstlers gerade darum als „tief rührend".

Dabei handelt es sich nicht um die Position des historischen Michelangelo Buonarroti. Michelangelos Verständnis der Altersliebe ist positiv, wobei der Künstler auch die traditionelle Kritik daran lyrisch thematisiert. In dem Sonett *Ein Sklave* von 1547 wird der verliebte Alte im Abgesang verteidigt:

> Es spottet seiner, wer da findet,
> Im Alter Göttliches zu lieben, sei
> Selbstbetrug und Schande; und er lügt dabei.[16]

Allerdings darf es sich nicht um maßlose, lapidare Schwärmerei handeln. Das Sonett endet:

> Die Seele, frei von Schwärmerei,
> Ist, wenn Natürliches sie liebt, auch frei von Sünde;
> Denn sie weiss dafür Grenze, Mass und Gründe.[17]

---

[13]  Ess VI, S. 193.
[14]  ebd.
[15]  Siehe Anm. 1.
[16]  Aus: *Quand' il servo il signior d'aspra catena/Ein Sklave, den sein Herr in Ketten hät'* (Michelangelo/Mühlestein, Nr. 70, S. 158f., 159).
[17]  ebd.

Das Sonett wechselt hier die Perspektive vom alten Mann auf die altersunab-
hängige – und auch geschlechtslose – Seele. Wenn die Seele etwas „Natürliches"
liebt, so kann das keine Sünde sein. Das Themenfeld „Natur und Schuld", das
im Umfeld der Novelle *Die Betrogene* noch eine Rolle spielen wird, ist auch in
diesem Gedicht von 1547 angelegt, denn es gehört zur Problemtradition der
Altersliebe. Es fällt auf, dass die Frage der Schuld Thomas Mann nicht weiter interessiert hat. Wer allerdings wie in diesem Gedicht „Grenze, Mass und
Gründe" für eine Liebe hat, dem droht die Gefahr der Entwürdigung auch
weit weniger, als Thomas Mann hier so liebevoll mitzufühlen bereit ist. Im
Gegensatz zu Thomas Manns einseitiger Deutung sind Michelangelos leidenschaftliche Sonette durchaus ambivalent. Einige Texte zeugen aber deutlich
von der zumindest fiktiven „rettungslosen" Hingabe, von der Thomas Mann
sich so angesprochen fühlt.[18]

Eine zentrale These dieses Essays ergibt sich nachweislich nicht zwingend
aus der Lektüre des Gedichtbandes, ermöglicht aber einen besonderen Einblick in die spezifisch Mannsche Position zur Altersliebe. So kommt Mann zu
dem Ergebnis: „Michelangelos ganze Erotik scheint prinzipiell auf die Polarität von Schönheit und häßlichem Alter gegründet."[19] Das deutlichste Beispiel
für diese These wird von Thomas Mann indirekt zitiert.[20] Die Verse beschreiben die nackte Geliebte vor dem Spiegel:

> Und wendet sie sich so mir zu, o Gott!
> Treibt sie im Spiegel Spott
> Mit meines Alters Hässlichkeit! Denn diese
> Treibt ihre Schönheit höher noch! ... Nein, ich verpöne
> Mich nicht, da ich selbst so die Weibnatur verschöne![21]

Dies scheint ein eindeutiger Beweis für Manns These zu sein. Allerdings lassen sich auch im wohlwollendsten Fall lediglich drei weitere der 76 Gedichte
diesem Motiv zuordnen.[22] Ein weiteres Sonett spricht zwar vom „Unwert"

---

[18] So beispielsweise *Perchè pur d'ora in ora mi lusinga/Weil's mich stundstündlich lockt und
süss verführt* (ebd., Nr. 13, S. 36f.); auch *Ogni cosa, ch' i' veggio, mi consiglia/Was ich auch seh'
es rät mir jedes Ding* (ebd., Nr. 14, S. 38f.).

[19] Ess VI, S. 196.

[20] ebd.

[21] *Costei pur si delibra/Dies ungezähmte wilde Wesen* (Michelangelo/Mühlestein, Nr. 40,
S. 93f., 94).

[22] Es handelt sich um die Texte *Come non puoi non esser cosa bella/Da du nicht anders sein
kannst als schön und rein* (ebd., Nr. 45, S. 106f.); *Com' esser, Donna, può quel ch' alcun vede/
Wie ist's nur möglich, Herrin, dass – was jeder kennt –* (ebd., Nr. 53, S. 122f.); *Per non s'avere a
ripigliar da tanti/Um nicht die Ganzheit alles Schönen, die verging* (ebd., Nr. 62.II., S. 142f.).

des Liebenden für den Geliebten,[23] begründet dies aber nicht durch Aussehen, geschweige denn durch „Hässlichkeit" oder „Alter". Das ist umso bemerkenswerter, als Michelangelo sich zeitlebens wegen seiner im Streit gebrochenen Nase für hässlich hielt.[24] Und wenn den Texten ein so ungebrochen biographischer Hintergrund zugesprochen würde, wie es Thomas Mann offensichtlich tut, wäre es eigentlich zu erwarten, dass Hässlichkeit eine deutlichere Rolle spielt, vom Alter einmal ganz abgesehen. Dass also, wie Thomas Mann behauptet, „Michelangelos *ganze* Erotik [...] *prinzipiell"* auf der „Polarität von Schönheit und häßlichem Alter gegründet" sei, lässt sich durch die Texte dieses Gedichtbandes definitiv nicht belegen.[25]

Hier handelt es sich offensichtlich um eine Thomas Mannsche Interpretation. Was erreicht er damit? Mann geht zum einen von einem ambivalenten Gefälle eines „Werts" des ungleichen Paares aus. Der Künstler steht innerlich weit über dem oder der Geliebten. Was das äußere Gefälle betrifft, das durch die Augen wahrgenommen wird, so steht der/die Geliebte in dieser Konstruktion wiederum weit über dem Künstler. Seine Schönheit erhebt sie oder ihn in den Rang eines Kunstwerks, eine Rolle, die ihn/sie zugleich wieder zum Objekt macht. Schönheit beruht dabei ganz auf sinnlicher Anschauung, nicht auf Moral, nicht auf Intelligenz. Thomas Mann hat in diesem Zusammenhang bekanntlich wiederholt Hölderlin zitiert: „Und es neigen die Weisen/Oft am Ende zu Schönem sich".[26] Bei Michelangelos vermeintlicher erotischer Polarität von „Schönheit und hässlichem Alter" handelt sich um eine Zuspitzung dieses Gedankens, der tiefe (alte) Mensch – der Künstler – liebe das sinnlich Schöne, dessen potentielle Oberflächlichkeit keine Bedeutung hat. Ist der ältere Liebende noch dazu hässlich, ist das Spannungsverhältnis zwischen dem ungleichen Paar natürlich noch stärker, das ambivalente Gefälle von innerer und äußerer Wertigkeit noch größer. Thomas Manns Interpretation verstärkt hier also das extreme Moment der Altersliebe gemäß dem eigenen Liebesbegriff. Michelangelos lyrischer Liebesbegriff ist, wie Thomas Mann schreibt, ganz platonisch – in der irdischen Schönheit liebt er den Abglanz

---

[23] *Se nel volto per gli occhi il cor si vede/Dass du in meinem Aug' mein Herz erblickst* (ebd., Nr. 30, S. 72 f.).

[24] Michelangelos Mitschüler Torrigani bricht Michelangelo während seines Aufenthalts 1490–1492 im Stadtpalast Lorenzo di Medicis das Nasenbein. Vgl. Michelangelo: Sämtliche Gedichte. Italienisch und deutsch, übertragen und hrsg. v. Michael Engelhard, Frankfurt/Main, Leipzig: Insel Verlag 1992, S. 419.

[25] Ess VI, S. 196 [Hervorhebung A.S.].

[26] Vgl. u.a. Thomas Manns Essay *Goethe und Tolstoi* (1925): „Die sentimentalische Ironie in den Versen Hölderlins ‚Wer das Tiefste gedacht, liebt das Lebendigste, / Hohe Tugend versteht, wer in die Welt geblickt, / Und es neigen die Weisen / Oft am Ende zu Schönem sich'." 15.1, S. 809–936, 855.

des Göttlichen.[27] Michelangelos Verständnis von *Alterskunst* ist es dabei keineswegs platonisch: Das ist umso bemerkenswerter, als zeitgenössisch eine neuplatonische Auffassung virulent ist, nach welcher gerade der alte Künstler zu Höchstleistungen fähig sei, weil er der Sinnlichkeit nicht mehr unterliege. Ein Beispiel dafür wäre die Rede des Pietro Bembo in Baldassare Castigliones *Buch vom Hofmann*, das zwischen 1508 und 1516 entstanden und 1528 erschienen ist.[28] Den Michelangelo der vorliegenden Gedichte dagegen inspiriert der visuelle und sexuelle Genuss des Schönen zeitlebens zur Kunst. Wenn Thomas Mann Michelangelos Auffassung von der platonischen Liebe auch nicht teilt, so schätzt er die erotische Liebe als Inspiration im Alter gleichermaßen – auch sein Begriff von Alterskunst ist also nicht neuplatonisch, sondern höchst erotisch. Dabei achtet er das Alterswerk als solches hoch: „Nie vergesse ich diese Verse: ‚Ch'all' alte cose nuove/Tardi si viene e poco poi si dura‘"[29] Hans Mühlestein übersetzt hier: „Denn spät kommt man bei neuen hohen Dingen an,/Und dann – dann ist zuende unsre Bahn."[30] Diese Verse stammen aus Michelangelos Kunst- und Natur-Gedicht *Viele Jahre Suchens und der Proben viel* (1542–1544). In ihm setzt Michelangelo – Thomas Mann schreibt: „[w]ie bei Goethe"[31] – Kunst und Natur gleich, indem er die geliebte Schöne als „Alterswerk" der Natur betrachtet. Thomas Mann erklärt dazu:

Welcher Enthusiasmus und welches geisterhafte Grauen zugleich liegt in dem Gedanken, den er in seinem vielleicht höchsten Gedicht, um 1543, ein Achtundsechzigjähriger, ausdrückt: daß so auch die Natur Zeiten und Zeiten lang nur gesucht und geirrt habe „bis sie Dein Anlitz schuf", und daß damit ihr Beruf zu Ende sei, daß sie sich danach, alt geworden, zum Tode neige! (Ess VI, 198)

Natur- und Kunstbegriff gehen hier im Werkbegriff ineinander über. Das letzte Werk, das Alterswerk, erscheint als teleologischer Höhepunkt des Schaffens der Natur und der Kunst.

Folgende Positionen zur Altersliebe Thomas Manns lassen sich also für den Essay *Michelangelo und seine Dichtungen* resümieren: Altersliebe ist für den Künstler positiv, denn sie wirkt inspirierend. Dabei handelt es sich um eine Verdichtung des Motivkreises „Krankheit/Liebe/Kunst". Die Größe ist immer begleitet von Schmerz und von der Gefahr der Entwürdigung. Fragen

---

[27] Mann erklärt „seine Liebeslieder zu klassischen Beispielen platonisierender Erotik". Ess VI, S. 194.

[28] Vgl. dazu Raupp (Anm. 12), S. 94.

[29] Ess VI, S. 198.

[30] *Negli anni molti e nelle molte pruove/Viel Jahre Suchens und der Proben viel* (Michelangelo/Mühlestein, Nr. 54, S. 124 f.).

[31] Ess VI, S. 198.

der Moral, von Schuld und die Möglichkeit der Entsagung thematisiert Thomas Mann nicht. Weiterhin postuliert er eine produktive Spannung zwischen Schönheit und hässlichem Alter. Er findet bei Michelangelo eine selbstverständliche Verknüpfung von Kunst und Natur vor – „wie bei Goethe".

Während im Essay „Kunst, Natur und große Männer" im Vordergrund stehen, stellt Thomas Mann in der drei Jahre später entstandenen Novelle *Die Betrogene* „Natur, Kunst und kleine Frauen" in den Mittelpunkt der Altersliebe.

## II. *Die Betrogene*: Eine Frau im „gefährlichen Alter"

Thomas Mann schreibt am 15. April 1951 an Hans Joachim Mette: „Tatsächlich fühle ich mich als Traditionalist und als Spätgekommener, dem es zufällt und dem es gefällt, hundertmal erzählte Geschichten zum letzten Mal, abschließend sozusagen, und endgültig zu erzählen [...]."[32] Im folgenden soll gezeigt werden, dass diese ebenso stolze wie melancholische Selbstdefinition für die zwei Jahre nach dieser Äußerung geschriebene Novelle *Die Betrogene* gerade nicht gilt und dass darin ebenso ihr Reiz wie ihre Angreifbarkeit liegt.

*Die Betrogene* ist ein „echtes Alterswerk", wie die Thomas-Mann-Forschung festgestellt hat; voller „indirekter Selbstzitate und Querbezüge zu seinem Gesamtwerk",[33] die, so Hans Rudolf Vaget, „offensichtlich zur Konzeption" gehören: „Diese Fixierung auf das eigene Ich und das eigene Werk kann als eine souveräne Geste von Alterseigensinn aufgefaßt werden; gewöhnlich jedoch hat sie die Interpreten irritiert."[34] Das war bei weitem nicht das einzige, was die Interpreten irritiert hat und diese Irritation erschöpft sich sicherlich auch nicht in der „klinisch-krassen" Schilderung des Gebärmutterkrebses.[35] Bevor nun mögliche Gründe für diese Irritation mit Hilfe des gerade vollzo-

---

[32] Tagebücher 1951–1952, S. 793f. Zu Thomas Manns poetischem Selbstverständnis im zeitlichen Umfeld zu *Die Betrogene* vgl. Thomas Körber: Thomas Mann und die deutsche Nachkriegsliteratur 1947–1955, in: Germanisch-Romanische Monatsschrift. Neue Folge Bd. 48, H. 2, Heidelberg: Winter 1998, S. 231–239.

[33] Bernd Hamacher: „Wenn schon alt, dann Goethisch alt." Die Betrogene – Thomas Manns poetisches Resümee im Zeichen Goethes, in: Thomas Mann (1875–1955), hrsg. v. Walter Delabar u. Bodo Plachta, Berlin: Weidler 2005 (=Memoria 5), S. 305–329, 305.

[34] Vaget (Anm. 7) TM Hb, S. 304.

[35] Vgl. zur Kritik an der Darstellung u.a. ebd., S. 610. Zur medizinischen Darstellung vgl. Arnaldo Benini: Die Skandalöse Parabel. Thomas Manns Erzählung „Die Betrogene", in: TM Jb 33, 2005, S. 229–243. Vgl. zum ähnlich umstrittenen Motiv „Klimakterium" Christian Lauritzen: Jetzt da ich älter bin. Wechseljahre und Altern der Frau im Spiegel der Literatur. Ulm: Universitätsverlag Ulm 1990; zur Darstellung des Motivs in Heinrich Manns Roman *Venus*: Hamacher (Anm. 34), S. 315f.

genen Schritts vom „Michelangelo-Essay" zur Novelle aufzeigt werden, soll die Novelle im Verhältnis zur Literaturgeschichte erörtert werden.

Die Vagetsche Formulierung über die „souveräne Geste voller Alterseigensinn" stellt den Charakter der Novelle heraus: Dieser Text ist bereits in seiner Anlage von einer bemerkenswerten Frechheit, denn er enttäuscht die Erwartungen des treuen Thomas-Mann-Lesers schwer. Immerhin handelt es sich hier um ein Alterswerk, das durch den vielfachen Rückbezug auf das eigene Werk nicht als belangloses Nebenprodukt gelten kann. Wie oben zu Michelangelos Lyrik erläutert – und von Thomas Mann andächtig zitiert –, kann das Alterswerk als Höhepunkt eines Gesamtwerkes gelten. Eingedenk dessen fällt es auf, dass Thomas Mann seiner Leserschaft mit Rosalie von Thümmler eine Protagonistin zumutet, welche die Grenze des Banalen streift. Sie streift sie mit bewusster Mannscher Ironie, liebevoll, hochvermittelt, voll Herzenswärme und Liebesfähigkeit – aber sie streift diese Grenze. Was für eine belanglose Person ist die Figur Rosalie doch angesichts der Thomas Mann bekannten Möglichkeiten: Kein Goethe, kein Michelangelo! Altersliebe gefährdet und vermenschlicht hier eben nicht den großen Künstler, sondern sie sucht eine geistig weitgehend unbedeutende Figur heim – und noch dazu eine Frau. Die Entscheidung für eine weibliche Hauptperson hängt u.a. mit Manns Schritt von der Kunst zur Natur zusammen, darauf wird noch einzugehen sein. Die Perspektive der gefährdenden Altersliebe des Künstlers entspricht einem spezifisch Thomas Mannschen Verständnis; der Topos der Altersliebe hängt in der Regel nicht mit Kunst zusammen.

Und wo sind hier die großen „Geschichten, die Thomas Mann ein letztes Mal endgültig" erzählen will? Eine fünfzigjährige Düsseldorferin mit einer Vorliebe für Parkanlagen und „vorzüglich gewachsene", blonde, junge Privatlehrer? Nun ist Altersliebe zwar kein bedeutender Mythos wie Faust und Joseph, aber immerhin ein Topos mit einer langen literarischen Tradition. In der männlichen Variante des *senex amans* haben sich besonders die geizigen Alten mit den attraktiven Mündeln der italienischen Commedia dell' Arte in die Literaturgeschichte eingeschrieben; in Molières Komödien erringen sie wechselhafte Liebeserfolge. Die verliebten Alten sind traditionell ein Verlachmotiv und gehören ins „niedrige" Komödienfach. Durch Kotzebues nach einer französischen Quelle bearbeitetes Lustspiel *Der Mann von vierzig Jahren* (1795) wurde Goethe zu seiner berühmten Interpretation der Altersliebe in der Novelle *Der Mann von funfzig Jahren* (1818) angeregt, die er in einer zweiten Fassung in seinem Roman *Wilhelm Meisters Wanderjahre* (1829) integriert.[36] Goethe hat den Topos Altersliebe mit dieser

---

[36] Vgl. dazu Henriette Herwig: Das ewig Männliche zieht uns hinab: „Wilhelm Meisters Wanderjahre". Geschlechterdifferenz, sozialer Wandel, historische Anthropologie, Tübingen/ Basel: Francke 1997, S. 197–221.

Novelle wirkungsmächtig erneuert. Zum einen zeigt die Novelle einen fünfzigjährigen Mann und keinen Greis, der gleichwohl die Rolle des „Altersliebenden"
schmerzlich befürchtet und sich medizinisch-diätetischer Toilettenkünste eines
befreundeten Schauspielers bedient, um sich zu verjüngen.[37] Bis sich hier jung
zu jung und alt zu alt findet, dauert es; die Natur erhält ihr vermeintliches Recht
fragwürdig spät nach mehreren vermeintlichen Abschlüssen. Wie der Inhalt ist
auch Goethes Abweichung vom linearen Erzählen auf heftige Kritik gestoßen
und die Form als „Machwerk des greisen Goethe" disqualifiziert worden.[38]
Diese Novelle ist zeitgenössische Avantgarde, sowohl was den Inhalt als auch
die Form betrifft.[39] Sie nimmt eine ähnliche Stellung in Goethes Gesamtwerk
ein wie *Die Betrogene* für das Werk Thomas Manns.

Nun handelt es sich in Thomas Manns Novelle aber nicht um einen *senex
amans*, also eine männliche Figuration der Altersliebe, sondern um eine Frau.
Die Forschung sieht in dieser Frauenfigur eine Maske der Mannschen Homosexualität, was unbenommen sei.[40] Es ist allerdings darauf hinzuweisen, dass
Mann diese weibliche Maske in *Der Tod in Venedig* 40 Jahre zuvor auch nicht
benötigt hat. Die hier gewählte Maske, die der Frauenfigur, ist also in ihrer
literarischen Darstellung ernst zu nehmen.[41] Im 19. Jahrhundert beschäftigen
sich erstaunlich viele Texte ernsthaft mit dem Motiv der Alterliebe, wenn es
auch kaum literarische Erfüllung für die alte Frau gibt.[42] Und um die Jahrhundertwende setzen sich im Anschluss an die englische Suffragettenliteratur
und ihrem Ideal der *New Woman* auch deutsche Schriftstellerinnen mit der
Frauenrolle literarisch auseinander. Das Infragestellen bisheriger Rollenkon-

[37] Thomas Mann hat sich mit dieser Novelle in Bezug auf den *Tod in Venedig* (1913) auseinan-
dergesetzt, wobei die Thomas-Mann-Forschung die Parallele des Make-ups betont. Vgl. Vaget
(Anm. 3) TM Hb, S. 586.
[38] Vgl. zur Kritik am Spätwerk Goethes und der pejorativen Alters-Metaphorik bes. Paul
Knauth: Von Goethes Sprache und Stil im Alter, Leipzig: Fock 1894.
[39] Der Begriff „Avantgarde" wird hier im weiteren Sinn als ästhetische „Vorhut" verwendet.
Zur Kritik am Avantgarde-Begriff gegen Ende des 20. Jahrhunderts vgl. das Lemma „Avantgarde" in: Ästhetische Grundbegriffe. Historisches Wörterbuch in sieben Bänden, Bd. 1, hrsg.
v. Karlheinz Barck u.a., Stuttgart/Weimar: Metzler 2000–2005, S. 544–577.
[40] Vgl. Vaget (Anm. 7), TM Hb, S. 611.
[41] So auch Schößler: „Mag sich Thomas Mann also in seiner letzten Erzählung, in der ‚Betrogenen', eine weibliche Maske aufgesetzt haben, so bleibt jedoch eine Beschreibung der literarischen Mittel, derer er sich zur Gestaltung dieser Maske bedient, unerläßlich." Franziska
Schößler: „Die Frau von fünfzig Jahren". Zu Thomas Manns Erzählung „Die Betrogene". In:
Sprachkunst, Jg. 31, Wien: Österreichische Akademie der Wissenschaften 2000, S. 289–306,
306; vgl. zu Rosalie von Thümmler als *vetula* ebd., bes. S. 299f.
[42] Dazu gehören z.B. E.T.A. Hoffmanns Novelle *Datura fastuosa* (1821) mit der älteren
Professorin, Adalbert Stifters Novelle *Der fromme Spruch* (Nachlass 1869) mit dem älteren
Geschwisterpaar, Friedrich Spielhagens *Quisisana* (1880) mit dem 50jährigen Mann, Prévosts
Roman *L'automne d'une femme* (1893) mit der verheirateten Frau und sehr jungem Geliebten,
Paul Heyses *Melusina* (1894) mit der unerfüllt liebenden älteren Frau.

ventionen führt zwangsläufig zum Modell „Alte Frau – junger Mann". Katia Manns Großmutter Hedwig Dohm hat beispielsweise in ihrem Roman *Werde was Du bist* von 1894 die Liebeserfahrung einer Greisin dargestellt, die von ihrer Umwelt – und auch von dem geliebten jungen Mann, einem Arzt – als psychiatrischer Fall betrachtet wird. Furore mit diesem Thema macht jedoch ein anderes Buch: Bei Karin Michaëlis' (1872–1950) jüngst im Insel-Verlag wieder aufgelegtem Skandalroman *Eine Frau im gefährlichen Alter* aus dem Jahre 1910 handelt es sich um eine Frau, die sich scheiden lässt, um allein zu leben.[43] Als Elsie Lindtner klar wird, dass sie den jungen Architekten ihrer komfortablen Villen-Klause wiederliebt, ist es zu spät: Er hat sich für eine andere entschieden und auch ihr Mann hat ein erneutes Glück mit einer 18-jährigen gefunden. Das zeitgenössisch Skandalöse an dem Roman bestand daran, dass die sehnsüchtige Einsiedlerin sich mit 40 Jahren im Klimakterium befindet. Der Roman ist dreimal verfilmt worden und prägte mit dem „gefährlichen Alter" ein neues Schlagwort.[44] Zahlreiche Veröffentlichungen nehmen darauf Bezug und zeigen, dass mit ihm die Wechseljahre und starkes sexuelles Interesse verbunden wird, z.B. die Protestschrift der Ärztin Marie Oehlke *Die Frau im gefährlichen Alter: eine sexuelle Lüge?* (1911) und die Arbeit des Mediziners August Kühner *Das gefährliche Alter oder die Wechseljahre der Frau* (1913).[45]

Vier Jahre später hat das Schlagwort vom „gefährlichen Alter" nahezu unverändert seinen Weg in die Literaturwissenschaft gefunden: Im Jahre 1914 erscheint im Euphorion ein Aufsatz von Albert Ludwig mit dem Titel *Das Motiv vom kritischen Alter. Eine Studie zum „Mann von fünfzig Jahren" und ähnlichen Stoffen.*[46] Der Titel macht deutlich, wie selbstverständlich das Modewort vom „gefährlichen Alter" mit der Goetheschen Novellentradition verbunden wird. Dabei erweist sich das literaturgeschichtlich zuletzt männlich geprägte Motiv zeitgenössisch als äußerst weiblich. Ludwig konstatiert: „[E]ine literarische Mode hat augenblicklich weibliche Gestalten im

---

[43] Karin Michaëlis: Das gefährliche Alter. Tagebuchaufzeichnungen und Briefe einer vierzigjährigen Frau, Frankfurt/Main: Suhrkamp 2005.

[44] Zur aufgeregten Rezeption vgl. Manuela Reichart: Nachwort. Strafgesetz für unglückliche Ehen, in: ebd., S. 143–154, 150f.

[45] Oelke beginnt ihre Protestschrift mit dem Satz: „Ueber das ‚gefährliche Alter' hat man mir zuviel Lärm gemacht." Marie Oehlke: Die Frau im gefährlichen Alter – eine sexuelle Lüge? Berlin: Borngräber o.J. [1911], S. 7. August Kühner: Das gefährliche Alter oder die Wechseljahre der Frau. Gefahren, Verhütung und Behandlung; Ratschläge eines erfahrenen Arztes, 4. Aufl., Leipzig: Demme o.J. [1913] (=Schriften hyg. Reformbewegung: Biologische oder phys.-diät. Methode, Bd. 85).

[46] Albert Ludwig: Das Motiv vom kritischen Alter. Eine Studie zum „Mann von fünfzig Jahren" und ähnlichen Stoffen, in: Euphorion, Bd. 21, Leipzig/Wien: Carl Fromme 1914, S. 63–72.

kritischen Alter in den Vordergrund gestellt".[47] Als Signal für Trivialkomik funktioniert das Schlagwort bis in die zwanziger Jahre und darüber hinaus.[48] Alfred Kuhn schreibt beispielsweise im Rahmen der Trivialreihe *Intimes. Skizzen aus dem Leben* einen Heftroman mit dem Titel *Das gefährliche Alter* (1920).[49] Dieser außerordentlich triviale Text vermittelt das Verständnis des umgangssprachlichen Begriffs „gefährliches Alter": In diesem Alter ist jede sexuell unbefriedigte Frau am vermeintlichen Ende der Reproduktionsphase, also 37jährige Frauen, die wie 25 aussehen,[50] ebenso wie eine 48jährige Frau von Adel.[51] Frauen in diesem gefährlichen Alter verlieben sich generell und sexuell erfolglos in jüngere Männer.

In der ersten Hälfte des 20. Jahrhunderts verbindet der Topos der weiblichen Altersliebe also Klimakterium und erotisches Bedürfnis miteinander. Soweit sie sich nicht unter dem expliziten Begriff in Trivialkomik versuchen, sind die Darstellungen nicht humoristisch.

Wie verhält sich Thomas Manns Novelle *Die Betrogene* von 1953 nun zu diesem literaturgeschichtlichen Kontext? Die Novelle ist vor allem eingangs in einem auffällig leichten Ton gehalten, der Thomas Manns Mythos-Prosa nahe steht. Darin erinnert der Text stärker an *Der Erwählte* als etwa an den *Kleinen Herrn Friedemann*. Thomas Mann bietet in der Einleitung so hochironische Phänomene auf wie einen notorisch ungetreuen Ehemann, der im Automobil fürs Vaterland gefallen ist, und eine „große Naturfreundin", die um der Parkanlagen willen nach Düsseldorf gezogen ist – nicht gerade ein Ort, an dem man Naturfreunde zwingend vermuten würde.[52] Dieses vermeintlich harmlose ironische Geplauder bettet auch die erste Charakterisierung der Protagonistin ein. Geschickt platzierte Gegenüberstellungen wie das Wort „Maienkind" und die Feier des fünfzigjährigen Geburtstags lassen die herzenswarme Naturfreundin bestenfalls als von sympathischer Harmlosigkeit erscheinen.[53] Nun hört Harmlosigkeit bei Thomas Mann bekanntlich

---

[47] ebd., S. 72.

[48] Anonym: Die Seele der Schwiegermutter. Ein humoristischer Beitrag zur Beleuchtung weiblicher Schönheit und Tugendhaftigkeit. Mit einem Anhang ‚das gefährliche Alter', München: Em. Stahl, o.J. [1911]; Ernst Nevermind: Das gefährliche Alter des Mannes, Berlin: Wigand 1911; Karinus Michael: Wodurch entsteht das gefährliche Alter? Aus dem Leben eines Junggesellen, Hannover: Berenberg o.J. [1911]; Karl Bernhard: Malwine im gefährlichen Alter. Schwank in einem Aufzug, Leipzig: Jahn o.J. [1930].

[49] Kuhn, Alfred: Das gefährliche Alter, Berlin: Verlag moderner Lektüre 1920 (=Intimes. Skizzen aus dem Leben)

[50] „Sie sah nach 25 aus und war 37." ebd., S. 40.

[51] ebd., S. 8.

[52] Thomas Mann: Gesammelte Werke in dreizehn Bänden, Frankfurt/Main: S. Fischer 1974, VIII, 877–957, 877.

[53] ebd., S. 878.

immer dann auf, wenn es um Krankheit und Schmerzen geht. So ist es auch in diesem Fall: Die erste Beschreibung der Klimakteriumsbeschwerden bringen Rosalie in sonst selten geübte Distanz zum geburtstäglichen „Bowlehumor" ihrer Gäste.[54] Erst im Verlauf der Novelle, in den langen Gesprächen mit der intellektuellen Tochter wird Rosalie zur liebenswerten, naturklugen oder auch -ignoranten Figur und damit zu einer Protagonistin, deren tödlicher Irrtum über die Natur erzählenswert erscheint. Dabei liegt ihr Problem, und auch das unterscheidet sie ganz wesentlich von der literarischen Mode der Frau „im gefährlichen Alter", nicht etwa in der mangelnden Gegenliebe des jungen Geliebten. Immerhin wagt sich Ken Keaton mit ihr in die staubig-dunklen Geheimgänge von Schloss Holtershof. Rosalie von Thümmlers erotisches Begehren könnte durchaus Erfüllung finden, wenn von der symbolischen Erzählebene des Textes abzusehen und nur von der realistischen Ebene auszugehen wäre. Es ist die von Mann so plakativ inszenierte Krankheit des Unterleibkrebses, die diese Erfüllung verhindert.

Zur literaturgeschichtlichen Tradition der Novelle lässt sich also feststellen: Thomas Mann greift mit der Altersliebe ein traditionsreiches Motiv auf, das Anfang des 19. Jahrhundert durch Goethe aus der Umfeld der „niedrigen" Komödie aufgewertet und avantgardistisch erneuert worden ist. Darüber hinaus schließt er an die gänzlich unironische literarische Mode der Frau im gefährlichen Alter an, die sich um die Jahrhundertwende konstituiert, mindestens bis in die 20er Jahre reicht und Klimakterium und erotisches Bedürfnis miteinander verbindet. Thomas Mann erneuert mit Rosalie Thümmler die Altersliebe in der Tradition des Verlachmotivs, aber in der Mannschen Form der Ironie, welche die Integrität der Figur nicht zerstört. Dabei hängt die mangelnde Erfüllung der Altersliebe nicht von der fehlenden Gegenliebe des jungen Mannes ab, sondern von einer unkontrollierbaren Macht, der Krankheit.

Das Motiv der „Krankheit" führt (zurück) zur Natur, zu der Frage von Schuld, Moral, Naturrecht usw. – und letztlich damit auch zum Betrug. Die Analyse des „Michelangelo-Essay" hatte bereits gezeigt, dass es sich hierbei um einen Aspekt der Altersliebe handelt, der dem Topos genuin innewohnt. Denn der Reiz des Themas Altersliebe beruht wesentlich auf dem Verständnis, dass die Beteiligten vermeintlich gegen den Willen der Natur verstoßen.

---

[54] ebd.

## III. *Die Betrogene* aus der Perspektive des „Michelangelo-Essays"

Der entscheidende Schritt, den Thomas Mann von seiner Position zur Altersliebe im „Michelangelo-Essay" zur Literarisierung des Motivs in der Novelle
*Die Betrogene* macht, ist der Schritt von der Kunst weg hin zur Natur. Hier
liebt nicht die Tochter, die verkrüppelte Künstlerin Anna prominent, sondern
die naive Naturliebhaberin Rosalie steht im Mittelpunkt der Altersliebe. Dass
aber die Nebenfigur Anna überhaupt eine Rolle als Künstlerin hat, zeigt,
dass Thomas Mann diesen Schritt bewusst thematisieren will. Der Umzug
an den Schauplatz des Geschehens, nämlich nach Düsseldorf, erfolgt „teils
um der schönen Parkanlagen willen, die diese Stadt auszeichnen (denn Frau
von Thümmler war eine große Naturfreundin), teils weil Anna, ein ernstes
Mädchen, der Malerei zuneigte und die berühmte Kunstakademie zu besuchen wünschte."[55] Natur und Kunst sind es also, die den Weg nach Düsseldorf
bereitet haben. Und es ist die Natur, der die Novelle vor allem eine weibliche
Hauptfigur verdankt. Dass die Frau der Natur näher stehe als der Mann, der
Mann dafür dem Geistigen näher stehe als die Frau, ist seit der Antike ein gän-
giges Stereotyp, das seinen Ursprung nicht zuletzt in den Reproduktionsvor-
gängen hat.[56] Diese Reproduktionsvorgänge sind zentral für Thomas Manns
Erzählstoff.[57]

Annas eigene Liebesgeschichte zeigt, dass Altersliebe für Thomas
Mann – wie zum „Michelangelo-Essay" behauptet – die Potenzierung des
Themas „Liebe und Krankheit" ist. Annas Klumpfuß verhindert unkom-
plizierte Liebeserfahrungen. Ihr großes Erlebnis mit 20 Jahren, mit dem
„herrlichen" Dr. Brunner nimmt die Erfahrung der Mutter mit Ken Keaton
vorweg. Auch Brunner ist vor allem schön – jedenfalls von „bräunlich[er]
Mannespracht"[58] –, ohne sich charakterlich auszuzeichnen. Die Liebende ist
ihm künstlerisch-intellektuell und moralisch überlegen, aber was nützt das
schon dem, der von der Liebe heimgesucht wird. Hierbei handelt es sich um
das Gefälle von Innen und Außen, das Thomas Mann mit der vermeintlichen
Polarität von „hässlichem Alter und Schönheit" so potenziert interpretiert
hat. Thomas Mann überträgt dieses Modell auch auf Rosalie von Thümmler
und Ken Keaton, allerdings nicht ohne es zu ironisieren. Ken hat nicht einmal

---

[55] ebd., S. 877.

[56] Vgl. zur vermeintlich besonderen Beziehung zwischen Natur und Weiblichkeit u. a. Mecht-
hild Modersohn: Natura als Göttin im Mittelalter. Ikonographische Studien zu Darstellungen
der personifizierten Natur, Berlin: Akad.-Verl. 1997; grundlegend Susanne Griffin: Frau und
Natur. Das Brüllen in ihr, Frankfurt/Main: Suhrkamp 1987.

[57] Vgl. zur äußeren Anregung durch Katia Manns Frühstücksanekdote von der Münchner
Aristokratin jüngst Benini (Anm. 36), S. 227 f., grundlegend Vaget (Anm. 7), TM Hb, 611 f.

[58] VIII, S. 881.

„ein sonderlich hübsches, aber auch nicht unangenehmes, harmlos freund-liches Jungengesicht", war aber – wie bereits zitiert –, „vorzüglich gewach-sen", und beim Anblick seiner bloßen Arme schmilzt Rosalie zum Entsetzen ihrer Tochter dahin.[59] Hier neigt sich keine „Weise zum Schönen", wie Tho-mas Mann so gern nach Hölderlin zitiert, sondern hier neigt sich eine *Naive zum Durchschnittlich-Gutgewachsenen.* Dem Gutgewachsenen fehlt dazu noch eine Niere, aber Rosalie erklärt ihn sehr überzeugend für „komplett",[60] wohl auch ein selbstironischer Verweis auf Thomas Manns unablässige Text-argumentationen über Krankheitsmotive. Mit Rosalies Hauptrolle erweist er dem Durchschnittlich-Warmherzig-Menschlichen und auch dem Weiblichen einen Respekt, den er lange Jahre dem großen Künstler und dem Schönen vorbehalten hat. Dass er das Durchschnittlich-Warmherzig-Menschliche nun ausgerechnet im Weiblichen feiert, lässt sich zwar werkgeschichtlich nachvoll-ziehen, bleibt im Sinne heutiger politischer Korrektheit allerdings ein Phäno-men, das durchaus kritisch betrachtet worden ist.[61]

Das Motiv der Altersliebe erfährt hier eine entscheidende Transforma-tion: Die Frage der Schuld, das Verständnis der Altersliebe als soziales oder widernatürliches Fehlverhalten hat Mann schon im Essay nicht interessiert. Indem er das Motiv der Altersliebe durch die Unterleibskrankheit der Frau potenziert hat, rückt die Frage nach der Schuld in ein altes, aber auch in ein neues Licht: Hat die Natur ihr biologisches Urteil über die vermessene Liebe gesprochen und damit auch über die Moral der Frau? Das wäre ein traditio-neller Standpunkt, den schon Goethe nicht mehr haltbar fand. Schuldhafte Momente liegen in der Novelle allerdings nicht in Rosalies spätem Entzücken über den harmlosen jungen Mann, sondern in ihrer oberflächlichen und glücklich-selbstbezogenen Interpretation der Natur. Und wenn sich Leser wie Leserin am Ende der Novelle fragen, ob nicht die Natur Rosalie betrogen hat, obwohl die Sterbende selbst das so ausdrücklich verneint hat, kehrt der Text das bisherige Verständnis von Altersliebe vollständig um. Dass sich die Frage nach dem Betrug zu einem entscheidenden und nach wie vor ungelösten Rezeptionsthema entwickelt hat,[62] ist die Leistung der Novelle, in der sie sich von bisherigen Darstellungen der Altersliebe unterscheidet.

Thomas Mann erzählt hier also auch mit seiner Altersnovelle *Die Betro-gene* eine hundertmal erzählte Geschichte – wenn auch nicht im Sinne von

---

[59] ebd., S. 895.
[60] ebd., S. 914.
[61] Vgl. z.B. Schößler: „In Thomas Manns Erzählung wird damit eine Zuordnung von Weib-lichkeit und Natur/Körper fortgeschrieben, wie sie eine Vielzahl literarischer Texte der bürger-lichen Moderne prägt." Schößler (Anm. 42), S. 306.
[62] Vgl. den Forschungsüberblick dazu bei Hamacher (Anm. 34), S. 306.

alten und neuen Mythen. Er erweist sich damit als „Traditionalist", aber nicht als „Spätgekommener", sondern als Erneuerer. Ob es nun als „Alters-eigensinn" oder „Greisenavantgardismus" bezeichnet wird, der vermeintlich triviale Stoff gerät unter seinen Händen zur Avantgarde in Sachen „Alters-liebe".

*Stefan Müller-Doohm*

# Thomas Mann und Theodor W. Adorno als öffentliche Intellektuelle

## Eine Analyse ihres Denkstils

Die Namen von Thomas Mann und Theodor W. Adorno stehen für zwei große Denker des letzten Jahrhunderts. Tief verwurzelt in ihrer Epoche, gehören sie jeweils einer eigenen Generation an. Obwohl der Altersunterschied fast 30 Jahre ausmacht, weist der lebens-, geistes- und zeitgeschichtliche Erfahrungshintergrund mehr Gemeinsamkeiten als Unterschiede auf. Anders hätte ihre auf wechselseitiger Wertschätzung gegründete Beziehung, wie sie im Briefwechsel ihren Niederschlag gefunden hat, nicht so produktiv gedeihen können – eine „Jahrhundertkonstellation" hat man sie zu Recht genannt.[1]

Der Ältere wie der Jüngere sind unter idealen Bedingungen in einem bildungs- und wirtschaftsbürgerlichen Elternhaus herangewachsen.[2] Untergründig war es durchsetzt von jenen bohemienhaften Zügen, die den Bodensatz für das Ironische oder Sardonische antibürgerlichen Denkens bilden. Indes, beiden war die Kultur des Bürgertums in Fleisch und Blut übergegangen und die Vertrautheit mit seinen Verhaltensformen war ihnen so selbstverständlich wie der von beiden gepflegte bürgerliche Lebensstil. Der Senatorensohn der Lübecker Hansestadt, der leibhaftiger Zeuge des Verfalls einer Familie wird, um ihn literarisch zu verarbeiten, ist von der konservativen Wilhelminischen Gesellschaft weit stärker geprägt als das behütete Frankfurter Einzelkind. Dieses war früh schon konfrontiert mit der liberalen Atmosphäre seines reichs- und freistädtischen Geburtsorts am Main und mit den antipreußischen Einstellungen seines assimilierten jüdischen Vaters, dem erfolgreichen Weinexporteur, sowie mit den künstlerisch-musikalischen Ambitionen seiner Mutter und deren Schwester. Für den von Hause aus politisch national denkenden Thomas Mann haben die aus seiner Sicht fatalen Folgen des Ers-

---

[1] Richard Klein: Zwei unberührbare begegnen sich, in: Die Zeit 2002, 18, S. 59.

[2] Manns Verhältnis zum Bürgertum, seinem Abschied von diesem und seine (Selbst-)Kritik bürgerlichen Dispositionen, kurzum: Den „besonderen Bildungstypus" hat zuletzt Andreas Kuhlmann dargestellt (vgl. Andreas Kuhlmann: Thomas Mann und der lange Abschied vom Bürgertum, in: Westend. Neue Zeitschrift für Sozialforschung, 2005, 2, S. 27–45). Für Adornos antibürgerliche Bürgerlichkeit vgl. Stefan Müller-Doohm: Denken im Niemandsland. Theodor W. Adornos bürgerliche Antibürgerlichkeit, in: Leviathan 1997, 3, S. 381–395.

ten Weltkrieges und die Jahre der stets gefährdeten Weimarer Republik eine zunächst skeptische, dann aber immer deutlicher artikulierte Hinwendung zum Republikanismus mit sich gebracht.

Die Zeitperiode dieser Konversion war für den frühreifen Adorno die prägende Phase seiner geistigen Entwicklung, des letztendlich vergeblichen Versuchs, eine Entscheidung zu Gunsten seiner musikalischen oder philosophischen Begabung zu treffen, um schließlich den Nutzen aus der Verbindung von beidem zu ziehen. Die Politik im engeren Sinne, die Parteikämpfe und Staatskrisen, die 22 Regierungen, die einander ablösten, hat er als wacher Zeitgenosse eher nebenbei zur Kenntnis genommen. Von einem Engagement für die Demokratie von Weimar ist nichts bekannt. Wie bei Thomas Mann galt seine Aufmerksamkeit der Kultur der Gesellschaft, ihrer Ästhetik, nicht den Niederungen der Politik. Allerdings zeugen einige gesellschaftskritische Äußerungen in seinen frühen musiktheoretischen und philosophischen Schriften davon, dass ihm die Umbrüche und Gefahren seiner Zeit so bewusst waren wie dem Vernunftrepublikaner, als den man Thomas Mann bezeichnet hat.[3] Seinem Interesse für Schopenhauer, Wagner und Nietzsche entspricht bei Adorno die Hinwendung zum Historischen Materialismus und zur Psychoanalyse Freuds sowie die rückhaltlose Identifikation mit der musikalischen Avantgarde der Zweiten Wiener Schule. Bei aller Unterschiedlichkeit der Folgen, die sich aus der Machtergreifung der Nationalsozialisten für den Nobelpreisträger für Literatur und den doch peripheren „halbjüdischen" Privatdozenten für Philosophie ergeben sollten, beide waren, anders als beispielsweise Siegfried Kracauer, Max Horkheimer oder Walter Benjamin, um nur diese zu nennen, anfangs davon überzeugt, dass Hitler ein vorübergehendes Phänomen sei. Wie äußerte sich doch Adorno, kaum weniger ironisch, als es Thomas Mann getan hätte? Dass „die *Reinigung des deutschen Volkskörpers* sich in Aufräumarbeiten totlaufen werde: nach der *Entrümpelung* der Dachböden komme vermutlich eine Propagandaaktion gegen die Ratten und dann die Parole *Kampf dem Rost* [...]. Das ist exakte Phantasie, schloss seine Prognose".[4]

---

[3] Vgl. Kurt Sontheimer: Thomas Mann und die Deutschen, München: Nymphenburger Verlagshandlung 1961, S. 169 ff.; Manfred Görtemaker: Thomas Mann und die Politik, Frankfurt/Main: Fischer 2005, S. 43 ff.

[4] Peter Haselberg: Wiesengrund-Adorno, in: Text und Kritik 1983, Sonderheft, S. 7–21 (Thomas Mann, mehr noch als Adorno, war von der Ahnung befallen, dass hinter dem Gepränge in der Ferne schon das dumpfe Donnern zu vernehmen war.).

## Politisierung zweier Ästheten

Erst die Faktizität der für beide schockhaft lebensbestimmenden Vertreibung aus Deutschland, die gemeinsame Erfahrung der Emigration, des Ausgestoßenseins hat ihnen die Augen geöffnet über den fortdauernden Einigkeitsrausch der völkischen Erhebung, über die Stabilität der Diktatur in Deutschland. Das Destruktive der nationalsozialistischen Machtpolitik „zu erkennen waren alle zu dumm und keiner", notierte Adorno, allerdings Jahre später.[5] Durch die Erkenntnis, dass der Totalitarismus alles andere als ein Betriebsunfall der Geschichte ist, wird bei Thomas Mann und Adorno auf eine je eigene Weise ein Politisierungsschub ausgelöst.[6]

Wir wissen, dass Thomas Mann spätestens mit Beginn der 30er Jahre vor der Gefahr des Aufstiegs der Nationalsozialisten gewarnt hat. Indes zögerte er nach 1933 lange Zeit, bis er bereit war, sich offen zur erzwungenen Exilsituation zu bekennen, um dann sogleich gegen das Regime des Dritten Reichs Stellung zu beziehen. Die entscheidenden biographischen Weichenstellungen unter dem Druck der Ereignisse vom Schutzhaftbefehl Heydrichs gegen Mann, dessen erste Stellungnahme in der Neuen Zürcher Zeitung zur Emigrationsliteratur und seiner Erklärung, nicht nach Deutschland zurückzukehren bis zur Ausbürgerung im Dezember 1936 und dem offenen Bonner Brief aus dem selben Jahr, in dem er aus Anlass der Aberkennung seiner Ehrendoktorwürde unmissverständlich erklärte, dass das verbrecherische faschistische System der Vorbereitung eines Krieges diene, diese Ereignisse sind bekannt und in der Literatur bestens dokumentiert.

Adornos politische Radikalisierung, ausgelöst durch das Exil zunächst nach England und dann in die USA, ist weitaus weniger gut belegt. Indizien für die Hinwendung des Musikphilosophen zur Politik bzw. zur Reflexion in politischen Kategorien gibt es allenfalls in den Briefwechseln und in einer Zahl kleinerer Veröffentlichungen aus dieser Zeit. In ihnen wurden nicht so sehr die Strukturbedingungen der nationalsozialistischen Herrschaftsform, als vielmehr die katastrophalen Konsequenzen des Kapitalismus in geschichtsphilosophischer und/oder ideologiekritischer Perspektive thematisiert. Schon vor der Vertreibung des „Halbjuden" und Linksorientierten war Adorno mit seinem Freund Walter Benjamin davon überzeugt, dass die Geschichte eine „Unheilsgeschichte" sei. Insofern war die leibhaftige Fremdheitserfahrung, die

---

[5] Theodor W. Adorno: Minima Moralia. Gesammelte Schriften, hrsg. v. Rolf Tiedemann, Bd. 4 Frankfurt/Main: Suhrkamp 1997 (nachfolgend zitiert als AdGS), S. 117.

[6] Vgl. Hermann Kurzke: Thomas Mann. Das Leben als Kunstwerk. Eine Biographie, München: C. H. Beck 1999, S. 344 ff.; Stefan Müller-Doohm: Adorno. Eine Biographie, Frankfurt/Main: Suhrkamp 2003, S. 257 ff.

Adorno während der Jahre der Emigration macht, bereits ein untergründiger Bestandteil seiner Denkweise und Weltsicht. Dennoch befördert die exterritoriale Position des Exils, dass er ein realistisches Bild von der Nazi-Tyrannei und ihren Auswirkungen entwickelt. So äußert Adorno sich Ende 1934 (ähnlich wie Thomas Mann in seinem Bonner Brief), dass nach „dem Versagen der demokratischen Länder gegenüber Nazi-Deutschland" ein Krieg unabwendbar sei, „bei dem keiner weiß, was übrig bleibt, und der übrigens um so schlimmer wird, je später er kommt". Etwa ein Jahr später sagt er voraus, dass Deutschland über Russland herfallen werde, „Frankreich und England werden aufgrund der bis dahin abgeschlossenen Verträge draußen bleiben, und dann steht ja wohl der definitiven Genesung der Welt am deutschen Wesen nichts mehr im Wege. Es ist eine verzweifelte Situation".[7]

In Amerika hat sich Adorno dann 1938 als Mitarbeiter des von Max Horkheimer geleiteten New Yorker Institute of Social Research nicht nur am geplanten Studienprojekt über „Cultural Aspects of National Socialism" beteiligt. Vielmehr wirkte er daran mit, dass sich das Institut spätestens ab 1940 der Erforschung des Antisemitismus angenommen hat. Darüber hinaus war es ihm wichtig, wiederum durch eigene Beiträge die Entwicklung einer Theorie des faschistischen Herrschaftssystems zu befördern. Dabei orientierte er sich strikt an der Maxime Horkheimers: „Wer aber vom Kapitalismus nicht reden will, sollte auch vom Faschismus schweigen"[8]. Adorno hat seine Version einer Totalitarismustheorie in einem Arbeitspapier von 1942 in der ihm damals schon eigenen Sprache skizziert, das den Titel *Reflexion zur Klassentheorie* trägt (AdGS, 8, 373 ff.). Dort heißt es: „Die jüngste Phase der Klassengesellschaft wird von den Monopolen beherrscht; sie drängt zum Faschismus, der ihrer würdigen Form politischer Organisation. [...] Die totale Organisation der Gesellschaft durchs big business und seine allgegenwärtige Technik hat Welt und Vorstellung so lückenlos besetzt, daß der Gedanke, es könnte überhaupt anders sein, zur fast hoffnungslosen Anstrengung geworden ist." (ebd., 376) Natürlich war dies auch eine Kritik am Kapitalismus der amerikanischen Gesellschaft. Bis zur ersten und vorläufigen Publikation der *Dialektik der Aufklärung*, deren zentrales Motiv ja der Frage gilt, „warum die Menschheit, anstatt in einen wahrhaft menschlichen Zustand einzutreten, in eine neue Art von Barbarei versinkt" (AdGS, 3, 11), sollten nur noch wenige Jahre vergehen, Jahre, in denen Thomas Mann seine Geltung als weltberühmter Autor dazu genutzt hat, die machtpolitischen Spiele und wahren Absichten des von

---

[7] Brief von Adorno an Horkheimer vom 24.11.1934 und 21.3.1936, in: Max Horkheimer: Gesammelte Schriften, hrsg. v. Alfred Schmidt, Frankfurt/Main: S. Fischer 1985–96, 15 (1995), S. 276, 996

[8] ebd., 4 (1987), S. 308 f.

ihm gehassten deutschen Führers bloß zu legen und den Faschismus öffentlich zu kritisieren. Denn für ihn war klar, wie er in seiner Rede von 1938 *Vom künftigen Sieg der Demokratie* ausführte, dass im Faschismus „das Glück, die Freiheit, ja das Leben des Individuum [nichts] gelten: es ist Staatsbürger und nichts als das Teilelement der den Staat verkörpernden Nation. Es ist gehalten – zunächst durch Gewalt, die sich allmählich aber auch des inneren Menschen versichert –, sein Denken, Fühlen, Wollen und Handeln in erster Linie dem Ganzen zu widmen, ihm mit Leib und Seele, Gut und Blut zu dienen." (Ess V, 237)

So unterschiedlich auch die Begriffe sind, mit denen Mann und Adorno den Totalitarismus deuten, gemeinsam ist ihnen der Bezugspunkt, in dessen Mittelpunkt das Schicksal des Subjekts steht, also die Verinnerlichung einer übermächtigen Herrschaftsapparatur.

## Künstler als Intellektuelle

Ich will mich nicht an der neuerlich entflammten Kontroverse beteiligen und sie gar mit Bezug auf Adorno ausdehnen[9], ob die publizistischen Stellungnahmen von Thomas Mann hinsichtlich Zeitpunkt, Umfang, politischer Konzeption und demokratie-theoretischem Gehalt angemessen waren. Immerhin dürfte kein Zweifel daran bestehen, dass der Autor des *Doktor Faustus* sich nicht mit den künstlerischen Ausdrucksformen des Schriftstellers zufrieden gegeben hat, um den tieferen geistesgeschichtlichen Ursachen der Nazibarbarei archäologisch nachzuspüren. Vielmehr nutzte er seine Reputation als Literat dazu, sich als verantwortlicher Bürger politisch zu engagieren, um seinem Leiden an Deutschland und dem Weltlauf[10] vor dem Forum der Öffentlichkeit Ausdruck zu verleihen.[11] Auffallend ist doch, dass er nicht nur als Exilant die deutsche Kultur, das bessere Deutschland zu repräsentieren versucht, sondern der Autor im Exil war, der am intensivsten und kontinuierlichsten innerhalb

---

[9] Vgl. Manfred Görtemaker: Thomas Mann und die Politik, Frankfurt/Main: Fischer 2005; vgl. außerdem: Hans Rudolf Vaget: Ein unwissender Magier? Noch einmal der politische Thomas Mann, in: Neue Rundschau, Heft 2/2006, S. 148–165.

[10] Das Leiden an der Welt ist Wolf Lepenies zufolge konstitutives Merkmal des Intellektuellen: „Der Intellektuelle ist von Natur aus Melancholiker. [...] Melancholiker, der sich die Flucht in die Utopie offen lässt", in: Wolf Lepenies: Aufstieg und Fall der Intellektuellen in Europa, Frankfurt/Main: Campus 1992, S. 14 f.

[11] Gut dokumentiert sind Manns politische Aktivitäten, soweit sie sich in Reden, Vorträgen und Stellungnahmen niedergeschlagen haben, in: Stephan Stachorski: Fragile Republik. Thomas Mann und Nachkriegsdeutschland, Frankfurt/Main: S. Fischer 1999.

der politischen Öffentlichkeit gewirkt hat[12], mit dem Ziel, alles in der eigenen Macht, also der Macht des Wortes stehende zu tun, um vernehmlich seine Abscheu gegenüber dem Regime der „Gangster unterster Sorte" (Tb, 5.7.1934) nicht nur in Form privater Tagebuchnotizen zu bekunden. Als politischer Publizist, darauf will ich hinaus, bekennt sich der Schriftsteller zum *J'accuse* eines Emile Zola und sieht sich so selbst in der Tradition und Position des öffentlichen Intellektuellen.[13]

Um einen Einblick zu geben, wie der Romancier der von Zola eindrucksvoll modellierten Rolle des öffentlichen Intellektuellen gerecht geworden ist, ziehe ich die politische Publizistik der amerikanischen Exiljahre heran und beschränke mich dabei wiederum auf eine Auswahl der während des Krieges für die British Broadcasting Corporation (BBC) geschriebenen und größtenteils selbst vorgetragenen Ansprachen, die unter dem Titel *Deutsche Hörer! Radiosendungen für Deutschland* verbreitet wurden.

Dass Thomas Mann, der es schätzte, aus seinen Manuskripten und Büchern im kleinen Kreis oder vor einem größeren Auditorium vorzulesen, gewisse Affinitäten zum Medium Rundfunk gehabt hat, führt zurück zu den Parallelitäten, die es mit Adorno, seinem künftigen Nachbarn im kalifornischen Exil gibt. Natürlich hatte dieser während der Jahre der amerikanischen Emigration niemals die Chance, sich im Radio, dessen Wirkungsmechanismen im Hinblick auf musikalische Sendeteile er in New York erforscht hatte,[14] zu Weltereignissen gegenüber einer internationalen Hörerschaft zu äußern. Sein Geschäft bestand in erster Linie in Theoriearbeit, in der Reflexion über das Scheitern des abendländischen Denkens, seiner Vernunft sowie in der empirischen Erforschung des Antisemitismus und Autoritarismus.[15] Was dem Prominenten vorbehalten und dem Jüngeren gar nicht in den Sinn gekommen wäre, kann Adorno erst dann wettmachen, als er etwa sechs Jahre nach der persönlichen Bekanntschaft mit seinem kalifornischen Nachbarn und seiner Mitwirkung an dessen großem Roman über den genialen Tonsetzer Adrian Leverkühn im Spätherbst 1949 nach Deutschland zurückkehrt – im selben

[12] vgl. Hermann Kurzke: Thomas Mann. Das Leben als Kunstwerk. Eine Biographie, München: C. H. Beck 1999, S. 354 ff., 444 ff.

[13] Seit der Dreyfus-Affäre im Frankreich der Dritten Republik, als Emile Zola seinen offenen Brief *J'accuse* an den Präsidenten Félix Faure in der auflagenstarken Zeitung L'Aurore veröffentlichte, hat man damit begonnen, Personen aufgrund der Art und Weise ihres öffentlichen Redens und Schreibens als Intellektuelle zu klassifizieren. Bourdieu zufolge engagieren sich die Intellektuellen seitdem „als Verteidiger universeller Prinzipien". In: Pierre Bourdieu: Die Regeln der Kunst. Genese und Struktur des literarischen Feldes, Frankfurt/Main: Suhrkamp 1999, S. 210 ff., 524 f.

[14] Vgl. Theodor W. Adorno: Current of Music. Elements of a Radio Theory, hrsg. Robert Hullot-Kentor, Frankfurt/Main: Suhrkamp 2006.

[15] Vgl. Theodor W. Adorno et al.: The Authoritarian Personality, New York/London: Harper 1950.

Jahr, in dem auch Thomas Mann aus Anlass der Einladungen zu den Goethe-Preisen in Frankfurt und Weimar erstmals wieder deutschen Boden nach Kriegsende betritt. Während der gefeierte Festredner Europa alsbald den Rücken kehrt, bleibt Adorno in Frankfurt, um dort im Laufe der Jahre als tonangebender Intellektueller gerade auch das damalige Leitmedium Rundfunk extensiv zu nutzen.[16] Vor diesem Hintergrund, nämlich der gemeinsamen Tätigkeit von Mann und Adorno für das publizistische Medium Rundfunk, scheint es mir nicht ganz abwegig, die zu ganz verschiedenen Zeitpunkten praktizierte Rundfunkarbeit von Thomas Mann und Adorno vergleichend zu betrachten: als nebenberufliche Tätigkeit zweier Personen, die beide im Hauptberuf am liebsten nichts anderes als Künstler gewesen wären, aber sich doch als Intellektuelle der Aufgabe der „Entmythologisierung" verschrieben hatten, um eine Formulierung von Adorno aufzugreifen, die er in einem Brief vom 3. Juni 1950 an Thomas Mann gewählt hat (BrAd, 62).

So interessant es für die Intellektuellenforschung wäre, die ganze Spannbreite der intellektuellen Praxis von Thomas Mann und Adorno zu untersuchen, hier soll nur ein kleiner, aber zentraler Aspekt behandelt werden. Ich lege den Schwerpunkt darauf, den intellektuellen Denkstil bzw. das intellektuelle Denkstilmuster der beiden zu akzentuieren, bezogen auf jene repräsentativen Texte, die den schon erwähnten Rundfunksendungen zugrunde lagen. Am Ende dieser vergleichenden Betrachtung der intellektuellen Denkstile könnte es für die aktuelle Intellektuellensoziologie aufschlussreich sein, die Frage zu diskutieren, ob es sich bei den Rundfunkarbeiten von Thomas Mann und Adorno um eine Vorform dessen handelt, was Pierre Bourdieu und kürzlich Jürgen Habermas den „Medienintellektuellen" genannt haben. Diesen beschreiben sie kritisch als eine Verfallsform des klassischen Intellektuellen, weil er sich mit Haut und Haaren den Inszenierungsmechanismen der modernen Massenmedien, insbesondere des Fernsehens ausliefert.[17]

## Der Intellektuelle zwischen Autonomie und Engagement

In den Biographien finden sich keine Hinweise darauf, dass Thomas Mann je gesondert über die Funktion des Intellektuellen in der modernen Gesell-

---

[16] Vgl. Monika Boll: Nachtprogramm. Intellektuelle Gründungsdebatten der frühen Bundesrepublik, Münster: LIT Verlag 2005, S. 163 ff.; Clemens Albrecht et al.: Die intellektuelle Gründung der Bundesrepublik, Frankfurt/Main, New York: Campus 1999, S. 206 ff.

[17] Vgl. Pierre Bourdieu: Über das Fernsehen, Frankfurt/Main: Suhrkamp 1998, S. 114; Jürgen Habermas: Der Intellektuelle, in: Cicero 2006, 4, S. 68 ff.

schaft nachgedacht hätte – abgesehen von den knappen Bemerkungen im *Fragment über Zola* von 1952. Es wimmelt in seinen Romanen von Künstlern jeder Gattung, von Bildungsbürgern und Halbgebildeten, von Gelehrten und Wissenschaftlern fast aller Disziplinen, und in seiner politischen Publizistik ist häufig die Rede von Aufklärung und Widerstand, von Nonkonformismus und moralischer Verpflichtung zur Wahrheit. Aber er gab offenbar dem praktischen Tun des Intellektuellen den Vorzug gegenüber der Reflexion über die Sozialfigur des Intellektuellen.

In der Tendenz umgekehrt verhält es sich mit Adorno. Insbesondere in seinem erfolgreichsten Buch, im *dialogue intérieur* der *Minima Moralia* finden sich an vielen Stellen Überlegungen zur prekären Position des Intellektuellen, von denen manche durch den Blick auf das Engagement von Thomas Mann angeregt sein könnten.[18] So etwa die Bemerkung Adornos, die Intellektuellen seien die letzten Feinde der Bürger und zugleich die letzten Bürger (AdGS, 4, 28). Anders die Passagen, die den Widersprüchen der Rolle des Intellektuellen in der spätbürgerlichen Gesellschaft gelten. Hier scheint mir zweifelhaft, ob Thomas Mann dem folgenden zugestimmt hätte: Will sich der Intellektuelle für die Freiheit der Menschheit einsetzen, was ja den Intentionen des politischen Publizisten Mann durchaus nahe kommt, dann kann er das nur, so Adorno, in „unverbrüchlicher Einsamkeit [...]. Alles Mitmachen, alle Menschlichkeit von Umgang und Teilhabe ist bloße Maske fürs stillschweigende Akzeptieren des Unmenschlichen" (ebd., 27). Andererseits ist Adorno zufolge die Berufung auf die prinzipielle Distanz des Intellektuellen illusionär. Denn „der Distanzierte bleibt so verstrickt wie der Betriebsame [...]. Die eigene Distanz vom Betrieb ist ein Luxus, den einzig der Betrieb abwirft", wie im Fall von Mann das britische Informationsministerium (ebd.). Angesichts dieser Ausweglosigkeit bleibt aus Adornos Sicht für den Intellektuellen ein Rat in kleiner Münze, „den ideologischen Missbrauch der eigenen Existenz sich zu versagen" (ebd., 29).

Hat Thomas Mann mit seinen im Auftrag der BBC verfassten Rundfunkreden diese Warnung Adornos über den ideologischen Missbrauch der eigenen Existenz antizipiert? Gelesen hat er sie jedenfalls erst viele Jahre später. Fragen wir zunächst, wie Thomas Mann dazu kam, die intensive Arbeit an den letzten Teilen des *Joseph*-Zyklus und am *Doktor Faustus* periodisch zu unterbrechen, um sich über den Rundfunk an die Öffentlichkeit zu wenden?

Über die Vermittlung seiner Tochter Erika wurde er vom britischen Sen-

---

[18] Ob Adorno von den Rundfunkarbeiten Kenntnis hatte, lässt sich kaum sagen. Soweit die Beiträge von Thomas Mann auch publiziert wurden, wird er sie gelesen haben. Im Briefwechsel zwischen den beiden ist an keiner Stelle von diesem Tätigkeitsfeld des Romanautors die Rede, auch in Adornos Portrait von Thomas Mann nicht, das er im März 1962 publiziert hat.

der Ende 1940 eingeladen, in regelmäßigen Abständen Ansprachen an die Deutschen zu richten.[19] Den Text für die erste Sendung, der von New York nach London gekabelt wurde, hat er noch Ende Oktober in Princeton, seinem damaligen Aufenthaltsort, geschrieben. Als er dann später an der Westküste wohnt, werden die Ansprachen im Studio von ihm selbst verlesen und auf Platte aufgenommen, dann per Funk verbreitet. Auf das Honorar für die Sendungen verzichtet Thomas Mann zu Gunsten des British War Relief Fund. Seitens der BBC hatte er völlig freie Hand, welche Themen in welcher Weise er in den fünf -, dann acht Minuten aufgreifen wollte. So kommen im Laufe der Kriegsjahre über 50 Sendungen zustanden, mit denen Thomas Mann die Rolle des Künstlers mit der des Intellektuellen kombiniert.

Dem Begriff des Intellektuellen nach dem historischen Vorbild Zolas entspricht Thomas Mann keineswegs schon aus dem Grund, dass er sich durch seine schriftstellerische Tätigkeit als ein im höchsten Maße gebildeter und ausdrucksfähiger Autor von Weltformat ausgewiesen hatte. Die Rolle des Künstlers ist eine andere als die des Intellektuellen. Diesem wird zwar nur dann Gehör geschenkt, wenn er über Ansehen verfügt. Aber diese Reputation, wie sie etwa durch die Einladungen von Thomas Mann ins Weiße Haus bekundet wurde, ist allenfalls die Voraussetzung dafür, dass der potentielle Intellektuelle zum aktuellen wird; sie wird für das intellektuelle Engagement in Anspruch genommen, ist nicht schon dieses selbst. Ein Intellektueller ist eine als moralisch glaubwürdig geltende Person erst dann, wenn sie aus Anlass relevanter Problemlagen das Wagnis eingeht, außerhalb ihres eigentlichen Zuständigkeitsbereichs und nur dem eigenen Gewissen folgend in der Öffentlichkeit kritisch opponierend das Wort zu ergreifen. Kritische Opposition bezeichnet die situativen, zeitlich begrenzten, aber wiederholten Interventionen im Sinne kontroverser Stellungnahmen zu praktischen Problemen des Weltgeschehens.[20] Genau dies hat Thomas Mann mit seinen Rundfunkreden getan, indem er Probleme der Weltpolitik behandelt hat, deren moralische Dimensionen seine Zuhörer zentral etwas angehen mussten.

[19] Ich folge der Darstellung von Görtemaker in: Manfred Görtemaker: Thomas Mann und die Politik, Frankfurt/Main: Fischer 2005, S. 122 ff. und Kurzke/Stachorski (Ess V), S. 351 f.

[20] Zur Soziologie des Intellektuellen vgl. Ulrich Oevermann: Der Intellektuelle. Soziologische Strukturbestimmungen des Komplementärs von Öffentlichkeit, in: Die Macht des Geistes, hrsg. v. Andreas Franzmann u. a., Frankfurt/Main: Humanities Online 2001, S. 20 ff.; Bernhard Peters: Der Sinn von Öffentlichkeit, in: Öffentlichkeit, öffentliche Meinung, soziale Bewegung, Köln: KZfSS 1994, Sonderheft 34 (hrsg. v. Friedhelm Neidhardt), S. 58 ff.; Rainer M. Lepsius: Kritik als Beruf. Zur Soziologie des Intellektuellen, in: KZfSS, Köln 1964, 16, S. 75 ff.; Pierre Bourdieu: Die Regeln der Kunst. Genese und Struktur des literarischen Feldes, Frankfurt/Main: Suhrkamp 1999, S. 523 ff.; Stefan Müller-Doohm: Theodor W. Adorno und Jürgen Habermas. Two ways of Being a Public Intellectual. Sociological Observations concerning the Transformation of a Social Figure of Modernity, in: European Journal of Social Theory 2005, 8 (3), S. 769 ff.

Um nun den intellektuellen Denkstil aus den Rundfunkbotschaften zu dechiffrieren[21], soll in einer etwas freihändigen textanalytischen Herangehensweise das Augenmerk auf die wiederkehrenden Schlüsselbegriffe, die stilistischen Charakteristika sowie die Wertreferenzen gelegt werden.[22] Bei einer ersten Betrachtung fällt auf, dass nicht alle, aber die meisten Rundfunkreden keineswegs durch ihren objektiven Informationsgehalt und die jeweils behandelte Thematik überzeugen, wie etwa Hitlers Übernahme der Befehlsgewalt über das deutsche Heer, die Ausdehnung des alliierten Luftkriegs, die Judenvernichtung usw., sondern diese höchst kritischen Botschaften leben ganz von ihrer Rhetorik. So hat der Autor von vornherein der Tatsache Rechnung getragen, dass für das Medium Rundfunk besondere Gesetze der Kommunikation gelten und die reinen Fakten auf den lebensweltlichen Kontext der Rezipienten bezogen sein müssen, wie exemplarisch im Fall der geradezu suggestiven Rede über das deutsche Weihnachtsfest in Kriegszeiten (Ess V, 145). Zu den rhetorischen Stilmomenten gehört, dass Thomas Mann sich der Form einer direkten Adressierung seines Publikums bedient, indem er von „meiner Sendung an euch, deutsche Hörer" spricht (ebd., 146). Er beteuert nicht nur, als deutscher Schriftsteller zu reden, er versucht auch eine Art Perspektivenübernahme. Dabei ist sein Bild des damaligen Deutschland offensichtlich von einer klaren, fast stereotypen Freund-Feind-Gegenüberstellung geprägt: hier die korrupte Nazi-Clique und ihr Führer, der „kümmerliche Geschichtsschwindler und Falschsieger" (ebd., 146), dort das durch Propaganda verführte und blinde, das verängstigte und entmutigte Volk, „dieses einst gebildetste Volk der Welt" (ebd., 283), das fast in jeder zweiten oder dritten Rede ermahnt wird, sich endlich gegen die Tyrannei zu erheben. Diese Schwarz-Weiß-Kontrastierungen wiederholen sich noch mal, wenn Thomas Mann den „Bestialismus" in Deutschland der zivilisierten Welt oder Amerika gegenüberstellt oder wenn er die fraglose Weisheit des Präsidenten Roosevelt und seinen Kampf für das Gute von den Taten des faschistischen Diktators als Inkarnation des Bösen absetzt (vgl. ebd., 282).

Als symptomatisches Vokabular dominieren in den Rundfunkansprachen pompöse Begriffe wie Sittlichkeit, Menschlichkeit, Reinigung, Sühne. Unter stilistischen Gesichtspunkten gesehen wechseln die Reden zwischen einem beschwörend appellativen, mitunter predigthaft zelebrierten Grundmuster („Deutsche, rettet euch! Rettet eure Seele" / „Gott im Himmel, vernichte ihn!") und dem Gebrauch von polemischen sowie ironischen Ausdrucksmit-

---

[21] Ich beschränke mich auf die 13 Reden, die in dem Band 5 und 6 der Essay Sammlung aufgenommen sind. Vgl. Ess V und Ess VI

[22] Vgl. Peter V. Zima: Der gleichgültige Held. Textsoziologische Untersuchungen zu Sartre, Moravia und Camus, Trier: Wissenschaftlicher Verlag Trier 2004

teln bis hin zum Sarkasmus (Hitler wird mit der Jungfrau von Orléans verglichen / vom deutschen Waffengenossen Japan heißt es, er werde zum Nord-Arier ernannt). So beeindrucken die Reden als von Leidenschaft, Empörung und Angriffslust des Autors getragene Attacken gegen den beim Namen genannten Feind. In der Sendung vom 28. März 1944 geht der Autor beispielsweise auf die Grausamkeit des Bombardements deutscher Städte ein, das er in Relation zu den Taten der Nazis setzt, „dieses überdimensionierte Lustmördertum an der Wahrheit muß vernichtet, muß ausgelöscht werden um jeden Preis und mit allen Mitteln" (Ess V, 245). Typisch ist schließlich die Bildlichkeit der Sprache, eine Bildlichkeit, die mitunter höchst realistisch gewählt ist, wenn etwa vom Ghetto in Warschau, von den Vernichtungslagern, von Auschwitz und Birkenau die Rede ist (vgl. ebd., 202, 258).

Es ist verschiedentlich hervorgehoben worden,[23] dass die Rundfunkreden einen ethisch-moralischen Geltungsanspruch erheben, der in Wertreferenzen wie Deutschtum, Menschanstand, Wahrheit, Freiheit, Recht, aber auch durch Berufung auf Bach, Beethoven, Schiller, Goethe zum Ausdruck kommt. Zum Normativismus der Ansprachen gehört auch der Imperativ, dass sich das besiegte Deutschland seiner Schuld bewusst werden muss, wozu an ersten Stelle die „rückhaltlose Kenntnisnahme entsetzlicher Verbrechen" zählt (Ess VI, 257).

## Intellektuelle Kritik an der Gefühlsarmut der Nachkriegsdeutschen und ihrem Konformismus

Stellen wir die Frage nach der Spezifik des intellektuellen Denkstils von Thomas Mann zunächst zurück, um sie nach der Rekonstruktion von Adornos Praxis als öffentlicher Intellektueller dann in einer vergleichenden Perspektive aufzugreifen. Bekanntlich hatte Adorno schon kurze Zeit nach seiner Remigration vorzügliche Kontakte zu den damals führenden Redakteuren der westdeutschen Rundfunkanstalten wie Alfred Andersch, Adolf Frisé, Horst Krüger und konnte so dieses Medium wie kaum ein anderer Geisteswissenschaftler für seine Zwecke nutzen. Vorträge, die er häufig genug zu halten hatte, wurden meist nachträglich als Rundfunkbeiträge gesendet. Hinzu kamen Diskussionen und Gesprächsrunden mit allen und jedem, der in den fünfziger und sechziger Jahren geistigen Rang und einen Namen hatte. Von

---

[23] Vgl. etwa Manfred Görtemaker: Thomas Mann und die Politik, Frankfurt/Main: Fischer 2005, S. 132.

Berührungsängsten des Medienkritikers gegenüber dem Rundfunk kann keine Rede sein. Wenn nun Teile dieser Rundfunktätigkeit Adornos in den Blick genommen werden, so liegt der Fokus der textanalytischen Beschreibung auf jenen öffentlichen Äußerungen, die dieser Protagonist der kritischen Theorie speziell zum Thema der Vergangenheitsbewältigung getan hat. Hier fällt zugleich ihre provokative Grundabsicht auf, wenn wir uns des 1949 von Adorno notierten, 1951 publizierten Satzes erinnern: „Nach Auschwitz ein Gedicht zu schreiben, ist barbarisch" (AdGS, 10.1, 30). Diese Formulierung war nicht zuletzt auch gegen jene Autoren gemünzt, die den auch von Thomas Mann mit großer Skepsis gesehenen Begriff der Inneren Emigration für ihre eigene Haltung während der Diktatur geprägt hatten. Adorno wehrt sich vehement gegen die Hinwendung zur scheinbar ungebrochenen Tradition einer „deutschen Kulturnation". Er verabscheut, wie Thomas Mann, das hohle Pathos, mit dem viele Deutsche der Aufbaugeneration die Würde der Person und die Schönheit der Seele im Mund führen. In einem Rundfunkvortrag von 1950 erklärt er: „Der Umgang mit Kultur im Nachkriegsdeutschland hat etwas von dem gefährlichen und zweideutigen Trost der Geborgenheit im Provinziellen" (AdGS, 20.2, 456). Diesen kritischen Ton schlägt Adorno auch in seinen Briefen aus diesen Monaten an Thomas Mann an. Er schreibt, die „unsägliche Schuld" der Deutschen zerrinne „gleichsam ins Wesenlose". Man treffe im besiegten Deutschland so gut wie keine Nazis. „Ich habe die Beobachtung gemacht", so heißt es im Brief vom 28. Dezember 1949, „daß alle die, welche irgend sich mit der Hitlerei oder dem neugetönten Nationalismus identifizieren, standhaft behaupten, sie hätten von dem Äußersten während des ganzen Krieges nichts gewußt – während die bewußten Oppositionellen einem bestätigen, was die einfache Menschenvernunft sagt, daß man in Wahrheit seit 1943 alles wußte" (BrAd, 45). In einem Brief aus dem gleichen Monat an Max Horkheimer, der in Sichtweite von Thomas Manns Haus am San Remo Drive wohnte, beklagt sich Adorno darüber, „in die Situation eines intellektuellen Seelsorgers gedrängt zu werden, mit der Aufforderung, den Enttäuschten einen ‚Halt' zu geben – während in einem gewissen Sinn das Unheil ja gerade in jenem Begriff des Halts beruht."[24]

Genau dies ist das Thema von Adornos erstem Radiobeitrag, als er im Wintersemester 1949/50 den Lehrstuhl von Max Horkheimer vertritt. Er kommt gleich zu Beginn auf den Punkt, kritisiert seine deutschen Zuhörer, dass sie der Frage nach der eigenen Schuld aus dem Weg gehen. Statt über die Ursachen des Totalitarismus nachzudenken, suche man Schutz beim Herkömmli-

---

[24] Max Horkheimer: Gesammelte Schriften, hrsg. v. Alfred Schmidt, Frankfurt/Main: S. Fischer 1985–96, 18 (1996), S. 85.

chen und Gewesenen (AdGS, Bd. 20.2, 459). Zugleich bemängelt er das Fehlen jedweder Avantgarde und aus diesem Grund „herrsche ein gespenstischer
Traditionalismus ohne bindende Tradition" (ebd., 458). Seine Ausführungen
gipfeln in der These, Bildung habe im Nachkriegsdeutschland die Funktion,
„das geschehene Grauen und die eigene Verantwortung vergessen zu machen
und zu verdrängen". So „taugt Kultur dazu, den Rückfall in die Barbarei zu
vertuschen" (ebd., 460). Die konformistische Bewusstseinshaltung der Deutschen gehe Hand in Hand mit einer angepassten und erstarrten Politik, die
ihren Nutzen daraus ziehe, dass die Welt in zwei Machtblöcke aufgeteilt sei.
Entsprechend habe „Deutschland aufgehört [...], politisches Subjekt in einem
nationalstaatlichen Sinne zu sein" (ebd., 463). Dem stellt er einen Begriff
von Politik gegenüber, der die Veränderung der gesellschaftlichen Realität
als Ganze beinhaltet. Gerade so wie Thomas Mann wehrt er sich gegen die
Vorstellung, „daß man Subjekt nur sei als Subjekt gesellschaftlicher Macht,
nicht als Subjekt von Freiheit, als Subjekt einer versöhnten Menschheit" (ebd.,
446).

Dieser kursorische Rückblick auf Adornos ersten Rundfunkbeitrag nach
seiner Rückkehr macht deutlich, dass er in der kaum mehr als 30 Minuten
umfassenden Sendung einen guten Teil des begrifflichen Repertoires seiner
Gesellschaftstheorie entfaltet. Dazu zählen negativ konnotierte Schlüsselbegriffe wie Unwesen, Kollektivierung, totale Herrschaft, Verdinglichung,
Bann, Fetisch, die er in ein Spannungsverhältnis zu Gegenbegriffen wie kritische Besinnung, Insichgehen, Versöhnung setzt. Daraus resulitert als stilistisches Hauptmerkmal des Vortrags das kontradiktorische Element extremer
Zuspitzung der Argumente.

Eine ethische Grundierung der Texte gibt es nur *ex negativo* gemäß der
Adornoschen Prämisse, dass „die Möglichkeit des Besseren" nur im „ungemilderten Bewusstsein der Negativität" festgehalten werden kann (AdGS, 4,
26). Im Grunde blitzt der moralische Standpunkt nur an einigen Stellen auf,
etwa in der utopischen Idee, einen Zustand herbeizuführen, in dem das Leiden an der Gesellschaft abgeschafft ist.

Schaut man in dieser Perspektive Adornos berühmte Vorträge und Rund-
funkessays aus den späten 50er und 60er Jahren an, als er es riskiert, im Haus
des Henkers vom Strick zu sprechen, so kommt man zu ganz ähnlichen
Ergebnissen wie bei der Analyse des zeitlich früheren Sendebeispiels. In den
Vorträgen *Was bedeutet: Aufarbeitung der Vergangenheit?*, *Die Bekämpfung
des Antisemitismus heute* und *Erziehung nach Auschwitz*, mit denen Adorno
einer größeren Öffentlichkeit überhaupt erst bekannt wurde, warnt er erneut
vor dem Nachleben des Nationalsozialismus in der Demokratie, das „poten-
tiell bedrohlicher [sei] denn das Nachleben faschistischer Tendenzen gegen

die Demokratie" (AdGS, 10.2, 555 f.).[25] Er stellt 1959, zehn Jahre nach der Verabschiedung des Grundgesetzes, die provokante Frage, ob in Deutschland repräsentative Demokratie mehr sei als eine importierte Staatsform, die man akzeptiere, weil sie von wirtschaftlichem Wohlstand begleitet war. Er wagt die Spekulation, ob nicht der Parlamentarismus als eine Manifestation von Macht wahrgenommen werde, was ihn wiederum für den autoritätsgebundenen Charakter attraktiv mache. Den Opportunismus gegenüber der demokratischen Ordnung deutet Adorno als Zeichen dafür, dass Demokratie „nicht derart sich eingebürgert [hat], daß sie die Menschen wirklich als ihre eigene Sache erfahren, sich selbst als Subjekte der politischen Prozesse wissen" (ebd., 559). Als negative Hypothek fällt Adorno zufolge vor allem ins Gewicht, dass die „Aufarbeitung der Vergangenheit [...] nicht gelang und zu ihrem Zerrbild, dem leeren und kalten Vergessen, ausartete" (ebd., 566).

Hier gibt es nicht den Ansatz eines Meinungsunterschiedes zwischen Mann und Adorno. In diesen Rundfunkvorträgen und Diskussionen gesteht Adorno immer wieder ein, dass seine Interpretation das Negative bewusst überpointiere. Diese schonungslose Zeitkritik ist in der Tat ein stilistisches Grundmuster von Adornos Interventionen, die dieser Thematik gelten. Zugleich will er die Augen für jenen Normativismus öffnen, der einer demokratischen Verfassung inne wohnt, wozu für ihn die öffentliche Kritik, das Widersprechen und Streiten gehört. Dies ist auch die Zeitphase, zu der sich Adorno das Programm einer sozialen Demokratie zu eigen macht, das sich bei Thomas Mann schon in seinem bedeutenden Vortrag *Das Problem der Freiheit*, den er auf seiner *lecture tour* im Frühjahr 1939 öfters gehalten hat. Dort grenzt er die alte bürgerliche Demokratie gegen eine anzustrebende soziale Demokratie ab und erklärt, „daß heute in der Verbindung von Freiheit und Gleichheit das Schwergewicht sich nach der Seite der Gleichheit und der ökonomischen Gerechtigkeit vom Individuellen, also nach der Seite des Sozialen verlagert. Die soziale Demokratie ist heute an der Tagesordnung" (Ess V, 72 f). Über 20 Jahre später setzt das Frankfurter Institut für Sozialforschung unter seinem Direktor Adorno dieses linke, sozialstaatliche Konzept von Demokratie tatsächlich auf die eigene Tagesordnung.[26]

---

[25]  Der zeitgeschichtliche Anlass für diese Warnungen waren Hakenkreuzschmierereien in Köln Weihnachten 1959. Adorno ist alarmiert und will mit seiner Intervention eine Debatte über die Stabilität bzw. Instabilität der westdeutschen Demokratie evozieren.

[26]  Deutliche Konturen nahm dieses Konzepte erstmals in dem Vorwort zur Studie *Student und Politik* an, das Jürgen Habermas, damals Assistent von Adorno, verfasst hatte. Vgl. Jürgen Habermas et al.: Student und Politik, Neuwied/Berlin: Luchterhand 1961.

## Denkstile und Denkstilmuster

Nach den vorausgegangenen Ausführungen sollte deutlich sein, dass sich Thomas Mann und Adorno gleichermaßen und ganz bewusst auf die Rolle des öffentlichen Intellektuellen eingelassen haben. In dieser Rolle musste bei beiden ihre interessenpolitische Ungebundenheit als untadeliger Schriftsteller bzw. als untadeliger Philosoph sichtbar bleiben, um erst aus dieser erworbenen Anerkennung und Freiheit heraus eindeutig Stellung zu beziehen, sich also in der Sphäre der Politik zu positionieren.[27] Diese Spannung von geistiger Autonomie und politischem Engagement hatte schon der Soziologie Karl Mannheim vor Augen, als er die soziale Ortlosigkeit, die Ungebundenheit des Intellektuellen in den Vordergrund stellte.[28] Bei dieser Akzentuierung tritt jenes andere Merkmal allerdings in den Hintergrund, nämlich die Funktion des Intellektuellen, das was er als Person tut: Partei zu ergreifen durch öffentliche Kritik. Diese intellektuelle Kritik stellt eine distinkte Kritikform dar: Sie ist advokatorisch und appellativ ausgerichtet. Aber ihre Eigenart ist durch den spezifischen Denkstil des individuellen Intellektuellen geprägt. Dabei soll Denkstil hier als die Einheit der signifikanten Darstellungs- und Ausdruckmittel definiert werden, die selbst wieder aus den jeweils eigentümlichen Argumentationsweisen, den Begründungsformen und Redefiguren bestehen. Denkstile differieren sowohl historisch als auch von Intellektuellen zu Intellektuellen. Und doch haben sie Gemeinsamkeiten wie beispielsweise die Vielfalt individueller Kunstwerke des Impressionismus, die wiederum klar von der Vielfalt individueller Kunstwerke des Expressionismus stilistisch abzuheben ist. So zeigen sich die äußeren Charakteristika des Denkstils der öffentlichen Kritik von Mann und Adorno nicht nur im beschwörend ermahnendem Grundton ihrer Kritiken, sondern auch darin, dass sich beide keiner Fach-, sondern mehr oder weniger einer verständlichen Bildungssprache bedienen. Und ihre Kritiken enthalten in einem wie im anderen Fall unterschiedlich nuancierte rhetorische Figuren, Dramatisierungen, Ironie und Polemik. Diese Stilelemente sind wiederum deutliches Zeichen dafür, dass die intellektuellen Kritiken, im Gegensatz zur Kritik von Wissenschaftlern, Sachverständigen und Experten, den Stellenwert inkompetenter Kritiken haben, deren Legitimität die beiden Intellektuellen jeweils durch eloquent vorgetragene Argu-

---

[27] Vgl. Pierre Bourdieu: Die Regeln der Kunst. Genese und Struktur des literarischen Feldes, Frankfurt/Main: Suhrkamp 1999, S. 210 ff. ; außerdem Henning Hillmann: Zwischen Engagement und Autonomie. Elemente für eine Soziologie des Intellektuellen, in: Berliner Journal für Soziologie, 1997, 7, S. 80.

[28] Karl Mannheim: Ideologie und Utopie, Frankfurt/Main: Klostermann 1985, S. 24.

mente unter Beweis stellen müssen.[29] Wenn es zutrifft, dass den Zeitkritiken von Mann und Adorno eine Reihe solcher Gemeinsamkeiten eigen ist, dann liegt es in der Tat nahe, ein übergreifendes, intellektuelles Denkstilmuster zu konstatieren: einen Soziolekt, eine Gruppensprache der Intellektuellen, die als ein inneres Charakteristikum in der Agonalität der intellektuellen Kritikform selber zum Ausdruck kommt. Agonalität „dient der Erzeugung von Differenz"[30] und meint in diesem Zusammenhang eine Konfrontation im Sinne eines argumentativen Streits: das verbale Überzeugenwollen eines Kollektivs, das sich aus Personen zusammensetzt, deren Urteilskraft vom Kritiker unterstellt, deren Integrität generell respektiert wird. Warum sollte er sonst auf dem Forum der Öffentlichkeit einen Streit vom Zaun brechen?[31] Agonalität ist ein interpersonales Kennzeichen des intellektuellen Denkstilmusters, das in graduell unterschiedlichen und in durchaus divergenten Spielarten in Erscheinung tritt.

Was die Kritikform von Thomas Mann angeht, so hat die knappe Textanalyse ja gezeigt, wie sehr die Interventionen des Schriftstellers von einer eindeutig moralisch motivierten Position ausgehen. Davon überzeugt, was das Gute und das Böse im Weltlauf ist, akzentuiert er dementsprechend seine ironischen und polemischen Stilmomente. Dieser Denkstil ist kontrastiv. Bildlich gesprochen: Die warmen und kalten Farben, Licht und Schatten werden eindeutig verteilt und nicht vermischt. Diese Kritik gewinnt ihre Agonalität dadurch, dass sie im Widersprechen klare Akzente setzt, durch ihr „Seht doch" zum widerständigen Denken und Handeln aufruft. Dieser Denkstil baut auf die Evidenz der guten Gründe, die gegen die schlechten fast pädagogisierend abgehoben werden.

Demgegenüber ist Adornos Denkstil durch seine Intransigenz agonal. Seine Kritikform vertraut ganz der erhellenden Kraft der Dissidenz. Diese Impulse, die der Adornoschen Kritik ihre Agonalität verleihen, resultieren nicht aus expliziten Wertpositionen und politischen Überzeugungen, sondern

[29] Bei Lepsius heißt es: „Die inkompetente, aber legitime Kritik ist das Feld des Intellektuellen: die aus Strukturbedingungen der Gesellschaft notwendig prekäre Lage dieser Art der Kritik ist die prekäre Lage des Intellektuellen". Rainer M. Lepsius: Kritik als Beruf. Zur Soziologie des Intellektuellen, in: KZfSS, Köln 1964, 16, S. 88.

[30] Frank Nullmeier: Politische Theorie des Sozialstaats, Frankfurt/Main, New York: Campus 2000, S. 156, vgl. auch 160 ff..

[31] Um keine Missverständnisse bezüglich des klärungsbedürftigen Begriffs der Agonalität aufkommen zu lassen, sei betont: Hier wird Agonalität als ein demokratisches Prinzip gesehen. Angesichts unhintergehbarer Konfliktkonstellationen in demokratischen Gesellschaften betrachten sich die Debattanten in temporären Auseinandersetzungen „als Gegner, die um die Hegemonie im demokratischen Raum streiten, aber nicht als Feinde". In: Dirk Jörke: Die Agonalität des Demokratischen: Chantal Mouffe, in: Oliver Flügel et al. (Hrsg.): Die Rückkehr des Politischen. Demokratietheorien heute, Darmstadt: Wissenschaftliche Buchgesellschaft Darmstadt 2004, S. 164.

daraus, dass diese Kritik in ihrem Vollzug Tabus bricht. Mit anderen Worten: Adornos Denkstil erhält seine agonale Qualität dadurch, dass seine Kritik bis in die kontradiktorischen Sprachwendungen hinein antikonsensuell ist. Dieser Reflexionsmodus lebt nicht, wie bei Thomas Mann, von den Hell-Dunkel-Kontrasten, sondern davon, dass die extremen Seiten wechselseitig ihrer jeweiligen Einseitigkeit überführt werden.

Während der intellektuelle Denkstil von Thomas Mann in der sprachlichen Veranschaulichung, in der bildhaften Ausgestaltung und den Oppositionsbildungen zum Ausdruck kommt, entfaltet Adorno seine Kritik weitaus begrifflicher und dialektisch, indem er die inneren Widersprüche des einen Extrems in ein Spannungsverhältnis zu demjenigen des anderen bringt. So entsteht ein provokativer Bedeutungsüberschuss, der die Funktion des Schockhaften hat.

Somit haben die Kritikformen, die Thomas Mann und Adorno in ihrer Zeit, auf ihre Art praktiziert haben, zwar Gemeinsamkeiten, die es durchaus rechtfertigen, von einem für beide zutreffenden intellektuellen Denkstilmuster zu reden. Will sagen: Die auf die Öffentlichkeit bezogene, im Medium der Öffentlichkeit vorgetragene Kritik des Intellektuellen als transzendierende Instanz ist eine appellative Kritikform; sie hat die Funktion, auf eine prinzipielle Art zu opponieren und ist insofern in einer besonderen Weise agonal. Das Agonale des Denkens und Sprechens von Mann und Adorno manifestiert sich freilich in einem höchst eigensinnigen Stil. Adornos Agonalität ist eine, die aus bestimmter Negation hervorgeht. Hingegen speist sich das Agonale des intellektuellen Denkstils von Thomas Mann daraus, dass seine Kritik die Konsequenzen des falsch eingeschlagenen Weges in aller Drastik vor Augen führt und drohend den Weg des Besseren anmahnt. Dieser Denkstil zeitigt mit Manns eigenen Worten „eine Art von politischer Sonntagspredigt [...], bei der mir wohler wäre, wenn ich sie von einer Romanfigur halten lassen könnte" (TMS X, 185).

## Medienintellektuelle?

Kommen wir zum Schluss noch auf die Frage zurück, ob Thomas Mann und Adorno mit der Art ihres intellektuellen Engagements Vorboten jenes heute international die kulturelle Szene beherrschenden Typus des Medienintellektuellen sind?[32] Es dürfte wenig überraschen, dass die Antwort Ja und Nein

---

[32] Jürgen Habermas beschreibt den Medienintellektuellen als eine öffentliche Person, die Diskurs und Selbstdarstellung verwechselt. Die Gründe für diese Entwicklung sieht er in „einer Entformalisierung der Öffentlichkeit und einer Entdifferenzierung entsprechender Rollen". Jürgen Habermas: Der Intellektuelle, in: Cicero 2006, 4, S. 68.

lautet. Einerseits haben sich die beiden Geistesgrößen auf das Medium Rundfunk eingelassen und dabei, so gut sie es wussten, die spezifischen medialen Vermittlungsbedingungen einer kommunikativen Rede bedacht, die zu berücksichtigen sind, wenn man sich über das Mikrofon an ein disperses Publikum richtet und verstanden werden will.[33]

Manns Romane sprechen eine andere Sprache, Adornos *Negative Dialektik* bedient sich einer anderen Diktion als jene Reden, die an ein größeres Publikum adressiert waren. Dennoch war die Prämisse für beide gewiss die gleiche, obzwar nur Adorno sie formuliert hat: „Mit den Ohren denken"[34].

Gewiss, sie waren auch Medienintellektuelle, die öffentlich Partei ergriffen haben, aber um die Verantwortung wussten, wenn sie sich mit ihren Auffassungen über das moralisch Richtige in der Politik zu Wort gemeldet haben. Eben das Bewusstsein des eigenen Handelns, das sich bei Mann beispielsweise in Tagebuchnotizen und bei Adorno in selbstreflexiven Erörterungen über das geschriebene und öffentlich gesprochene Wort findet, ist deutlicher Hinweis dafür, dass sie in Distanz zu den Medien der Massenkommunikation blieben. Sie konnten gar nicht in die Not kommen, sich der Inszenierungslogik des Rundfunks zu unterwerfen, der ohnehin zu dieser Zeit ein textnahes Kulturmedium war. Ihre Sprache war auch als publizistische Sprache nicht konformistisch, sondern kompromisslos, eine „akratische Sprache", die auf Denken aufbaut und nicht auf Ideologie.[35] Kurzum: Beide haben sich den ideologischen Missbrauch der eigenen Existenz versagt. Mann und Adorno waren keine Medienintellektuellen, die ein Geschäft mit ihrer eigenen Popularität machen, um im Lichte feststehender Gesinnungen bloß etwas zu meinen. Vielmehr repräsentieren sie den heute untergegangenen klassischen Typ des universellen Intellektuellen. Einen Schwundprozess registriert schon Michel Foucault, indem er den klassischen Typus des „universellen Intellektuellen" als „Herr der Wahrheit, als Prophet seiner Zeit" durch den „spezifischen Intellektuellen" abgelöst sieht. Die Zeit der „Grands penseurs" sei vorbei; an ihre Stelle tritt der Fachmann des wissenschaftlichen Wissens. Nicht mehr J. P. Sartre, sondern M. Oppenheimer ist für Foucault das Modell des spezifi-

---

[33] Vgl. im Fall von Adorno: Theodor W. Adorno: Erziehung zur Mündigkeit, Frankfurt/Main: Suhrkamp 1971.

[34] Theodor W. Adorno: Kulturkritik und Gesellschaft. AdGF, Bd. 10.1, Frankfurt/Main: Suhrkamp 1996, S. 11.

[35] Roland Barthes: Das Rauschen der Sprache (Kritische Essays IV), Frankfurt/Main: Suhrkamp 2006, S. 126. Barthes grenzt die „akratische Sprache" von der „enkratischen Sprache" ab. Während diese in den Institutionen der Macht gesprochen werde, „vage, diffus, scheinbar ‚natürlich' seien, entsteht die akratische Sprache außerhalb und gegen die Macht. „Die akratische Sprache ist getrennt, schneidend, von der doxa abgesetzt". Ebd., S. 125 f.

[31] Vgl. Michel Foucault: Dispositive der Macht, Berlin: Merve 1978, S. 18 ff.

schen Intellektuellen in der Gegenwart. Sie sind Grenzgänger zwischen zwei Welten, zwischen der Welt der Literatur und Philosophie und der Welt der Agora als Ort öffentlicher Kritik.

*Ulrich Karthaus*

# Der Geschichtliche Takt

Thomas Mann: ein moderner Klassiker

In memoriam
Peter Pütz
10. Mai 1935 – 17. Juni 2003

Am 5. Juni 1887, dem Vorabend seines 12. Geburtstages, sah Thomas Mann aus ziemlicher Nähe Kaiser Wilhelm I.[1] Der war noch im 18. Jahrhundert, am 22. März 1797 geboren. Der neunzigjährige Kaiser war, wie er da in Lübeck erschien, ein lebendes historisches Monument. Er hatte 1814 gegen Napoleon gekämpft und sich in der Schlacht bei Bar-sur-Aube das Eiserne Kreuz verdient. Und später, in den 1820er Jahren, als er in Weimar auf Freiersfüßen wandelte, hatte er mehrmals Goethe besucht.[2]

An die siebzig Jahre später, wenige Wochen vor seinem Tode, begegnete Thomas Mann den Repräsentanten der nach dem Zweiten Weltkrieg entstandenen deutschen Teilstaaten, dem ersten Bundespräsidenten Theodor Heuss und dem Kultusminister der DDR Johannes R. Becher. Das Wort Kaiser war aus den Zeitungen in die Geschichts- und Märchenbücher gewandert. Die beiden Begegnungen am Anfang und am Ende dieses Lebens deuten die einschneidenden Bewegungen und Veränderungen an, denen Thomas Mann ausgesetzt war und auf die er mit seinem Werk antwortete.

In diesen nahezu sieben Jahrzehnten wurde er Zeuge des Naturalismus, der Entstehung der Psychoanalyse, der Jahrhundertwende mit der morbiden Dekadenz des endenden neunzehnten Jahrhunderts und der Aufbruchstimmung des Jugendstils, die ins zwanzigste führte. Er war Zeitgenosse des britischen Weltreichs, seiner Blüte unter Königin Victoria und seines Niedergangs, dann des expressionistischen Jahrzehnts und des Ersten Weltkriegs. Er durchlebte das Ende des Kaiserreiches, die Weimarer Republik mit Inflation und Währungsreform, später der Weltwirtschaftskrise, das Exil, den Zwei-

---

[1] „Wilhelm I. berührte Lübeck während der Durchfahrt auf der Rückkehr von der Grundsteinlegung des Nord- Ostseekanals am 5. Juni 1887." Ich danke Frau Dr. Antjekathrin Graßmann (Stadtarchiv Lübeck) für ihre freundliche Auskunft.

[2] Dass er sich 1849 den Beinamen „Kartätschenprinz" erworben hatte, weil er den pfälzisch-badischen Aufstand niedergeschlagen hatte, war mit der Reichsgründung in Vergessenheit geraten.

ten Weltkrieg, das Ende Hitlers und des Deutschen Reiches. Zur Zeit seiner Kindheit wandelte noch der Ehrenbürger Emanuel Geibel (1815–1884) durch Lübeck. Dann gab es die Relativitätstheorie, Unterseeboote, das Telefon, die Atombombe und die Sowjetunion.

Als tiefsten Einschnitt in sein intellektuelles Leben aber erfuhr er den Ausbruch des Ersten Weltkrieges im Sommer 1914, diese „Leben und Bewußtsein tief zerklüftend[e] Wende und Grenze", die das bürgerliche Zeitalter, seine Zeit, beendete und mit der „so vieles begann, was zu beginnen wohl kaum schon aufgehört hat"[3], wie er 1924 im *Zauberberg* schrieb. Beim Nachdenken über dies Ereignis gelangte er später zu dem

Gefühl, daß eine Epoche sich endigte, die [...] zurückreichte bis zum Ausgang des Mittelalters, bis zur [...] Emanzipation des Individuums, der Geburt der Freiheit, eine Epoche, die ich recht eigentlich als die meiner weiteren geistigen Heimat zu betrachten hatte, kurzum, die Epoche des bürgerlichen Humanismus.

Es ist das Gefühl, „daß [...] die Welt in ein neues, noch namenloses Sternzeichen treten wollte"[4] – mindestens, dass die um 1500 beginnende Epoche, die wir die Neuzeit nennen, zu Ende sei. Er stand mit dieser Ansicht nicht allein.[5]

Wie hat er diese Erfahrung bewältigt? Welche Folgerungen konnte der Dichter Thomas Mann überhaupt daraus ziehen? Man muss sich dabei vor Augen halten, dass er bei Ausbruch des Ersten Weltkrieges in seinem vierzigsten Jahr stand – in diesem Alter mag man einige Ansichten ändern, nicht aber sein Ethos, die Gesetze seines Lebens. Bei den Überlegungen hierzu konzentriere ich mich auf sein poetisches Werk.

Meine These: Er war ein konservativer Künstler und blieb es. Dass er dabei blieb und dass sein Werk dennoch nicht veraltete, verdankt sich seiner Skepsis und seinem geschichtlichen Takt. Ich möchte diese These in drei Abschnitten entwickeln. Erstens: Der ästhetische Konservatismus; zweitens: Was bedeutet modern?; drittens: Was ist Takt?

---

[3] 5.1, S. 9f.

[4] VI, S. 468f.

[5] Egon Friedell referiert eine astrologische Theorie, der zufolge die Erde im Laufe des zwanzigsten Jahrhunderts vom Zeichen der Fische in das des Wassermanns übergehe: „Wir befinden uns also an einer großen Zeitenwende: daher unsere Unruhe und Zerrissenheit." Egon Friedell: Kulturgeschichte Ägyptens und des Alten Orients. Leben und Legende der vorchristlichen Seele [1936], 4. Aufl., München: C. H. Beck 1955, S. 83. Überhaupt war das Bewusstsein, dass der Erste Weltkrieg ein so nachhaltiger geschichtlicher Einschnitt sei, in Österreich wohl besonders ausgeprägt.

## I. Der ästhetische Konservatismus

Nennt man ihn konservativ, so ist dies scheinbar ein hartes Urteil. Aber er bestätigt es, indem er sich noch 1950 zu der ihm „eingeborenen bürgerlichen Überlieferung, dem Bildungsgut des neunzehnten Jahrhunderts"[6] bekennt, und die Jahre der Studentenbewegung, die jenes Beiwort meist in Verbindung mit einer Vokabel gebrauchte, deren Verwendung sich hier in einer Hansestadt verbietet, sind vergangen, so dass man den Begriff Konservatismus heute wieder in einem neutralen Sinne benutzen darf, zumal wenn man ihn ästhetisch und in Bezug auf die Dichtung versteht.

Seinen ästhetischen und künstlerischen Konservatismus leitet er selbst von seinem „Sinn für Größe"[7] ab. Aber er ist auch im Wunsch nach Sicherheit und Beständigkeit begründet, nach dem Zusammenhang der Verhältnisse und ihrer Entwicklungen. Anders als die Konserve, die, wie Hans Castorp meint, ihren Inhalt der Zeit, also der Veränderung, entzieht[8], setzt der Konservatismus auf die langsame und beständige Wandlung. Auch er verändert die Welt – nicht in Brüchen und Sprüngen, nicht unvorbereitet und überraschend, sondern bedachtsam und möglichst schmerzlos. „Denn in Übergängen, nicht sprungweise vollzieht die Geschichte sich, und in jedem Ancien Régime sind die Keime des Neuen schon lebendig und geistig am Werk."[9] Und Thomas Manns ästhetischer Konservatismus hinderte weder den Wandel seiner politischen Ansichten noch die Aufnahme der Tendenzen und Probleme seiner Zeit in das Werk: hier zum Beispiel nahm er Anregungen der Psychoanalyse auf und hier setzte er sich mit dem Faschismus auseinander.

In der Sprache der Kunsttheorie bedeutet Konservatismus soviel wie Klassik oder Klassizismus – zwei Begriffe, die ich hier nicht unterscheiden möchte.[10] Im Laufe des neunzehnten Jahrhunderts bürgerte sich die Gewohnheit ein, klassisch die Werke Schillers und Goethes zu nennen. Inzwischen spricht man von der Weimarer Klassik, wahrscheinlich im Bewusstsein, dass bedeutende Dichtung nicht nur vor zweihundert Jahren in Thüringen entstand, sondern dass auch in München und Rom, in Zürich und an der Pazifikküste große und klassische literarische Werke entstehen können. Denn „Im weitesten und heute noch [...] geläufigen Sinne meint das K[lassische] das Vorzüg-

---

[6] XI, S. 311.
[7] XI, S. 311.
[8] 5.1, S. 770.
[9] XI, S. 305
[10] Eine begriffliche Differenzierung zwischen einer auf antike Stoffe und Motive zurückgreifenden klassizistischen Poesie und einer vorbildlichen, kanonbildenden klassischen ist immer problematisch, weil sie Werturteile einschließt.

liche und Musterhafte. Als Klassiker kann jeder Autor und Künstler bezeichnet werden, dessen Werk zu den Gipfelleistungen seiner Art gehört".[11]

Der Klassiker war vielleicht in seiner Jugend einmal Stürmer und Dränger, oder auch nur Herausgeber des *Frühlingssturms*, aber er ist naturgemäß kein literarischer Revolutionär. Er distanziert sich deshalb bereits 1904 deutlich von dem „Propheten" Daniel, den er später im *Doktor Faustus* als Daniel zur Höhe abermals auftreten lässt. Dessen „letzt[e] und wüst[e] Ideal[e]" sind seine Sache nicht. In der „schräge[n] Dachkammer" gilt schon 1904 „kein Maß und kein Wert"[12]; man weiß, dass Thomas Mann 1939 den Titel der Zeitschrift *Maß und Wert* formulierte.

Näher ist er dem Dichter Gustav von Aschenbach verwandt, wie er ihn im zweiten Kapitel des *Tod in Venedig* charakterisiert hat:

> [...] sein Stil entriet in späteren Jahren der unmittelbaren Kühnheiten, der subtilen und neuen Abschattungen, er wandelte sich ins Mustergültig-Feststehende, Geschliffen-Herkömmliche, Erhaltende, Formelle, selbst Formelhafte, und wie die Überlieferung es von Ludwig XIV. wissen will, so verbannte der Alternde aus seiner Sprachweise jedes gemeine Wort.[13]

Will man diese Worte als eine vorweggenommene Charakteristik seiner selbst verstehen, so muss man sie selbstverständlich um die wesentlichen Züge des Ironikers und Humoristen ergänzen. Aber wenn er damit 1912 mindestens teilweise ein Wunschbild seiner Person umriss, so hatte er es etliche zwanzig Jahre später erreicht. In der Tat war Thomas Mann bereits zu Lebzeiten „mustergültig", ein Vorbild vieler Angehöriger der ihm folgenden Schriftstellergeneration. Das bezeugt z. B. Ernst von Salomon in seinem autobiographischen Werk *Der Fragebogen* anlässlich der Erzählung von „Dichtertreffen" während der dreißiger Jahre in Lippoldsberg an der Weser im Hause von Hans Grimm, dem Autor des fatalen Romans *Volk ohne Raum*. Von Salomon nennt neben Namen, die zum größten Teil heute vergessen sind, auch Rudolf Alexander Schroeder, „eine ehrwürdige Gestalt, der Nestor der deutschen Dichtung, [...] Thomas Mann vertretend, zu dem wir in keinem näheren Verhältnis standen, außer daß wir alle von ihm schreiben gelernt hatten".[14] Und 1950 erschien eine Charakteristik des Ironikers, Stilisten und Sprachkünstlers Thomas Mann, ein Abschnitt, acht Druckseiten lang, in der *Stilkunst* von

---

[11] Beda Allemann: Klassische, das. In: Historisches Wörterbuch der Philosophie, hrgs. v. Joachim Ritter und Karlfried Gründer, Bd. IV, Darmstadt: Wissenschaftliche Buchgesellschaft 1976, S. 853–856.

[12] 2.1, S. 408.

[13] 2.1, S. 514 f.

[14] Ernst von Salomon: Der Fragebogen, Hamburg: Rowohlt 1951, S. 193, 198 f.

Ludwig Reiners, der das Aperçu Ernst v. Salomons begründet und des näheren ausführt: „Bewundernd und gelehrig lauschte Deutschland, und nichts gleicht dem erzieherischen Einfluß, den dieser oberste Zauberkünstler auf die deutsche Prosa ausgeübt hat".[15] Indem er zum Vorbild wurde, erfüllte er eines der Kriterien, mit denen Immanuel Kant 1790 in der Kritik der Urteilskraft den Begriff Genie definierte.[16]

Ernst von Salomon und Ludwig Reiners schrieben das vor mehr als fünfzig Jahren, und selbstverständlich erstreckt sich der Einfluss Thomas Manns, wenn er denn eine Wirkung ausgeübt hat, auf die Sprache der Literatur und nicht auf die Umgangsprache, die eher in jene Richtung zu gehen scheint, die Goethe in *Lotte in Weimar* ihr vorzeichnet: „Und wenn ich tot bin, werden sie Uff! sagen und sich wieder ausdrücken wie die Ferkel."[17]

## II. Was ist modern?

Es liegt aber nicht nur an seiner Sprache, dass das Werk dieses Künstlers, heute, mehr als fünfzig Jahre nach seinem Tode, offenbar wieder sehr eifrig gelesen wird, nachdem es im Gefolge der Studentenbewegung eine Zeitlang so scheinen konnte, als falle es allmählich der Vergessenheit anheim. Warum ist das so?

Weil das Werk Thomas Manns hinter seiner konservativen Vorderansicht modern ist. Das meint zunächst etwas ganz anderes als modisch. Was modisch ist, kann man sich leicht vor Augen führen, wenn man an Kleider oder andere Gebrauchsgegenstände denkt, die ihr Aussehen zwar ändern, ihre Funktion aber behalten, weshalb sie im Wesentlichen die gleichen bleiben, die sie immer schon waren, trotz gelegentlichen Veränderungen; Thomas Mann führt als Beispiel „die Bügelfalte der Herrenhose"[18] an. Denn modisch nennt die Sprache eine zufällige oder willkürliche Veränderung oder einen kurzlebigen Stil.

Der Begriff modern ist etwas komplizierter. Zunächst ist die Vorstellung abzuweisen, modern sei in der Literatur immer der soeben erreichte Punkt

---

[15] Ludwig Reiners: Stilkunst. Ein Lehrbuch deutscher Prosa, 3. Aufl., München: C. H. Beck 1950, S. 554. Die erste Auflage erschien 1943 unter dem Titel *Deutsche Stilkunst. Ein Lehrbuch deutscher Prosa.* Hier fehlt in Kapitel 43 „Ironie" noch die Würdigung Thomas Manns.

[16] Kant zufolge sind die Werke des Genies original und exemplarisch; wie sie zu Stande kommen, kann ihr Urheber nicht erklären. Deshalb gibt es Genies nur in der Kunst, nicht in der Wissenschaft. Vgl. Immanuel Kant: Critik der Urtheilskraft, 2. Aufl. [1793]; Werkausgabe Bd. X., hrsg. von Wilhelm Weischedel, 3. Aufl. Frankfurt/Main: Suhrkamp, S. 241 ff.

[17] 9.1, S. 366.

[18] XI, S. 311.

einer Entwicklung. Denn in einem sehr weiten Sinne beginnt die literarische Moderne in den 1770er Jahren. Damals begann die Dichtung, sich von ihren zweitausendjährigen Bindungen an Philosophie und Theologie zu lösen, ein Vorgang, dessen Beginn sich mit Goethes Roman *Die Leiden des jungen Werthers* und seiner Aufnahme datieren lässt. Der „Gehalt" – Goethe hat das Wort in die Literaturkritik eingeführt – eines Kunstwerkes ist seither nicht mehr eine Wahrheit, die auch außerhalb des Werkes nachweisbar wäre, sondern eher eine Frage, ein Problem. Der Gehalt ist authentisch, durch die Person des Dichters und seine Erfahrungen verbürgt. Diese Emanzipation der Dichtung war zu Thomas Manns Zeiten noch keineswegs abgeschlossen, aber er hat diese Entwicklung in der deutschen Erzählprosa entscheidend vorangetrieben. Der Dichter ist seither nicht mehr der *poeta vates*, der Seher, sondern der *poeta doctus*, der Artist und Techniker auf dem Gebiet der Poesie. Der Sänger, der blind ist, wie die Sage es von Homer wissen will, ist zum Statisten geworden, wie er in *Joseph in Ägypten* im Hause Potiphars auftritt:

In einem entfernten Winkel kauerte meistens ein alter Harfenspieler, der mit dürren Krummfingern sacht in die Saiten griff und undeutliche Murmellieder sprach. Er war blind, wie es sich für einen Sänger gehörte, und konnte auch etwas weissagen, obwohl nur stockend und ungenau. (V, 917)

Der *poeta vates*, der Sänger als Visionär, ist erblindet und sitzt undeutlich murmelnd im abseitigen Winkel.

Thomas Manns literaturgeschichtliche Bedeutung liegt vor allem hier: „Er prägte entscheidend das gegenwärtige Bild des Dichters und veränderte es vom inspirierten Schöpfer zum höchst bewußten Konstrukteur."[19] Das stellte Peter Pütz schon 1975 fest. Der Dichter ist nicht mehr der Seher, sondern der Skeptiker: der genau blickende Beobachter. Obwohl man das schon von den großen Realisten des neunzehnten Jahrhunderts sagen kann, in der deutschsprachigen Literatur vor allem von Wilhelm Raabe, Gottfried Keller und Theodor Fontane, hat doch erst Thomas Mann diesen modernen Begriff des Dichters fest etabliert und durchgesetzt, und zwar nicht mit Hilfe literaturtheoretischer und kritischer Abhandlungen, sondern durch das Gewicht und den Rang seines Werkes.

Damit zog er sich die Gegnerschaft einiger Schriftstellerkollegen zu; die Kontroverse mit Josef Ponten zeigt das sehr deutlich.[20] Und in den zwanziger

---

[19] Peter Pütz: Thomas Manns Wirkung auf die deutsche Literatur der Gegenwart. In: Beatrix Bludau/Eckhard Heftrich/Helmut Koopmann (Hrsg.): Thomas Mann 1875–1975. Vorträge in München – Zürich – Lübeck, Frankfurt/Main: S. Fischer 1977, S. 459.

[20] Hans Wysling (Hrsg.): Dichter oder Schriftsteller? Der Briefwechsel zwischen Thomas Mann und Josef Ponten 1919–1930. Bern: Francke 1988.

Jahren, zur Zeit des *Zauberberg*, scheint er seiner eigenen Position nicht ganz sicher gewesen zu sein; das lässt sich der Darstellung Mynheer Peeperkorns entnehmen, wenn man sie als poetologische Auseinandersetzung mit dem Gerhart Hauptmann der zwanziger Jahre liest oder, genauer gesagt, mit dem von Hauptmann damals verkörperten Typus des Dichters. Er nennt Hans Castorp „Schwätzerchen"[21] und wirft ihm sein „behendes kleines Wort" vor: „Es springt über Stock und Stein und rundet die Dinge zur Annehmlichkeit. Allein befriedigend, – nein."[22] Diese Lesart setzt allerdings als selbstverständlich voraus, dass hier das Geschöpf Thomas Manns seinen Schöpfer vertritt.

Vor allem erregte Thomas Mann deshalb bei Teilen des Bildungsbürgertums Anstoß bis weit in die Nachkriegszeit hinein. In diesen Kreisen gab es noch um 1960 zahlreiche Opfer der Nazi-Propaganda, die nicht nur den Demokraten und Antifaschisten Thomas Mann verteufelt hatte, sondern zugleich auch den Asphaltliteraten: Asphalt ist die künstliche Decke, die den Menschen vom natürlichen Boden trennt. Der Asphaltliterat folglich ist ein volksfremder Dichter, der nicht Blut und Boden besingt als die wahren Wurzeln des deutschen Menschen, sondern die Wirklichkeit mit zersetzendem Verstand durchdringt, überflüssige intellektuelle Spielereien treibt und alle echten und wahren Gefühlen durch ihre Analyse entlarvt.[23] Weil dies die Literaturideologie des Nationalsozialismus war, ist die Eroberung Österreichs, vor allem der Stadt Wien, nach Thomas Manns vielleicht nicht völlig ernst zu nehmender Vermutung auf den Hass Hitlers gegen die Psychoanalyse zurückzuführen.

Ich habe den stillen Verdacht, daß die Wut, mit der er den Marsch auf eine gewisse Hauptstadt betrieb, im Grunde dem alten Analytiker galt, der dort seinen Sitz hatte, seinem wahren und eigentlichen Feinde, – dem Philosophen und Entlarver der Neurose, dem großen Ernüchterer, dem Bescheidwisser und Bescheidgeber selbst über das ‚Genie'. [24]

Und bemerkenswert ist, wie sich noch in den fünfziger Jahren der Schweizer Literaturhistoriker Walter Muschg in seiner *Tragischen Literaturgeschichte* der nationalsozialistischen Literaturtheorie annäherte. Er folgte damit dem „völkische[n] Kritikerführer Adolf Bartels", der 1933 nicht glauben mochte, dass von Thomas Mann irgend etwas bleiben werde.[25] Muschg gelangt noch

---

[21] 5.1, 867.
[22] 5.1, 916.
[23] Vgl. Cornelia Berning: Vom „Abstammungsnachweis" zum „Zuchtwart". Vokabular des Nationalsozialismus, Berlin: de Gruyter 1964, S. 26 f.
[24] XII, S. 850 f.
[25] Darauf macht aufmerksam Heinrich Detering: „Juden, Frauen und Litteraten". Zu einer Denkfigur beim jungen Thomas Mann. Frankfurt/Main: S. Fischer 2005, S. 143.

20 Jahre später zu der Erkenntnis: „Die Bücher Thomas Manns sind das letzte große Versäumnis der bürgerlichen deutschen Literatur. Künftige Leser werden an ihnen vor allem verstehen lernen, warum das Deutschland, das er repräsentierte, vom Teufel geholt wurde."[26] Dieser Angriff hat Thomas Mann lange beschäftigt und zutiefst gekränkt. Er ging ihm sehr viel näher als viele Kritiken aus Deutschland, weil Muschg ihm nicht seine Emigration und nicht seine politische Haltung vorwarf, sondern die Grundlagen, auf denen sein Werk errichtet war. Er reagierte entsprechend und vermerkte im Tagebuch am 29. 12. 1953, er habe seine Teilnahme an einer Thomas Mann-Ausstellung in Basel abgesagt, „wo ich dergleichen nicht wünsche, solange ein Verhunzer meines Lebens wie der Forscher Muschg dort seinen Sitz hat." Man mag das als persönliche Eitelkeit abtun – aber jenseits dieser verständlichen Empfindung bleibt die literaturhistorische Tatsache, dass er, Thomas Mann, mit seinem Werk gegenüber jener Kritik im Recht blieb. Und in den fünfziger Jahren war ihm selbst das sehr viel deutlicher als dreißig Jahre zuvor, zur Zeit des *Zauberberg.*

*

Kehren wir indes zurück zur literarischen Moderne, wie sie sich in den frühen Jahren Thomas Manns präsentierte. Sie ist zunächst gekennzeichnet durch den Pluralismus verschiedener Stilrichtungen und Gegenstandsbereiche.

Zu der Zeit, als Thomas Mann in das literarische Leben eintrat, gab es in der deutschen Literatur nebeneinander sehr unterschiedliche Tendenzen. Gerhart Hauptmann hatte 1889 mit seinem dramatischen Erstling *Vor Sonnenaufgang* ein bürgerliches Publikum schockiert und war maßgeblich am Import des Naturalismus nach Deutschland beteiligt. Frank Wedekind folgte ihm 1891 in der Darstellung sexueller Probleme mit *Frühlings Erwachen,* im selben Jahr, als *Der Stopfkuchen* von Wilhelm Raabe erschien, denn der literarische Realismus war noch sehr lebendig und brachte einige seiner wichtigsten Werke hervor, vor allem Fontanes *Effi Briest* (1890); *Frau Jenny Treibel* (1892) und *Der Stechlin* (1897). Daneben entwickelte sich, als Reaktion auf den Naturalismus, die Neuromantik, die sich um den Verlag Eugen Diederichs in

---

[26] Walter Muschg: Tragische Literaturgeschichte. Bern: Francke 1953, S. 426. In diesem Zusammenhang ist auch die Polemik von Hans Egon Holthusen zu erwähnen: Die Welt ohne Transzendenz. Eine Studie zu Thomas Manns „Dr. Faustus" und seinen Nebenschriften, Hamburg: Ellermann 1949. Der Komplex ist neuerdings umfassend und gründlich dargestellt worden von Marcus Hajdu: „Du hast einen anderen Geist als wir!" Die „große Kontroverse" um Thomas Mann 1945–1949, Giessen, Univ. Diss. 2002, Giessener Elektronische Bibliothek Nr.: urn:nbn:de:hebis:26–opus–20562; online unter: http://geb.uni-giessen.de/geb/volltexte/2005/2056/

Leipzig und Jena versammelte. Als Gegenbewegung hiezu und zugleich auch zum Naturalismus kam es um 1900 zum Neuklassizismus, der sich vor allem mit dem Namen Paul Ernst verbindet und eine formal strenge Bindung an klassische Traditionen in sein Programm schrieb. Die bedeutendsten jüngeren Lyriker jener Jahre, George, Hofmannsthal und Rilke, darf man dem Symbolismus zuordnen.

1950 charakterisierte Thomas Mann das Verhältnis seines Werkes zu dieser vielfältig bunten Zeitgenossenschaft:

Wenn ich zurückdenke – ich war nie modisch, habe nie das makabre Narrenkleid des Fin de siècle getragen, nie den Ehrgeiz gekannt, literarisch à la tête und auf der Höhe des Tages zu sein, nie einer Schule und Koterie angehört, die gerade obenauf war, weder der naturalistischen, noch der neuromantischen, neu-klassischen, symbolistischen, expressionistischen, oder wie sie nun hießen.[27]

Betrachten wir diese häufig angeführten Worte etwas genauer. Wenn man Thomas Mann auch zugesteht, dass er nie „modisch" war, dass er als Einzelgänger keiner *Koterie* angehörte – der Fremdwörter-Duden übersetzt: Kaste, Klüngel, Sippschaft – so war er als Künstler doch ein Kind des *Fin de siècle*. Und seine Selbstcharakteristik aus dem Jahre 1950 bekundet zwar seine Abneigung gegen die Sprünge und Brüche, mit denen junge Künstler sich vom Herkommen trennen und ihre literarische Bildung verleugnen mögen – aber auf den ersten Blick scheinen seine Worte einer genaueren Überprüfung keineswegs stand zu halten.

Wie steht es mit dem „Narrenkleid", das er nie getragen haben will? Er legt es seinen Figuren an, den Masken, hinter denen er sich selbst verbirgt und darstellt. Da ist Christian Buddenbrook, „ Ein Hans Quast, ein lächerlicher Mensch"[28], da ist der Bajazzo und da ist die berühmte Schilderung der eigenen Person aus dem Jahre 1907 *Im Spiegel*:

Ein Dichter ist, kurz gesagt, ein auf allen Gebieten ernsthafter Tätigkeit unbedingt unbrauchbarer, einzig auf Allotria bedachter, dem Staate nicht nur nicht nützlicher, sondern sogar aufsässig gesinnter Kumpan, der nicht einmal sonderliche Verstandesgaben zu besitzen braucht, sondern so langsamen und unscharfen Geistes sein mag, wie ich es immer gewesen bin, – übrigens ein innerlich kindischer, zur Ausschweifung geneigter und in jedem Betrachte anrüchiger Scharlatan.[29]

---

[27] XI, S. 311.
[28] 1.1, S. 301; Quast bedeutet ursprünglich „büschel von einem baum, laubbüschel, wedel". „Hans Quast" wird als „spott- und scheltwort" bezeichnet. (Vgl. Grimm: Deutsches Wörterbuch, Bd. VII, Leipzig: Hirzel 1889, S. 2329 f.)
[29] XI, S. 332.

Wenn diese Beschreibung seiner Existenz kein „Narrenkleid" ist, weiß ich nicht, was ein Narrenkleid ist, mindestens ist sie eine Narrenkappe, eine burleske Karikatur, die schlecht zum Erscheinungsbild des bürgerlich verheirateten und wie ein Dandy gekleideten Dichters passen will. Aber auch das *Fin de siècle*, die Untergangsstimmung der Jahre um 1900 hat ihn nachhaltig geprägt. Das Bewusstsein der verfeinerten, aufs höchste gesteigerten Sensibilität, die einhergeht mit dem Verfall einer Kultur: davon erzählt sein erster großer Roman *Buddenbrooks*, und noch 1951, ein Jahr nachdem er das „makabre Narrenkleid" der Jahrhundertwende aus seiner Garderobe verbannt hatte, bekennt er sich als Kind des *Fin de siècle*, indem er eine Szene aus *Buddenbrooks* anführt:

Amor fati – ich habe wenig dagegen, ein Spätgekommener und Letzter, ein Abschließender zu sein und glaube nicht, daß nach mir diese Geschichte und die Josephsgeschichten noch einmal werden erzählt werden. Als ich ganz jung war, ließ ich den kleinen Hanno Buddenbrook unter die Genealogie seiner Familie einen langen Strich ziehen, und als er dafür gescholten wurde, ließ ich ihn stammeln: „Ich dachte – ich dachte – es käme nichts mehr." Mir ist, als käme nichts mehr.[30]

Man darf allerdings fragen, ob diese Deutung seiner selbst ein Wort sozusagen *ex cathedra* ist, ob man es also definitiv ernst nehmen muss wie ein Vermächtnis, oder ob es nicht eine Äußerung der Depressionen ist, unter denen er im Alter litt.

Zum Stichwort Naturalismus darf angemerkt werden: das Interesse für die medizinische Wissenschaft ist ein charakteristisch naturalistisches Interesse. Der poetische oder bürgerliche Realismus der deutschen Literatur kannte es noch nicht. Und dieses Interesse Thomas Manns wird bereits in *Buddenbrooks* deutlich – denken Sie an die Lungenentzündung der Konsulin oder an den *pavor nocturnus* und den Typhus ihres Enkels. Dieses durch den Naturalismus in die moderne Literatur gelangte Interesse wirkte in Thomas Manns Werk fort bis zu der Erzählung *Die Betrogene* (1953). Und er hat in seinen frühen Jahren Novellen geschrieben, naturalistische Studien, vergleichbar der bekanntesten Novelle des deutschen Naturalismus *Bahnwärter Thiel* (1887/88) von Gerhart Hauptmann, die von Menschen aus den untersten sozialen Schichten und von ihren zwangsläufigen Wegen in Katastrophen erzählen, also von Vorgängen, die gut naturalistisch von Krankheit, Sucht und sozialem Milieu bestimmt sind.

Wenn er seine Nähe zur Neuromantik bestreitet, darf man wiederum an frühe Erzählungen erinnern: zum Beispiel an den *Kleiderschrank. Eine Geschichte voller Rätsel* (1899) oder an gewisse sprachliche Formulierungen: „Und aus sei-

---

[30] XI, S. 690 f.

ner Seele, aus Musik und Idee, rangen sich neue Werke hervor, klingende und schimmernde Gebilde, die in heiliger Form die unendliche Heimat wunderbar ahnen ließen, wie in der Muschel das Meer saust, dem sie entfischt ist."[31] Mit diesem Satz endet 1905 die Erzählung *Schwere Stunde*. Ähnliche Wendungen finden sich auch in *Tonio Kröger* (1903), und Heinrich Detering hört noch in *Königliche Hoheit* (1909) diesen „lyrisch-neuromantische[n] Ton".[32]

Seiner Distanzierung vom Neu-Klassizismus kann man, wie schon angedeutet, den *Tod in Venedig* (1912) entgegenhalten, eine Novelle, deren Protagonist ein klassischer Künstler ist, in einigen Zügen seinem Schöpfer verwandt. Einen symbolistischen Künstler hat er in der Novelle *Tristan* dargestellt und aufs Korn genommen, in der Kunstfigur Detlev Spinell, den er aus drei verschiedenen Autoren zusammensetzt: aus Stefan George, Arthur Holitscher und aus Thomas Mann.[33]

Und wie bei der burlesken Parodie des Symbolismus ist es, auf den zweiten, etwas genaueren Blick auch mit den anderen literarischen Strömungen, Richtungen und Moden, die er 1950 in dem Vortrag *Meine Zeit* anführt. Er hat sie zwar aufgenommen, so dass ihre Spuren in seinem Werk nachweisbar sind, hat sich aber mit ihnen allenfalls teilweise identifiziert und ironisch mit ihnen gespielt.

Vom Jahrhundertende oder *Fin de siècle* hat er zum Beispiel 1906 in *Wälsungenblut* erzählt. Da ist, zum schlechten Ende, der Inzest: eine Sünde und die „größte Unordnung [...] eine Stockung der Natur", denn das Leben will sich fortpflanzen, indes die Geschwisterliebe bewirkt, „daß es auf der Stelle tritt"[34]. Diese Verfehlung ist die Metapher eines Lebens ohne Aussicht, ohne Zukunft, so wie die Literatur des Jahrhundertendes oder der Dekadenz es bisweilen dargestellt hat. Und die Handlung von *Wälsungenblut* greift ein Thema auf, das sozusagen in der Luft lag: Im selben Jahr wie *Wälsungenblut* wurde es von Heinrich Mann in der Novelle *Schauspielerin* (1906) behandelt. Es kommt bei Emil Strauß vor (*Euphemia*), bei Otto Julius Bierbaum in *Prinz Kuckuck* (1906–07) und *Somalio Pardulus*, schon 1896 bei Stanislaw Przybyszewski in dem Roman *De Profundis*, bei Gerhart Hauptmann in *Der Ketzer von Soana* (1918), Fritz von Unruhs *Ein Geschlecht. Tragödie*, 1917 in Gabriele d'Annunzios *La città morta. Roman*, 1898 und später in Musils *Der Mann ohne Eigenschaften*.[35]

---

[31] 2.1, S. 428

[32] Detering, a.a.O., S. 122.

[33] Vgl. Ulrich Dittmann: Erläuterungen und Dokumente. Thomas Mann. „Tristan", Stuttgart: Reclam 1971, S. 13 ff.

[34] VII, S. 44.

[35] Vgl. Karl Corino: Robert Musil. Eine Biographie, Reinbek bei Hamburg: Rowohlt 2003, S. 834.

Indem er das erzählt, distanziert er sich zugleich davon; zahlreiche Signale deuten das an, ebenso diskret wie unübersehbar – etwa wenn der Erzähler berichtet, dass seine Figur eine ganze Stunde zum Umkleiden benötigt oder wenn er anmerkt, der junge Mann habe am Vormittag „gearbeitet", und zwar „von zehn bis elf Uhr".[36]

Ähnlich ist es mit dem Naturalismus. Da ist 1898 die Milieustudie *Tobias Mindernickel*, die von der Tötung des Hundes Esau durch seinen Besitzer erzählt – eine abscheuliche Tat, zumal in den Augen Thomas Manns, der sich zeitlebens Hunde hielt; gleichwohl gibt er dieser Figur die Anfangsbuchstaben seines eigenen Namens.[37] Und indem er so und auch auf andere Art, etwa indem er Mindernickels schäbige aber gepflegte Kleidung beschreibt, die Nähe seiner Person zu dem wohl wirklich minderwertigen Protagonisten andeutet, entfernt er sich erzählerisch zugleich von ihm durch Beiwörter wie „etwas [...] Unverständliches und Infames" oder „irrsinnig".[38]

Deutlicher noch als *Tobias Mindernickel* scheint die Handlung der Kurzgeschichte *Der Weg zum Friedhof* (1900) dem Naturalismus verpflichtet: ein Alkoholiker erleidet aus nichtigem Anlass einen Tobsuchtsanfall von derartiger Intensität, dass er tot oder auch nur bewusstlos zusammenbricht und von einer Ambulanz davongefahren wird. Aber auch hier wird kein tragisches Ereignis berichtet, wie das kurze Inhaltsreferat vermuten lassen könnte, sondern eine Groteske. Man definiert die Groteske üblicherweise als die Verbindung des Schaurigen oder Grauenvollen mit dem Komischen, so dass es als lächerlich erscheint, und versteht sie daher als „Darstellungsmittel des Sinnwidrigen, Paradoxen, Absurden, Nihilistischen".[39] Etwas Fürchterliches, Entsetzliches wird so erzählt, dass es zugleich komisch ist. Das beginnt mit dem scheinbar naiven Einsatz: „Der Weg zum Friedhof lief immer neben der Chaussee, immer an ihrer Seite hin, bis er sein Ziel erreicht hatte, nämlich den Friedhof."[40] Es setzt sich fort mit dem komischen Namen Gottlob Piepsam, und es endet so:

[36] 2.1, 440 f.

[37] Darauf macht Hans Rudolf Vaget in seinem Kommentar aufmerksam: Thomas Mann – Kommentar zu sämtlichen Erzählungen, München: Winkler 1984, S. 71.

[38] 2.1, S. 191. Übrigens könnte, wer durch übermäßige Freud-Lektüre angeregt ist, ohne viel Mühe eine psychoanalytische Theorie entwickeln, der zufolge Tobias Mindernickel in Wahrheit seine Sexualität tötet. Der junge Thomas Mann verwendet ja bisweilen Nietzsches Metapher von den „Hunden im Souterrain" (vgl. Detering a.a.O., S. 131). Gegen diese Deutung spricht jedoch, dass Nietzsche jene Hunde nicht umbringen, sondern nur anketten möchte. Und Tobias Mindernickel wohnt auch nicht im Souterrain, sondern im dritten Obergeschoss. Aber solche pedantischen Einwände können einen in der Psychoanalyse dilettierenden Philologen nicht irritieren.

[39] Irmgard Roebling: Groteske (das). In: Historisches Wörterbuch der Philosophie, (Anm. 11) Bd. 3, 1974, S. 900–902.

[40] 2.1, S. 211.

Er wurde auf das Bett gestreckt und hineingeschoben wie ein Brot in den Backofen, worauf die Tür wieder zuschnappte und die beiden Uniformierten wieder auf den Bock kletterten. Das alles ging mit großer Präzision, mit ein paar geübten Griffen, klipp und klapp, wie im Affentheater.
Und dann fuhren sie Gottlob Piepsam von hinnen.[41]

Es ist klar: der Erzähler macht sich weniger über seinen Gegenstand oder seine Figur lustig als vielmehr über die literarische Mode des Naturalismus, so wie er sich in Tristan nicht über Arthur Holitscher lustig macht – wie der angenommen hatte – sondern über den literarischen Ästhetizismus und Jugendstil.

Und ähnlich komponiert Thomas Mann noch 1912 den *Tod in Venedig*. Die formbewusst strenge Haltung des Neoklassikers unterliegt der orgiastischen Leidenschaft. Indem Thomas Mann diese literarischen Richtungen in sein Werk aufnimmt, erweist er sich als zeitgemäßer Autor – indem er sich aber zugleich von ihnen distanziert, erweist er sich als moderner Autor, der nicht einer Mode folgt, sondern seinen eigenen Erfahrungen.

## III. Der geschichtliche Takt

Was aber setzt er den Moden seiner Zeit, dem *Fin de siècle*, dem Naturalismus und Neoklassizismus, dem Symbolismus und Expressionismus entgegen?

Zunächst macht er die Literatur musikalisch. Fast immer wenn er von Musik und Musikalität spricht, meint er Richard Wagner. Und von Wagner hat er gelernt, literarische Motive als Kunstmittel zu verwenden. Er tut das nicht nur, indem er mit ihnen wie mit Erinnerungs- und Leitmotiven in seinem Werk spielt, sondern indem er Erfahrungen und Beobachtungen gleichsam in musikalische Klänge und Melodien verwandelt.

Das ist zwar bekannt, aber ich möchte es an einem Beispiel erläutern, wo man dies Verfahren vielleicht noch nicht vermutet, zumal dieses Beispiel die außerordentlich frühe Virtuosität des Künstlers Thomas Mann vor Augen führt. Keine Abhandlung über das Thema Schule in der deutschen Literatur um 1900 lässt das zweite Kapitel im elften Teil von *Buddenbrooks* unerwähnt. Es stellt den preußischen Gymnasialbetrieb mit schwer überbietbarer Genauigkeit dar und zeigt seine grotesken Züge, satirisch wie wenige andere Texte Thomas Manns, übertroffen in der Schärfe der Beobachtung auch nicht vom

---

[41] 2.1, S. 221.

Roman *Professor Unrat* des Bruders Heinrich. Ovids Vision vom Goldenen Zeitalter wird als Instrument intellektueller Disziplinierung missbraucht, das Buch *Hiob*, das von der Prüfung und Heimsuchung des Gerechten erzählt, wird pedantisch zergliedert wie ein beliebiges grammatisches Exempel, die Lehrer sind lächerliche Karikaturen des ideologischen Gespenstes „Persönlichkeit" oder hilflose Schwächlinge, der Direktor ein grotesker Winkeldespot.

Hinter dieser Fassade aber wird die Aufgabe erkennbar, die das Kapitel in der Ökonomie des Romans hat. Es folgt auf die Schilderung der glücklosen Tätigkeit des Konsuls Kistenmaker, der die Firma nach dem Tode des Senators unter großen Verlusten liquidiert hat, und es geht dem Typhuskapitel voraus, das den Tod Hanno Buddenbrooks erzählt. Es gewinnt seine musikalisch kompositorische Funktion, indem es mehrfach auf den Tod anspielt. Der Klassenprimus heißt Adolf Todtenhaupt[42], der Englischlehrer Modersohn – die Malerin Paula Modersohn-Becker (1876–1907) wurde erst später berühmt – der „greise Rechenlehrer" wird von Kai Graf Mölln mit dem Zuruf gegrüßt: „Guten Tag, du Leiche"[43], ein abwesender Schüler wird mit leichtfertigem Galgenhumor als „Verstorben!"[44] entschuldigt. Und der Figur des Klassenlehrers merkt man ihre literarische Herkunft an; seine Komposition erinnert an Lessings Abhandlung *Wie die Alten den Tod gebildet* (1769). Er steht mit gekreuzten Beinen vor dem Katheder.

Wenn [...] erwiesen ist, daß die alten Artisten den Schlaf mit über einander geschlagenen Füßen gebildet; wenn es erwiesen ist, daß sie dem Tod eine genaue Ähnlichkeit mit dem Schlaf gegeben: so werden sie, allem Vermuten nach, auch den Tod mit über einander geschlagenen Füßen vorzustellen nicht unterlassen haben.[45]

Der Wanderer Hermes, der die Verstorbenen ins Totenreich geleitet, trägt „auf dem Rücken einen kleinen Mantel"[46]; der Klassenlehrer Doktor Mantelsack führt ihn im Namen.

So wird hinter dem vordergründigen Realismus des Textes ein Hintergrund sichtbar mit einem Geflecht von Motiven und Anspielungen. Seine Entdeckung ist immer ein Vergnügen. Es hat gewiss zur Wertschätzung dieses Dichters bei Intellektuellen beigetragen. Und Thomas Mann wusste es, für

---

[42]   z. B. 1.1, S. 785.

[43]   1.1, S. 798.

[44]   1.1, S. 813.

[45]   Gotthold Ephraim Lessing: Werke und Briefe in zwölf Bänden, hrsg. von Wilfried Barner u.a., Bd. 6, hrsg. von Klaus Bohnen, Frankfurt/Main: Deutscher Klassiker Verlag 1985, S. 735 f.

[46]   Benjamin Hederich: Gründliches Mythologisches Lexikon, Leipzig: Gleditsch 1770. Reprographischer Nachdruck Darmstadt: Wissenschaftliche Buchgesellschaft 1996, S. 1599.

seine Person, bei sich selbst wie bei anderen, zu schätzen. Im amerikanischen Exil, während der Arbeit am *Doktor Faustus*, begegnete er dem Komponisten Hanns Eisler (1898–1962),

an dessen sprühendem Gespräch ich immer das heiterste Gefallen fand. Besonders wenn es um Wagner ging und die komische Ambivalenz seines Verhältnisses zu dem großen Demagogen, wenn er ihm ‚auf die Sprünge kam', den Finger in der Luft schüttelte und rief: ‚Du alter Gauner!' konnte ich mich ausschütten vor Lachen.[47]

Hier, in diesem intellektuellen Vergnügen, liegt eine von Thomas Mann ausgiebig genutzte Möglichkeit der Kunst.

Sodann: Bestimmend für Thomas Manns Dichtungen ist neben dem Pluralismus und der Musikalität ihr Perspektivismus. Auch dieses Wort ist ziemlich abgenutzt und bedarf der Erläuterung. Ursprünglich stammt es aus der Optik und Kunstkritik; Gottfried Wilhelm Leibniz (1646–1716) führte es in die Philosophie ein. In seiner Schrift *Zur Genealogie der Moral* hatte Nietzsche 1887 dekretiert:

Es gibt *nur* ein perspektivisches Sehen, *nur* ein perspektivisches ‚Erkennen', und *je mehr* Affekte wir über eine Sache zu Worte kommen lassen, *je mehr* Augen, verschiedne Augen wir uns für dieselbe Sache einzusetzen wissen, um so vollständiger wird unser ‚Begriff' dieser Sache, unsre ‚Objektivität' sein. [48]

Das lateinische Zeitwort *perspicere* bedeutet: mit dem Blick durchdringen, deutlich sehen. Es ist der Blick des Künstlers; Felix Krull beschreibt ihn an seinem Paten Professor Schimmelpreester:

Die Damen kreischten und suchten sich mit vorgehaltenen Armen zu schützen, wenn er sie, verkniffenen Mundes, aufmerksam und doch gleichgültig, wie man Dinge prüft, durch seine Eulenbrille fixierte. ‚Hu, der Maler!' riefen sie, ‚wie er schaut! Jetzt sieht er alles und bis ins Herz hinein. [...]'[49]

Dieser Blick, ebenso durchdringend wie unbeteiligt, ist der Blick des Künstlers Thomas Mann, das entschiedene Gegenteil des blinden Sehers. Und weil der Künstler neutral ist, kann er die Standpunkte, von denen her er blickt, wechseln, so dass er aus verschiedenen Richtungen die verschiedenen Seiten derselben Sache sieht.

---

[47] XI, S. 213.

[48] Friedrich Nietzsche: Werke in drei Bänden, hrsg. von Karl Schlechta, Bd. II, 2. Aufl., München: Hanser 1960, S. 861. Näheres zum Begriff Perspektivismus im betr. Artikel von G. König und W. Kambartel in: Historisches Wörterbuch der Philosophie, (zit. Anm. 11) Bd. VII, 1989, S. 363–377.

[49] VII, S. 283.

Dieser Blick enthält sich des Urteils. Weil ihm die Vorstellung des *poeta vates* immer schon fremd war, schrieb Thomas Mann 1939 über Tolstois *Anna Karenina*: „Die Dichtung braucht nicht Fragen zu lösen, sie braucht sie nur dem Gefühle recht nahe zu bringen, ihnen die höchste, schmerzlichste Kraft der Fragwürdigkeit zu verleihen, um das Ihre geleistet zu haben."[50]

Denn verwandt, auch etymologisch, mit Perspektive und Perspektivismus ist die Skepsis; das Wort stammt von dem griechischen Zeitwort *skeptomai* ab; es bedeutet sehen, spähen, und die Tätigkeit solchen Umherblickens heißt Skepsis – die Betrachtung, Untersuchung, Prüfung, Überlegung, Erwägung, Gedanke.[51] Die Begabung dazu scheint Thomas Mann in die Wiege gelegt worden zu sein. Als der kaum Zwölfjährige den neunzigjährigen Wilhelm I. am 5. Juni 1887 „in der verräucherten Bahnhofshalle" Lübecks sah, da blickte er sehr genau auf den „schon halb mythisch gewordene[n] Heldengreis ,im Siegerkranz'":

Er war schon furchtbar alt, wie er da im Rahmen der Waggontür erschien, die Militärmütze sank ihm über den Kopf, sein Backenbart war eisgrau, die Fingerenden seiner Handschuhe hingen lose über seine Finger hinaus, wenn er die Hand zitternd zum Mützenschirm erhob, und dicht hinter ihm stand wachsam und wie zum Auffangen bereit sein Leibarzt.[52]

Das ist der freie und respektlose – zu deutsch: rücksichtslose – Blick des kleinen Kindes, das unbefangen der Freiheit seiner Augen folgt. Von des Kaisers alten Handschuhen zu *Des Kaisers neuen Kleider* ist es kein weiter Weg. Aus dem Knaben spricht, wie in Hans Christian Andersens Parabel „die Stimme der Unschuld"[53]. Es ist der Blick der „scharfen, durchdringenden [...] Augen"[54], und es ist „die tierische Schärfe dieses Blicks"[55], die Thomas Mann dem bewunderten Tolstoi zuspricht. Diese Augen machen den Künstler.

Thomas Mann hat das Bild über sechzig Jahre im Gedächtnis behalten. Aber nicht das ist bemerkenswert an der Beschreibung des Kaisers, sondern vor allem, dass ein heranwachsender fast zwölfjähriger Lübecker Senatorssohn auf diese Weise die Welt sieht, unbeeinflusst von der außerordentlichen Hochachtung und Verehrung, die die Nation dem „halb mythisch gewordene[n]

---

[50]    IX, S. 631.
[51]    Hermann Menge/Otto Güthling: Enzyklopädisches Wörterbuch der griechischen und deutschen Sprache. Erster Teil. Griechisch – Deutsch. 17. Aufl., Berlin: Langenscheidt 1962. Vgl. auch vom Verf.: Zu Thomas Manns Ironie. In: TMJb 1, 1988, S. 80–98.
[52]    XI, S. 306.
[53]    Hans Christian Andersens Märchen. Übertragen von Mathilde Mann. Bd. I, Leipzig: Insel 1909, S. 24.
[54]    X, S. 233.
[55]    IX, S. 624.

Heldengreis"[56] entgegenbrachte. Der Mythos wird entmythologisiert. Das Zeitwort, geprägt von dem Theologen Rudolf Bultmann, (1884–1976) ist ein Schlüsselbegriff des zwanzigsten Jahrhunderts. Es meint: ein Text oder eine überlieferte Vorstellung wird ihres „fest geprägten, institutionellen oder metaphysischen Charakters"[57] entkleidet. Das ist nach Thomas Manns Überzeugung eine Aufgabe seiner Kunst. Und deshalb behält er diese Wahrnehmung vom 5. Juni 1887 bis zum Frühjahr 1950, als er den Vortrag *Meine Zeit* in Chicago hielt, über sechzig Jahre lang im Gedächtnis.

Das Erhabene und das Komische sind in seinem Werk immer und von Anfang an zusammen. Das gilt nicht nur für die regierenden Häupter, die er in seinen Werken vorführt, beginnend mit dem Großherzog Albrecht in *Königliche Hoheit* über den Pharao in *Joseph und seine Brüder* bis zum portugiesischen König in den *Bekenntnissen des Hochstaplers Felix Krull* – es gilt auch von Mynheer Peeperkorn, dem ehrwürdigen Patriarchen Jaakob und von anderen Figuren. Der Mythos wird seiner feierlich geheimnisvollen Aura entkleidet.

Aber was hat dieser naive und scharfe Blick mit „Takt" zu tun? Dem Sinne gesellschaftlichen Taktes entspricht der rücksichtslose Blick doch keineswegs. Anstand und Erziehung fordern, ganz im Gegenteil, über Lächerliches und über Peinlichkeiten hinwegzublicken. Der geschichtliche Takt des Künstlers, seine Empfindlichkeit und Sensibilität und seine Skepsis jedoch erkennt mit seinen scharfen und unbestechlichen Augen, was die Stunde geschlagen hat. Er sieht, was intellektuell und ästhetisch möglich ist und was von der Geschichte überholt worden ist. Die Erkenntnis dessen, was veraltet und verbraucht ist oder dessen, was übertrieben ist, die Unterscheidung der vergänglichen Mode vom Fortschritt – das sind Fähigkeiten des Künstlers, die er seiner Skepsis und seinem Takt verdankt. Thomas Mann besaß sie nicht nur, sondern er wusste das auch schon früh. Gerda Buddenbrook belehrt ihren Mann, den Senator: „In der Musik geht dir der Sinn für das Banale ab, der dir doch sonst nicht fehlt ... und er ist das Kriterium des Verständnisses in der Kunst." Deshalb ist der Sänger, der im Kapitel *Fülle des Wohllauts* des *Zauberberg* das Lied *Am Brunnen vor dem Tore* singt „ein Bursche von Takt und Geschmack, der seinen zugleich simplen und gipfelhohen Gegenstand mit vieler Klugheit, musikalischem Feingefühl und rezitatorischer Umsicht zu behandeln wußte."[58] – Das sind Formulierungen, mit denen der Erzähler des *Zauberberg* umschreibt, was

---

[56] XI, S. 306.
[57] H.-W. Bartsch: Entmythologisierung. In: Historisches Wörterbuch der Philosophie (zit. Anm. 11), Bd. II, 1972, S. 539f.
[58] 5.1, S. 985f.

ich, angeregt von Theodor W. Adorno, „geschichtlichen Takt"[59] genannt habe.

*

Wenn die Kunst keine Fragen beantwortet und keine Probleme löst, wenn sie statt dessen mit rücksichtslos scharfem und skeptischem Blick die Wirklichkeit durchdringt und in verschiedene Perspektiven zerlegt, wenn sie den Mythos entmythologisiert, was bleibt ihr dann noch zu tun? „Sie will und soll Freude bereiten, unterhalten und beleben."[60] Deshalb lässt er eine seiner Figuren sagen: „Daß sich der Mensch unterhalte und nicht sein Leben hinbringe wie das dumpfe Vieh, das ist doch schließlich die Hauptsache, und wie hoch er es bringt in der Unterhaltung, darauf kommt's an."[61]

Er oder doch eine andere seiner Figuren, der Papst Gregor im *Erwählten*, brachte es in die denkbar höchsten Höhen. Als seine Mutter, die ihn vom Bruder empfangen und dann Kinder von ihm empfangen hat, den von Gott zum Papst erwählten Sohn besucht und ihm ihre Sünden gebeichtet hat, kommt es zu diesem Dialog zwischen Sohn und Mutter:

> „Wie?" sagte er. „So habt Ihr mich erkannt in der Papstkappe, nach so vielen Jahren?"
> „Heiligkeit, auf den ersten Blick. Ich erkenne Euch immer."
> „Und habt, lose Frau, nur Euer Spiel mit Uns getrieben?"
> „Da Ihr Euer Spiel mit mir treiben wolltet –"
> „Wir gedachten, Gott eine Unterhaltung damit zu bieten."[62]

In der Tat: höher als zur Unterhaltung Gottes, des Höchsten, kann es ein Künstler wohl nicht bringen.

---

[59] Theodor W. Adorno spricht 1957 vom „geschichtsphilosophische[n] Takt" Mörikes. Vgl.: Rede über Lyrik und Gesellschaft. In: Noten zur Literatur I, Frankfurt/Main: Suhrkamp 1958, S. 96. Jener macht das Gedicht Mörikes zur „geschichtsphilosophische[n] Sonnenuhr" (a.a.O., S. 92). Damit greift Adorno eine Formulierung von Georg Lukács auf, der 1914/15 von „der Sonnenuhr des Geistes" spricht: Georg Lukács: Die Theorie des Romans. Ein geschichtsphilosophischer Versuch über die Formen der großen Epik, Neuwied u. Berlin: Luchterhand 1971, S. 32.

[60] XI, S. 610.

[61] V, S. 1302.

[62] VII, S. 257.

*Thomas Sprecher*

## Altes und Neues

In den allerfrühesten Zeiten, da die Erde noch nicht von Menschen belastet war, wurde das Universum von Uranos regiert. Dessen Söhne waren die Titanen. Ihr jüngster hieß Kronos. Dieser aber stand auf gegen seinen Vater. Er stand auf, und damit begann der ewigwährende Kampf zwischen Söhnen und Vätern, dessen ehernes Gesetz lautet, dass die Söhne die Väter besiegen und beseitigen, weshalb sie später einmal, selbst zu Vätern geworden, ihrerseits die Beseitigten sein werden. Es geht in dieser archaischen Auseinandersetzung nicht zimperlich zu, wie die Methode zeigt, mit der Kronos zum Werk schritt. Er nahm eine gewaltige Feuersteinsichel in die Linke, entmannte seinen schlafenden Vater und warf das Abgeschnittene mitsamt der Sichel ins Meer. Dann verbannte er Uranos in die Unterwelt und setzte sich selbst auf den Himmelsthron – bis er dann eben seinerseits ohne viel Federlesens von seinem Sohn Zeus abgesetzt wurde. Immer siegt der Sohn. Immer hat der Alte zu weichen.

Dieser archetypische Kampf hat die Vorwelt überlebt. Er blüht auch in den nachmythischen Zeiten. Immerhin sind unterdessen die Väter klüger geworden. Sie kennen die Geschichte. Sie wissen sich nun gegen die Söhne zu wehren. Zum Beispiel halten sie zusammen, als Patriarchengewerkschaft, als Machtkartell von Geronten. So werden die Jungen alt, ohne zum Zug und Schnitt zu kommen, und bleiben ewige Königssöhne. Oder die Väter vertauschen die Rollen und kastrieren die Söhne.[1] Oder sie machen sich selbst zu Söhnen, fallen in eine Doppelrolle, und indem sie sich selbst entmachten, indem *sie* es sind, die sich entmachten, halten sie sich gerade an der Macht. Diese listige Pubertätswiederholung, diese Neugeburt durch Neuerfindung ihrer selbst erleben wir täglich bei alternden Popstars über zwanzig. Das ist die Variationsfreiheit, die das mythische Inspurengehen menschlicher Nachgeborenheit offenhält. Am einfachsten ist es natürlich, wenn man von vornherein gar keine Söhne in die Welt setzt, mit Goethe zu sprechen: keine Söhne *statuiert*, etwa wie Gustav von Aschenbach, von dem der Erzähler lapidar berichtet: „Einen Sohn hatte er nie besessen." (2.1, 515)

Auch Thomas Mann hat keinen Kronos zugelassen. Es gibt einen Satz einer

---

[1] Spricht von solcher Sohnesohnmacht unbewusst vielleicht auch Tonio Kröger, wenn er seine Künstlerexistenz mit der eines Kastraten vergleicht (2.1, 271)?

seiner Söhne, der dies auf bestürzende Weise beweist. „Er siegt", schreibt Klaus Mann am 30. März 1938 in sein Tagebuch, „wo er hinkommt. Werde ich je aus seinem Schatten treten?"[2] Nicht der Sohn siegt, wie es nach den alten Griechen sein sollte, sondern der Vater, und er tut dies in gnadenloser Radikalität.

Selbst hat Thomas Mann aber den Aufstand unternommen.[3] Nicht den eigenen Erzeuger musste er stürzen. Das Schicksal spielte ihm hier hilfreich in die Hände, es räumte – man verzeihe den Ausdruck, aber wir müssen hier ebenfalls unzimperlich sein, und wem übrigens der Kronos-Mythos in seiner Wahrheit zu krass ist, der muss daran erinnert werden, dass auch in Hans Castorps vorhumanem Schneetraum die Jugend einen schweren Stand hat – das Schicksal also räumte den Kaufmannsvater mit seinen bürgerbiederen Ideen und Erblasten rechtzeitig aus dem Weg und öffnete die Laufbahn als Poet, nützlicherweise auch noch unter Bereitstellung einer bequemen Rente.

Aber mit dem leiblichen Vater ist das Problem ja nicht erledigt. Überall thronen und drohen weitere Könige, auch und gerade in der Kunst. Man hat zwar das Koordinatensystem gewechselt und alle Kaufleute und Senatoren vom Leibe, aber als Schriftsteller ist man wieder in die Rolle des Sohnes geworfen und blickt in einen Kunsthimmel voller Väter. Einer davon ist der ältere Bruder, der schon schreibt und väterlich stört. Auch er ruft nach Sturz. Das gilt dann überhaupt für die schreibenden Zeitgenossen, die es törichterweise gewagt haben, früher und heller zu strahlen.

Evolutionsbiologisch entspricht das mythische Mittel der Kastration der Tötung, denn ein Lebewesen, das sich nicht mehr fortpflanzen kann, hat ausgespielt. Impotenz ist der Tod, das wusste schon Mynheer Peeperkorn, der festlich entmannte Hauptmann.

Der anthropologische Heilsweg des Mannes führt über die Entthronung der Vaterwelt. Dies gilt erst recht in der Kunst. Vielleicht ist der urtümliche Künstler immer Sohn und lechzt zwingend und zwanghaft nach Aufstand. Er will dem Eigenen eine *Tabula rasa* bereiten. Aber der heilige Akt der Vernichtung ist leichter erwünscht und versucht als getan. Einem Kunstwerk dreht man so leicht den Kopf nicht um. In der Kunst sind die Gesetze der Evolution außer Kraft gesetzt. Ein Kunstwerk wird nicht notwendig durch ein anderes abgelöst, sondern kann vielmehr am Leben bleiben, ja weiterwachsen. Es gibt hier kein Entweder-Oder und keine Geschlechterfolge im Sinne biologischen Ersetzens. Physisch sind die Kunstväter so gründlich tot, dass man sie beim besten Willen nicht weiter umbringen kann. Auch totschweigen ist keine

---

[2]  Klaus Mann: Tagebücher 1938–1939, hrsg. v. Joachim Heimannsburg, Peter Laemmle und Wilfried F. Schoeller, Reinbek: Rowohlt 1990.

[3]  Die Rebellion gegen die Väter bestimmte die ganze Generation um 1900. Es ist aber ein generalisierbares Phänomen.

valable Option, solange sie in aller anderen Leute Mund bleiben. Man muss ihnen demnach aktiv begegnen, muss sich in ein Verhältnis setzen zu ihrer Präsenz in der Gegenwart. Das Werk des Sohns muss grösser sein als jenes des Vaters, und weil es muss, hat es dies auch zu wollen. Es misst sich am Vaterwerk, um es zu übertreffen. Im Übertreffen erfolgt die Entmachtung. Es ist ein Staatsstreich mit der Sichel der Qualität. „Vaterschaft" steht hier natürlich metaphorisch für die ganze kulturelle Tradition, deren Aneignung vorausgesetzt wird. Man muss den König kennen, den man morden will. Aneignung heißt, das Bestehende zum Proprium zu machen. Die Weltliteratur bis zu mir soll zum Fundus werden für das Meine. Das ist, in naturwissenschaftlicher Travestie, Felix Krulls Gestus infantiler Grandiosität im Lissabonner Museum: dass alles, was die Natur bisher geschaffen hat, Vorspiel, Vorform sei auf dem Höhenweg zu ihm, der Krone der Schöpfung.

Dieses Tradieren ist kein Radieren. Wer hier antritt, schreibt nicht ab im Sinne des Streichens, er schreibt ab im Sinne „höheren Abschreibens", er schreibt schöpferisch fort und um, er macht das Alte neu in seinem Namen. Er zwingt uns, es im Lichte seiner Erfahrung zu sehen.

Dass Thomas Mann den Ehrgeiz hatte, seine Epoche abzuschließen, in sich zu vollenden, hat er wiederholt dargetan. Aber, Hand aufs Herz: Abschluss und Vollendung einer Epoche – gibt es eine zweifelhaftere Qualifikation? Wer sie sich verdient, ist das glänzendste Stück unter dem Alteisen, aber Alteisen eben doch, und in der Literaturgeschichte, die man heute nicht einmal mehr in der Schule lesen muss, erlangt er doch nur einen letzten Abschnitt, den man hinter sich bringt, um dann aufatmend zum neuen Kapitel vorzublättern.

Doch darf Thomas Manns Bekundungen, er sei der grosse Vollender – nicht weniger und nicht mehr –, nicht treulich gefolgt werden. Hat er sich denn selbst je an seine eigenen Äußerungen gehalten? Er hat sie variiert, wie es ihm passte. Der Standpunkt von gestern war nie genau jener von heute,[4] ganz abgesehen davon, dass sich dem Autor zu einem gewissen Grad das Urteil über sich selbst entzieht. Wir kennen auch die Vorbehalte, die Thomas Mann im Alter zu der Möglichkeit und Wahrscheinlichkeit seiner Werkzukunft geäußert hat. Aber dass er den Anspruch hatte zu überdauern, steht außer Zweifel, was immer er selbst je und je an einschlägiger Skepsis verlauten ließ. Sein Ehrgeiz war durchaus janusgesichtig und auch auf die Welt *nach ihm* gerichtet. Er hegte nicht nur rückwärtige Bindungen, sondern pflegte auch nach vorne gerichtete Aspirationen. Wohin auch, ließe sich fragen, soll das Kunstwerk denn gerichtet sein, wenn nicht in die Zukunft?

---

[4] Thomas Manns flexible Aktualisierung seiner Selbstkommentare mag unter anderem dem Zweck gedient haben, seine Werke in geistesgeschichtliche Kontexte zu stellen, die ihre Zukunftsfähigkeit zu verbürgen versprachen.

In der Lebenswelt, wie zu betonen ist, hatte er keine Berührungsängste mit Neuem. Freudig begrüßte er die Fortschritte der Technik, die Elektrizität, das Telefon, den Plattenspieler, die Schreibmaschine, das Automobil, das Flugzeug, das Kino, den Rundfunk, bis hin zum elektrischen Rasierapparat, der den bewährten Dachsrasierpinsel verdrängte. Er hat sich wiederholt auf gänzlich neue politische Systeme eingelassen. Wie man den Tagebüchern, den Briefen, den Essays, selbst den Erzählungen und Romanen entnehmen kann, hat er auf Zeitströmungen wach reagiert. Bis ins hohe Alter hat er aufgenommen, oft geradezu verschlungen, was an neuen geistigen Positionen sich zur Geltung brachte, und sich etwa mit Sigmund Freud, Oswald Spengler, Adorno und Schönberg befasst.

Das Modische und das Altmodische sind übrigens in diesem Zusammenhang keine relevanten Kriterien, sie beziehen sich auf zu kurze Zeiträume. Das Huttragen etwa, dessen sich Thomas Mann zeitlebens befleißigt hat, wird alle paar Jahrzehnte modisch und altmodisch, wie denn überhaupt alles sich in der doppelten Sicherheit bergen darf, altmodisch zu werden und dann wieder modisch. Auf dem Feld der Mode gibt es Hoffnungslosigkeit nicht, sondern nur die lebenspraktische Trauer, das einst Altmodische zu früh fortgeworfen zu haben.

*

Wir sitzen derzeit über Band 3 der neuen Briefausgabe. Sie wird die Jahre 1924 bis 1932 umfassen. Thomas Mann hatte die Mitte seines Lebens bereits überschritten, stand aber auch in einer persönlichen, künstlerischen und politischen Neuausrichtung, einer Form von Wiedergeburt, die mit der Geburt seiner Tochter Elisabeth zu datieren wäre. Ich habe die Briefe, die wir aufnehmen wollen, auf die Frage hin geprüft, ob darin Äußerungen über Thomas Manns „Willen zur Zukunft" gemacht werden. Es werden. Ich greife in chronologischer Ordnung sechs Briefstellen hinaus. So heißt es in einem Brief vom 21. Januar 1924 an Martin Havenstein, einen Lehrer:

Es ist um das Verhältnis zur Jugend ein eigenes, heikles Ding. Man soll ihr nicht nachlaufen – ich finde die Schriftsteller lächerlich [,] die sich strapazieren, um nur ja die neueste Strömung im jungen Geschlecht nicht zu versäumen. Und doch ist es wohl jedem geistigen Künstler, eingestanden oder uneingestanden, um die Zustimmung, die Sympathie, die Freundschaft der Jugend zu thun, nicht nur, weil sie seinem Werk, für eine Generation wenigstens noch, Dauer verbürgt, sondern aus einem tieferen Gefühl, das vielleicht mit der Liebe zum Leben selbst identisch ist.

Deutlicher kann man es kaum sagen. Dass Thomas Mann ein starkes Interesse daran hatte, bei der Jugend zu gelten, von ihr anerkannt zu werden, hatte finanzielle Gründe – so starb das Publikum nicht aus, sondern erneuerte sich. Aber es entsprach viel tieferen psychisch-geistigen Instinkten: Wer die Jungen hatte, besaß selbst Jugend und Leben. Dann, im Brief vom 18. Oktober 1924 an Julius Lips, schreibt Thomas Mann:

[...] nehmen Sie besten Dank für die Übersendung Ihres Tonio Kröger-Aufsatzes. Es ist merkwürdig genug, wie diese Geschichte fortfährt, die Geister zu beschäftigen, obgleich seitdem eine neue Generation mit anderem Lebensgefühl heraufgekommen ist. Ein solches Fortwirken ist alles, was man wünschen kann, denn seinen historischen Ort hat alles, und auch das lebendigste Heute wird morgen ein Gestern sein. Wohl dem Geschaffenen, dessen Grad von Lebendigkeit ihm über alles Heute hinweg die Zukunft sichert!

Als Kriterium für die Zukunftsfähigkeit eines Kunstwerks bestimmte Thomas Mann hier also „Lebendigkeit". Im Brief vom 15. Juli 1925 an Bruno Götz tönt es etwas defensiver:

Sehen Sie, ich bin ein Kind der bürgerlich-romantisch-pessimistischen Epoche, und wir alle können am Ende nichts weiter tun, als unser Geschick immer aufs neue bekräftigen. Aber wohlwollend das zu bejahen, was über unser persönliches Geschick hinausreicht, das ist es, was ich mit ‚gutem Willen' meine; und mögen die jungen Leute meine Kunstmittel unzeitgemäß finden (obgleich der Geist der Epik zeitlos und alterslos ist) – diesen guten Willen sollen (oder sollten?) sie mir nicht absprechen.

Einerseits räumt Thomas Mann ein, einer vergangenen Epoche zu entstammen und unzeitgemäße Kunstmittel zu verwenden, andererseits betont er seinen „guten Willen" zur Bejahung der Zukunft und die Zeit- und Alterslosigkeit des Geistes der Epik, wobei letzteres die Unzeitgemäßheit aufhebt. Interessant ist auch der Brief vom 6. Januar 1927 an Hermann J. Weigand:

Ich habe Ihren Brief mit großem Vergnügen gelesen und mich schon viel in Ihrem Buch über Ibsen umgesehen und die anregenden Kräfte verspürt, die von ihm ausgehen. Gerade, was Sie über Ibsens ‚Antizipation' sagen, hat mich besonders interessiert, denn fast am meisten in diesem Punkte habe ich ihn immer bewundert. Zum Beispiel erschien mir immer in der Figur der Hedda Gabler der ganze europäische Ästhetizismus auf die merkwürdigste und symbolisch knappste Weise vorweggenommen.

Am Beispiel Ibsens zeigt sich, dass der große Künstler nicht nur rezipiert und rekapituliert, sondern auch antizipiert. Er spürt und gibt, was erst noch kommen wird. Ohne Zweifel spricht in diesem Lob Ibsens eigener Ehrgeiz mit. Im Brief vom 31. März 1928 an Otto Forst de Battaglia begegnet uns Proust, und an ihm misst sich die Situation der deutschen Literatur überhaupt:

Die Konfrontierung mit Proust gelegentlich des ‚Zauberbergs' ist mir schon ein paar
Mal vorgekommen, zum Beispiel auch in dem schönen Brief eines Engländers über
meinen Roman. Interessant und etwas befremdlich war mir, daß Sie die deutsche
Prosa als noch immer in einer Epigonen-Zeit stehend betrachten. Vielleicht verführt
Sie meine persönliche Prosa dazu, die stark traditionelle Züge hat, aber im Ganzen
scheint mir doch, daß mit Nietzsches Prosa eine neue Epoche beginnt. Man fühlt das
deutlich, wenn man heute deutsche Prosa zu lesen versucht, die etwa nach Stifter und
vor Nietzsche geschrieben ist. Es bleibt da meistens beim Versuch.

Ins Direkte übersetzt, widerspricht Thomas Mann aufs vehementeste. Mit
Nietzsche werde die Epigonenzeit verlassen, und selbstverständlich fällt er
selbst nicht hinter Nietzsche zurück. Der Vergleich mit Proust wird durchaus gebilligt. Schließlich noch eine politische Aussage. Sie steht im Brief vom
19. November 1929 an Richard Graf Coudenhove-Kalergi:

Meine innere Verbundenheit mit der Idee, deren Diener und Vorkämpfer Sie sind,
dürfte ich Ihnen durch meinen Eintritt in das Komitee der Paneuropäischen Union
bekunden. In Ihnen persönlich ehre ich einen Beauftragten des Zeitwillens, der
unermüdlich [...] das Lebensnotwendigste propagiert. Ich glaube, daß Sie siegen
werden, daß die *Lebensidee* siegen wird. Der schnelle Geist vergißt zu leicht, welche
Hindernisse diesem Siege noch entgegenstarren. Er ist geneigt, den Haß und Widerstand der mit gottverlassener Treue im Alten Wohnenden nur noch mitleidswürdig
zu finden. Daß wir Fünfzigjährigen *das Europa* noch sehen werden, in dem unsere
Kinder wohnen sollen, wohnen wollen, ist kaum wahrscheinlich. Aber wir können
es schauen und durch den Druck unseres Willens und Wortes dahin wirken helfen,
daß es werde. Das ist eine Sache der Fürsorge, und es ist eine Art von Ehrensache.
Wir sind unseren Kindern einiges schuldig, sind, als Generation genommen, eini-
germaßen schuldig vor ihnen. Mögen sie erkennen, daß sie nicht ganz allein sind,
daß die Kluft zwischen den Geschlechtern nicht ganz so tief und hoffnungslos ist,
als sie glauben mochten. Daß wir, obgleich weniger voraussetzungslos, obgleich an
Ueberlieferung reicher und vergangenheitsbelasteter als sie, der Fühlung mit Zeit
und Zukunft nicht ganz verlustig gegangen, nicht ohne Sympathie mit dem Leben,
nicht ohne Liebe sind. Daß wir den Frieden unserer Seele nicht auf den Pfühlen der
Vergangenheit und des Todes suchen, sondern darin, uns ‚eines guten Willens' zu
wissen.

Wieder wird hier die Bereitschaft zur Zukunft zum Ausdruck gebracht,
die Bereitschaft, dem Zukünftigen zum Durchbruch zu verhelfen, als sein
Geburtshelfer zu dienen. Das Leben ist mit dem Neuen. Gott ist mit dem
Neuen. Diese Gedanken findet man auch im zweiten Teil des *Zauberberg*, im
*Joseph* und in zahllosen Essays dieser Jahre.

Wenn vorher der biographische Faktor der „Wiedergeburt" erwähnt worden ist, so wäre hier zu ergänzen, dass Thomas Mann schon früher sein Schaffen immer wieder unter den Horizont der Zukunft und Zukunftsfähigkeit

gestellt hat. So hat er schon 1909 in den Notizen zum „Literatur-Essay" *Geist und Kunst* geschrieben:

*Die neue Generation*, jenseits der Modernität. Ich weiß nicht, wie es in der Malerei, der Musik steht (Strauß scheint mir nur zur Psychologie der Modernität Wert zu haben). Aber in der Litteratur höre ich es überall pochen. *Speyers* Novelle. Fühle da viel Neues, Zukünftiges, Junges, Symptomatisches, viel ‚neue Generation', viel ‚Heraufkommendes'. Gesundheit, kultivierte Leiblichkeit, vornehme Natur, vornehmes Wohlsein u. dergl., in diesem Falle noch dem Lächeln ausgesetzt durch den Snobismus eines jungen Juden. [...] Ich rieche Morgenluft. Im Verhältnis zur Natur, zur Landschaft, zum Wandern: viel echte und unmittelbare Romantik; reine, unverhunzte Gefühlsintensität. ‚Man muß das Leben mit gesunden Händen anfassen'. Das hätte vor 10 Jahren kein junger Novellist geschrieben. *Ich* – grub mit 20 Jahren Psychologie: kein Unterschied der Bedeutung das, sondern einer der Generation. Interessant, interessant – und beunruhigend. Nicht durch beklemmend viel Talent kann diese Jugend den Baumeister Solneß fürchten machen, aber durch dies Neue. *Hier* ist unsere Gefahr, rascher zu veralten, als nötig wäre. Das Interesse, das, au fond, die Generation beherrscht, zu der Hauptmann, Hofmannsthal und ich gehören, ist das Interesse am Pathologischen. Die Zwanzigjährigen sind weiter. Hauptmann sucht eifrig Anschluß. Jemand sollte zählen, wie oft im Griechischen Frühling ‚gesund' vorkommt. Auch Hofmannsthal wird sich auf seine Art zu arrangieren suchen. Die Forderung der Zeit ist, alles, was irgend gesund ist in uns, zu kultivieren. Einfluß Whitmans, auf die Jüngsten größer, als der Wagners. – Wir um 70 Geborenen stehen Nietzsche zu nahe, wir nehmen zu unmittelbar an seiner Tragödie, seinem persönlichen Schicksal theil (– vielleicht dem furchtbarsten, am meisten Ehrfurcht gebietenden Schicksal der Geistesgeschichte). Unser Nietzsche ist der Nietzsche militans. Der Nietzsche triumphans gehört den 15 Jahre nach uns Geborenen. Wir haben von ihm die psychologische Reizbarkeit, den lyrischen Kritizismus, das Erlebnis Wagners, das Erlebnis des Christentums, das Erlebnis der Modernität, – Erlebnisse, von denen wir uns niemals vollkommen trennen werden, so wenig, wie er selbst sich je vollkommen davon getrennt hat. Dazu sind sie zu teuer, zu tief, zu fruchtbar. Aber die Zwanzigjährigen haben das von ihm, was übrig bleiben wird, sein Zukünftiges, seine gereinigte Nachwirkung. [...][5]

\*

In die Zeit gelegt, hat der Wille zur Größe drei Dimensionen. Er betritt das Heute, aber auch das Gestern und das Morgen. Zum Heute ist nicht viel zu erläutern. Größe soll sich in der Gegenwart beweisen, *hic Rhodos, hic salta*, sie misst sich an den Zeitgenossen, die es an Bedeutung zu übertreffen gilt. Heutige Größe steht im Verhältnis aber immer auch zur gestrigen, zur historischen Größe, die schamlos entschlossen ins Heute hineinragt. Größe will bleiben, sie gibt ihren Stand und Rang freiwillig nicht auf. Dass sie bedrängt wird von späterer Größe, der keine Wahl bleibt, als an ihr sich zu reiben, wurde schon

---

[5] TMS I, S. 207 f., Nr. 103.

angetönt. Bald aber findet sich gegenwärtige Größe an der Seite der histori-schen und fordert Arm in Arm mit ihr das neue Jahrhundert in die Schranken. Ekelhaft hocken die Nachgeborenen einem im Nacken. Da ist ewige Abwehr, ständiger Kampf um Beachtung und Existenz.

Wie setzt man sich fest? Nicht durch Politik, nicht durch persönliche Wir-kung. Nur durch das Werk. Das Werk schafft Welt und Nachwelt. Es lobt den Meister nicht nur, es trägt ihn auch. Wer schreibt, bleibt demnach nur, soweit das Geschriebene bleibt. Wie aber sichert man seinem Schreiben das Bleiben? Wie wird man sein eigener Nachfolger? Wie bleibt man mit dem Alten neu? Wie muss ein Kunstwerk beschaffen sein, damit es sich hundert oder fünfhundert Jahre lang hält? Um die Frage nach der Zukunftsfähigkeit eines Kunstwerks beantworten zu können, müsste man vorfrageweise ver-suchen, zu Aussagen über die Zukunft selbst zu kommen. Welches sind die zeitübergreifenden Konstanten? Sind die Leser noch dieselben, vorausge-setzt, es gibt noch Leser? Welches wird ihr Bewusstsein und Selbstverständ-nis sein?

Kunstwerke werden von Menschen wahrgenommen. Aussagen über die Zukunftsfähigkeit von Kunstwerken basieren auf der Annahme anthropolo-gischer und mithin sprachlicher Konstanz.[6] Nun ist es zur Binsenwahrheit geworden, dass uns die Welt und mit der Welt auch die Kunst nur im Modus unserer Erfahrung gegeben ist. Wenn diese sich ändert, ändert sich daher auch die Wahrnehmung der Kunst. In *Das Kunstwerk im Zeitalter seiner techni-schen Reproduzierbarkeit* (1936), einem der zentralen Texte zur Theorie der Moderne, hat Walter Benjamin auf die Veränderbarkeit der Wahrnehmung hingewiesen:

Innerhalb großer geschichtlicher Zeiträume verändert sich mit der gesamten Daseins-weise der menschlichen Kollektiva auch die Art und Weise ihrer Sinneswahrnehmung. Die Art und Weise, in der die menschliche Sinneswahrnehmung sich organisiert [...], ist nicht nur natürlich, sondern auch geschichtlich bedingt.[7]

---

[6] Mit dieser ist es, in Kuckuck'schen Dimensionen gesprochen, nicht weit her. Vor zweitausend Jahren sprach kein Mensch Deutsch, und voraussichtlich wird es in zweitausend Jahren auch kein Mensch mehr tun. Überhaupt wird dann, wenn die Menschheit am Leben bleibt, keine Sprache irgendeiner heute gesprochenen Sprache mehr ähnlich sein. Und in einer Million Jahren werden die Menschen, wenn sie noch hienieden wandeln, genetisch so verändert sein, dass von einer anderen Species ausgegangen werden muss, die möglicherweise neue Formen der Kommunikation ent-wickelt hat. Vgl. dazu Tore Janson: Eine kurze Geschichte der Sprachen, Heidelberg: Spectrum 2006.

[7] Walter Benjamin: Das Kunstwerk im Zeitalter seiner technischen Reproduzierbarkeit, in: Wal-ter Benjamin: Gesammelte Schriften I, 2 (Werkausgabe Band 2), hrsg. v. Rolf Tiedemann und Her-mann Schweppenhäuser, Frankfurt/Main: Suhrkamp 1980, S. 471–508.

Umgekehrt weist der Umstand, dass sich Kunstformen in allen historischen Epochen und Kulturbereichen finden, darauf hin, dass das Kunstbedürfnis biologisch verankert und nicht allein ein Ergebnis geschichtlich-sozialer Prägung ist. Vor diesem Hintergrund sind Mutmaßungen, welches die Erwartungen zukünftiger Kunstrezipienten sein werden, doppelt schwierig. Wer nach jener Elle fragt, mit der man die künftige Größe eines Werks messen kann, muss lange suchen. Dies gilt ja schon für die heutige Größe. „Die Menschen wissen nicht", sagt der Erzähler des *Tod in Venedig*, „warum sie einem Kunstwerke Ruhm bereiten." (2.1, 510) Deshalb sei mein nachfolgender Versuch, mich auf ungesichertstes Gelände vorzuwagen und einige Ingredienzien relativer Zukunftsfähigkeit von Kunstwerken zu identifizieren, mit allen Vorbehalten gesalbt.

*1. Prozesshaftigkeit*
Grundsätzlich könnte gesagt werden, dass das Kunstwerk, um sich auf der Höhe der Zeit zu halten, die Entwicklung oder die Evolution mitmachen müsste. Das Neue ist neu nur für kurze Zeit, dann wandert es zum Alten und muss sehen, wo es bleibt. Es darf im Strom der Zeit keine Insel sein. Es muss sich selbst erneuern, mit Veränderungen mithalten können, muss zu solchen sogar selbst auffordern und beitragen, und dies wieder und wieder. So wird es zum ewigen Werk, und der Dom, an dem über Jahrhunderte hinweg weitergebaut wird, bietet sich von selbst als Metapher an. Baumeister sind dann die Leser, die an dem Werk unendlich weiterwirken.

Das Kunstwerk muss die Qualität endloser Produktivität haben. Zu diesem Zweck muss es mit möglichst hohen und vielfältigen Bedeutungspotentialen aufgeladen sein. Nur so wird es in ferner Zukunft Antwort geben können auf Fragen, die erst die ferne Zukunft stellt und die das Kunstwerk im Zeitpunkt seiner Entstehung noch gar nicht kennen kann. Es ist dann auch nicht mehr dasselbe. Es ist nicht statisch, ein für allemal verankert in einer bestimmten Lebenswelt. Vielmehr wandelt es im Medium veränderter Wahrnehmung laufend seine Identität. Es wird, mit einem Wort, zum Prozess. Das Unfeste ist es, paradoxerweise, das unsolid Schwankend-Schwebende, das Dauer wenn nicht verbürgt, so wenigstens ermöglicht, das dem unfehlbar nach und nach in Geschichtlichkeit weggleitenden Kunstwerk doch erlaubt, gegenwärtig und zeugungskräftig zu bleiben.

*2. Offenheit*
Schon Anfang der 1960er Jahre hat Umberto Eco den Begriff des „Offenen Kunstwerkes" geprägt.[8] Eco leitet seinen Text über die Poetik des offenen

---

[8] Umberto Eco: Das Offene Kunstwerk [1962], dt. von Günter Memmert, Frankfurt/Main: Suhrkamp 1977. Das Offene Kunstwerk hebt sich ab von der Theorie des polnischen Philosophen

Kunstwerkes anhand einiger Beispiele aus der modernen und zeitgenössischen Musik ein. In der Literatur sieht er den Bruch mit der klassischen Kunst in der ersten Hälfte des 19. Jahrhunderts im Symbolismus eines Verlaines, mit dem sich eine Entwicklung Bahn bricht, die in die Werke Franz Kafkas und James Joyces mündet. Eco weist darauf hin, dass wir im Gegensatz zum Mittelalter nicht mehr in einem abgeschlossenen Weltbild leben, welches institutionell in Enzyklopädien, Bestarien und Lapidarien geordnet war und immer wieder auf eine einschränkende Art der Deutung hinauslaufen musste. In Ecos Verständnis von „Offenheit" ist es nicht mehr Aufgabe des Künstlers, ein in sich geschlossenes Wertesystem zu interpretieren und dem Rezipienten weiterzuvermitteln. Das Offene Kunstwerk ist vielmehr darauf angelegt, sich erst in der Vermittlung zu manifestieren, wobei es bei jeder Rezeption in einer originellen Perspektive neu auflebt. Eco beschreibt eine „Offenheit", die auf einer theoretischen Mitarbeit des Rezipierenden beruht, der in Freiheit ein schon hervorgebrachtes Kunstwerk interpretieren soll, das zwar abgeschlossen und in sich ganz, aber so strukturiert ist, dass es eine unbestimmte Anzahl von Interpretationen zulässt. Durch seine Komplexität erlaubt es vielfältige Lesarten und macht so den Betrachter zum mentalen Mitschöpfer. Jede der virtuell unendlichen Reihe möglicher Lesarten belebt das Werk gemäß der persönlichen Perspektive, Geschmacksrichtung und Ausführung neu. Das Offene Kunstwerk lässt sich auch als Landschaft beschreiben, die den Rezipienten zu Erkundungsgängen einlädt. Sie bietet ein ganzes Netzwerk von Wegen an, doch steht es jedermann frei, von ihnen abzuweichen und neue, eigene Pfade zu beschreiten. Der Orientierung helfen Marken und Wegweiser, Fluchtpunkte und Richtungspfeile, zuletzt der Stand von Sonne und Mond und der Kompass von Kopf und Herz.

Offenheit im Sinne Ecos berührt sich mit der vorerwähnten Prozesshaftigkeit. Anzufügen bleibt, dass sie nicht Schadhaftigkeit bedeutet. Ein offenes

---

Roman Osipovich Ingarden (vgl. Roman Ingarden: Das literarische Kunstwerk [1931], Mit einem Anhang von den Funktionen der Sprache im Theaterschauspiel, 4. Aufl., Tübingen: Niemeyer 1972). Danach ist das literarische Werk als ein „mehrschichtiges Gebilde" zu verstehen. Es wird durch vier miteinander verklammerte Schichten konstituiert: erstens die Schicht der „sprachlichen Lautgebilde" (z.B. Wort, Rhythmus, Reim) zweitens die Schicht der „Bedeutungseinheiten" (z.B. Namen, Satz), drittens die Schicht der „dargestellten Gegenständlichkeit" (z.B. Raum, Figuren), viertens die „Schicht der schematisierten Ansichten" (perspektivische Präsentation des Gehalts). Die aus dem Zusammenwirken dieser Schichten resultierende Bedeutungsvielfalt oder „Polyphonie" versteht Ingarden als das Wesentliche für das literarische Werk. Der Kunstcharakter eines Werkes erfüllt sich für ihn in der „polyphonen Harmonie". Diese kritisch diskutierte Vorstellung erinnert an den Begriff der Dichtung als „in sich geschlossenes sprachliches Gefüge", den Wolfgang Kayser später in *Das sprachliche Kunstwerk* (1948) verwendet hat. Beide sind deutlich von einer klassizistischen Kunstauffassung geprägt, mit der die moderne Kunst und Literatur (mit Stilmitteln wie Diskrepanz, Montage, Verfremdung usw.) nicht mehr zu fassen ist.

Kunstwerk ist kein Haus, durch dessen Dach der Regen dringt. Offenheit heißt die Fähigkeit der Verwandlung, die Fähigkeit, immer neuen Ansprüchen zu genügen, heißt Reichtum, an Sinn, an Perspektive, an Spiel,[9] heißt Deutungsunerschöpflichkeit.

Offenheit bedeutet nicht den Tod der Kategorie Vollkommenheit. Es gibt diese schon noch, aber sie rückt ins Relative. Sie ist insbesondere eine Vollkommenheit auf Zeit. Sie büßt mit Ablauf der Zeit an Strahlkraft ein und findet zuletzt als Epochenrepräsentativität in die Lehrbücher.

Das Postulat der Offenheit hat einschneidende Konsequenzen für die Beschreibung der Texte selbst. Es gibt nun keine definierten sinntragenden Schichten, keine festgesetzten Bedeutungsebenen und -linien mehr. Der Leser ist es, der sie individuell setzt und zieht. Die Leistung des Kunstwerks ist es, ihn mit Deutungsangeboten zu bedienen. In Frage gestellt wird, nebenbei, auch die Theorie des Leitmotivs. Denn es gibt hier auch keine Motive mehr, die den Anspruch haben dürfen zu leiten, keine festgesetzte Hierarchie, kein Autoritätsgefälle. Alles kann Zentrum sein, alles Fassade, alles Hintergrund und alles Untergrund. Dies falsifiziert die Leitmotiv-Theorie noch nicht; aber gerettet werden kann sie nur mit dem Mittel differenzierender Weiterentwicklung.

In seinem Vortrag *Freud und die Zukunft* von 1936 hat Thomas Mann ausgeführt, dass seine Protagonisten „so recht nicht wußten, wer sie waren, oder die es auf eine frömmere, tiefer-genaue Art wußten als das moderne Individuum: deren Identität nach hinten offenstand und Vergangenes mit aufnahm, dem sie sich gleichsetzten, in dessen Spuren sie gingen und das in ihnen wieder gegenwärtig wurde" (IV, 200). Das gilt nicht weniger für Texte und für die Zukunft. Texte, die ihr zugehören wollen, müssen auch nach vorne offen stehen. Sie kennen insofern ihre Identität nicht, außer dass sie eben offen sind für Zukünftiges, dem sie sich gleichsetzen können. Und wenn es hochkommt, geht die Zukunft in den Spuren, die sie selbst gesetzt haben.

### 3. Deutungsunendlichkeit

Um sich gegen den Wertewandel, der unfehlbar kommen wird, zu wappnen, muss das Kunstwerk eine Wertepluralität in sich tragen. Es muss zum Beispiel gleichzeitig atheistisch sein, religiös und säkular. So wird es Werteofferten wenn nicht für alle, so doch für viele Zeiten machen können. Ideologie stört im besten Fall nicht; in aller Regel ist sie Gift. Dasselbe gilt für Fundamentalismen und andere Absolutismen. Die einzige absolute Lehre, die

---

[9] Der Begriff des Spiels ist noch in einem weiteren Sinn produktiv: Ein Kunstwerk muss Spiel auch haben im Sinne der Bewegungsfreiheit von zwei ineinander greifenden oder nebeneinander liegenden Teilen.

das Kunstwerk verkünden darf, ist, dass es keine absoluten Lehren gibt. Der Dichter als Erzieher, als Führer, das funktioniert hundert, ja schon zwanzig Jahre später nicht mehr. Allenfalls käme ein Dichter noch, auf anderer Ebene, als Religionsgründer in Frage.

Roland Barthes verstand den Text als Archiv, als Kosmos dissonanter Diskurse. Ein literarischer Text lebt in der Tat von Widersprüchen, er braucht Widersprüchlichkeit und gestaltet sie. Es geht nicht bloß um Bürgerlichkeit und Unterlaufen der Bürgerlichkeit,[10] der Widerspruch ist viel radikaler und kategorialer, im Sinne von Ilse Aichingers Diktum „Ich lasse mir die Welt nicht bieten". Das große Kunstwerk amalgamiert das Disparateste, auch hierin dem Traum ähnlich, von dem Sigmund Freud gesagt hat, in ihm gebe es nichts, das eines Gegenteils fähig wäre. Alle Gegensätze holt er zu sich.

Ordnung als solche hat ihren absoluten Anspruch eingebüßt. Es braucht zum Leben Ordnungen, aber ihre Geltung wird sachlich und zeitlich eingeschränkt. Mehrere Ordnungen, die sich logisch ausschließen, gelten nebeneinander, lösen einander ab oder erweisen sich als Elemente einer neuen Ordnung, die sie aufhebt. Für Juristen, wenn sie nicht gerade Amerikaner sind und an die heilige Einzigkeit ihres eigenen Rechtes glauben, ist dies ohne weiteres verständlich. Man fährt in ein anderes Land, und flugs gilt nicht mehr, was zu Hause Gesetz ist. Dasselbe erfolgt im Ablauf der Zeit, die Gesetze früher oder später sterben lässt, wenn auch leider oft zu spät. Und in manchen Staaten wird den Rechtsordnungen zugesetzt durch faktische Ordnungen, mit denen sie in schwerem Konflikt liegen müssten, gegenüber denen sie sich aber doch für fröhliche Koexistenz entscheiden. Dieser lebensweltlichen Relativierung der Bedeutung und Geltung von Ordnung hat das Kunstwerk zu entsprechen.

---

[10] Wenn Walter Muschg in seiner *Tragischen Literaturgeschichte* Thomas Mann vorwarf, eine verlorene Welt zu ergötzen, ohne ihr die Spur einer rettenden Wahrheit in die Hand zu geben (Ess VI, 346), dann wurde er Manns Kunst gleich mehrfach nicht gerecht. Diese richtete sich nicht nur auf eine historisch verlorene, nicht nur auf die bürgerliche Welt, die so verloren war, wie ihre Töchter rasch genug verloren sein werden, was Thomas Mann nicht nur wusste, sondern wozu er auf seine Weise auch beitrug. Sie richtete sich also auch *gegen* die verlorene Welt. Man könnte weiter darüber sinnieren, wie unrichtig der polemisch gemeinte Ausdruck „ergötzen" ist, nachdem es dem Nietzsche-Leser Mann gerade nicht um Götzen ging. Und trifft es zu, dass er der verlorenen Welt keine Spur einer rettenden Wahrheit an die Hand gegeben habe? Unter dem Gesichtspunkt der Logik ist es fraglich, ob sich verlorene Welten retten lassen, wie auch, ob denn ausgerechnet Kunst sich zur „Retterin" aufschwingen sollte und könnte (was allerdings Thomas Mann unter prekären Umständen, in *Maß und Wert*, mit halber Stimme auch vorgab). Und noch der Begriff der Rettung ist unklar und gehört eher ins erlöserfrohe 19. Jahrhundert. Am brauchbarsten scheint die vergleichsweise behutsame Formulierung „Spur einer Wahrheit", wobei Muschg klugerweise offen lässt, welche Wahrheit gemeint sei. Übrigens war schon Schiller der Ansicht, die Schönheit finde keine einzige Wahrheit.

Als Prinzip der Brechung und Distanzierung hilft die Ironie. Ironie ist kein Akt der Konversion. Da werden keine Gläubigkeiten ausgetauscht. Ironie ist Fundamentalopposition, Revolution, Bildersturz, Königsmord, Feier des Widerspruchs, Unterlaufen aller Systeme der Macht und der Welterklärung. Die Gewissheiten werden verworfen, überleben immerhin aber als Möglichkeiten. Der Konjunktiv ist die Zukunft des Kunstwerks.

Die Postmoderne hat einige Begriffe zur Verfügung gestellt, die bei der Erklärung helfen, wie das scheinbar Unzusammengehörige doch zusammenfindet. Man spricht von *Crossover*, Transgression, von Hybridität. Der ältere Plinius, der sich mit den Sentenzen „In Vino veritas"[11] und „Nulla dies sine linea"[12] ein doppeltes Recht auf Unsterblichkeit erworben hat, bemerkt in seiner enzyklopädischen *Naturgeschichte*[13] beiläufig, „die Alten" hätten Mischlinge aus der Vereinigung eines Wildebers und eines Hausschweins „hybridas, ceu semiferos" genannt,[14] „Hybride, gleichsam Halbwilde", und diese Benennung sei dann auf den Menschen übertragen worden. Nach der Vorgabe dieser Plinius-Stelle nennen Zoologen und Botaniker Kreuzungen verschiedener Tierrassen und Pflanzenarten seither „Hybriden". Hybridität meint also Mischung, Kreuzung. Sie löst sich von der Artenreinheit und schillert ins Übergängliche hinein, wobei der Unterton der Halbwildheit nicht selten mitschwingt. So kann etwa die Nationalität gelockert werden, indem jemand genetisch ein halber Deutscher ist und zu einem Viertel Brasilianer. Engelsgetön ist auch Höllengelächter, Krankheit auch Gesundheit. Was immer die literarische Aussage ist, sie spricht auf vielen Böden und kann so auch viele ansprechen.

Die Sprachen lösen sich auf in Sprache. Auch die Geschlechtsordnungen werden aufgelöst, es gibt weibliche Männer und männliche Weiber und Androgynität in allen Farben. Biologisch ist Geschlechtsübergänglichkeit übrigens nichts Besonderes. So kann die Gemeine Napfschnecke (*patella vulgata*) ihr Geschlecht ohne weiteres wandeln, und zwar im Laufe ihrer sexuellen Karriere hin und zurück. Also sollte die flexible sexuelle Identität ohne weiteres auch von literarischen Figuren zu leisten sein.

Das Kunstwerk komponiert unvereinbare Positionen. Besser gesagt: Es gibt solche nicht mehr. Naphta und Settembrini mögen sich noch so sehr in den Haaren liegen und beim Bart nehmen, im Medium des Romans sind sie aufgehoben, ergänzen sie sich, gehören sie zusammen und vereinen sich aufs

---

[11] Naturalis historia 14, S. 141.
[12] Naturalis historia 35, S. 84.
[13] Ludwig Jahn/Karl Mayhoff (Hrsg.): C. Plini Secundi Naturalis historiae libri XXXVII, 6 Bde., Stuttgart: Teubner 1967–2002.
[14] Naturalis historia 8, S. 213.

allerglücklichste. Und es passt genau, wenn sie beide zwischendurch Positionen vertreten, die eigentlich jene des andern wären.

Die Leserlenkung wird unterminiert, indem jeder Deutung ein Vorhalt und Vorbehalt an die Hand gegeben wird: Helden haben immer auch reichlich Bedenkliches, Bösewichter äußern Überlegungswertes.

### 4. Poetologische Unfassbarkeit

Das Werk darf sich nicht festlegen lassen. Es hat dem Versuch literaturgeschichtlicher Klassifizierung die Stirn zu bieten. Es muss sich gegen jede Theorie durch-, über das Übel der Systematisierung und abstrakter Fachbegrifflichkeit hinwegsetzen. Auszugehen ist davon, dass sich das Kunstwerk in einem rechtsfreien Raum bewegt. Genauer: Es gibt sich Recht und Regel selbst. Es darf dabei nicht den poetologischen Prinzipien der Zeit genügen, in der es entsteht. Diese Poetik wird wie jede unfehlbar veralten, und mit ihr das in ihr verfangene Kunstwerk. Letztlich befindet sich die Poetik gegenüber dem großen Kunstwerk im Notstand. Wenn es erscheint, stehen für ihre Beschreibung noch gar keine Begriffe zur Verfügung, und oft auch viel später nicht. Weil das große Kunstwerk in keiner Poetik ganz aufgeht, weil es nicht restlos erklärbar ist, hat etwa der *Zauberberg* den biederen Versuch, ihn zum erzählten Schopenhauer zu verzwergen, mühelos überlebt. Von vornherein muss jedes Vorhaben misslingen, ein Kunstwerk restlos in den Horizont vertrauter oder oktroyierter Bedeutung zu integrieren, es an die Wand selbstgestrickter Theorien zu nageln.

Gottfried Keller hat in den *Sieben Legenden* von 1872 gegen die Regeln der Legende krass verstoßen. Das spricht nicht gegen sein Werk. Auch Thomas Mann hat viel sonst Separiertes zusammengeführt, etwa Mythos mit Psychologie. Er hat Naivität und Artistik vermählt, das Satirische und das Sakrale. Er hat eine Verfallsgeschichte mit einem Bildungsroman verschweisst. Brüche mit erzählerischen Konventionen, formale Experimente sind als solche aber nicht entscheidend. Sie setzen sich für eine Generation oder zwei ins Moderne, werden dann aber klassifiziert, klassisch und so vielleicht auch kassiert.

\*

Eva Schmidt-Schütz hat in der Einleitung zu ihrer Dissertation ,*Doktor Faustus*' *zwischen Tradition und Moderne* die Positionen der Forschung resümiert. Es sind verdächtig viele; fast niemand, der sich nicht einmal auch zu Thomas Manns Modernität geäußert hat. Dabei differieren Methoden und Ergebnisse recht stark. Alle aber scheinen Thomas Mann für einen modernen und postmodernen Autor zu halten. Es wird Sie nicht überra-

schen, dass ich diese Ansicht teile. Ich erachte aber den Begriff der Avantgarde in diesem Zusammenhang nicht für produktiv. Er stammt ursprünglich aus der Militärsprache (welche noch stets die schönsten Metaphern
geliefert hat) und bezeichnet die Vorhut, also denjenigen Truppenteil,
der als erster vorrückt und somit als erster in Feindberührung tritt.[15] Ihr
Gegenstück ist die Nachhut, die als letzte abrückt und somit gleichfalls als
letzte Feindberührung hat. Zwischen beiden marschiert die Hauptmacht,
das Gros. Unter Avantgardisten versteht man Menschen, die ausgetretene
Wege verlassen und neue, wegweisende Entwicklungen anstoßen. Vorreiter
kann man immer nur auf Zeit sein. Dann schließt das Gros zu einem auf,
und man verliert den Avantgardestatus. Auch die Avantgarde hat ein Ver-
fallsdatum, auch ihr läuft eine nicht allzu großzügige Frist, und der letzte
Schrei ist nie der letzte.

Tag und Jahrhundert sind nicht dasselbe, und wer die Höhe des Tages hält,
zählt aus Sicht des Jahrhunderts selten. Thomas Mann wollte das Narrenkleid
des Modefritzen nie tragen. Er hat sich auch bei seiner Aneignung der Tradition nicht vom *dernier cri* leiten lassen:

Zu der Zeit, als ich sein [Richard Wagners] Werk liebend durchdrang [...], da füllte
dieses Werk zwar, wie noch heute, die Opernhäuser der Welt, aber intellektuelle Mode,
dernier cri, der Gegenstand aktueller Diskussion war Wagner schon nicht mehr, ich
war mit meinem brennenden, von Nietzsche's Kritik nur angestachelten Interesse für
ihn eigentlich rückständig, ein Nachzügler, – so gut wie ich es war als Leser und hin-
gerissener Bewunderer Schopenhauers.[16]

Am Ende des 20. Jahrhunderts gerieten Begriff und Idee der Avantgarde unter
Beschuss. Die Annahme, dass einzelne voranschreiten und der Rest folgt,
wurde zunehmend angezweifelt. Die Postmoderne betont demgegenüber die
Pluralität der Entwicklungen. In offenen Gesellschaften fehlt eine allgemein-
verbindliche Richtung für Vorreiter. Der Begriff scheint verbraucht. In der
Tat gibt es kaum mehr einfache Antworten auf die Frage, wo es denn zur
Front gehe.

---

[15] Vgl. Wolfgang Asholt/Walter Fähnders (Hrsg.): Manifeste und Proklamationen der europäischen Avantgarde (1909–1938), Stuttgart: Metzler 1995; Karlheinz Barck: Art. „Avantgarde", in:
Karlheinz Barck u. a. (Hrsg.): Ästhetische Grundbegriffe, Historisches Wörterbuch I, Stuttgart/
Weimar: Metzler 2000; Hannes Böhringer: „Avantgarde", Geschichte einer Metapher, in: Archiv
für Begriffsgeschichte 22, Bonn: Bouvier 1978, S. 90–114; Peter Bürger: Theorie der Avantgarde,
Frankfurt/Main: Suhrkamp 1974; Till R. Kuhnle: Die permanente Revolution der Tradition – oder
die Wiederauferstehung der Kunst aus dem Geist der Avantgarde?, in: Hans Vilmar Geppert/
Hubert Zapf (Hrsg.): Theorien der Literatur II, Tübingen: A. Francke 2005, S. 95–133; Hubert van
den Berg/Walter Fähnders (Hrsg.): Metzler Lexikon, Avantgarde, Stuttgart: Metzler 2006.

[16] X, 312 (*Meine Zeit*, 1950).

Fragt man nun also nach den Elementen der Zukunftsfähigkeit von Thomas Manns Texten, so wäre zunächst festzuhalten, dass sein Lebenswandel und sein Lebensgefühl, die sich in einem prekären Dazwischen hielten, ihn zur Postmoderne prädestinierten. Er kannte verschiedene Doppelleben, Existenzen, die insofern „falsch" waren, als sie vorgaben, die einzigen zu sein. Er kannte das Hybride nicht allein durch seine „Verfassung", die Verbindung mit der Familie Pringsheim, sondern schon durch sich selbst, durch seine Verfasstheit *in eroticis* und seine eigene Blutmischung und Außer- und Überdeutschheit, der er ab den 1920er Jahren immer entschlossener zustimmte.

In seinem Werk geht es ihm nicht nur darum, gegen das Bestehende, den General Dr. von Staat anzuschreiben. Er meidet auch neue Ordnungen. Seine Texte sind unterwegs. Sie scheuen die Festlegung, sie scheuen die Verfestigung, sie heiligen die Dynamik. Jede Position wird durch Gegenpositionen in Frage gestellt, und indem sie einander dementieren, demontieren sie sich als Positionen selbst.

Die Beschreibung dieser Texte ist im Laufe der Zeit genauer geworden. Thomas Mann selbst bezeichnete seine Schaffensweise als „Montage", und die Forschung ist ihm darin lange gefolgt. Ich halte den Begriff der Montage für problematisch. Überhaupt ist, zurückhaltend gesagt, die literaturwissenschaftliche Tauglichkeit vieler kurrenter Begriffe nicht erwiesen. So ist zum Beispiel auch mit dem Begriff der Intertextualität[17] noch wenig gewonnen, zumal Intertextualität zwar zu den herausragenden Merkmalen der literarischen Moderne gehört, aber durchaus kein Phänomen allein der Moderne ist.[18] Hans Vaget hat vor zwei Jahren darauf hingewiesen, dass der Begriff der Montage „missverständlich und untauglich" sei, weil die von andern bezogenen Textteile nicht deutlich erkennbar bleiben, sondern nahtlos in die Textur der Erzählung verwoben werden.[19]

Entscheidend ist nun aber weniger, wie man diese Verwobenheit nennt, als dass dem eingeflochtenen Faden, der aus einem anderen Text stammt, strukturelle Funktionen zuwachsen. Thomas Manns Zitierverfahren ist in der Regel komplex. Wer die Postmodernität seiner Texte untersuchen will,

---

[17] Gerard Genette: Palimpsestes: la littérature au second degré, Paris : Éd. du Seuil 1982.

[18] Vgl. „Parodia" und Parodie. Aspekte intertextuellen Schreibens in der lateinischen Literatur der Frühen Neuzeit, hrsg. v. Reinhold F. Glei und Robert Seidel, Tübingen: Niemeyer 2007 (Frühe Neuzeit, Bd. 120).

[19] Hans Vaget: Vom „höheren Abschreiben", Thomas Mann, der Erzähler, in: Liebe und Tod – in Venedig und anderswo, Die Davoser Literaturtage 2004, hrsg. v. Thomas Sprecher, Frankfurt/Main: Klostermann 2005, S. 15–31, 16. Vagets Aufsatz ist produktiv rezensiert worden von Axel Schmitt: Wo grasen in Zukunft die heiligen Text-Kühe? Die Davoser Literaturtage 2004 im Zeichen von „Liebe und Tod – in Venedig und anderswo", in: literaturkritik.de, Nr. 3, März 2006.

hat hier einen besonders günstigen Ausgangspunkt.[20] An dieser Stelle nur allgemein: Das Zitat ist ein Kunstgriff. Es mischt das eigene Wort mit dem zum eigenen gemachten Fremden. Es bricht die Einheit auf, holt das Fremde in seine Immanenz und erzeugt so eine neue uneinheitliche Einheit. Es bewirkt innertextuelle Differenzen und Diskontinuitäten. Zitate schaffen Mischung. Sie können Texte im Text sein, Inseln widerborstiger Autonomie. Der Begriff der „Einlagerung" eines fremden Textes scheint mir im Allgemeinen zu ungenau, auch zu statisch. Es tönt wie Einfügung einer Textmumie in die eigene Textpyramide. Das Zitat aber ist nichts Totes, es lebt wie ein transplantierbares Organ und wird mit der Anverwandlung auch noch mit neuer Bedeutung versehen, mit der spezifischen Energie des Textes aufgeladen, in den es integriert wird. Übrigens muss es keineswegs genau sein im akademischen Sinne; das wäre bei poetischen Texten eine verfehlte Forderung. Gerade dies erlaubt es dem Zitierenden – und Thomas Mann hat es oft so gehalten –, Zitaten eine Bedeutung zuzuweisen, die konträr ist zu jener, die sie in dem entnommenen Text hatten. Ohnehin behält kein Text ganz die Identität seiner Bedeutung, wenn er zum Zitat mutiert.

Das Zitat ist grundsätzlich auf doppelte Erkennbarkeit aus – erstens soll es formal als Zitat, und zweitens soll inhaltlich erkannt werden, welchem Text es entnommen wurde –, denn wo dies nicht der Fall ist, büßt es seine Qualität als Zitat ein. Immerhin soll es vielleicht nicht *sogleich*, nicht zu leicht erkannt werden. Die Schwererkennbarkeit, die Güte des Versteckens kann Teil des Kunstspiels sein. Vielleicht büßt ein Zitat aber auch durch schwere Erkennbarkeit einen Teil seiner Identität ein; wie wenn es sich um eine verminderte Zitathaftigkeit handelte.

Dass ein Text Zitate enthält, stellt ihn in eine Tradition und in bestimmter Weise zu dieser Tradition. Die Zitathaftigkeit holt Vergangenes in seine Gegenwart und öffnet so die Perspektive auf das schon Vorhandene. Das Zitat kann Abschied oder Bestätigung bedeuten oder auch beides. Es ist Antwort auf Vor-Texte, aber nicht nur dies. Wer aus einem Ast eine Fahnenstange macht, antwortet damit nicht dem Baum, von dem der Ast stammt.

*

In seinem berühmten Brief vom 30. Dezember 1945 an Theodor W. Adorno hat Thomas Mann seine Erzählstrategie als eine „Art von höherem Abschreiben" bezeichnet. Abschreiben kann man nur Geschriebenes. Die Erzählung,

---

[20] Vgl. dazu auch Arno Barnert: Mit dem fremden Wort. Poetisches Zitieren bei Paul Celan, Basel und Frankfurt/Main: Stroemfeld 2006.

die sich „höherem Abschreiben" verdankt, bezieht sich also auf schon Erzähltes, auf die Tradition, auf den Bestand der Vorhandenen.

In aller Regel verändert das Abschreiben das Abgeschriebene nicht. Damit es nicht nur selbst ein Neues schafft, sondern auch das Abgeschriebene erneuert, muss es schon selbst ein Magnetfeld errichten, nach dem sich dieses neu ausrichtet. Dies gelingt in der Tat nur einem „höheren" Abschreiben. Schon in *Bilse und ich* (14.1, 110), geschrieben 1905/06, argumentierte Thomas Mann wie in dem Brief an Adorno. Was der Künstler der empirischen Wirklichkeit, zu der auch die literarische Wirklichkeit gehört, entnommen und, mit seinem Geist „beseelt", in sein Werk eingefügt hat, ist sein Eigentum geworden. Es gewinnt „innerhalb der Komposition eine selbständige Funktion, ein symbolisches Eigenleben".[21]

Thomas Mann hat seine eigene Poetik nicht bis ins Letzte entwickelt, und es ist bezeichnend, dass er sich nach *Bilse und ich* über fast ein halbes Jahrhundert hinweg – mit Ausnahme des Staatsschreibens an Adorno – kaum mehr zu einschlägigen Konfessionen hat bewegen lassen. Dafür gab es Gründe: „ […] dieses Geheimnis seines Schreibens war zu dem Zeitpunkt noch nicht öffentlichkeitsfähig; das geniezeitliche Originalitätsgebot war noch in Kraft, und jede Andeutung, dass diese oder jene Geschichte in einem gewissen Sinne abgeschrieben sei, hätte übelwollenden Kritikern Munition geliefert."[22]

Die Richtigkeit dieser These, bei der es sich ähnlich verhält wie bei der Frage der Homophilie, wird bestätigt durch die Betretenheit, mit der Hans Wysling und die Herren von der Aufsichtskommission des Thomas-Mann-Archivs noch 1962 auf die Erkenntnis reagierten, dass in den *Erwählten* viele Quellen gar wörtlich eingegangen waren. Carl Helbling und Hans Wysling hatten die Materialien zum *Erwählten* gesichtet. Im Protokoll jener forschungsgeschichtlich denkwürdigen Sitzung vom 29. Juni 1962 heißt es:

Prof. Helbling ist von der Entdeckung beeindruckt, dass sich Thomas Mann manchmal wohl über das übliche Mass an seine Quellen angelehnt hat, so dass man stellenweise von Kompilation sprechen kann. Er gesteht, dass sein Thomas Mann-Bild eine leichte Veränderung erfahren habe. Prof. Helbling vertritt aber den Standpunkt, dass diese Tatsache, selbst wenn sie den Ruhm Thomas Manns schmälere, nicht verheimlicht werden könne.[23]

Hans Wysling fügte an,

---

[21] Br II, S. 469 ff.

[22] Vaget (zit. Anm. 19), S. 19.

[23] Protokoll der Sitzung der Aufsichtskommission vom 29.6.1962, S. 1; vgl. Im Geiste der Genauigkeit, hrsg. v. Thomas Sprecher, Frankfurt/Main: Klostermann 2006 (= TMS XXXV), S. 186.

dass die Arbeitsmethode des alten Thomas Mann auch in der ‚Betrogenen' nachgewiesen worden sei [...]. Neuerdings sei der im Archiv arbeitende H.J. Sandberg (Bergen/Norwegen) zur Einsicht gekommen, dass der ‚Versuch über Schiller' keineswegs als *finis coronalis* von Thomas Manns Essayistik zu bezeichnen sei, sondern sich auf weite Strecken als Kompilation herausstelle. Dr. Wysling wirft die Frage auf, inwieweit bei der Publikation dieser Resultate auf die Familie Mann, insbesondere auf Frau Katia Mann, Rücksicht genommen werden müsse. Im Zusammenhang mit unserem Benützungsreglement hätte sich gerade Herr Sandberg schon sehr mit dieser Frage beschäftigt. Abschliessend ist Dr. Wysling der Ansicht, dass diese neuen Perspektiven einen Weg zum besseren, tieferen Verständnis der Gestalten Adrian Leverkühns und Felix Krulls erschlössen und dass sich von hier aus die Problematik modernen Dichtertums allgemein klarer erkennen lasse.

In seiner Antrittsvorlesung von 1969 über *Mythos und Psychologie* führte Hans Wysling dann aus, dass sich Thomas Mann episches Werk einem bewussten Spiel mit literarisch vorgeprägten Formen verdanke.[24] Diese Anlehnung an Fabelmuster begründete er mit Schwäche und Labilität. Hans Vaget hat diese Begründung zu Recht höchstens für die Frühphase gelten lassen, nicht aber für die letzten Jahrzehnte. Wenn es eine Not war, so hätte Thomas Mann aus der Anlehnung eine Tugend gemacht. Vaget führte aus: „Man kann diese heikle, aber für unser Verständnis des Erzählers Thomas Mann zentral wichtige Sache jedoch auch etwas anders sehen: nicht als Zeichen von Schwäche oder als Defensivmaßnahme, sondern als Zeichen von Stärke und als eine im Grunde aggressive künstlerische Geste." [25] Ich teile diese Interpretation durchaus und halte dafür, dass schon der junge Autor viel vitaler, stärker und selbstsicherer war, als man es lange sehen wollte. Auf die biographischen und psychologischen Voraussetzungen dieses Selbstbewusstseins ist hier nicht einzugehen, wobei ich ohnehin zögere, die angebliche Labilität des Verfassers mit der Stärke seiner Texte kausal zu verbinden. Ich möchte aber den Gedanken noch weiterführen. Das Zitieren, das Einverleiben in den eigenen Text hat etwas Sprachkannibalisches. Es ist auch ein Akt genuiner Souveränität, des Trotzes, usurpatorischer Scham- und Rücksichtslosigkeit, der Verfügungsgewalt, magischer Unterwerfung. Ich nehme, was ich brauche, und mache es zu dem Meinigen – das ist ausgelebte Sprachmacht. Wenn Hans Vaget von einem „gleichsam literatursättigten [...] Gepräge" der Romane Manns spricht,[26] ist ihm natürlich recht zu geben und anzufügen, dass auch das Adjektiv „literatursättigt" den Begriff des Kannibalismus rechtfertigt.

[24] Hans Wysling: „Mythos und Psychologie" bei Thomas Mann, Zürich: Polygraphischer Verlag, 1969, S. 9.
[25] Vaget, S. 21 f.
[26] Vaget, S. 27.

Der Mensch, der nicht *ex nihilo* kreieren kann, weil Gott und seine, des Menschen, Vorfahren das Nichts durch ein Etwas ersetzt haben, ist gezwungen, zuerst aus dem Etwas wieder ein *nihil* zu machen, um es dann in eine Schöpfung zu verwandeln. Das gilt *mutatis mutandis* vielleicht auch für den Kosmos der Kunst. Das „höhere Abschreiben" ist aber eben nicht nur „nihilisierend". Es setzt in Beziehung zum Bestand des schon Vorhandenen. Es ist Verbindungsaufnahme, die sich in verschiedenen Impulsen und intertextuellen Spielarten äußert: in einem Dagegen-Anschreiben, Sich-davon-Absetzen, aber auch in einem Wiederaufnehmen, Erinnern, Würdigen, Fortschreiben, in der Variation und Amplifikation. Es ist meist Kontrafaktur, manchmal aber auch „Profaktur". Beides vermengt sich im Schreibverfahren der spezifisch Mannschen Parodie.

*

Seine letzte Offerte an die Nachwelt war *Felix Krull*. Welche Qualitäten könnte der *Krull* haben, die ihn im Gespräch der Jahrhunderte halten? Ich lasse seine Fragmenthaftigkeit beiseite[27] und auch seine Parodie und möchte exemplarisch nur zwei Elemente erwähnen:

1. Im *Zauberberg* heißt es, der Begriff der Liebe sei schillernd. Im *Krull* schillert das Motiv wohl noch heftiger. Die Aussagen, die der Roman über „die Liebe" macht, sind außerordentlich vielfältig. Es gibt die Liebe in der Ehe und außerhalb. Die Liebe zu sich selbst. Die doppelte Doppelliebe, die Liebe zu Mutter und Tochter und die Liebe zu Geschwistern verschiedenen Geschlechts. Es gibt die verkehrte Liebe der reifen Frau zum für sie fast schon zu alten Jüngling, die aber nur eine andere Verkehrtheit negligéhaft verhüllt. Es gibt Ammenliebe und Altersliebe, Gouvernantenliebe, Liebe diesseits und jenseits der schicklichen Altersgrenze. Die Liebe zur Kreatur, die Liebe zum

---

[27]  Die ästhetische Theorie zum Fragment ist uferlos (vgl. etwa Eberhard Ostermann: Der Begriff des Fragments als Leitmetapher der ästhetischen Moderne, Erstpublikation: Athenäum. Jahrbuch für Romantik 1 (1991), S. 189–205; Neupublikation im Goethezeitportal, http://www.goethezeit portal.de/db/wiss/epoche/ostermann_fragment.pdf). Der Gedanke einer notwendig fragmentarischen Gestalt des Ästhetischen taucht in den verschiedensten Kontexten auf, von Schlegel bis Adorno, von Nietzsche bis Derrida und De Man. Ihm zugrunde liegt die Überzeugung, dass die Kunst nicht mehr auf das Ideal eines anschaulichen und geschlossenen Ganzen, also auf das Paradigma der idealistischen Identitätsästhetik, verpflichtet wird. Das Fragment ist das formal Unfertige. Unfertigkeit bedeutet Offenheit. Der unfertige Teil ist eine Leerstelle, die sich Projektionen öffnet. Sie weist auf das Entstehen des Kunstwerks, auf die Verfertigbarkeit und Verfertigungsnotwendigkeit. Sie, nicht die Unfertigkeit, ist aus klassizistischer Sicht das Skandalon. Das Kunstwerk springt nicht rund und ganz aus dem olympischen Künstlerkopf, sondern bedarf eines Tuns, verdankt sich der Arbeit, und während es entsteht, schwitzt der Künstler und verdaut, wie er es auch bei den profansten Beschäftigungen tut.

Sein überhaupt, die den Namen Allsympathie bekommt, die nicht ausgelebte Liebe, die verschmähte Liebe, die käufliche Liebe, die körperliche und die philosophisch-platonische Liebe – eine nicht nur heitere Polyphonie des Begehrens. Der Held ist Liebender, Geliebter, Zuhälter, und am Ende trägt er sogar einen gelehrten Traktat über die Liebe vor. Da dekonstruiert, könnte man sagen, aufs postmodernistischste eine Aussage die andere.

2. Ein Hochstapler ist die Inkarnation der Differenz. Was wovon differiert, auf welche Weise es dies tut, das ist weniger wichtig als die Differenz selbst. Sie ist es, die am Leben hält. Die Ordnungen lösen einander ab, die Differenz bleibt. Der Hochstapler schwebt zwischen den Sphären, er ist einmal unten, einmal oben, einmal Zuschauer, einmal selbst auf der Bühne, mehr noch, er schauspielert zusehend und schaut von der Bühne aus zu. Er verbindet die Sphären. Er führt ein konstitutionelles Vielfachleben. Hochstapler meint auch Tiefstapler; Krull will nicht nur mehr, sondern auch weniger sein, als er ist, wobei immer unklarer wird, was er wäre, wenn er nicht mehr und nicht weniger wäre. Der Hochstapler spielt mit mehreren Identitäten und mehreren Wahrheiten. Er erfindet sich selbst, er erzählt sich selbst immer neu. Ich bin viele, oder, mit Rimbaud gesprochen: Ich bin immer ein anderer. Das ist ein Motto der Postmoderne, die den invalidierten Charakter abstreift wie tote Haut. Opportunismus ist alles. Der „flexible Mensch", der heute gefordert wird, ist, was verlangt wird, Produkt und Projektion seiner Umwelt. Seine Identität befindet sich in dauernder Verwandlung, aber auch in dauernder Verhandlung: Ich bin, was ich sage, aber ich sage nicht alles, was ich bin, ich halte Informationen zurück, blase mich auf, drohe mit Möglichkeiten, die ich gar nicht habe oder nicht wahrmachen würde, stelle das Wichtigste als belanglos dar. Was ist Wahrheit, was Dichtung, was Schein und Schwindel? Ich bin die Option, die der andere in mir zu erkennen meint. Wo jeder ein Hochstapler ist, ist die physische Maske überflüssig geworden. Es ist ein Maskenspiel ohne Masken. Was zählt, ist der Auftritt, das Sein des Scheins. Der Spiegel wird zur Metapher für die scheingetragene, uneigentliche Existenzform. Zu ihr gehört die Einsamkeit, Ungebundenheit, Bindungslosigkeit, Bindungsunfähigkeit des Helden. Zu ihr die Reduktion des Menschen auf seine Funktion, seinen Titel; die glatte Vertauschbarkeit der Menschen, die Funktionen versehen. Der Keller kann Bediener, kann Graf sein und umgekehrt. Der Präsident wird Schauspieler und der Schauspieler Präsident. Alles wird relativiert. Gibt es überhaupt noch echte Grafen und Kellner, oder sind sie nur noch Simulanten? Die Sphären werden übergänglich. Jedes bis anhin feste Seinsgehäuse wird porös.

*

Hier nun Halt und Rückkehr. Altes und Neues, das entspricht dem Verhältnis von Vater und Sohn oder von Ende und Anfang. Aus dem Samen des Uranos und dem Schaum der See wurde Aphrodite geboren, die Göttin der Liebe, so dass aus der anthropologisch, mythisch und erzählerisch notwendigen Untat, von der ich einleitend berichtete, doch etwas Gutes hervorging, und wenn nichts stimmt, wovon ich Sie zu überzeugen suchte, so doch dies.

*Gert Sautermeister*

# Tony Buddenbrook

## Lebensstufen, Bruchlinien, Gestaltwandel

Wer mit Lesern der *Buddenbrooks* ins Gespräch kommt, bemerkt immer wieder, dass sich ihnen die Gestalt der Tony nachdrücklich eingeprägt hat. Das Erinnerungsbild, das sie von ihr entwerfen, spiegelt meist eine ungebrochene Sympathie wider, eine Sympathie, die eine ehrwürdige Geschichte hat. Sie wurde auf dem literarischen Markt früh bekundet, etwa von jenem versierten (und von Thomas Mann lobend erwähnten) Essayisten, der 1907 Tony als „eine der genialsten Romanfiguren unserer modernen Literatur" rühmte.[1] Selbst wenn ein Leser dieser Frau einen gewissen Mangel an Tiefe vorhielt, wie 1916 der bekannte Feuilleton-Redakteur Eduard Korrodi, konnte er daraus ein Kompliment destillieren und erklären, es gebe „in der deutschen Literatur [...] keine stärkere Inkarnation der Oberflächlichkeit als Tony Buddenbrook" (1.2, 206). Andere, trostbedürftige Leser, die dem „Verfall einer Familie" nur mit Mühe standhielten, richteten sich an Tony auf, „eine der gelungensten Frauengestalten unserer Literatur", „die uns durch ihr bloßes Vorhandensein den niederdrückenden Hauptinhalt des Romans erträglich macht" (1.2, 212). So im Jahre 1927. Die herzliche Resonanz, die diese Frauengestalt seit der ersten Rezeptionszeit bei einer weitgefächerten Lesergemeinde findet[2], entspricht ihrem anscheinend ungebrochenen Charakter. Auch berufsmäßige Literaturkenner schätzen sie, wie beispielsweise Hans Wysling, der für viele sprechen dürfte, wenn er 1995 über Tony Buddenbrook schreibt:

Sie bleibt vom Anfang bis zum Schluß dieselbe: ein Kind, wie Effi Briest, aber unverwüstlich. Ihre Naivität und ihr Familiensinn bleiben ungebrochen. Sie steht bis zuletzt für die Firma ein. Dabei ist gerade sie das Opfer dieser Firma: sie verzichtet auf die Liebe zu Morten Schwarzkopf, heiratet auf Wunsch des rechnerischen Vaters das Ekel Grünlich, überlebt Permaneder und schließlich auch ihren üblen Schwiegersohn Weinschenk. Ihre Gesundheit und Vitalität sind nicht vom Bewußtsein angekränkelt; darauf beruht ihr Glück und ihre Stärke.

---

[1] Alexander Pache: Thomas Manns epische Technik, in: Mitteilungen der literarhistorischen Gesellschaft Bonn, 2. Jg. (1907).

[2] Vgl. Hans Wißkirchen: Die frühe Rezeption von Thomas Manns „Buddenbrooks", in: „In Spuren gehen ..." Festschrift für Helmut Koopmann, hrsg. v. Andrea Bartl/Jürgen Eder/Harry Fröhlich/Klaus Dieter Post/Ursula Regener, Tübingen: Niemeyer 1998, S. 301–321.

Sie ist die einzige Figur neben dem alten Buddenbrook, die Wärme ausstrahlt. Sie kann lieben, und sie spricht.[3]

Es mag mit dem allgemeinen Einverständnis, das diese Gestalt hervorruft, zusammenhängen, wenn sie eingehendere Betrachtungen selten auf sich zieht. Tony Buddenbrook kann, so scheint es, in knappen, gewinnenden Sentenzen charakterisiert werden. Man pflegt in ihr ohnehin nur eine Nebenfigur zu sehen: eine „Chargenfigur", nach den Worten Eberhard Lämmerts, allerdings, wie könnte es anders sein, „eine der perfektesten [...], die ein deutscher Romanautor ersonnen hat."[4] Der ästhetisch geschulte Blick Lämmerts, der die Komposition des Romans scharfsichtig analysiert, ist freilich nur auf die männliche Generationenfolge der Buddenbrooks gerichtet. So gerät ihm Tony zur Nebenfigur, doch für die sekundäre Rolle, die sie anscheinend spielt, entschädigt ihn und andere Leser die vermeintlich „humorvoll-warmherzige Parteinahme"[5], die der Erzähler zu ihren Gunsten entwickelt.

Die Fülle der Aperçus, Notizen, Skizzen und Kurzcharakteristiken zu dieser Frauengestalt verrät nicht nur eine lebhafte Leser-Symphatie, die nicht selten bis zur Erschütterung reicht[6]; erkennbar wird auch eine ganz bestimmte wiederholt auftretende Sehweise. Tony Buddenbrook wird vorzugsweise als fest umrissener, sich treu bleibender Charakter verstanden, der unanfechtbar Verfallsprozesse und Schicksalsschläge übersteht. Diese charakterologische Perspektive, die auf der Unwandelbarkeit einer Person beharrt, hat die Inanspruchnahme Tonys als eines Fixsterns in den Irrungen und Wirrungen der Familien- und Zeitverhältnisse begünstigt. Einige wenige Figurenporträts gelangen über diese Perspektive hinaus und erproben anspruchsvollere Ansätze. Erich Heller geht davon aus, dass Schopenhauers philosophisches Werk *Die Welt als Wille und Vorstellung* die Konzeption der *Buddenbrooks* nachhaltig bestimmt habe und sieht in Tony eine naive „Unbefangenheit des Willens" wirksam,[7] dergestalt, dass sie zu einer „komischen Gestalt" werde,[8] die erkenntnislos „in der rührenden Albernheit ihres Wesens unberührt von der Zeit und deren Todesfällen" bleibe.[9] So wird die Figur geistvoll, aber auch

---

[3] Hans Wysling: „Buddenbrooks", in: TM Hb, S. 375.

[4] Eberhard Lämmert: „Buddenbrooks", in: Der deutsche Roman. Vom Barock bis zur Gegenwart, hrsg. v. Benno v. Wiese, Düsseldorf: August Bagel 1963, S. 194.

[5] Ebd., S. 214.

[6] Vgl. eine entsprechende Auskunft von Ruth Schwarz: Tony Buddenbrook – ein Frauenbildnis deutscher Spätbürgerlichkeit, in: Spektrum. Mitteilungsblatt für die Mitarbeiter der deutschen Akademie der Wissenschaften zu Berlin, Jg. 11, H. 5 (1965), S. 205–209.

[7] Erich Heller: Thomas Mann: „Buddenbrooks", in: Deutsche Romane. Von Grimmelshausen bis Musil, hrsg. v. Jost Schillemeit, Frankfurt/Main: Fischer Taschenbuch 1966, S. 246.

[8] Ebd.

[9] Ebd., S. 248.

einseitig von der Höhe der philosophischen Kategorie herab verschlankt. Immerhin lädt die Kritik Hellers zur Korrektur der sonst üblichen Sympathie-Bekundungen ein. Eckhard Heftrich erblickt in den *Buddenbrooks* die erzählerische Konstruktion eines Fatums, das eine ganze Familie in seinen Bann zieht, Tony eingeschlossen; mag sie sich dagegen auch wehren, so fördert ihr Familiensinn dennoch den Familienverfall, was ihrer Erscheinung wechselnde, mitunter zwiespältige Züge verleiht, zu Recht.[10] Von der Geschichte als ein episch komponiertes Fatum zur Realgeschichte der Geschlechterrollen wechseln die Autorinnen eines Beitrags zu *Frauenfiguren in den „Buddenbrooks".*[11] Dieser aufschlussreiche und für uns selbst relevante Gesichtspunkt verleiht auch der Physiognomie Tonys überindividuelle, repräsentative Rollenmerkmale. Gleichwohl dürfte die Festlegung Tonys auf wenige gleich bleibende „Charakterzüge" – „Familiensinn, Kindlichkeit, Naivität und Unverwüstlichkeit" – ihre Gestalt wohl kaum ausschöpfen. In einem verwandten historisch-kritischen Sinn hat Herbert Lehnert den Gedanken entfaltet, dass die *Buddenbrooks* wie andere europäische Romane der Epoche „das beginnende Bewusstsein von dem Recht der Bürgertöchter auf die eigene Liebeswahl vor dem Hintergrund der noch immer mächtigen patriarchalischen Tradition darstellen."[12] Dieses Spannungsverhältnis ist Lehnert zufolge massiv genug, um bei Tony einen „Charakter-Wechsel"[13] hervorzurufen, der seiner Meinung nach zu einer „Persönlichkeitsspaltung"[14] führt. Eine erfrischend provokative (wenngleich allzu forcierte) These angesichts der traditionellen Tony-Bilder! Zwischen überlieferter und moderner Blickrichtung entsteht ein Kontrast, der die Lektüre-Perspektive in Bewegung versetzen kann. Zu lange stand die Figur der Tony wie eine allzeit transparente Erscheinung vor den Augen ihrer Leser, ungeachtet der Brüche, die ihr einkomponiert sind, und der Rätsel, die sie umspielen. Jedenfalls fordert ihre bewegte Biographie eine nähere, zum Teil eingehende Betrachtung heraus.

Diese Betrachtung sei hier versucht. Tony Buddenbrook hat sie längst verdient. Es ist kein Zufall, wenn sie als einzige Figur des Romans den Handlungsverlauf von Anfang bis Ende begleitet. Sie zählt zu seinen Hauptakteuren

---

[10] Eckhard Heftrich: Vom Verfall zur Apokalypse. Über Thomas Mann. Bd. II, Frankfurt/Main: Klostermann 1982. Vgl. besonders S. 66–82. – Zu Heftrichs scharfsinnigen Hinweisen vgl. Anm. 19 und 20 im vorliegenden Beitrag.

[11] So der Untertitel des Aufsatzes „Sei glöcklich, du gutes Kind" von Britta Dittmann und Elke Steinwand, in: „Buddenbrooks". Neue Blicke in ein altes Buch, hrsg. v. Manfred Eickhölter/ Hans Wißkirchen, Lübeck: Dräger 2000, S. 176-193. Zu Tony vgl. S. 187-190. – Vorstehendes Zitat S. 187f.

[12] Herbert Lehnert: Tony Buddenbrook und ihre literarischen Schwestern, in: TM Jb 15, 2002, S. 45.

[13] Ebd., S. 37, Anm. 2.

[14] Ebd., S. 37.

und birgt in sich eine Fülle an Spannungen und Polaritäten, an Entwicklungs-
chancen und Bruchlinien. Ihr Lebensweg ist widerspruchsvoll angelegt. Wir
unterscheiden darin vier markante Stufen, um eine Vorstellung von seiner
Komplexität und seinen Konflikten, psychischen wie sozialen, zu vermitteln.
Dass der Erzähler dabei auch eine partielle Umwandlung ihrer Gestalt vor
Augen führt, macht sie sozialgeschichtlich interessant und sozialpsycholo-
gisch besonders bedeutsam: als ein Korrektiv zum „Prozess der Zivilisation"
und als Entwurf eines Menschenbilds, dem ein neueres Erkenntnisinteresse
gilt. Die Erzählerstrategie selber scheint in diesem Zusammenhang von einer
traditionsbewussten zu einer modernen dekonstruktiven Linie zu führen.

## Ästhetischer Kontext

Die Gestalt der Tony Buddenbrook ist für sich betrachtet interessant genug,
wie die Rezeptionsgeschichte zeigt. Aber faszinierend wird sie erst in ihrem
ästhetischen Kontext. Das vergisst man bei ihrer Charakteristik allzu gern.
Wir wollen daher vorweg, gleichsam zum interpretatorischen Auftakt, diesen
Kontext in seiner *musikalischen* und seiner *szenisch-malerischen Dimension*
skizzieren.

Je mehr wir uns in den Roman vertiefen, desto fasslicher tritt seine musikalische Struktur hervor. Leonard Bernstein hat einmal das Prinzip der Wiederholung in ihren vielfältigen Umwandlungen als konstitutiv für die große
Musik erachtet:

Ein Musikstück ist eine dauernde Verwandlung des vorgegebenen Materials durch
Umwandlungsvorgänge wie Umkehrung, Vergrößerung, Krebsgang, Verkleinerung,
Modulation, Gegenüberstellung von Konsonanz und Dissonanz [...] und die unend-
lich vielen Wechselbeziehungen von alledem untereinander.[15]

Etwas von der Eigenart dieses Bauprinzips macht sich in den *Buddenbrooks*
geltend, sobald man auf die Lebensgeschichte der Tony achtet und ihre Beziehung zu Thomas, dem älteren Bruder, mitverfolgt. Anhand der ersten sechs
*Teile* des Romans sei dies in Kürze dargelegt.[16] Der *Erste Teil* lässt – musikalisch gesprochen – zum Auftakt das Thema der weiblichen Gestalt anklin-

---

[15] Leonard Bernstein: Musik – die offene Frage, Wien: Fritz Molden 1976, S. 157.
[16] Das für Thomas Mann charakteristische musikalische Kompositionsprinzip seiner Werke
erläutert in beispielhafter Differenzierung Eckhard Heftrich: Zaubergbergmusik: über Thomas
Mann, Frankfurt/Main: Klostermann 1975.

gen und führt es durch mehrere Kapitel des *Zweiten Teils* hindurch, ehe am
Ende die „glückliche Jugendzeit" Tonys wie in einem Akkord ausklingt (1.1,
99). Das Nebenthema, die Figur des Bruders, wird kontrapunktisch an einer
Stelle besonders vernehmlich, als Thomas, zeitgleich zum Einzug der Schwester in ein Mädchenpensionat, ins väterliche Geschäft eintritt. Der *Dritte Teil*
führt den Bruder weiterhin als eine periodisch auftretende Begleitstimme
zu Tony vor, die in ein Drama voller Wechselfälle gerät. Das sie betreffende
Hauptthema spaltet sich mit dem Auftreten des Brautwerbers Grünlich in
eine bedrückende Moll-Tonart, die von den Eltern und der Umwelt beschwert
wird, und in eine befreiende Dur-Tonart, die durch Tonys aufkeimende Liebe
zu dem Studenten Morten Schwarzkopf entsteht. Beide Tonarten durchkreu-
zen sich in den drei Briefen des 10. Kapitels, diesen von Grünlich, von Tony
und ihrem Vater verfassten Briefen, bis die Trauer Tonys über den erzwungenen Abschied von dem jungen Mann abklingt und die gegensätzlichen Tonarten in der Hochzeit mit Grünlich anscheinend zum Ausgleich kommen.
Parallel dazu, in kontrapunktischer Stimmführung, nimmt Thomas Abschied
von seiner Jugendgeliebten Anna, um in Amsterdam seinen beruflichen Weg
zu verfolgen.

Im *Vierten Teil* verzweigt sich das um Tony kristallisierte Thema durch
die Einbindung Grünlichs, ihres Ehemanns. Die Verzweigung verengt sich
am Ende disharmonisch zu einer Spaltung, der endgültigen Trennung der
Ehepartner. Kontrapunktisch dazu kündigt sich die Rückkehr des Bruders
nach Hause an. Sein viel versprechendes Auftreten kontrastiert mit der von
Tony ausgehenden Linienführung, die aufgrund ihrer Scheidung gedämpften,
verhaltenen Charakter hat. Dementsprechend übernimmt nun im *Fünften
Teil* des Romans das Bruder-Thema die Führung, das mit dem Tod des Vaters
an Bedeutung und Tempo gewinnt und seinen Höhepunkt in der Vermählung Toms mit Gerda Arnoldsen findet. In harmonischer Ergänzung dazu,
gleichsam als Konsonanz, wird im *Sechsten Teil* die Stimme Tonys hörbar:
sekundiert von Thomas feiert sie ihre zweite Hochzeit und erprobt das Ehe-
Thema in einer neuen Variante. Das Unglück dieser zweiten Ehe und die
darauf folgende Scheidung bilden ihrerseits ein Echo auf das mit Grünlich
erlebte Drama (ebenfalls *Sechster Teil*). Die Stimme des Bruders gegen den
neuen „Skandal" einer Scheidung ertönt in scharf umrissener Kontrapunktik.
Aus der eben noch hörbaren Konsonanz der Geschwister entwickelt sich eine
bemerkenswerte Dissonanz.

Das wiederholte Hervortreten Tonys aus dem Fluss der Handlung glie-
dert das Geschehen rhythmisch und verleiht ihrer Gestalt Gewicht, im kontrapunktisch organisierten Spannungsfeld mit dem Bruder gewinnt sie eigenes
Profil. Die Anziehungskraft, die sie dadurch auf den Leser ausübt, wird durch

*szenisch-malerische Situationen* bekräftigt. Wie ein Magnet zieht Tony Braut-werber an, die bald als melodramatische Schauspieler, bald als Komödienfiguren agieren. Der Erzähler stilisiert das Erzählfeld zu einer Art Bühne, auf der sowohl der Hamburger Bendix Grünlich wie der Bajuware Alois Permaneder sich zur Schau stellen. Mit einer Fülle sinnlicher Details, stimmlichen, mimi-schen, gestischen, führen sie ihre Selbstinszenierung vor Tony auf. Im Umkreis ihrer Theatralik bzw. unfreiwilligen Komik erhält Tonys Gestalt atmosphärische Dichte und einen pittoresken Hintergrund – ein wesentlicher Grund dafür, dass sie sich dem Gedächtnis des Lesers unverlierbar einprägen kann.

Zur musikalisch-rhythmischen Führung der Gestalt Tonys und szenisch-malerischen Konfiguration ihrer Brautwerber gesellt der Erzähler sozial-geschichtliche Tiefenblicke. Er verbindet das Schicksal seiner Protagonistin mit gesellschaftlichen Grundzügen seiner eigenen Zeit. Davon wird im Fol-genden von Fall zu Fall die Rede sein, im Zusammenhang mit den einzelnen Lebensstufen Tonys.


## Erste Lebensstufe

Der Erzähler hat die Gestalt Tonys so vielseitig wie möglich angelegt. Man darf die These wagen, dass sie – neben Thomas Buddenbrook – die variati-onsreichste Komplexität unter allen Romanpersonen besitzt. Die variations-reichste und zugleich die widersprüchlichste. Wenn der Erzähler sie zum ers-ten Mal ausführlich vorstellt, im 2. Kapitel des *Zweiten Teils*, so entfaltet er ein kleines Universum von Vorzügen und Nachteilen der heranwachsenden Tony. Sie weilt im Sommer bei den Krögers, ihren prachtvoll wohnenden Großeltern, deren „feudale Neigungen" (1.1, 65) ihr imponieren, sie treibt sich trotz dieser Neigungen mit Vorliebe im einfachen Volk herum, entwickelt Gemeinsinn und Hilfsbereitschaft, aber auch eine gewisse Lust am Schabernack und ein hochmütiges Standesbewußtsein. Als „ziemlich keckes Geschöpf", wie der Erzähler sie apostrophiert (1.1, 69), erkundet sie unerschrocken ihre Umwelt, entwickelt eine jungenhafte Tatkraft beim Durchforsten von eher männlichen Lebensbereichen, wehrt Übergriffe auf ihre Person entschlossen ab, demons-triert in der Schule eine beachtliche Intelligenz und bereitet mit ihrer „Aus-gelassenheit" Lehrern und Eltern „manche Sorge" (ebd.). „Betragen in [...] hohem Grade mangelhaft" (ebd.), resümiert der Erzähler und unterstreicht damit das unbotmäßige Temperament eines Fräuleins aus gutem Hause. Diese Tony Buddenbrook neigt zu einem Nonkonformismus, der „ersichtlich", um eine Lieblingsvokabel des Erzählers zu zitieren, unternehmungslustige Züge besitzt. Da wächst eine höhere Tochter heran, die über die vorgezeichneten Geschlechterrollen mutwillig und mit der Lust am Probehandeln hinwegstrebt. Standesbewußtsein und Hochmut werden von populärem Gemeinsinn durchmischt, feudale Neigungen von Neugier und Lebensoffenheit begleitet. „Keckheit" und „elastische Zuversichtlichkeit", so der Erzähler (1.1, 66), prägen die „graziöse Gestalt" ebenso wie Intelligenz und Unternehmungsgeist.

Das Standesbewusstsein der kleinen Stadtprinzessin wird etliche Jahre hindurch von einem „argen Hang zu Hoffart und Eitelkeit" begleitet (1.1, 90), hindert sie jedoch nicht daran, wider alle guten Sitten vor den Toren der Stadt eine Liebelei mit einem Gymnasiasten zu pflegen, weshalb die Eltern die nunmehr Fünfzehnjährige in ein wohlbehütetes Mädchenpensionat einweisen, eingerichtet für den Nachwuchs der feinen Gesellschaft. Dort gesellt sich ihrem ständischen Selbstbewußtsein und ihrem „Freundschaftsbund" mit Gleichaltrigen (95 f.) ein gediegener Familiensinn zu, den sie in die Worte kleidet: „Ich werde natürlich einen Kaufmann heiraten. Er muß recht viel Geld haben, damit wir uns vornehm einrichten können; das bin ich meiner Familie und der Firma schuldig." (1.1, 97)

## Zweite Lebensstufe

Die höhere Tochter übt sich allmählich in die soziale Rolle ein, die ihre Umwelt von ihr erwartet. Doch das soziale Rollenspiel wird einige Zeit später, Tony ist achtzehn, bald neunzehn Jahre alt, auf eine delikate Probe gestellt. Es gerät in Konflikt mit ihrem ursprünglichen Temperament, ihrem weiblichen Geschlechtsempfinden, ihrer Intuition, ihren Herzensregungen. Die ihr so selbstverständlich erscheinende Rolle als standes- und familienbewusste Kaufmannstochter wird durchkreuzt von eigenwilligen Zügen, die wesentlich zu ihrem Charakter gehören. Initiator des Konflikts ist Bendix Grünlich, Agent seines Zeichens, eine der faszinierendsten und widerwärtigsten Nebenfiguren, die je die deutsche Erzählbühne betreten haben: ein Schmeichler und Heuchler ersten Rangs, ein Schauspieler und mit allen Wassern gewaschener Komödiant, ein eloquenter Blender und Verführer, ein Herzensbrecher jener seltenen Sorte, die nicht jungfräuliche, dafür aber Elternherzen bricht, sie im Geschwindschritt und doch mit strategischer Umsicht erobert. Der Erzähler hat die Textur dieser Gestalt aus literarischen Materialien der europäischen Tradition gewoben – zuvörderst aus dem *Tartuffe* Molières, dann aus Goethes *Werther* und einer abgesunkenen wertherianischen Gefühlskultur, schließlich aus dem Biedersinn von Kaufleuten wie Gustav Freytags Anton Wohlfahrt. Das intertextuelle Gewebe dieser Figur verweist auf eine erzählerische Artistik, die dem Leser ein eigenes ästhetisches Vergnügen verschafft, aller moralischen Anrüchigkeit des Herrn Grünlich zum Trotz. Wenn dieser vollkommen unchristliche Mitgiftjäger in der Manier Tartuffes sich an Tonys Vater, Johann Buddenbrook, heranpirscht und dessen christliche Gesinnung umgarnt, etwa mit den Worten: „Ich liebe, wenn ich das aussprechen darf, die Namen, welche schon an und für sich erkennen lassen, daß ihr Träger ein Christ ist. In ihrer Familie ist, wie ich weiß, der Name Johannes erblich … wer dächte dabei nicht an den Lieblingsjünger des Herrn" (1.1, 105), wenn er gegenüber Buddenbrooks Gattin, die von ihrer Herkunft her urbane Repräsentation schätzt, die „edle Weltläufigkeit", „Vornehmheit" und „glänzende Eleganz" ihrer Hamburger Verwandten rühmt (1.1, 104): so darf er sich des Applauses des Ehepaars sicher sein. „Sie reden mir aus der Seele, mein werter Herr Grünlich!" erklärt Frau Buddenbrook denn auch ungesäumt (ebd.). Der Erzähler setzt diesen Grünlich mit allen Mitteln der Mimik und Gestik virtuos in Szene, lässt ihn ausgreifende Bewegungen mit Hut und Oberkörper vollführen, so dass er im Hause Buddenbrook wie auf einer Bühne paradiert, Komplimente drechselnd mit nie versiegender Rede und Pfauenräder schlagend zum eigenen Ruhm. Er vergisst nicht, sich den Schein biederer Seriosität zu geben und seinem Geschäft, das er „ein außerordentlich reges" nennt (1.1, 103), „ernste und tüchtige Grundsätze" zu unterlegen (1.1, 110), wie weiland Anton Wohlfahrt in Freytags *Soll und Haben*, der weltlichen Bibel des aufstrebenden Bürgertums bis ins 20. Jahrhundert hinein.

Man ginge fehl, würde man in diesem Theatraliker mit dem ausgesuchten Gebärdenspiel und den pretiösen Redeblumen eine obsolete Erscheinung sehen, das museale Artefakt eines vergangenen Jahrhunderts. Nein, seine alerte Flexibilität hat inzwischen nur andere Darstellungsformen gefunden und seine gewandten Betrugsmanöver nur an Undurchsichtigkeit gewonnen. Man vergegenwärtige sich einen der literarischen Vorgänger Grünlichs, den Erfinder der „Revalenta arabica", eines absolut wertlosen, aber finanziell einträglichen „Bohnenmehls" in Gottfried Kellers *Grünem Heinrich*, man vergleiche diesen betrügerischen Erfinder mit dem geschickt operierenden Bankrotteur Grünlich, und man notiere die Affinität beider zu einem der perfektesten Betrüger unserer Jahre, dem Münchner Finanzmanager, der eine ganze Stadt samt ihren offiziellen Repräsentanten hinters Licht geführt hat – so wird man erkennen, dass Thomas Mann mit Grünlich einen zeitlos aktuellen Sozialcharakter im Wirtschaftsleben entworfen hat.

Einzig Christian und vor allem Tony nehmen Anstoß an dem Brautwerber. Christian, geborener Schauspieler, durchschaut seine Theatralik, Tony seine Strategie der Beifall heischenden Selbstdarstellung einerseits, des Schmeichelns, Sich-Einschmeichelns und Sich-Einschleichens andererseits. Ihr Argwohn: „Woher kennt er meine Eltern? Er sagt ihnen, was sie hören wollen ...“ (1.1, 104) lässt den Leser erraten, dass Grünlich Erkundigungen über ihre Familie eingezogen hat, ehe er sich präsentierte; Tonys Kritik seiner devoten Huldigungen zeigt an, dass sie ihn der Charakterlosigkeit verdächtigt (vgl. 108). Das Bild, das sie von ihm behält – „seine goldgelben Favoris, sein rosiges, lächelndes Gesicht mit der Warze am Nasenflügel, seine kurzen Schritte“, „sein [...] wollige[r] Anzug und seine weiche Stimme“ (1.1, 115 f.), zu schweigen von „seinen Augen, die so blau waren, wie diejenigen einer Gans“ (1.1, 119) – dieses Bild ist für sie auch der sinnfällige Ausdruck für die Künstlichkeit und Unmännlichkeit Grünlichs. Mit der Intuition einer hellwach empfindenden Frau erspürt sie das Gezierte und Gestelzte seiner Selbstinszenierung. Tonys Innervationen sind klüger als das diplomatische Klügeln ihrer Eltern, die den Brautwerber zum Bräutigam befördern wollen. Das unwägbare ästhetische und erotische Empfinden Tonys verrät, dass sie noch nicht ganz normiert und gesellschaftlichen Maßstäben nur teilweise unterworfen ist. Dieses individuelle Empfinden urteilt klarer als der gesammelte Erfahrungsschatz der Eltern, der durchfärbt ist von den geläufigen Vorstellungen über einen wohlerzogenen jungen Mann und eine „gute Partie“ (1.1, 115).

Indem Tony gegen die Heiratspolitik ihrer Eltern Widerstand leistet, erneuert sie die Unbotmäßigkeit ihres jugendlichen Wesens. Der Nonkonformismus des Kindheits- und Jugendalters verschafft sich lebhaften Ausdruck. Aber die patriarchalische Regie der Eltern ist ebenso unerbittlich wie strategisch überlegt. Wenn sie Tonys „Verpflichtungen gegen die Familie und die Firma“ einklagen, so erfüllt das Tony prinzipiell mit Stolz (ebd.). Das allseitige Werben um ihr „Jawort“ macht ihr die „plötzliche Wichtigkeit ihrer Person“ aufs angenehmste bewusst (1.1, 117), wobei sie einem sublimen Missverständnis aufsitzt. Denn ihre Person ist wahrlich sekundär gegenüber ihrer sachlichen Funktion, die darin besteht, durch eine Verbindung mit Grünlich das Sozialprestige der Familie zu erhöhen und die zähflüssigen Geschäfte der Firma zu beleben. Darin vor allem erblicken die Eltern Tonys würdevolle „Pflicht und Bestimmung“ (1.1, 115). Gegenüber der „guten Partie“, die ihrer Tochter winkt (ebd.), halten sie die momentane Sprache ihres Herzens und ihrer Gedanken für eine *quantité négligeable*. „Einem so jungen Dinge, wie du“, erklärt man ihr, „ist es niemals klar, was es eigentlich will ... Im Kopfe sieht es so wirr aus wie im Herzen ...“ (1.1, 113). Das ist der elterliche Gegendiskurs zu den feierlichen Reden über Tonys würdevolle Familienrolle. Es ist der Diskurs einer Verkindlichung, die der Person einer Achtzehnjährigen gegenüber verfehlt ist. Aber es ist der Diskurs des Bürgertums jener Zeit gegenüber heiratsfähigen jungen Frauen überhaupt.

Hier die elterlichen Einflüsterungen zu Tonys angeblicher Familien-
würde – dort die Verkindlichung ihrer Person: Die patriarchalische Regie der
Eltern ist von einer verwirrenden *double-bind*-Haltung gekennzeichnet. Wie
soll da eine junge Frau wirklich erwachsen werden? Identität gewinnen? Tony
sucht den Weg der Selbstbehauptung und zieht sich auf die Stimme des Herzens, ihrer Weiblichkeit, ihres Geschlechtsempfinden zurück. Es ist der Versuch, ihren Nonkonformismus in diesem besonderen Fall zu wahren, einem
Fall immerhin, der über ihre Zukunft und ihr Lebensglück entscheidet. Auch
wenn sie ihre Rolle als standesbewusste Kaufmannstochter verinnerlicht hat
und – so ihre eigenen Worte – durch eine „vorteilhafte Ehe" „der Würde der
Familie und der Firma" gern entsprechen möchte (1.1, 114) – Grünlich kommt
als Ehemann für sie partout nicht in Frage. Getreu diesem Entschluss erteilt sie
ihm einen Korb nach dem anderen und pariert schließlich auch einen Überra-
schungsangriff von seiner Seite. Der Erzähler inszeniert diese Attacke erneut
als bühnenreife Szene. Der ins Haus stürzende Grünlich, der wider alle Eti-
kette die ihm allein entgegentretende Tony mit einem erneuten Heiratsantrag
bestürmt, ein definitives Jawort von ihr erzwingen will, sie in den Armses-
sel nötigt, ihre Hände ergreift, im Zimmer imperial auf- und abmarschiert,
Drohungen ausstößt, unerbetene Schwüre leistet, zuletzt vor der Umworbe-
nen auf die Knie fällt: Dieser flehende, fauchende, feixende Galan ist mitsamt
seiner Gestik einer Komödie würdig. Einer Komödie mit doppeltem Boden
allerdings. Denn seine leidenschaftlichen Liebesschwüre gelten nicht etwa der
„traumhaft lieblichen Erscheinung" Antoniens (1.1, 118), sondern ihrer Aus-
steuer und ihrer Mitgift und ihrem guten Namen. Da lohnt es sich, alle Register einer sprachlichen und körperlichen Rhetorik zu ziehen. Die Liebesbeteu-
erungen Grünlichs sind als Schmieröl in seinem stockenden Geschäftsverkehr
gedacht. Durch Tony hindurch wirft er Liebesblicke auf ihr väterliches Vermögen. Wenn er schwört, dass er als Gatte sie „auf Händen tragen" werde (1.1,
119), so schielt er auf die Banknoten ihres Vaters, die seiner Handreichung den
notwendigen Schwung verleihen würden. Es ist der Ausverkauf der Liebe,
der hier stattfindet, zugunsten des Geldes, das alle Liebeskraft auf sich zieht.
Der Blick des jungen Thomas Mann auf gewisse Geschäftsgebaren seiner Zeit
ist von durchdringender Schärfe. Durch die burleske Komödie zieht sich der
fatale Ernst des Wirtschaftslebens.

Im Falle Grünlichs ist dieser Ernst zur puren Verzweiflung geworden. Tony
glaubt zwar, es sei dies die Verzweiflung des abgewiesenen Liebhabers, als den
Grünlich sich hier ausgibt, weil sie nicht wissen kann, dass er in Wahrheit von
der Todesangst des Schuldenmachers erfasst ist. Eben das macht die Doppelbödigkeit dieser theatralischen Szene aus. Wenn Grünlich seiner Angebeteten
versichert, dass er sich vor Kummer über seine verschmähte Liebe entleiben

müsse, dann stehen ihm einzig die unbezahlbaren Kredite vor Augen, die ihn in den Ruin treiben werden, sollte ihm die Buddenbrooksche Mitgift entgehen. Doch der physiognomische und stimmliche Ausdruck seiner materiellen Verzweiflung ist so echt wie eine Liebesverzweiflung und reißt Tony zu „Rührung und Mitleid" hin (1.1, 120). Der doppelte Boden der hier waltenden Ambivalenz ist meisterhaft komponiert. Der Erzähler lässt es dabei nicht bewenden. Er rückt die Szene überdies ins Zwielicht einer literarhistorischen Ironie. „War es möglich", so lässt er Tony räsonnieren, „daß *sie* dies erlebte? In Romanen las man dergleichen, und nun lag im gewöhnlichen Leben ein Herr im Gehrock vor ihr auf den Knieen und flehte! [...] Aber, bei Gott, in diesem Augenblicke war er durchaus nicht albern! Aus seiner Stimme und seinem Gesicht sprach eine so ehrliche Angst, eine so aufrichtige und verzweifelte Bitte ..." (1.1, 121).

Die Tartufferie Grünlichs wird bei diesem Auftritt, genauer: bei diesem Kniefall um die Leiden Werthers komplettiert. Seine Heuchelei entfaltet sich vor dem Hintergrund einer echten Verzweiflung. Hier agiert ein Wertherianer nicht der Liebe und des Liebesleids, aber immerhin der Schulden und der Finanznöte. Wie seinerzeit Goethes im Liebeskummer dahinwelkender Held seine letzte Liebeskraft zusammenraffte – „er warf sich vor Lotten nieder in der vollen Verzweiflung, faßte ihre Hände, drückte sie in seine Augen, wider seine Stirn"[17] – so lässt sich Grünlich von seinen Finanznöten zu einem Kniefall in der Manier Werther hinreißen, einem von Todesangst durchgeisterten Kniefall. Dennoch handelt es sich um eine Kolportage. Der vor seiner Angebeteten sich ausbreitende unglückselige Liebhaber ist so oft in der Literatur, Kunst und Porzellanmalerei ausgestellt worden, dass jede neue Reprise wie ein veraltetes, nicht mehr wahres Zitat anmutet. Im *Tristan* hat Thomas Mann eine derartige Reprise in der Gestalt des vor Gabriele Klöterjahn knienden Detlef Spinell vorgeführt. In den *Buddenbrooks* überträgt er sie auf den Agenten Grünlich, der sie vor Tony ausprobiert, mit einem Teilerfolg immerhin, weil Tony seine physiognomisch-stimmliche Verzweiflung missdeutet, aber auch deshalb, weil sie bewegt, geschmeichelt ist durch die Wiederkehr des Romans im Leben, in ihrem Leben. Tonys ästhetischer Geschmack ist in dieser Hinsicht reichlich schlicht, jedenfalls nicht so weit entwickelt, dass sie die Gefühlskultur, die Grünlich mit seinem Kniefall zitiert, als eine unzeitgemäße Kolportage durchschauen würde. Nur so könnte sie das Unwahre an Grünlichs Verzweiflung erspüren – die als Liebesleid verkleidete Finanznot. Eben deshalb kann die Ironie des Erzählers, die über dem Kniefall Grünlichs spielt, auch die Gestalt der jungen Frau streifen.

[17] Johann Wolfgang Goethe: Die Leiden des jungen Werthers, hrsg. v. Hans-Wolf Jäger, München: Goldmann 1979, S. 109.

Ihre Ergriffenheit bedeutet allerdings keineswegs ein Ja zu Grünlichs Werbung, sie richtet sich lediglich gegen seine Selbstmordabsichten. Flugs missdeutet Grünlich dies rücksichtslos als ein mögliches Jawort. So parodiert er unfreiwillig Werthers pathetische Reaktion auf Lottes doppeldeutige Haltung: „Sie ist mein! […] ja, Lotte, auf ewig!"[18] Werther schöpft aus dieser Autosuggestion Trost für seinen Freitod, während Grünlich nun erst recht auf Freiers Füßen einher wandelt.

Der Erzähler hat diese Szene durch einen facettenreichen Stilpluralismus instrumentiert. Er legt ihre Theatralik wie eine Komödie an und spielt Grünlichs Auftritt in das Medium des Theaters hinüber, er versieht die Komödie mit einer hintergründigen Doppelbödigkeit und verleiht ihr eine tragikomische Ambivalenz, er pointiert die Ambivalenz durch das Zwielicht einer Ironie, die mit intertextuellen Anleihen aus der literarischen Tradition und einer unzeitgemäßen Gefühlskultur aufwartet. Ein Kennzeichen dieses Stilpluralismus ist die Montage. Aus intertextuellen Anleihen bei Molières *Tartuffe* und Goethes *Werther* setzt der Erzähler in parodistischer Absicht einen zeitlos aktuellen Sozialcharakter zusammen. Schon um 1900 entwickelt der Erzähler-Autor Thomas Mann souverän Stilmittel, die in der literarischen Moderne heimisch werden.

Gegen Tonys Zurückweisungen des Brautwerbers intervenieren nicht nur ihre Eltern, es interveniert die Verwandtschaft, es interveniert öffentlich in Gestalt einer Predigt der Pastor Kölling. „Ein jugendliches, ein noch kindliches Weib, verkündete er, das noch keinen eigenen Willen und keine eigene Einsicht besitze und dennoch den liebevollen Ratschlüssen der Eltern sich widersetze, das sei strafbar, das wolle der Herr ausspeien aus seinem Munde …". (1.1, 124) Der Erzähler zeigt die Gewalt auf, mit der die private und die öffentliche Meinung auf Tony eindringt, um ihr Mündigwerden zu verhindern.

Ihr bedenklicher körperlicher und seelischer Zustand macht eine Erholung an der Ostsee, in Travemünde, erforderlich. Dort „blüht[e]" ihr bedrücktes Wesen in einigen Sommerwochen wieder auf, „in ihre Worte und Bewegungen", so heißt es, „kehrten Keckheit und Sorglosigkeit zurück" (1.1, 145). Tony gewinnt Anschluss an das Leben. Die ihr von früher Jugend an vertraute Neugier und Weltoffenheit treten erneut hervor. Lebenslust paart sich mit Wissbegier. Ihr ständiger Begleiter, der Medizinstudent Morten Schwarzkopf, entstammt einer Familie des mittleren Bürgertums, ist ihr jedoch an Wissen überlegen und erteilt ihr aufschlussreiche Lektionen in Geschichte und Politik. Als Burschenschafter, der er ist, verurteilt er die hergebrachte Ständeord-

---

[18]  Ebd., S. 111.

nung, plädiert für „Freiheit der Presse, der Gewerbe, des Handels" (1.1, 150), also für die bürgerlich revolutionären Ideale im Spannungsfeld des Vormärz, und möchte den regierenden Geburtsadel ersetzt sehen durch den „Adel des Verdienstes" (1.1, 149). Tony erwidert seine Angriffe gegen die hergebrachte Ständeordnung, deren soziale Nutznießerin sie ist, auf das liebenswürdigste. Angezogen von der sympathischen Erscheinung des Studenten, nimmt sie teil an seinem Ideenschwung, und während sie auf ihren Spaziergängen die „nachdenklich stimmende Stille" der Landschaft erleben oder an der Küste „das rhythmische Rauschen der langgestreckten Wellen" nachempfinden (1.1, 148), verlieben sich die jungen Leute ineinander, versichern sich ihres wechselseitigen Glücks, ja, sie fassen eine spätere Eheschließung ins Auge, eine ständeübergreifende Verbindung in schöner Analogie zum neuen demokratischen Ideal. Wie in ihren Kindheitsspielen öffnet sich Tony dem Leben und seinen Überraschungen, macht es zu ihrem Erfahrungsfeld und vertraut sich dem biologischen Rhythmus des Jugendalters an, der dem gesellschaftlichen Sein durch die Spontaneität des Eros opponiert.

Als in diesen Aufbruch zu einem selbstbestimmten Dasein ein Brief Grünlichs eindringt, der sich das bis jetzt vorenthaltene Jawort Tonys mit verblümtem Pathos erschleichen möchte, als Tony postwendend bei ihrem Vater gegen dieses Manöver protestiert, antwortet der ihr umgehend. Was patriarchalische Entmündigung einer heiratsfähigen Frau zu leisten vermag, ist hier in konzentrierter Form versammelt.[19] Den Vater hat ein neuer Kniefall des Wertherianers Grünlich „aufrichtig erschüttert" (1.1, 160). Der ob Tonys neuer Weigerung erneut sterbenswillige Grünlich veranlasst den Konsul zu dem Vorwurf, dass Tony schwere Schuld auf sich lade, wenn sie einen Mann dahin bringe, sich als Selbstmörder „gegen sein eigenes Leben" zu versündigen (ebd.). Solche Schuld könnte dereinst „von einem höchsten Richter" geahndet werden (ebd.). Dergestalt nutzt Johann Buddenbrook seine „christliche Überzeugung" zu einem moralischen und religiösen Erpressungsversuch gegenüber seiner Tochter. Tonys impulsive Herzenssprache, die spontane Stimme ihrer erwachten Weiblichkeit, ihre erklärte Neigung für den unverstellten, feurigen Burschenschaftler und ihre erklärte Abneigung gegen den notorischen Heuchler Grünlich – diese lebhaften Zeugnisse einer von Kindheit an aufschimmernden Individualität verwirft der Konsul als den „Trotz und Flattersinn" einer Unmündigen, die ihre „eignen, unordentlichen Pfade" gehen wolle (1.1, 161). Die zur Mündigkeit disponierte Frau, die eben jetzt ihr Leben kraft eigener Entscheidung gestalten wollte, wird auf die Stufe der Infantili-

---

[19] Siehe dazu die luzide Charakteristik des väterlichen Schreibens durch Eckhard Heftrich (zit. Anm. 10), S. 75 f.

tät zurückversetzt. Die Idee der freien Gattenwahl zerbricht an der Fremdbestimmung durch den Vater, die Idee des „persönlichen Glücks" erlischt
in der Vorstellung Buddenbrooks, das Einzelwesen habe sich in die Bahnen
einer „ehrwürdigen Überlieferung" zu fügen (1.1, 160f.), der Überlieferung
der Familie. Wie das Glied in einer „Kette" müsse die Tochter sich verhalten
und sich würdig erweisen als „Enkelin" ihres „in Gott ruhenden Großvaters"
(160f.). Das unbeträchtliche „Einzelwesen" (160) habe sich dem großen Ganzen zu unterwerfen. Derart mächtiges Geschütz fährt der Konsul auf, um
seine Tochter für eine verhasste Konvenienz-Ehe mürbe zu machen.

Die drei erwähnten Briefe im 10. Kapitel des *Dritten Teils* folgen rasch
aufeinander, ohne Erzählerkommentar. Wie ein Blitz aus heiterem Himmel
schlägt das Schreiben Grünlichs im verliebten Gemüt Tonys ein, wie Donner-
schläge antworten die vom Konsul aufgerufenen Mächte – Religion, Moral,
Gott, Familientradition – auf Tonys argloses Liebesbekenntnis. Die Erzähl-
technik der unverzüglich nacheinander gesetzten Briefe wird vervollständigt
durch das urplötzliche Auftauchen Grünlichs am Ferienort, wo er im Nu seinen Rivalen, den Medizinstudenten, mit Hilfe von dessen Vater schachmatt
setzt. Die dynamische Folge der Ereignisse hat eine sozialgeschichtlich tie-
fere Bedeutung. Sie zeigt an, dass damals das Seelenleben einer heiratsfähigen
Frau unter anhaltender Kontrolle steht und dass eine andere Herzensneigung
als die von ihr erwartete sogleich geahndet wird. Es bleibt ihr grundsätzlich
keine Zeit, eine unkonventionelle Neigung zu erproben und mit Substanz zu
erfüllen. An der Verliebtheit Tonys und ihres Medizinstudenten mag manches
naiv und spätromantisch anmuten – die ironischen Winke des Erzählers sind
unübersehbar: aber die jungen Leute müssen ihrem Verhältnis aufgrund der
rigorosen Einrede der Väter einen Wirklichkeitsbezug notgedrungen vorent-
halten, also auch Erfahrungsgehalt und Reife.

So sieht sich Tony gezwungen, die ihr vom Vater vorgeschriebene Kauf-
mannsrealität als Fluchtpunkt ihres künftigen Lebens anzunehmen. Von der
erträumten Überschreitung der Standesgrenzen kehrt sie in ihren Stand und
in die Familientradition zurück. Dergestalt legt sie sich auf eine bestimmte
Seite ihrer Sozialisation fest – die einer standesbewussten, familiengebun-
denen Lebensführung. Die Sprache ihres Herzens, ihrer Weiblichkeit, ihrer
erotischen Zu- und Abneigung verdrängend, schreibt sie nach ihrer Rückkehr ins väterliche Haus ihren Entschluss zur Verlobung mit Grünlich ins
Familienbuch ein.

In welchem Ausmaß Tony bei diesem Entschluss sich vom väterlichen Willen abhängig macht, verrät sie am Tag der Hochzeit, als sie beim Abschied
den Vater „mit Leidenschaft" umarmt und ihm die Worte zuflüstert: „Bist
du zufrieden mit mir?" (1.1, 180) Wenn der solcherart Umarmte seiner Frau

dann versichert: „sie ist zufrieden mit sich selbst; das ist das solideste Glück, das wir auf Erden erlangen können" (ebd.) – so täuscht er sich. Denn während ihrer vierjährigen Ehe in Hamburg wird seine Tochter vom Unglück heimgesucht. Es lässt sich ermessen an so beredten Anzeichen wie der lieblosen Zeitungslektüre Grünlichs bis in die Nacht, an der ausgeklügelten Fernhaltung seiner Gemahlin vom gesellschaftlichen Verkehr, an Tonys zerstreutem und sie überforderndem Leben als Hausfrau und Mutter, an ihren Ersatzvornahmen, etwa dem luxuriösen Aufwand, den sie mit ihren Negligés treibt. Einzig dieser Punkt korrespondiert einem Zug ihrer Sozialisation, ihrem früh entwickelten „Sinn für Vornehmheit" (vgl. 1.1, 95). Das Leben als ganzes jedoch, wie es ihrem vitalen, aufgeschlossenen und liebebedürftigem Temperament entspräche, stockt. Dennoch kostet es ihren Vater unendliche Mühe, ihr ein entsprechendes Geständnis zu entlocken, als er bei ihr in Hamburg weilt, um dem schlagartig bekannt gewordenen Bankrott Grünlichs auf den Grund zu gehen. Tony fühlt sich den Erwartungen ihres Vaters im Hinblick auf eine „gute und vorteilhafte Ehe" (114) so sehr verpflichtet, dass sie nur unter quälenden Skrupeln und wiederholten Ausweichmanövern ihre noch immer andauernde Abneigung gegen Grünlich zu gestehen wagt. Die einstmals kecke Frau, die durch ihre rasche Auffassungsgabe und ihre Intelligenz hervorstach, fällt durch das Gewicht des väterlichen Über-Ichs einer Regression anheim, die ihre Urteilskraft lähmt und ihr die Sprache verschlägt. Bevor sie das freie, aufrichtige Wort wieder findet, erleidet der Leser unter Qualen ihr Schweigen und ihr Zögern.

## Exkurs. Zur Dialektik des persönlichen Opfers

Angesichts dieser Vorgänge nimmt der Leser mit einer gewissen *reservatio mentalis* einen Erzähler-Kommentar zur Kenntnis: „Ihr [Tonys] ausgeprägter Familiensinn entfremdete sie nahezu den Begriffen des freien Willens und der Selbstbestimmung" (1.1, 222). Das hört sich wie ein persönlich verschuldetes Fehlverhalten an. Zeigt der Verlauf der Handlung nicht vielmehr, dass der Familiensinn Tony zur absoluten Pflicht gemacht wurde, bis sie sich schließlich bereit fand, der Familientradition und der Firma ein „eigenes, kleines, persönliches Glück", wie der Vater sich ausdrückte (1.1, 160), zu opfern? Der Handlungsverlauf legt die Fragwürdigkeit dieses kategorischen Imperativs unmissverständlich offen. Denn das Opfer, das Tony der Familie brachte, der Entschluss zur Ehe mit Grünlich, schlägt ihr und der Familie paradoxerweise zum Nachteil aus. An dieser Paradoxie, die sich bei Tonys zweiter Ehe wiederholen wird, lässt sich eine zentrale Strategie des Erzählers erkennen: die Heraufführung des „Verfalls einer Familie", um den Untertitel seines Romans zu zitieren.

In Tonys Bereitschaft zum Selbstopfer um der Familie willen war jedoch nicht nur eine gebieterische Erziehungsnorm wirksam. Es spiegelten sich darin auch die Dankesschuld, das Sicherheitsbedürfnis und das Standesbewusstsein einer materiell abhängigen Frau, die unter patriarchaler Fürsorge herangewachsen ist, am Glanz und an der gesellschaftlichen Ehre der Familie teilhat und sich im Familienverband vor den Wechselfällen der Geschichte geschützt weiß. Indem sich Tony dem väterlichen Imperativ beugte, bezeugte sie Dankbarkeit, entsprach der gesellschaftlichen Geltung ihrer Familie, erwarb sich deren Anerkennung und festigte so ihr eigenes Selbstbewusstsein. So war denn ihr persönliches Opfer aufs feinste motiviert. Und dies nicht zuletzt dank der quasireligiösen Autosuggestion, in die Tony sich bei der Lektüre des Familienbuchs hineinsteigerte[20], kurz nach der Trennung von Morten Schwarzkopf. Psychologisch subtil zeigt der Erzähler, wie sie sich für den Trennungsschmerz entschädigt mit Hilfe der „ehrerbietigen Bedeutsamkeit", die ihrer Familie zugeschrieben wird (1.1, 172); wie von „einem Schauer" lässt sie sich davon „durchrieseln" (1.1, 173) und sich ihrerseits mit „hoher und verantwortungsvoller Bedeutung" aufladen, bis sie sich dazu „berufen" fühlt, „mit Tat und Entschluß an der Geschichte ihrer Familie mitzuarbeiten!" (ebd.) Die Verinnerlichung des patriarchalisch angeordneten Liebesverzichts durch die familiär und sozial untergeordnete Frau ist vollkommen. In einem Akt suggestiver Selbstüberredung verwandelt Tony die Fremdbestimmung durch den Vater in den täuschenden Schein der Selbstbestimmung und trägt – aus freien Stücken, wie sie glaubt – das Ja zu Grünlich in das Familienbuch ein.

Die kritische Distanz des Erzählers an dieser Stelle ist unüberhörbar. Er ist sich bewusst, dass er das „corpus mysticum" der Familie (um Heftrichs ironische Kennzeichnung aufzugreifen[21]) in eine desillusionierende Dialektik verstricken wird. Denn die Buddenbrooks sind auch ein Wirtschaftsunternehmen, und das bedeutet, dass der Familienverband von den unberechenbaren Prozessen der freien Wirtschaft unmittelbar abhängig ist. Diese können den „Schutzwall" der Familie unterminieren und das ihr dargebrachte Opfer als vergeblich erweisen. Tonys Verbindung mit Grünlich steuert auf dieses Verhängnis zu, agiert doch der Hamburger Kaufmann – unterstützt durch Hamburger Wirtschaftskreise – zum Schaden des Buddenbrookschen Familienunternehmens. Ihm hat er zur Hochzeit eine ansehnliche Mitgift

---

[20] Von einem „fast religiösen Rausch" spricht zutreffend Heftrich (zit. Anm. 10), S. 78.
[21] Ebd., S. 76.

abgelistet und ihm bürdet er – nach der Scheidung – eine unversorgte Frau zusammen mit ihrer Tochter auf. Tonys Schicksal trägt die sozial- und seelengeschichtliche Signatur der materiell abhängigen Frau aus gutem Hause, die ihrer Familie vielfach verpflichtet ist und ihr jederzeit zur Last fallen kann.

Sozialgeschichtlich aufschlussreich ist Tonys Schicksal unter einem weiteren Gesichtspunkt. Es weist nicht nur auf die historische Zeit zwischen 1845 und 1850 zurück, in der Tonys Beziehung zu Grünlich angesiedelt ist, es weist auch auf die Zeit um 1900 voraus, die Entstehungszeit des Romans. Dieser Gegenwartsbezug lässt sich anhand eines Briefwechsels offen legen, der um die Jahrhundertwende erfolgte und unter dem Titel *Sommer in Lesmona* später auch veröffentlicht wurde.[22] Die achtzehnjährige Tochter eines hanseatischen Senators in Bremen offenbart darin ihrer langjährigen Freundin die heimliche Neigung, die sie zu einem fast gleichaltrigen, noch nicht standesgemäßen Jüngling gefasst hat, beschreibt das von ihren Eltern ausgeübte Kontrollsystem, erzählt von ihrer Verlobung mit einem älteren standesgemäßen Mann, den sie nicht zu lieben vermag und den gleichwohl zu heiraten der Vater ihr mit strenger Hand vorschreibt. Es ist die Tragödie einer lebensoffenen, unternehmungslustigen und gefühlsstarken jungen Frau, die einige Wesenszüge mit Tony teilt, so wie auch die Dreieckskonstellation, in die sie mit zwei gegensätzlichen Charakteren des männlichen Geschlechts gerät, derjenigen Tonys verwandt ist, nicht zu reden von der frappierenden Ähnlichkeit zwischen der patriarchalischen Dominanz der Väter. Die fiktionale Geschichte der Tony Buddenbrook wurzelt – das bezeugt der empirisch-historische *Sommer in Lesmona* – tief in der Realität des ausgehenden 19. Jahrhunderts und der Jahrhundertwende.

## Dritte Lebensstufe

Mit dem Scheitern ihrer Ehe und der nachfolgenden Scheidung rückt Tonys Biographie auf eine neue, dritte Stufe vor. Was sind die Konsequenzen des Erlebten für die junge Frau? Zunächst entkrampft der Erzähler ihr Verhältnis zum Vater. Die „ängstliche Ehrfurcht" (1.1, 254), die er ihr mit autoritativem Gewicht eingeflößt hatte, wandelt sich von ihrer Seite zu respektvoller „Zärtlichkeit", ja Innigkeit (ebd.). Dass er, der „Unantastbare" (ebd.), sie vor der entscheidenden Unterredung mit Grünlich ins Vertrauen gezogen, sie eingehend nach ihrer Meinung gefragt und ihr das Bewusstsein seiner Schuld an dem zerrütteten

---

[22] Marga Berck: Sommer in Lesmona, Reinbek bei Hamburg: Rowohlt 1997.

Verhältnis bekannt hat: diese humane Ethik rückt ihn der Tochter entschieden näher. Sie ermöglicht ihr fortan ein freieres Verhältnis zur patriarchalischen Autorität überhaupt, eine persönliche Qualität, die ihr – wir werden das bemerken – in einer Auseinandersetzung mit dem älteren Bruder helfen wird.

Darüber hinaus kehrt der Erzähler an Tony ihre Assimilationskraft hervor, die sie schon in den verschiedensten Lebensumständen bewährt hat, etwa bei ihrem Eintritt ins Mädchenpensionat oder in ihrer Beziehung zu Morten Schwarzkopf, der einer ganz anderen Schicht angehörte als sie. Sie besaß, um den Erzähler zu zitieren, „die schöne Gabe, sich jeder Lebenslage mit Talent, Gewandtheit und lebhafter Freude am Neuen anzupassen." (1.1, 253) Das korrespondiert jener lebensoffenen „elastischen Zuversichtlichkeit" (1.1, 66), die der Erzähler von früh an Tony nachgerühmt hat. Er versieht dies allerdings mit einer ironischen Pointe, wenn er anmerkt, dass Tony „sich in ihrer Rolle als eine von unverschuldetem Unglück heimgesuchte Frau" gefällt (1.1, 253). Ihre Anpassungskraft und ihre leicht narzisstische Koketterie – beides gestattet es Tony, die als frisch geschiedene Frau noch nicht wieder gesellschaftsfähig ist, „sich für die mangelnde Geselligkeit schadlos" zu halten, „indem sie" – der Erzähler verschärft seine Ironie – „zu Hause mit ungeheurer Wichtigkeit und unermüdlicher Freude an dem Ernst und der Bedeutsamkeit ihrer Lage Betrachtungen über ihre Ehe, über Herrn Grünlich und über Leben und Schicksal im allgemeinen anstellte." (ebd.) Hier fällt das Stichwort, an dem sich Tony fortan mit selbstverliebter Regelmäßigkeit erbaut – das „Leben". Dem Erzähler dient gerade diese Vokabel als Anlass für seine ironischen Blitzlichter. Denn „als gereifte Frau, die das Leben kennen gelernt hatte" (1.1, 308), so die Selbstcharakteristik Tonys, hat sie nichts Maßgebliches über das Leben zu erzählen, wenigstens nicht zu diesem Zeitpunkt, aller „allgemein[en]" „Betrachtungen" zum Trotz. Sie erschöpft sich in Redensartlichkeiten. „Wie es im Leben so geht...", lässt der Erzähler sie wiederholt sagen, „und bei dem Worte ‚Leben'", fügt er mit leisem Spott hinzu, „hatte sie einen hübschen und ernsten Augenaufschlag, welcher zu ahnen gab, welch tiefe Blicke sie in Menschenleben und -Schicksal gethan..." (1.1, 256).

Es ist offenkundig, dass der Erzähler hier eine bestimmte Strategie verfolgt. Die leidgeprüfte junge Frau, die aufgrund ihrer Scheidung dem gesellschaftlichen Verkehr ferne steht und daher an Lebensqualität einbüßt, findet dafür eine gewisse Kompensation, die von naiver Nachdenklichkeit und selbstverliebter Koketterie geprägt ist, so, als sei Tony nicht in der Lage, ihre Lebenserfahrung mit angemessener Tiefe zu reflektieren. Welches Konzept liegt der Erzähler-Ironie zugrunde, die sich an einem Mangel an weiblicher Denkkraft entzündet – bei einer von Haus aus intelligenten, mit raschem Auffassungsvermögen begabten Frau?

Der Leser muss sich, auch wenn er eine kritische Frage an die ironische Perspektive des Erzählers richtet, für dessen Ambivalenzen gleichwohl einen offenen Blick bewahren. Denn das „Leben", über das Tony so eilfertig verblümt parliert – es ist auf andere Weise in ihr präsent. Es strahlt von ihrer noch immer „blühenden Gestalt" (1.1, 309) aus, in die sich sogar die pietistischen Dunkelmänner im Kreise ihrer Mutter verlieben. Es strahlt dieses Leben auch von Tonys praktischer Klugheit aus, die den Frömmlern mit ihrem Sündenbewusstsein frank und frei heimleuchtet. Und es wirkt vital im Inneren Tonys fort. Sie, die sich melancholisch einredet: „Du bist eine alte Frau mit einer großen Tochter, und das Leben liegt hinter dir" (1.1, 330), kann im selben Atemzug von sich sagen: „ich empfinde noch so jugendlich [...] und ich sehne mich danach, noch einmal ins Leben hinauszukommen." (ebd.) „Des Lebens Pulse schlagen frisch lebendig" – diese Verszeile aus dem *Faust* fasst Tonys eigentlichen Zustand prägnant zusammen.

Dergestalt entfaltet der Erzähler im Hinblick auf die Gestalt der Tony eine ständig changierende Optik. Es entsteht ein Ineinandergleiten kontrastiver Perspektiven, das es dem Leser versagt, auf einer bestimmten Blickrichtung autoritativ zu bestehen.

Auch der Lebensdrang selbst erscheint bei Tony nicht nur als eine noch jugendliche Vitalität. Vielmehr ist in ihm auch ein sozialer Antrieb wirksam. Als „geschiedene Frau" fühlt sie sich allerorten gesellschaftlich zurückgesetzt (1.1, 330). Auch eine Buddenbrook, deren Familie auf der obersten Rangstufe der Hansestadt figuriert, muss damals eine Scheidung als gravierenden Fauxpas gelten lassen. Und dieser Makel wirft seinen Schatten auf den ehrenvollen Familiennamen. „[I]ch weiß wohl", beteuert Tony, „daß dies Ereignis einen Flecken in unserer Familiengeschichte bildet." (1.1, 255) Es sei ihre „Sache, ihn wieder fortzuradieren", den stummen Vorwurf zu löschen, der ihr aus der sozialen Werteskala entgegen dringt, und auch dieser Wunsch drängt sie von neuem ins Leben hinaus (1.1, 256). Sie knüpft damit an ihre Sozialisation als standesbewusste Angehörige einer hochgeschätzten Familie an: „... ich werde mich wieder verheiraten! Du sollst sehen, Alles wird durch eine neue vorteilhafte Partie wieder gut gemacht werden!" (ebd.)

Tonys Lebensdrang mit seiner Mischung aus vitalen und sozialen Antrieben ist ein Beispiel für die vielfältigen Ambivalenzen, die der Erzähler ihr auf jeder Stufe ihrer Biographie einverleibt. Sie sind ihre eigentliche Mitgift, und letztere ist wertbeständiger und überlebenskräftiger als die von der Familie ihr bei jeder Heirat ausbezahlte.

Nirgends zeigt sich das deutlicher als bei dem labyrinthischen Für und Wider, das sie vor der definitiven Bindung an Alois Permaneder mit sich ausficht. Der Bajuware Permaneder agiert, wie seinerzeit der Hamburger Grünlich, im Hause Buddenbrook wie auf einer Bühne, als sei er einer Komödie entsprungen, freilich einer bayrischen. Der Erzähler setzt ihn mit folkloristischen Zügen in Szene, die derben Lustspielcharakter haben; Figuren wie Permaneder bevölkern noch heute die bayrischen Volkskomödien, die sommers in geräumigen Wirtshausgärten inszeniert werden, und man wundert sich zunächst, dass ausgerechnet die auf Vornehmheit erpichte Tony Buddenbrook an diesem bauchig-barocken, mit Tirolerhut, seehundartigem Schnurrbart und „knorrigem Dialekt" ausgestatteten Volksvertreter (1.1, 357) Gefallen findet. Mag sein, dass Permaneder im Ambiente bayrischer Gasthäuser wie ein „treuherziger" Exote auf sie wirkte (vgl. 1.1, 372), wie ein besonders anziehungskräftiges Gegenstück zum wendig-windigen Grünlich. Im Rahmen der norddeutschen Hansestadt jedenfalls nimmt sich der aus grobem Stoff gemachte und schwerverständliche Bayer wie ein Tolpatsch aus, nicht eigentlich vorzeigbar, kaum gesellschaftsfähig. Der Erzähler verstrickt Tony in einen Wirbel von Ambivalenzen, dem sie sich in einer schlaflosen Nachtstunde aussetzt, in einem unprätentiösen, immer klarsichtigeren Selbstgespräch, dem nur die Kinderfrau Ida Jungmann wie ein Echo sekundiert. Der anscheinend „grundgute Mann" (1.1, 371) ist ob seiner Behaglichkeit und Wurstigkeit schwerlich für eine Karriere geeignet, kaum geschaffen für eine repräsentative und würdige Existenz à la Buddenbrook, und Tony begreift mehr und mehr, dass es sich bei dieser Verbindung weniger um ihr „Glück" handelt, sondern um die Wiedergutmachung ihrer „ersten Ehe", um ihre „Pflicht unserem Namen gegenüber" (1.1, 374), um die Auslöschung des sozialen Makels einer „geschiedenen Frau" (1.1, 373). Zwischen widersprüchlichen Wertungen der Person Permaneders unruhig hin und her gleitend, erfasst ihre intuitive Intelligenz die mangelnde Eignung des Brautwerbers für sie, die hübsche standesbewusste Kaufmannstochter. Aber sie beugt diese Intelligenz unter die gesellschaftliche Wertordnung und den familiären Erwartungshorizont ihres Zeitalters. Beugt sie voller Vorbehalte und zuletzt auch freiwillig darunter, rechnet sie doch fest mit der so genannten „Grundgüte" Permaneders (1.1, 371). Zwischen Fremd- und Selbstbestimmung richtet sich Tony Buddenbrook zögernd und doch mit klarem Bewusstsein ein. Ihre von Zweifeln und von Unruhe durchgeisterte Selbstaussprache, die einem *monologue intérieur* verwandt ist, demonstriert die psychologisch subtile Einfühlungskraft des Erzählers.

Nicht nur Permaneders „Grundgüte" erweist sich während der Ehe in Bayerns Hauptstadt als wenig solide. Sie war wohl weitgehend der täuschende Effekt seiner Gemütlichkeit, die er bei Erhalt der Mitgift seiner Gemahlin sogleich zum Ruhestand ausdehnt, zu einer Existenz als ein von allen geschäftlichen Ambitionen gereinigter Privatier, einer sorglosen, aber auch beschränkten Existenz, die Tonys heftigen Protest hervorruft. Vergeblich. Während sich ihr Zukunftshorizont verhängt, schöpft sie dank einer Schwangerschaft neue Hoffnung. Aber ihr Kind stirbt, kaum dass es geboren ist. Tonys Verzweiflung erreicht einen Tiefpunkt, als sie die nächtliche Zeugin einer lüsternen Attacke Permaneders auf die Köchin des Hauses wird. Die Szene, die in eine bühnenreife Groteske mündet, provoziert einen wüsten Streit zwischen den Eheleuten, der zu Tonys brüsker Abreise nach Lübeck führt.

Dort verkündet sie das Scheitern ihrer Ehe und gleichzeitig ihren Willen, die Scheidung einzureichen. Damit würde auch ihr Projekt einer Wiedergutmachung der ersten Ehe und der fleckenlosen Restauration des Familiennamens scheitern, zu schweigen vom Verlust ihres gesellschaftlichen Ansehens als wiederholt geschiedene Frau. Gegen diese drohenden Konsequenzen begehrt Thomas Buddenbrook in seiner Eigenschaft als Familienoberhaupt auf. Er möchte die Schwester zur Räson bringen, erneut in den Hafen der norddeutsch-bajuwarischen Ehe lenken und so einen gesellschaftlichen „Skandal" vermeiden (1.1, 422). Aber er verrechnet sich. Tony leistet ihm nachhaltigen Widerstand. Wie könnte sie es aushalten bei einem „Mann ohne Ehrgeiz, ohne Streben, ohne Ziele!" (1.1, 414) Einem Mann, der sie „nie geliebt hat"? (1.1, 420) Einem Wirtshaushocker, der „statt des Blutes einen dickflüssigen Malz- und Hopfenbrei in den Adern hat"? (1.1, 414) Mit dem Gewicht ihrer leidenschaftlichen Affekte und ihrer „Selbstachtung" weist sie den Bruder und seine begütigenden, relativierenden, diplomatisch abwägenden Einreden in die Schranken. In ihrer Empörung wird sie sich des Kerns ihrer Identität bewusst. Der einzige Skandal, so Tony, wäre der „heimliche" (1.1, 422), an ihrem Selbstbewusstsein zehrende, wenn, so ihre Worte, „ich mich und meine Herkunft und meine Erziehung und Alles in mir ganz und gar verleugnen müßte, nur um glücklich und zufrieden zu erscheinen –" (1.1, 423). Die Achtung, die zuletzt der Vater Tony erwiesen hat, macht sie frei für die spontane Selbstbehauptung gegen seinen Nachfolger, den Bruder. Und die mit Grünlich erlittene Erfahrung der Beschneidung ihres Selbstgefühls, ihrer intuitiven Intelligenz, ihrer Herzenssprache macht sie frei für die kompromisslose Bewahrung ihres Ichs. Der Widerwille, den sie in ihrer ersten Ehe empfunden hat, vereinigt sich mit dem lange aufgestauten Widerwillen gegen die zweite Ehe und speist das Bewusstsein ihrer personalen Würde, speist es mit der Gewalt des leidenschaftlichen und wortmächtigen Affekts: „Es war eine Explosion, ein Ausbruch voll verzweifelter Ehrlichkeit ... Hier entlud sich etwas, gegen das es keine Widerrede gab, etwas Elementares, worüber nicht mehr zu streiten war ..." (1.1, 424).

Es ist ein Beziehungsdrama zwischen Bruder und Schwester, das hier stattfindet, eines, in dem sich der nonkonformistische Protest der Schwester gegen den gesellschaftlichen Konformismus des Bruders behauptet, so dass am Ende eine Vertauschung der hergebrachten Geschlechter-Rollen erkennbar wird. „Ganz erschrocken, benommen, beinahe erschüttert stand der Konsul vor ihr und schwieg." (1.1, 427) So lesen wir in diesem eminent wichtigen 10. Kapitel des *Achten Teils*. Es schließt die dritte Stufe der Biographie Tony Buddenbrooks ab. Die Identitätsfindung, die ihr hier mit dem Einsatz ihrer Intelligenz und ihrer Leidenschaftlichkeit gelingt, markiert einen Höhepunkt ihrer inneren Entwicklung. Charakteristisch dafür ist auch, dass Tony sich nicht wieder die Opferrolle aufdrängen lässt, die ihr der Vater im Falle Grünlichs aufgebürdet hatte. Indem sie den Bruder, den Nachfolger des Vaters, mit seinem dringenden Wunsch, die Ehe weiterzuführen, unbeirrt zurückweist, führt sie eine signifikante Gegenspiegelung zu ihrer zweiten Lebensstufe eindringlich vor.

In Tonys neue Entwicklungshöhe mischt sich nicht die Spur eines narzisstischen Frohlockens. Sie ist vielmehr gezeichnet vom schmerzlichen Bewusstsein einer erneut gescheiterten Ehe: „ich bin nun fertig … ich habe abgewirtschaftet … ich kann nichts mehr ausrichten … ja, ihr müßt mir nun schon das Gnadenbrot geben, mir unnützem Weibe." (1.1, 427 f.)

Diese Selbstentblößung hat einen rührenden, doch keinen sentimentalen Klang. Sie enthält die Wahrheit, dass Tony ihre Selbstbestimmung findet, indem sie als erneut geschiedene Frau dem Familiennamen einen Mißton hinzufügt und ihre gesellschaftliche Stellung erneut herabsetzt. Der Erzähler verwickelt seine Protagonistin in eine Dialektik, die ungeschönt das komplizierte Leben einer Frau zwischen Jahrhundertmitte und Jahrhundertwende präsentiert.

Demselben Erzähler ist freilich auch ein Irrtum unterlaufen. Noch im 10. Kapitel des *Vierten Teils* hatte er Tonys „schöne Gabe" gerühmt, „sich jeder Lebenslage mit Talent, Gewandtheit und lebhafter Freude am Neuen anzupassen." (1.1, 253) Jetzt, am Ende des *Sechsten Teils*, schickt er Tony mit dem Bekenntnis zur Selbstabgrenzung ins Gefecht. „Es giebt eine Grenze im Leben" (1.1, 420), hält sie dem Bruder gegenüber fest, und diese Grenze trennt sie von Permaneder und seiner bayrischen Umwelt insgesamt. „Akklimatisieren?" ruft sie emphatisch aus, „bei Leuten ohne Würde, Moral, Ehrgeiz, Vornehmheit und Strenge"? (1.1, 426). Das Pauschalurteil dürfte weniger von tiefer Einsicht in süddeutsche Lebensverhältnisse als von Tonys anerzogener Werteordnung im hanseatischen Großbürgertum zeugen.[23] Aber in manchen Lebensphasen kann ein grenzen ziehendes Pauschalurteil

---

[23] Von der Bedeutung der Nord-Süd-Polarität im Werk Thomas Manns handelt eine Bremer Dissertation. Bertin Nyemb: Interkulturalität im Werk Thomas Manns. Zum Spannungsverhältnis zwischen Deutschem und Fremdem Stuttgart: Ibidem 2007.

für die Selbstbehauptung hilfreicher sein als die grenzenlose Anpassungs-
bereitschaft.

Vergegenwärtigen wir uns in Kürze die Entwicklung, die der Erzähler
seine Protagonistin bis zu diesem Zeitpunkt durchlaufen lässt. Nach ihrer
„glücklichen Jugendzeit" (erste Lebensstufe) stürzt Tony in das Unglück der
Ehe mit Grünlich. Gewiss, sie erlebt im Vorfeld dieser *mésalliance* das kurze
Glück der Liebesbeziehung mit Morten Schwarzkopf, dem Medizinstudenten
und Burschenschaftler, doch der erzwungene Verzicht auf dieses unstandes-
gemäße Glück lässt den suggestiven Zwang erkennen, den Grünlich auf ihren
Vater und dieser auf seine Tochter ausübt. Im Namen der Familientradition
und zu Ehren der Firma unterwirft sich Tony der patriarchalischen Autorität,
womit sie wenigstens ihrem eingewurzelten Standesbewusstsein entspricht.
Im Rahmen eines erschwindelten Reichtums ermöglicht diese Ehe der jungen
Frau zwar die ersehnte „Vornehmheit", entscheidend jedoch ist der ihr zuge-
mutete Verzicht auf gesellschaftliches Leben und der vollständige Mangel an
Liebe zwischen den Ehepartnern. Die Scheidung krönt die Tragödie dieser
zweiten Lebensstufe Tonys. Sie führt eine gesellschaftliche Deklassierung mit
sich, die Tony auf die Dauer nicht erträgt. Ihr Entschluss zu einer neuen Ehe
leitet ihre dritte Lebensstufe ein. Der ihr eigentümliche Lebensdrang wirkt in
diesem Entschluss zweifellos mit, insofern bringt sie hier einen Anflug von
Selbstbestimmung und freiem Begehren zum Ausdruck. Schwerwiegender
jedoch ist die gesellschaftliche und familiäre Rücksicht, die Tony zur Wiederverheiratung drängt. So trägt ihre zweite Ehe vor allem die Züge einer
Wiedergutmachung der ersten, ja, eines Wiederholungszwangs. Das auch in
der neuen Ehe erlittene Unglück Tonys und ihre zweite Scheidung offenbaren
das Scheitern ihres Wiedergutmachungsversuches. Aber ihr Beharren auf der
Scheidung im Namen ihrer „Selbstachtung", ihre Selbstbehauptung gegenüber dem von einem neuen Skandal zurückschreckenden Familienoberhaupt,
ihre argumentative Kraft und das Gewicht ihrer ungemilderten Affekte – dies
alles bezeugt das gewachsene Ichbewusstsein und die neue Reife Tonys. Wie
in einem Entwicklungs- und Bildungsroman durchlebt sie einen mehrstufigen
Prozess, der in eine bisher ungekannte neue Qualität des Denkens, Wollens
und der Ich-Identität mündet.[24]

Man darf darüber hinaus die These wagen, dass die Entwicklung einer
Frau im sozialen Zusammenhang vor Thomas Mann im deutschen Roman

---

[24] Unter diesem Gesichtspunkt dürfte sich Erich Hellers These (vgl. Anm. 7), Tony Buddenbrook sei lediglich eine „komische Gestalt" kraft der „rührenden Albernheit ihres Wesens" (S. 246
u. S. 248), schwerlich halten lassen. Auch die Annahme Herbert Lehnerts (zit. Anm. 12), Tony
erleide eine „Persönlichkeitsspaltung" (S. 37), scheint mir aus der oben skizzierten Perspektive
überzogen zu sein.

noch nie so dramatisch exponiert worden ist, das heißt mit zwei Ehescheidungen beschwert wurde. Nur die Protagonistin in Fontanes *L'Adultera* war
bisher auf eine vergleichbare Stufe der Mündigkeit gelangt, das heißt der klarsichtigen Entscheidung gegen die Ehe um der weiblichen Selbstachtung willen, trotz des Widerstands der Familie und gesellschaftlichen Rangverlusts.[25]
Zumindest gilt dies für Romane aus männlicher Feder. Frauenbiographien
von weiblicher Hand, die ein konfliktreiches Identitätsproblem entwerfen,
wie Fanny Lewalds *Jenny*, bilden ihrerseits eine Ausnahme in der Epik des
19. Jahrhunderts.[26] So gesehen hat Thomas Manns Konzeption der Tony Buddenbrook eine außerordentliche Bedeutung. Sie bietet im Raum der Literatur
jenen Emanzipationsimpulsen ein Existenzrecht, die sich in der sozialen Realität längst bemerkbar machen. Freilich, es handelt sich um eine nur vorläu-
fige, nicht zu Ende geführte Konzeption.

## Vierte Lebensstufe
### Die Umwandlung der Gestalt durch den Erzähler

Für das Erzählverfahren des jungen Thomas Mann ist nämlich bezeichnend,
dass er die Entwicklung seiner Protagonistin auf der erreichten Stufe nicht nur
abbricht, sondern sie vielmehr einen Schritt rückgängig macht. Der Erzähler
fördert, zum Erstaunen, ja zum Befremden des Lesers, nicht etwa Tonys neue
Reife und neue Mündigkeit – er führt sie vielmehr auf eine naivere Vorstufe
zurück. Hatte Tony in ihrem Dialog mit Thomas den älteren Bruder durch
die Kraft ihrer Argumentation in Schach gehalten und sein konventionelles
Plädoyer gegen eine Scheidung widerlegt, so entwaffnet sie später ihre eigene
Denkkraft, wenn sie anlässlich des alten Hauses in der Mengstraße zu Thomas bemerkt: „Du mußt für uns denken und handeln, denn Gerda und ich
sind Weiber [...]. Wir können dir nicht Widerpart halten, denn was wir vor-
bringen können, sind keine Gegengründe, sondern Sentiments, das liegt auf
der Hand." (1.1, 645) Lässt der Erzähler hier Tony nicht willkürlich in die
alte Familienhierarchie zurückfallen? Hatte sie nicht eben ihre „Sentiments"
aufs überzeugendste vorgetragen und mit ergreifenden Argumenten für die
Beibehaltung des alten Familiensitzes plädiert, dieses Sinnbilds einer Heimat,
dieses bewährten Schutzraums gegen „das Ungemach des Lebens" (1.1, 644)?
Ähnlich verfährt der Erzähler mit Tonys neuer Haltung gegenüber gesell-

---

[25]   Auf Fontanes Roman verweist auch Lehnert (zit. Anm. 12), S. 45.
[26]   Vgl. dazu die Studie von Ulla Schacht: Geschichte in der Geschichte. Die Darstellung jüdischen
Lebens in Fanny Lewalds Roman „Jenny", Wiesbaden: Deutscher Universitäts-Verlag 2001.

schaftlicher Anerkennung. Während sie in der Auseinandersetzung mit Thomas dazu kritische Distanz bezieht, während sie die „Schadenfreude" und die „Beleidigungen" ihrer städtischen Konkurrentinnen glaubwürdig für Sekundärphänomene, ja für Nichtigkeiten erklärt (1.1, 423), mutet der Erzähler ihr einige Zeit später den Rückfall in das alte stereotype Konkurrenzwesen zu.

Nicht anders hält es der Erzähler mit Tonys Stellung zur Familie. Erstreitet sie sich im Konflikt mit dem älteren Bruder eine neue Selbständigkeit und ordnet sie dessen gesellschaftliche Interessen mutig ihrer „Selbstachtung" unter, so erhebt sie später erneut das Familienprestige zum höchsten Wert schlechthin und setzt damit einen Grundzug ihrer Sozialisation absolut, mit einer Naivität, die sie doch schon überwunden hatte.

Warum versagt der Erzähler seiner Protagonistin eine fortschreitende Entfaltung ihrer Mündigkeit? Warum fängt er ihren Emanzipationsprozess auf und führt ihn einen Schritt zurück? Der zunächst irritierte Leser bemerkt im Verlauf der Handlung, dass hier weder Zufall noch Willkür regiert, dass vielmehr eine überlegte Strategie federführend wird. Der Erzähler organisiert seine Figur neu, indem er sie teilweise „dekonstruiert". Er vernachlässigt bewusst progressive Züge an ihr und profiliert ältere Verhaltensweisen, um an der Protagonistin eine neue Sinngebung zu erproben. Nicht ihre organisch anmutende Fortentwicklung auf einem schon eingeschlagenen Weg ist sein Interesse, sondern eine organisierte Umwandlung. Um diesen Wechsel von einer traditionsreichen organischen zu einer modernen und experimentellen Figurengestaltung kenntlich zu machen, wähle ich den Begriff der „Dekonstruktion". Wie ist sie inhaltlich beschaffen? Welchen neuen Sinn verleiht der Erzähler seiner Figur im Vollzug der Handlung? Auskunft darüber gibt folgender Kommentar:

Dieses glückliche Geschöpf hatte, solange sie auf Erden wandelte, nichts, nicht das Geringste hinunterzuschlucken und stumm zu verwinden gebraucht. Auf keine Schmeichelei und keine Beleidigung, die ihr das Leben gesagt, hatte sie geschwiegen. Alles, jedes Glück und jeden Kummer, hatte sie in einer Flut von banalen und kindisch wichtigen Worten, die ihrem Mitteilungsbedürfnis vollkommen genügten, wieder von sich gegeben. Ihr Magen war nicht ganz gesund, aber ihr Herz war leicht und frei – sie wußte selbst nicht, wie sehr. Nichts Unausgesprochenes zehrte an ihr; kein stummes Erlebnis belastete sie. Und darum hatte sie auch gar nichts an ihrer Vergangenheit zu tragen. Sie wußte, daß sie bewegte und arge Schicksale gehabt, aber all Das hatte ihr keinerlei Schwere und Müdigkeit hinterlassen, und im Grunde glaubte sie gar nicht daran. Allein, da es allseitig anerkannte Thatsache schien, so nutzte sie es aus, indem sie damit prahlte und mit gewaltig ernsthafter Miene darüber redete ... (1.1, 739)

Worauf der Erzähler hier Wert legt, ist die psychische und mentale Unverwundbarkeit Tonys. Indem sie jedes noch so gravierende Erlebnis in Worte kleidet, jede Erfahrung, sei sie noch so enttäuschend, spontan in Sprache übersetzt, entlastet sie sich, bleibt ihre innere Verfassung unversehrt, kann sie von der Gegenwart aus sich immer wieder voller Elan und Zuversicht für die Zukunft öffnen: „Nichts Unausgesprochenes zehrte an ihr; kein stummes Erlebnis belastete sie." Eine überaus elastische und hoffnungsvolle Haltung zum Leben gewinnt nach Auskunft des Erzählers exemplarisch Gestalt in Tony Buddenbrook. Um diese Konzeption abzusichern, nimmt der Erzähler einige Korrekturen an seinem bisherigen Verständnis der Protagonistin vor. Sie hatte, behauptet er, „gar nichts an ihrer Vergangenheit zu tragen" und an ihre „bewegten und argen Schicksale", so fährt er fort, „glaubte" sie „im Grunde [...] gar nicht". Das hatte der Erzähler bisher anders gesehen. Er hatte nachdrücklich gezeigt, inwiefern Tony den Makel ihrer ersten Scheidung sich immer wieder in Erinnerung rief. Sollte nicht, ihren eigenen Worten zufolge, eine Wiederverheiratung die Wiedergutmachung für die vergangene, gescheiterte Ehe sein? Der Erzählerkommentar trifft auf Tonys Biographie nur bedingt zu, er spiegelt das Gewicht und die Bedeutung ihres vergangenen Lebens nicht angemessen wider.[27] Gerade diese Verspiegelung jedoch legt seine eigentliche Intention frei: Tony soll von jetzt an, nach ihrer zweiten Scheidung, als „glückliches Geschöpf" gelten, das, frei von der Vergangenheit und ihren schwerwiegenden Erfahrungen, das Leben mit allen seinen Schwierigkeiten und Enttäuschungen, unvoreingenommen und unbeschädigt übersteht und dafür den Preis der Naivität und mangelnder Erfahrungstiefe entrichtet. Kein Trauma, keine Neurose kann sie heimsuchen dank ihrer Fähigkeit, alles Schwere und Bedrückende sogleich in Sprache umzusetzen und ihm so sein Gewicht zu nehmen. Tony Buddenbrook wird – auf ihrer vierten Lebensstufe – zum Sinnbild einer elastischen Lebensbewältigung, die mit relativ geringer Reflexionskraft und seelischer Substanz einhergeht. Hat der Erzähler bisher eine gewisse Entwicklungslinie in Tonys Biographie verfolgt, so schreibt er ihr jetzt eine regelmäßig im Leben wiederkehrende Haltung zu. Der linearen, organisch sich entfaltenden Existenzweise folgt eine zyklische, die der Erzähler mit eingreifender Hand organisiert.

Ein Beispiel für seine dekonstruktive Stilisierung ist Tonys Rolle während der Brautzeit ihrer Tochter. Die hoffnungsvolle Erwartung der Mutter paart sich mit Naivität. Sie hegt die „köstliche Empfindung", als wäre sie „die

---

[27] Spiegelt er nicht auch ihre letzten Worte im Roman nur unzureichend wider? Worte, mit denen sie keineswegs zu „prahlen" scheint und die ihre Ergriffenheit durch „bewegte und arge Schicksale" bekräftigen könnten: „Das Leben, wißt ihr", sagt sie nach dem Tod Hannos im Kreis der Hinterbliebenen, „zerbricht so Manches in uns, es läßt so manchen Glauben zu schanden werden..." (1.1, 836). Spricht sich darin nur eine zeitweilige oder doch endgültige Desillusionierung aus? Dann würde der Erzähler seinen oben zitierten programmatischen Kommentar zuletzt in ein offenes Ende hineinführen.

eigentliche Braut" (1.1, 488f.) und versetzt sich so hingebungsvoll an die Stelle ihrer Tochter, „als hätte niemals ein Bendix Grünlich, niemals ein Alois Permaneder gelebt, als zergingen alle Misserfolge, Enttäuschungen und Leiden ihres Lebens zu nichts", als könnte sie „ein neues Leben [...] beginnen, geeignet, die allgemeine Aufmerksamkeit zu erwecken und das Ansehen der Familie zu fördern...". (1.1, 489) Reflexionslos, im Banne des Vergessens, überlässt sich Tony ihrem Enthusiasmus, schöpft sie neuen Lebensmut, erträumt sie sich eine neue Lebensrolle, verjüngt sie sich, als wäre sie ihre eigene Tochter. Der alte Familiensinn erwacht mit frischer Gewalt und verleiht ihr einen Elan, der die naivste Selbsttäuschung mit einschließt. So wird sie zum attraktiven Objekt des Erzählers, der sie mit Sympathie und Ironie gleicher Weise behandelt, mit der Ambivalenz also, auf die er sich vorzüglich versteht und die er in dem Satz resümiert: „Und es begann Tony Buddenbrooks dritte Ehe." (1.1, 491) – Das ist natürlich nur symbolisch gemeint und verrät doch, wie selbstvergessen Tony auf den Wegen ihrer Tochter und der Familienehre zu wandeln gedenkt, sie, die noch vor kurzem auf ihrer Selbständigkeit im Familienverband beharrt hatte. Ihr Traum enthüllt sich bald als Illusion, auch diese Ehe scheitert, und von der Höhe ihrer ekstatischen Erwartungen stürzt Tony in eine haltlose Verzweiflung, die einer Lebensverzweiflung gleichsieht und in kindlichen Hasstiraden gegen ihre Umwelt sich ergeht. Doch im Medium ihrer ungezügelten Klagegesänge über das Schicksal und über städtische Führungskräfte entlastet sie sich vom Druck der Affekte, gewinnt ihr Gleichgewicht wieder und kann sich dem Gang des Lebens erneut anvertrauen.

Kindlichkeit und Naivität waren seit jeher Grundzüge des Temperaments dieser Frau, doch fehlten ihr nicht die Gegenkräfte der Reflexion und der intuitiven Intelligenz, die der Erzähler nun verstummen lässt. Er organisiert seine Figur um und legt sie mehr als je zuvor auf die spontane Sprache der Affekte fest. So demonstriert er in moderner Manier, dass diese Figur ein Artefakt ist, ein Zeugnis seiner eingreifenden und umgestaltenden Einbildungskraft. Doch sie ist auch mehr als dies. Sie ist das Korrektiv zu einer abendländischen Entwicklungsgeschichte. Norbert Elias hat den „Prozeß der Zivilisation"[28] unter anderem als eine fortschreitende „Dämpfung der Affekte" beschrieben, die mit der wachsenden Selbstdisziplinierung der Wirtschaftssubjekte verknüpft ist. Langfristige Organisation, geschäftliche Umsicht, Kontrolle im beruflichen Alltag erfordern die Bezwingung persönlicher Emotionen um der ökonomischen Sachzwänge willen. Ein Repräsentant dieses Spannungsverhältnisses, vielleicht der einprägsamste in der deutschen Literatur, ist Thomas

---

[28] Norbert Elias: Über den Prozeß der Zivilisation (2 Bde.), Basel: Verlag Haus zum Falken 1939.

Buddenbrook. Der Roman zeigt im Laufe der Handlung mehr und mehr die Kehrseite seiner forcierten Affektendämpfung auf. Seine Vorliebe für „Haltung" und „Contenance", sein erklärter Unwille, sich „mit den Vorgängen in seinem eigenen Inneren" zu beschäftigen, „Selbstbeobachtungen" mitzuteilen und „Intimstes nach außen" zu kehren (1.1, 289 f.) – diese fortgesetzte Beherrschung und Domestizierung der persönlichen Gefühlswelt zieht zwangsläufig das Schweigen und Verschweigen nach sich. Die reglementierten Affekte stauen sich und können sich zu ungelegener Zeit plötzlich Bahn brechen und gewalttätig in eine Unterredung eingreifen, wie das in den Streitgesprächen zwischen den Brüdern Thomas und Christian geschieht. So gerät Thomas aus jenem „Gleichgewicht", dem er sonst höchstes Lob zollt (ebd.). Er, der Träger öffentlicher Ämter, der lernen musste, vor der Öffentlichkeit „seinen Gram, seinen Haß, seine Ohnmacht" hinter liebenswürdigen Masken zu verbergen (1.1, 711), kann selbst in der Intimgemeinschaft seiner Ehe kein offenes Wort riskieren, das seiner Besorgnis über einen möglichen Liebhaber seiner Frau Ausdruck verschaffte. Denn in seiner Gesellschaftsschicht, die auf höchste Diskretion pocht, „sprach" man sich über delikate Dinge „nicht aus". Das „Bündnis" mit seiner Gattin „war auf Verständnis, Rücksicht und Schweigen gegründet" (1.1, 714), so dass die wachsenden Zweifel des Gatten stumm in ihm kreisen und ihn in ihren sprachlosen Bann schlagen. Undenkbar wäre eine ähnliche Qual bei Tony, seiner Schwester. Ihre gestische, mimische und sprachliche Beredsamkeit verhilft jedem Affekt zum befreienden Ausdruck. Ihre Trauer über das verkaufte Elternhaus löst sie öffentlich auf in einem „unbedenklichen, erquickenden Kinderweinen, das ihr in allen Stürmen und Schiffbrüchen des Lebens treu geblieben war." (1.1, 671) In Anbetracht ihres Status, der zweimal geschiedenen Frau, ist eine derartige Szene in aller Öffentlichkeit ein weiterer Skandal, vielmehr: sie ist das erlösende Zeichen eines Nonkonformismus, der durch die Kraft der affektiven Selbstaussage, der leiblichen, mimischen und verbalen Sprache, jedes Leiden ausbalanciert. Der auf Affektendämpfung ausgerichtete Prozess der Zivilisation bedarf des Korrektivs der spontanen Gefühlsbefreiung. Erst die Vermittlung der gegensätzlichen Verhaltensweisen würde wohl für eine gelingende Kommunikation bürgen.

## Tony Buddenbrook im Kontext der Resilienzforschung

Vertraut man sich der klassischen Psychologie an, so könnte man eine Figur wie Tony Buddenbrook für unwesentlich halten. Kann denn ein Individuum tieferes psychologisches Interesse erwecken, das Schicksalsschläge heil über-steht? Im Zentrum der uns vertrauten Psychologie und Psychoanalyse stehen ja gerade Menschen, die an sich selbst die negativen Folgen von gravierenden Kindheitserfahrungen, traumatischen Erlebnissen, katastrophalen Vorfällen erleiden. Seit wenigen Jahren erst entfaltet sich ein Zweig der Psychologie, der sich für Menschen anderer Art interessiert. Es ist die so genannte Resilienz-Forschung[29], die als ihren Erkenntnisgegenstand Menschen bezeichnet, die „auf seltsame Weise immun gegen die Angriffe des Schicksals (wirken), sie bleiben seelisch und körperlich gesund, obwohl ihre Lebensbedingungen alles andere als einfach sind."[30]

Diese Auffassung des widerstandsfähigen Individuums ist mit Thomas Manns Konzeption der Tony-Figur überraschend verwandt, zumindest mit der von ihm im letzten Drittel des Romans entwickelten Konzeption. Der Begriff „Resilienz" stammt „aus der Baukunde" und beschreibt dort „die Biegsamkeit von Material".[31] Und „biegsam" im höchsten Grad ist gerade Tony Buddenbrook, wenn es darum geht, an Enttäuschungen nicht zu zerbre-chen und Verletzungen heilen zu lassen. Sie bezeichnet sich zwar wiederholt als „eine vom Leben gestählte Frau" (645), eine Selbstauskunft, in der man auch die Ironie des Erzählers mithören kann. Aber „gestählt" bedeutet hier nicht „stählern" und gepanzert, sondern die Fähigkeit Tonys, dank ihrer bieg-samen, elastischen Haltung am Leben nicht traumatisch zu leiden. Gewiss, das reife Realitätsbewusstsein, das nach Auskunft der Forschung „resiliente" Personen zu entwickeln pflegen, kann Tony aufgrund ihrer Neigung zu Illu-sionen schwerlich entfalten. Es wäre auch unangemessen, ihre Person mit allen Einzelzügen als Demonstrationsobjekt eines neueren Forschungszwei-ges auszuweisen. Bruchlose Inanspruchnahmen fiktionaler Gestalten für wis-senschaftliche Thesen übersehen leicht die Inkongruenzen zwischen Fiktion und Wissenschaft. Gleichwohl ist es möglich, Verbindungslinien zwischen der Gestalt Tonys und Einsichten der Resilienz-Forschung zu ziehen. Wenn letz-tere davon ausgeht, dass für die Bewältigung „widriger Lebensumstände"[32] bestimmte, in der Kindheit wahrnehmbare „Persönlichkeitsmerkmale"[33] sich eignen, beispielsweise Initiativlust, Aufgeschlossenheit, Geselligkeit, Stolz auf

---

[29] Den Impuls zur Einbeziehung dieses Forschungszweiges in meine Fragestellung verdanke ich Katja Ihde.

[30] Psychologie heute, September 2005, S. 20.

[31] So die Psychotherapeutin Rosmarie Welter-Enderlin, in: Psychologie heute, S. 25.

[32] Vgl. den Aufsatz von Emmy E. Werner: Wenn Menschen trotz widriger Umstände gedei-hen – und was man daraus lernen kann, in: Resilienz – Gedeihen trotz widriger Umstände, hrsg. v. Rosemarie Welter-Enderlin/Bruno Hildenbrand, Heidelberg: Karl Auer Systeme-Verlag 2006, S. 35.

[33] Ebd., S. 31.

sich selbst und Hilfsbereitschaft[34] – so verweisen Tonys Mädchenjahre, wie der Erzähler sie im 2. Kapitel des *Zweiten Teils* schildert, prägnant auf solche persönlichen Merkmale. Und wenn Resilienz darüber hinaus gefördert wird durch „Schutzfaktoren der Familie" und des weiteren „Umfelds",[35] das heißt durch die „Zuwendung" familiärer „Bezugspersonen" und durch familienunabhängige Spielräume[36], so erinnert das den Leser an Tonys Grundvertrauen in ihre Umwelt, das bei den Großeltern, den Krögers, ebenso gedeihen konnte wie „in den Speichern an der Trave" und den Märkten der Stadt (1.1, 69f.), bei ihrem „Freundschaftsbund" mit Gleichaltrigen (1.1, 95f.) im Pensionat der Sesemi Weichbrodt ebenso wie bei den festlichen Ritualen im elterlichen und großelterlichen Hause und bei den „Sommerferien an der See" (1.1, 98). „Welch Glück" (ebd.) – so resümiert der Erzähler die Empfindungswelt Tonys angesichts dieser Gepflogenheiten, die einem jungen Leben abwechslungsreichen Rhythmus, Wohlstand und Geborgenheit verschafften. Die „glückliche Jugendzeit, die Tony verlebte" (1.1, 99), bildet eine Voraussetzung für ihre Resilienz als Erwachsene, die ihr die Meisterung von Schicksalsschlägen und sozialen Kränkungen im Gefolge ihrer Ehescheidungen ermöglicht. Die Daseinsbalance fern von Traumen und Neurosen, die der Erzähler an Tony auf ihrer letzten Lebensstufe so auffällig hervorkehrt, besitzt ein biographisches Unterpfand in ihren vielversprechenden Lebensanfängen. Die *Buddenbrooks*, die ihre Leser immer wieder zu neuen Lektüren verlocken, Lektüren unter jeweils aktuellen Gesichtspunkten, besitzen offenbar eine zeitlose Modernität, auch heute noch, mehr als ein Jahrhundert nach ihrer Premiere auf dem Buchmarkt.

---

[34] Vgl. ebd.
[35] Ebd., S. 32.
[36] Ebd.

*Markus Gasser*

# Was sich hinter Vladimir Nabokovs Verachtung für Thomas Mann verbirgt

> Beide taten Dienst im selben Heer, trachteten
> nach derselben Auszeichnung, fochten wider
> denselben Feind; doch schrieb Aurelian kein
> Wort, das nicht insgeheim darauf berechnet war,
> Johannes von Pannonien zu überwinden.
>
> Jorge Luis Borges, *Die Theologen*

## 1

Thomas Mann ist ein Scharlatan. Ähnlich Tony Buddenbrooks Trompetenstößen des Abscheus ist den Ausfällen Vladimir Nabokovs gegen Thomas Mann die immer gleiche Verwünschung beigegeben, *„fraud"*, *„quack"*, „Scharlatan" eben, über vier Jahrzehnte brieflicher Äußerungen und Interviews hinweg. Und mögen diese Attacken noch für Nabokov-Verehrer wie John Updike immer das am wenigsten Gewinnende an Nabokov gewesen sein, so konnte Nabokovs Verächtlichkeit etwa auch von Updike selber plötzlich Besitz ergreifen, gerade wenn er über Nabokov schrieb, um für eine abschätzige Rezension Rache zu nehmen, die wiederum ein anderer Kollege ihm, Updike, hatte angedeihen lassen – und natürlich rächte Nabokov sich wiederum an Updike. Von Weltmeistern des Geistes, wie Schriftsteller es zu sein haben, erwartet man derlei kombattante Niedertracht zuallerletzt; doch nähme sich eine Literaturgeschichte, die sich der Rivalität unter Schriftstellern widmen würde, wie jener Sketch der britischen Komikergruppe Monty Python aus, in dem ältliche Damen die Schlacht von Pearl Harbor nachstellen und mit ihren Handtaschen bewaffnet auf freier Wiese in Dreck und Matsch übereinander herfallen. Auch *Poets' Corner* in der Westminster Abbey ist friedlich nur, weil alle, die dort monumental rasten, wirklich tot sind.[1] Wer

---

[1] Vgl. Borges: Los teólogos, Obras Completas I: 1923–1949, Buenos Aires: Emecé 1996, S. 552 (Übersetzung vom Verfasser); ders.: Die neue Widerlegung der Zeit und 66 andere Essays, Frankfurt/Main: Eichborn 2003 (= Die Andere Bibliothek, hrsg. von Hans Magnus Enzensberger, Bd. 218), S. 68–76; John Updike: Assorted Prose, New York: Knopf 1965, S. 318–327, Picked-Up Pieces, New York: Knopf 1975, S. 199–220; ders.: Hugging the Shore: Essays and Criticism, New York: Knopf 1983, S. 242f.; Nicholson Baker: U & I / Wie groß sind die Gedanken?, Reinbek bei

wissen möchte, was wirklicher Hass ist, meinte der Romancier John Cheever, sollte auf einer Künstlerparty einfach unter die Schriftsteller gehen, und notierte in sein Tagebuch, daß diese Unkollegialität in ihrer Heftigkeit nur derjenigen zwischen Sopranistinnen vergleichbar sei. Und – natürlich – war Cheever selber auch wieder nicht frei davon. Seit Nabokovs erster Roman in englischer Sprache erschienen war, nach Nabokovs Flucht aus dem leninisierten St. Petersburg, dann aus dem „heilhitlernden Berlin"[2] über Frankreich in die USA, hatte Cheever Nabokov Nachmittag um Nachmittag gelesen und jedesmal, verstärkt wohl noch durch die Gläser Gin, die er dazu trank, sich ihm gegenüber minderwertig gefühlt und sich nur beruhigt, wenn er fand, dass dem Meister ein noch so kleiner Fehler unterlaufen war.[3]

Ebendieses nackte, lauernde Unterlegenheitsgefühl steht als einer der Beweggründe auch hinter der Verachtung, die Thomas Mann wie kein anderer Schriftsteller der Weltliteratur auf sich versammelt hat – mit Ausnahme Shakespeares, dem dafür freilich auch mehr Zeit gegeben war. Dass es da einen gab, der noch im Bewundern so vieler, die sich als seine Rivalen verstanden, ein Virtuose war, dürfte für diese erst recht nicht zu verkraften gewesen sein: So wie Jorge Luis Borges war Thomas Mann viel zu dankbar, um auch nur verneinen zu *wollen*. Neben seinen skrupulös nuancierten Äußerungen zu Kollegen fallen die letzterer über ihn oft merkwürdig grausam, derangiert, weil nie wirklich „zur Sache" gesprochen, und kleinlich aus und verraten, gerade in ihrer stumpfen Brutalität, die sich als kritische Entschiedenheit gibt, Verunsicherung und kein Vertrauen ins eigene Urteil und eigene Tun. Andernfalls hätte sich Musil auch kaum daran delektieren können, wenn jemand in seinem Beisein Thomas Mann niedermachte. „It is difficult to feel", würde Orwell zu solchen Haifischattacken sagen, „that these criticisms are uttered in good faith". So stünde Thomas Mann schließlich auch in einer Phänomenologie literarisch-menschlicher Größe obenan: Was Canetti in *Masse und Macht* Stendhal zusprach, dass jener nämlich nicht durch Kritik töten wollte, „um zu überleben" und sich Unsterblichkeit zu sichern, und dass er

Hamburg 1998, S. 131–158; und Jörg Drews: Nachwort, in: Dichter beschimpfen Dichter: Die endgültige Sammlung literarischer Kollegenschelten, hrsg. von Jörg Drews, Frankfurt/Main: Haffmans bei Zweitausendeins 2006, S. 257–269. Aus ökonomischen Gründen werden Zitatnachweise im Folgenden mitunter chronologisch gebündelt. – Das Vorliegende führt die Ergebnisse meiner Studien zur Romantheorie fort – vgl. Markus Gasser: Die Sprengung der platonischen Höhle: Roman und Philosophie im Widerstreit, Göttingen: Wallstein 2007.

[2] Nabokov: Erinnerung, sprich: Wiedersehen mit einer Autobiographie, Reinbek bei Hamburg: Rowohlt 1999 (= Gesammelte Werke, hrsg. von Dieter E. Zimmer, Bd. XXII), S. 69. Die seit 1989 in unregelmäßigen Abständen erscheinenden *Gesammelten Werke* Nabokovs werden von nun an, mit vorangehender Angabe des jeweiligen Werks, abgekürzt als *GW* zitiert.

[3] Vgl. John Cheever: Tagebücher, hrsg. von Robert Gottlieb, Reinbek bei Hamburg: Rowohlt 1994, S. 178, 261, 275, 314 und 461.

alle Rivalität als Pein empfand, hätte er auch in Thomas Mann beglaubigt sehen können, wenn er ihn nicht zur Selbstversicherung wieder und wieder unter seinen Bleistift hätte zwingen müssen – gar kraft eines selbsterstellten graphologischen Gutachtens, das an Thomas Manns Handschrift Südlichkeit und Schwung vermisste. Dieser Wegleugnungs- und Vernichtungswille, der laut Saul Fitelberg im *Doktor Faustus* Komponisten einander meiden lässt, hat ihren Höhepunkt dann in Alfred Döblins nekrologischer Pietätlosigkeit gefunden, der Tod stünde Thomas Mann gut an: Döblin lebte sichtlich auf, da jener andere nicht mehr am Leben war.[4]

Wenn Thomas Mann kolossal ohne Rang, anmaßend preziös, ungebildet, dumm, albern und zum Erbrechen[5] oder so nichtig wäre, wie Döblin ihn sich wünschte, fragt sich, wie er es zu einer von Generation zu Generation stetig wachsenden Fangemeinde gebracht hat. Seitdem Autoren Kenntnis von Thomas Manns schriftstellerischer Existenz nehmen müssen, sind sie böse auf ihn und wie verzweifelt darüber, nicht Thomas Mann sein zu können. Sie scheinen zu fürchten, im Vergleich mit jenem bald und zu Recht in Vergessenheit geraten zu sein. 1975, so berichtet Marcel Reich-Ranicki, als man Thomas Manns hundertsten Geburtstag beging, wurde er „zum Gegenstand einer Generaloffensive, die in der Geschichte der deutschen Literatur ihresgleichen nicht kennt: Dutzende von Schriftstellern erklärten, niemand sei ihnen gleichgültiger als der Autor des *Zauberberg*. Aber", so Reich-Ranicki weiter, „sie beteuerten es mit vor Wut und wohl auch vor Neid bebender Stimme."[6] Ein

---

[4] Vgl. Thomas Mann: Doktor Faustus, GW VI, S. 537f., Die Entstehung des Doktor Faustus, GW XI, S. 193f. und 240f., und Br III, S. 152f., Borges: Das Handwerk des Dichters, München/ Wien: Hanser 2002, S. 7–9 und 12, Karl Corino: Robert Musil, Reinbek bei Hamburg: Rowohlt 1992, S. 298f., 378, 396f., 444–447 und 455, Soma Morgenstern: Joseph Roths Flucht und Ende: Erinnerungen, Berlin: Aufbau 1998, S. 76–83, George Orwell: Essays, London: Penguin/Secker & Warburg 2000, S. 405, Elias Canetti: Das Augenspiel: Lebensgeschichte 1931–1937, Frankfurt/ Main: Fischer Taschenbuch 1988, S. 159–166, Masse und Macht, Frankfurt/Main: Fischer Taschenbuch 1980, S. 310f., Das Gewissen der Worte: Essays, Frankfurt/Main: Fischer Taschenbuch 1981, S. 256f., Die Provinz des Menschen: Aufzeichnungen 1942–1972, Frankfurt/Main: Fischer Taschenbuch 1976, S. 23, Alfred Döblin: Autobiographische Schriften und letzte Aufzeichnungen, Olten/Freiburg im Breisgau: Walter 1980, S. 575–577, und Michael Maar: Die Feuer- und die Wasserprobe: Essays zur Literatur, Frankfurt/Main: Suhrkamp 1997, S. 42 und 44. Canettis graphologisches Gutachten von 1936 über den »magere[n] Märchenerzähler« Thomas Mann, der »sich einen Leib an[dichtet]«, findet sich bei Sven Hanuschek: Elias Canetti: Biographie, München/ Wien: Hanser 2005, S. 250; vgl. ebd. auch S. 29, 161, 185, 208f., 249, 291, 377f. und 494. Gewogener – zumal ihm Thomas Mann 1938 einen Schweizer Wagen mit Chauffeur geschickt hatte, um ihn aus dem heilhitlernden Wien herauszubringen – zeigt sich Canetti dann in seinen *Briefen an Georges*, München/Wien: Hanser 2006, S. 47, 49, 51, 57, 102 und 160.

[5] So in Reihenfolge Benn, Brecht, Hoffmannsthal und Heimito von Doderer – vgl. Drews: Dichter beschimpfen Dichter (Anm. 1), S. 156–160.

[6] Marcel Reich-Ranicki: Thomas Mann und die Seinen, München: Deutsche Verlags-Anstalt 2005, S. 33.

ideologischer Vorbehalt kam damals hinzu, der von der Weimarer Republik in die sechziger Jahre weitergereicht worden war, von Vater zu Sohn sogar, vom nationalsozialistischen Dichter Will Vesper etwa zum sozialistischen Dichter Bernward Vesper: eine Kontinuität der Verneinung und Traditionslosigkeit, die nach Reich-Ranicki die vielbeklagte Misere der deutschen Gegenwartsliteratur mitverschuldet hat, ihre Erzählscheu, Wagnislosigkeit und verkümmerten Plots, die man gerne mit einer „Krise des Romans" verwechselt. Doch gerade die Antworten auf jede Umfrage, zu welchem Jahrestag Thomas Manns auch immer, zeigten im Negativ nur, dass seine Kanonizität niemals ernsthaft zur Disposition gestanden hat. Einen Kunert, Nossack, Rühmkorf oder auch Angus Wilson nach dem Rang Thomas Manns zu fragen wirkt heute so überflüssig, als befragte man eine Schulklasse nach der Bedeutung des *Faust*; längst ist Thomas Mann zu einem Inbild des Romanciers geworden, etwa im Werk von Philip Roth: Thomas Mann beweist dort durch sein Beispiel Roths Alter Ego Nathan Zuckerman, dass das einzig wirklich Erstrebenswerte die schriftstellerische Arbeit sei: bewältigt mit ekstatischer Mühsal – „*exalted struggle*" –, fanatisch.[7]

## 2

Ähnlich Kanonisches gilt für Nabokov. Auch für ihn war „der Messertanz der Kunst" ein „Messertanz von Schwierigkeit",[8] auch ihm ging die schriftstellerische Arbeit nur quälend mühsam von der Hand – allein um eine Postkarte zu schreiben, brauchte er Stunden. Selbstzweifel aber, gar die Thomas Manns bis zum Ekel, waren ihm fremd; sein Lieblingsautor war, wenn nicht er selber, dann Pierre Delalande, 1768–1849, den er selbst erfunden hat. Wäre

---

[7] Vgl. den Sonderband *Thomas Mann*, hrsg. von Heinz Ludwig Arnold, München: text + kritik 1976, S. 161–203, die von Reich-Ranicki herausgegebene Umfragesammlung *Was halten Sie von Thomas Mann? Achtzehn Autoren antworten*, Frankfurt/Main: Fischer Taschenbuch 1986, S. 21–137, Reich-Ranicki: Der doppelte Boden: Ein Gespräch mit Peter von Matt, Zürich: Ammann 1992, S. 39f., 42 und 80–82, Reich-Ranickis Nachtrag zur Kanondebatte in: Der Kanon: Die Erzählungen und ihre Autoren, Frankfurt/Main: Insel 2003, S. 13–15, ders.: Aus persönlicher Sicht: Gespräche 1999 bis 2006, München: Deutsche Verlags-Anstalt 2006, S. 300, Gerd Koenen: Vesper, Ensslin, Baader: Urszenen des deutschen Terrorismus, Köln: Kiepenheuer & Witsch 2003, bes. S. 43–48, Robert Weniger: Streitbare Literaten: Kontroversen & Eklats in der deutschen Literatur von Adorno bis Walter, Runden: C.H. Beck 2004, S. 14ff. und Philip Roth: Zuckerman Bound, New York: Fawcett Crest/Ballantine 1986, S. 352, und Thomas Mann: Die Entstehung des Doktor Faustus, GW XI, S. 250. – Einer Dokumentation und Typologie der Thomas-Mann-Verachtung werde ich eine eigene Studie vorbehalten.

[8] Thomas Mann: Tonio Kröger, GKFA 2.1, S. 314, und Lotte in Weimar, GKFA 9.1, S. 323.

ihm der ähnlich bescheidene George Bernard Shaw darin nicht zuvorgekom-
men, hätte er auf die Bitte einer Zeitschrift hin, ihr die seiner Meinung nach
zwölf bedeutendsten lebenden Schriftsteller zu nennen, wie Shaw einfach
zwölf Mal seinen eigenen Namen aufgelistet, „1. Vladimir Nabokov. 2. Vladimir Nabokov. 3. Vladimir …“, und hinzugesetzt: „Über die Reihenfolge
dieser zwölf möchte ich mir aus begreiflichen Gründen kein Urteil erlau-
ben.“ Als Nabokov 1971 nach seinem Platz in der weltweiten Literaturland-
schaft gefragt wurde, erwiderte er, er habe eine „[f]abelhafte Aussicht von
hier oben“, und in seinem Todesjahr 1977 hatte er den Zenit seines Ruhms
erst noch vor sich. Amerika würde ihn in der *Library of America* editieren
(jedoch eigentlich erst in den 1990er Jahren, vgl. Fußnote 17), Frankreich
in der *Pléiade*. In einer internationalen Umfrage unter Schriftstellern 2005
schien es, als müsste von nun an einfach nur Nabokovs Name genannt werden, um alle Rivalitätsgefühle ruhen zu lassen. Es sei für ihn unvorstellbar,
schrieb der irische Romancier John Banville, dass es ein Zeitalter vor Nabokov gegeben hat, eine nabokovlose Zeit. Orhan Pamuk nimmt, gleich einer
„unverzichtbare[n] Hausapotheke“, stets Werke von Nabokov mit, wenn er
sich in ein Hotelzimmer einschließt, um seinen neuesten Roman zu beenden.
Und John Updike fasste – in Anspielung auf *Sirin*, Nabokovs russisches Pseu-
donym, das ‚Paradiesvogel‘ bedeutet – diese neidlose Hochschätzung in den
vielleicht schönsten Satz, den ein Romancier je über einen anderen geschrieben hat: „Es war Nabokovs Gabe, das Paradies zu bringen, wo auch immer
er sich niederließ.“ Selbst Nabokovs Umbarmherzigkeit, die er wie bei einem
faustischen Pakt für den Glanz seiner Prosa bezahlte, seine Ausfälle gegen
Kollegen, davon die meisten Nobelpreisträger, sieht man ihm heute gelasse-
ner nach – er, der den Nobelpreis wohl ein bisschen zu aufrichtig begehrte,
hätte ihn vielleicht als allererster verdient: Dass er, noch vor Joyce, der größte
Autor des 20. Jahrhunderts gewesen sein könnte, gilt inzwischen nicht nur
unter Autoren als ausgemacht.⁹

Zumindest zu den normalsterblichen Thomas-Mann-Verächtern gehört
Nabokov nicht, und darum auch wiegt seine Verachtung so schwer. Thomas Mann, so eröffnet Nabokov in dem Interviewband *Deutliche Worte* sein

---

⁹ Vgl. Rainer Schmitz: Was geschah mit Schillers Schädel? Alles, was Sie über Literatur nicht
wissen, Frankfurt/Main: Eichborn 2006, S. 96, Nabokov: Einladung zur Enthauptung, GW IV,
S. 5–8, ders.: Deutliche Worte, GW XX, S. 283, John Banville: „Lolita“: Fifty Years Later, in:
Playboy 52, 2005, H. 12, S. 164, Orhan Pamuk: Der Blick aus meinem Fenster: Betrachtungen,
München/Wien: Hanser 2006, S. 126, Updikes Sentenz in seiner Rezension der *Stories of Vladimir
Nabokov* in der *New York Times* vom 29.10.1995 unter dem Titel *A Jeweler's Eye*: http://www.
nytimes.com/books/99/04/18/specials/nabokov-updike.html, und Michael Maar: Sieben Arten,
Nabokovs „Pnin“ zu lesen, München: Carl Friedrich von Siemens Stiftung 2003 (= Themen, hrsg.
von Heinrich Meier, Bd. 78), S. 15.

Artilleriefeuer, sei „zweitklassig und ephemer", und „die Eselei" unter dem Titel *Der Tod in Venedig* seine *bête noire*", seine Lieblingsscheußlichkeit. 1950, Nabokov lehrt europäische Literatur an der Cornell University, New York, spielt er den Verursacher des *Eisenbahnunglücks* gegen den Kafka der *Verwandlung* aus: Im Dreigestirn Proust – Thomas Mann – Joyce, das an den amerikanischen Universitäten jener Jahre den Kanon der Moderne bildet, will er den Namen Thomas Manns durch denjenigen Kafkas ersetzt wissen, so wie zur selben Zeit Georg Lukács daran arbeitet, dass Thomas Mann seinen Vorrang gegenüber Kafka behält. 1958 schickt M.H. Abrams Nabokov sein *Handbuch literarischer Fachbegriffe* – und Nabokov schickt es mit einer Korrekturliste von zwei Seiten Länge zurück, an deren Ende er, unfehlbar, die Kanonkombination Proust – Mann – Joyce unter Beschuss nimmt: „Ich protestiere auf Schärfste dagegen, daß Thomas Mann sich hier hineindrängt. Was zum Teufel hat dieser schwerfällige, konventionelle Ausbund an Abgedroschenheit zwischen zwei heiligen Namen zu suchen?" In den sechziger Jahren durchbricht Nabokov gar die Hochwissenschaftlichkeit seines Kommentars zu Puschkins *Eugen Onegin* ein einziges Mal mit einer persönlichen Einschaltung – natürlich nur, um auf das „universitäre Gipsidol" Thomas Mann einzuhämmern.[10] 1973 schliesslich wird er auf die briefliche Anfrage eines Professor Ackermann hin bündig konkret: Was Nabokov denn nun wirklich von Thomas Mann halte – ob er ihm nicht mittlerweile doch gewisse Reize abgewinnen könne? Nabokov arbeitet an dem Roman *Sieh doch die Harlekine!* (der sein letzter sein wird) und lässt daher über Véra, seine Katja Pringsheim, Ackermann den Neujahrsgruß ausrichten, Thomas Manns Stil sei „*garrulous*", geschwätzig, und „*plodding*" – ein Wort für vieles, für unnötige Mühe, Umständlichkeit, die Gangart eines schwer Betrunkenen, ein Wort zudem, das die Shakespeare-Sentenz im Hinterhalt hat, Geduld sei eine müde Mähre, die sich dennoch trottend weiterplagt wie Thomas Mann offenbar am Schreibtisch und Nabokov bei der Lektüre Thomas Manns. „Thomas Manns Bilder sind nichts als Klischees, ein ehrgeiziger Satz erweist sich oft als eine Ansammlung mehrerer Klischees, und sein Humor erinnert an den von *Max und Moritz*." Darüber hinaus fände er Thomas Manns Psychologie künstlich und seine Charaktere so gestaltet, dass sie bloß dem teleologischen Zweck

---

[10]  Vgl. Georg Lukács: Essays über Realismus, Neuwied/Berlin: Luchterhand 1971 (= Werke, Bd. 4), S. 500–550, ähnlich wie Nabokov dagegen auch Canetti in seinen Vortragsprojekten: Briefe an Georges (Anm. 4), S. 307 f., 337, 353 und 356 f., Nabokov: Deutliche Worte, GW XX, S. 92, 97 und 162, ders.: Selected Letters 1940–1977, hrsg. von Dmitri Nabokov und Matthew J. Bruccoli, San Diego/New York/London: Harcourt Brace Jovanovich 1989, S. 242 (Übersetzung vom Verfasser), und „Eugene Onegin: A Novel in Verse" by Aleksandr Pushkin, Princeton: Princeton University Press 1975 (= Bollingen Series, Bd. LXXII), Bd. 2: Commentary and Index, Part 2, S. 192.

seines Autors dienten. „Alles klar? Mein Mann und ich wünschen Ihnen beide ein glückliches Neues Jahr."[11]


3


Es war kein bloßes Geschmacksurteil, auch nicht der Neidhass eines Unterlegenen,[12] und ein ideologischer Vorbehalt schon gar nicht, was Nabokovs Verachtung zugrunde lag, sondern eine Thomas Mann völlig entgegengesetzte ästhetische Konzeption: Nabokov unterschied zwischen dem wahrhaft schöpferischen Autor und dem Realisten – und es versteht sich von selbst, dass er sich dabei zu den schöpferischen Autoren zählte, mit Gogol und Joyce, Kafka und Proust. Der Rest war ein eindrucksvoller Gladiatorentrupp in Mode geratener Belletristen, „der alte Dosto" – Dostojewskij also –, Pasternak, John Galsworthy, Joseph Conrad, William Faulkner und eben Thomas Mann – die er, Faulkner und Mann, in *Ada* zu einem einzigen Schriftsteller vereinte, „Falknermann", dessen Name, nimmt man ihn so wörtlich, wie Nabokovs Spätwerk es meistens meint, auch schon den Grundvorwurf

---

[11] Vgl. Nabokov: Selected Letters (Anm. 10), S. 90 f. und 525 f. (Übersetzung vom Verfasser), und William Shakespeare: The Complete Works, hrsg. von Stanley Wells und Gary Taylor, Oxford: Oxford University Press 1988, S. 573. Max und Moritz heißen übrigens zwei junge Verkäufer in Nabokovs Roman *König Dame Bube*, GW I, S. 469. Susan Sontag scheint Nabokovs Kritik an Thomas Mann in den 1989 publizierten *Selected Letters* ins Positive gewendet und zur Konstruktion und Charakterisierung einer ganzen Romanwelt, einer *tradition of garrulousness*, verwendet zu haben – vgl. dies.: Where the Stress Falls: Essays, London: Vintage 2003, S. 30–40. – An dieser Stelle ist die Frage zu klären, ob Nabokovs Deutschkenntnisse ausreichten, um Thomas Mann überhaupt gerecht werden zu können. Nabokov konnte gewiss schlechter Deutsch als Thomas Mann Englisch. Nachgewiesen ist, dass er Deutsch in der Schule gelernt, im Original deutschsprachige Lepidopterologenbände, Goethe, Kafka, Freud, Thomas Mann, Emil Ludwig und Leonhard Frank mit Hilfe eines Wörterbuchs oder einer danebenliegenden Übersetzung gelesen und Heine ins Russische übersetzt hat; seine Frau Véra – Mitarbeiterin und Mitleserin – beherrschte zudem gleichsam „mehr als nur Deutsch", nämlich die deutsche Stenographie. Und wenn *Lolita*, wie Michael Maar entdeckt und dokumentiert hat, von der Erzählung *Lolita* eines nahezu anonymen Heinz von Lichberg angeregt worden ist: um wieviel mehr dann das Werk Nabokovs von einem Thomas Mann? Hat umgekehrt Thomas Mann Nabokov gelesen? Seinen Namen mag er einmal gehört haben, mehr nicht; und als der Hurrikan *Lolita* durch Europa und die USA trieb, war Thomas Mann bereits tot. Vgl. Michael Maar: Lolita und der deutsche Leutnant, Frankfurt/Main: Suhrkamp 2005, S. 17 f. und 54–56, und ders. Solus Rex: Die schöne böse Welt des Vladimir Nabokov, Berlin: Berlin [Verlag] 2007, S. 25 ff. Über Thomas Manns Kontakte zu russischen Schriftstellerkreisen in Berlin, in denen Nabokov neben Iwan Bunin als größter Schriftsteller der Emigration gefeiert wurde, informiert Alexej Baskakov: Thomas Mann und Iwan Schmeljow: Interpretation einer Bekanntschaft, in: TM Jb 13, 2000, S. 133–145.

[12] Vgl. Michael Maar: Die Feuer- und die Wasserprobe (Anm. 4), S. 216.

gegen den Realisten enthält: den Mangel an Schöpferkraft, an Originalität. Ein Falkner geht ja auch nicht selbst auf Taubenjagd.[13]

Der schöpferische Autor schafft neu, der Realist indes schafft nach. Man kann sich diese Unterscheidung, wie durch ein umgekehrtes Fernrohr, anhand der *Schweren Stunde* Thomas Manns vor Augen führen: Da ist Goethe, der, dem Gott der biblischen Schöpfung verwandt, wie aus dem Nichts erschafft, während Schiller, philosophische Ideen im Blick und von ihnen behindert, sich gleich dem platonischen Demiurgen ringend die Materie unterwirft.[14] Der schöpferische Autor erschafft imaginäre Welten; wie bei der Komposition von Schachproblemen setzt er sich „in einem Anfall klarsichtigen Wahnsinns gewisse nur für ihn allein geltende Regeln, die er von nun an befolgt, und gewisse alptraumhafte Hindernisse, die er überwindet, um mit dem Vergnügen einer Gottheit aus den unwahrscheinlichsten Bestandteilen eine lebende Welt zu errichten".[15] Weniger hymnisch formuliert: Der schöpferische Autor entfernt sich auf derart verführerische Weise von Wirklichkeit und Wahrscheinlichkeit, dass der Leser sich's, mit einem Prickeln die Wirbelsäule entlang, gefallen lässt. Der Realist hingegen *simuliert* Wirklichkeit – indem er aus einer als vorgegeben hingenommenen Welt und aus herkömmlichen Erzähltechniken das Beste macht, was er eben so kann. Die Welt ist *nicht* seine Vorstellung, ist nichts weniger als das: sie ist die aller, nur persönlich eingefärbt und nach literaturfremden, irgendwie „geistigen" Angaben vorstrukturiert, durch deren Gegensätze dann eine Figur hindurchmuss, um in Krankheit, Verfall oder Kriegsausbruch zu enden. Dass Autoren vor oder neben ihm Ähnliches in ähnlicher Weise geschildert haben, verleitet den Realisten zu der Annahme, der Realität selbst habhaft geworden zu sein: Die Realität des Realismus ist nichts als das Produkt literarischer Inzucht. Zu wortbewusst, zu virtuos könnerisch, ist der Realist der eigentliche – und eigentlich einzige – Vertreter des *l'art pour l'art*. Für Thomas Mann ist es 1951 in einem Brief an Henry Hatfield „das frappierende Wiedererkennen des wirklichen Lebens [...] zuletzt doch immer, was uns freut an der Kunst". Dieses Wiedererkennen aber, erwidert ihm Nabokov, stellt sich nur ein, weil der Realist seine Vorstellungen der öffentlichen Leihbibliothek allgemeiner Wahrheiten entlehnt, Durchschnittseindrücke

---

[13] Vgl. Nabokov: Ada or Ardor: A Family Chronicle, Novels 1969–1974, New York: Library of America 1996, S. 296, und ders.: Deutliche Worte, GW XX, bes. S. 97 f.

[14] Vgl. Thomas Mann: Schwere Stunde, GKFA 2.1, S. 425–427, Platon: Timaios, Frankfurt/Main: Insel 1991 (= Sämtliche Werke, hrsg. von Karl Heinz Hülser, Bd. VIII), S. 241 ff., und Hans Blumenberg: Die Legitimität der Neuzeit, Frankfurt/Main: Suhrkamp 1996, S. 139 ff.

[15] Nabokov: Speak, Memory: An Autobiography Revisited, Novels and Memoirs 1941–1951, New York: Library of America 1996, S. 610, und ders.: Erinnerung, sprich, GW XXII, S. 396 (vom Verfasser revidierte Übersetzung).

in gefälliger Verkleidung wiedergibt und kurante Ideen aus Philosophie und Psychologie instrumentiert.[16]

In einem Fragebogen, den Nabokov 1971 ausfüllt, lässt er die Zeile, die sich nach seinen liebsten philosophischen Werken erkundigt, frei. Gegen die Philosophie hegt er, seitdem Platon die Literatur aus dem Philosophenstaat vertrieben hat, eine geradezu natürliche Abneigung, und gegen Romane, die sich der Philosophie verpflichtet zeigen, steigert sich sein Widerwille zu scherbenfroher Zerstörungswut: Die sogenannte Ideenliteratur, Literatur, die es mit großen philosophischen Ideen hat und diese Ideen mit Gesichtern versieht, ist für ihn in riesigen Gipsblöcken abgepackter Themenschund, *„topical trash"*.[17] Und Romane, die ein auch nur flüchtiges Gedankenkörnchen aus der psychoanalytischen Sphäre bergen, nimmt er als Literatur überhaupt nicht ernst. Nabokov war tief gekränkt, als der Kritiker Edmund Wilson, eine Weile sein Freund und Mentor, sich bei Nabokovs Roman *Das Bastardzeichen* an den Stil Thomas Manns erinnert fühlte; Wilson hätte diese Kränkung nur noch mit der Bemerkung überbieten können, der Roman mache den Einfluss Freuds offenbar: Vermutlich hätte Nabokov Wilson zum Duell gefordert.[18] Noch vor Thomas Mann beschuldigte er nämlich rituell Freud niederträchtigster Scharlatanerie, da der uns doch allen Ernstes glauben machen wollte, „psychische Nöte [könnten] durch eine tägliche Anwendung griechischer Mythen auf [unsere] intimen Körperteile kuriert werden". In Freud sah Nabokov das Grundgesetz der Menschheit verletzt – die Freiheit des Geistes: Kranke hatten sich, bei trübem Bewusstsein und dennoch freiwillig, dem Heiler und seinen Konstruktionen zu unterwerfen, und der noch nicht pathologisierte Rest lebte in einer „Diktatur der Sexualmythologie" vor sich hin, die das Alltagsleben und -denken durchdrang wie ein Spitzelsystem – weshalb in *Ada* Freud auch als „Dr. Sig Heiler" erscheint: das „Sig" als Kürzel für „Sigmund" ohne „e" geschrieben. Den „Wiener Quacksalber", wie er ihn bevorzugt nannte, verfolgte Nabokov bis hinter den Zypressenvorhang, der bei ihm das Diesseits von der Welt der Geister trennt: Er freute sich schon auf das „lästerlich

---

[16] Vgl. Nabokov: Die Kunst des Lesens: Meisterwerke der europäischen Literatur, hrsg. von Fredson Bowers, Frankfurt/Main: Fischer Taschenbuch 1991, S. 25–27, 30 f., 34, 98–100, 170, 193, 313 und 420 f., Nikolaj Gogol, GW XVI, S. 163–166, Deutliche Worte, GW XX, S. 72, 110, 188 f., 193 und 213, Eigensinnige Ansichten, GW XXI, S. 37 und 451, Dieter E. Zimmer: Nachwort, in: Nabokov: Lolita, GW VIII, S. 531–585, bes. S. 572–574, Brian Boyd: Vladimir Nabokov: Die russischen Jahre 1899–1940, Reinbek bei Hamburg: Rowohlt 1999, S. 475–519, und Thomas Mann: Br III, S. 231 f. Die Tagebucheintragungen Thomas Manns um dieselbe Zeit, so die vom 13.11.1951, lesen sich in Sachen Realismus allerdings weniger entschieden.

[17] Vgl. Nabokov: Selected Letters (Anm. 10), S. 486, Lolita, Novels 1955–1962, New York: Library of America 1996, S. 296, und GW VIII, S. 514.

[18] Vgl. Nabokov: Briefwechsel mit Edmund Wilson 1940–1971, GW XXIII, S. 409 und ebd. auch S. 322 und 508.

lärmende Gelächter", in das Shakespeare im Himmel ausbrechen werde, wenn der hört, was Freud alles aus ihm herausgelesen hat. Glaubt man Nabokov, dann sitzt Freud, natürlich, in einer anderen Lokalität ein: in der Hölle, tief unter Shakespeares Gehör.[19]

4

In den Höllenflügel seines *Gartens der Lüste* hat sich Nabokovs Lieblingsmaler Hieronymus Bosch als eine Art Oberdämon lächelnd selbst hineinporträtiert: Letztlich ist er es, der quält, und er weiß es. Auch Nabokov vervielfältigt sich und diese seine ästhetische Konzeption immer wieder in sein Romanwerk hinein – bis zu jenem paradoxen Äußersten „romantische[r] Vexation", die Thomas Mann am *Don Quijote* etwas unheimlich war.[20] Ein Beispiel dafür (und ein für Nabokovs Verhältnisse noch relativ harmloses Beispiel) ist sein erster Roman in englischer Sprache, *Das wahre Leben des Sebastian Knight*. Darin macht sich der Ich-Erzähler und Halbbruder des Romanciers Sebastian Knight auf die Suche nach dem wirklichen Menschen hinter dem Romancier Sebastian Knight und sieht sich zuletzt mit der Möglichkeit konfrontiert, daß der Autor von *Das wahre Leben des Sebastian Knight* Sebastian Knight selber sein könnte, „Ich bin Sebastian, oder Sebastian ist ich, oder vielleicht sind wir beide jemand, den keiner von uns kennt." Mit diesem Vexierrätsel endet der Roman, und dieser Jemand, den die Figuren nicht kennen – den nur die Leser kennen können –, ist natürlich Nabokov selbst: Er hat den Lesern, genau in der Mitte des Buches, bereits den entscheidenden Hinweis auf „das wahre Leben" dieses Sebastian Knight gegeben, als er den Halbbruder entdecken ließ, dass „die eigentlichen Helden" von Sebastian Knights Werk „die Kompositionsmethoden" sind, mit denen Sebastian literarische Manieren

---

[19] Vgl. Nabokov: Strong Opinions, New York: Vintage International 1990, S. 66, und ders.: Deutliche Worte, GW XX, S. 47, 81, 110, 184 und 202, Eigensinnige Ansichten, GW XXI, S. 172 f., 181, 329 und 489, Die Kunst des Lesens: Meisterwerke der europäische Literatur (Anm. 16), S. 425 f., Speak, Memory, Novels and Memoirs 1941–1951, S. 619, Erinnerung, sprich, GW XXII, S. 410, Ada, Novels 1969–1974, S. 27 f., und: Conversations with Philip Roth, hrsg. von George J. Searles, Jackson/London: University of Mississippi 1992, S. 79. Eine differenzierte Darstellung der Freud-Verachtung Nabokovs bietet: The Garland Companion to Vladimir Nabokov, hrsg. von Vladimir E. Alexandrov, New York: Routledge 1995 (= Garland Reference Library of the Humanities, Bd. 1471), S. 412–420, bes. S. 413–416.

[20] Vgl. Thomas Mann: Meerfahrt mit „Don Quijote", GW IX, S. 435, 444 f., 472 und 474, Gerard de Vries/D. Barton Johnson: Vladimir Nabokov and the Art of Painting, Amsterdam: Amsterdam University Press 2006, S. 145–165, und Nabokov: Die Kunst des Lesens: Meisterwerke der europäischen Literatur (Anm. 16), S. 391 f.

einer „Ad-absurdum-Prüfung" unterwirft, um daraus seinen eigenen Stil zu entwickeln.[21] – Im Sinne dieser Poetologie ist das gesamte Erzählwerk Nabokovs, mit seiner Selbstreflexivität und romantischen Fiktionsironie, auch als ein Gegenprogramm zum Werk Thomas Manns zu lesen: dort, wo Thomas Mann sich, erstens, der Mittel des Realismus, sogenannter Realitätseffekte, bedient; dort, wo Thomas Mann, zweitens, seine eigenen Interpretationen in die epische Darstellung hineinprojiziert; und dort, wo Thomas Mann, drittens, seine Figuren unters Joch teleologischer Normierung beugt.

In den *Buddenbrooks* folgt dem Ende einer ausführlichen äußerlichen Beschreibung Morten Schwarzkopfs ein beiläufiges *Übrigens* – „Übrigens trug er eine graue, geschlossene Joppe mit Klappen an den Taschen und einem Gummizug im Rücken": Der Erzähler der *Buddenbrooks* scheint mit jenem *Übrigens* dieses eine Detail nur zu erwähnen, weil es nun einmal da ist und daher auch gezeigt werden will. Er gibt dem Leser damit zu verstehen, dass er aus einer wie objektiv existierenden Fülle an Wirklichkeit eine Auswahl traf. Für Nabokov dagegen ist dieses *Übrigens* „das Freimaurerzeichen konventioneller Literatur", und so verweigert Humbert Humbert, ein Stellvertreter für nahezu alle Nabokov-Erzähler, in *Lolita*, dem drittem Roman in englischer Sprache, dem Leser auch jede ausführliche äußerliche Beschreibung oder bricht sie, wenn er sich dabei ertappt, mit einem „und so weiter" ab.[22] Ein anderer Realitätseffekt besteht in der Manier, sprachliche, gestische, physiognomische Details gleich beschwörenden Zauberformeln zu wiederholen, um den Lesern die Wiedererkennbarkeit innerhalb der erzählten Welt zu sichern. Tony Buddenbrooks „Ich bin eine Gans – bin keine Gans mehr", ihr Tick, den Kopf zurückzulegen und dabei das Kinn auf die Brust zu drücken, oder Gerdas – und dann Hannos – „bläuliche Schatten" finden ihr Echo in Humberts Bemerkung, er müsse seine Leser immer wieder an seine äußere Erscheinung erinnern „wie ein professioneller Romanschriftsteller, der einer seiner Figuren irgendeine Eigenheit oder einen Hund beigegeben hat, diesen Hund oder diese Eigenheit jedes Mal vorzeigen muß, wenn die Figur im Verlauf des Buches wieder auftaucht."[23] Und noch ein Effekt: Wenn sich Tony, mit Grünlich „vor ihr auf den Knien", an Romanszenen erinnert fühlt, spaltet sich die Welt der *Buddenbrooks* in die mithin erfundene Wirklichkeit „bloßer Romane" und die im Vergleich dazu wirkliche Wirklichkeit Tonys und der *Buddenbrooks* auf. Die Fiktionsironie Nabokovs vereitelt diesen Effekt vom

---

[21] Nabokov: Das wahre Leben des Sebastian Knight, GW VI, S. 121 und 262.
[22] Vgl. Thomas Mann: Buddenbrooks, GKFA 1.1, S. 132, Nabokov: Nikolaj Gogol, GW XVI, S. 60, und ders.: Lolita, GW VIII, S. 436.
[23] Nabokov: Lolita, Novels 1955–1962, S. 97, Lolita, GW VIII, S. 169 (vom Verfasser revidierte Übersetzung).

Anfang seiner Romancierlaufbahn an: Franz Bubendorf in seinem zweiten, russischen Roman *König Dame Bube* ist in einem Ballsaal derart von Schuldgefühlen bedrängt, dass er am liebsten „fürchterlich geschrieen" hätte, „wäre er nicht in einem erfundenen Ballsaal gewesen."[24]

Ein weiteres Angriffsziel Nabokovs ist die Erklärung, die ein Autor seiner Welt in die Wiege legt, selbst dann, wenn sie die Aussagekomplexität eines Werks erhöht: Ein echtes Kunstwerk sagt nichts Kunstfernes aus, handelt nicht *von* etwas, sondern ist immer selbst die Sache, um die es geht. Wer Deutungsbeigaben braucht, misstraut seiner nackten künstlerischen Kraft – und, nach Nabokov, wohl auch zu Recht. Auf einer Liste seiner *Liebsten Haßobjekte*, die er 1964 zusammenstellt wie Truman Capote zur gleichen Zeit seine Tagebuchliste der widerlichsten Leute, die ihm jemals begegnet sind, rangieren auf Platz fünf die „[k]ursive[n] Passagen in einem Roman, die die Gedankenblitze der Hauptfigur darstellen sollen" – die Anspielung auf den Ergebnissatz des Schneekapitels im *Zauberberg* ist offensichtlich.[25] Bei Nabokov sind Deutungen durch die *Thematisierung von Deutungen* und durch eine strategische Undurchschaubarkeit ersetzt. Ein Beispiel: In seiner Erzählung *Signs and Symbols*, *Zeichen und Symbole*, ist für den Sohn eines russisch-jüdischen Ehepaars alles an der Welt eine Chiffre; er lebt in einer Nervenheilanstalt von Selbstmordversuch zu Selbstmordversuch hilflos dahin. Eines Abends beschließen die Eltern, ihren Jungen aus der Klinik heimzuholen. Zweimal schrecken sie an diesem Abend hoch, da das Telefon klingelt: sie befürchten, dass die Klinik ihnen den Selbstmord ihres Sohnes meldet; doch war es beide Male nur irgendeine Fremde, die sich verwählt hat. Nehmen wir Leser das dritte Klingeln des Telefons, mit dem die Erzählung abrupt endet, als Chiffre dafür, dass es dem Sohn schließlich doch noch gelungen ist, Selbstmord zu begehen, bevor die Eltern ihn heimholen konnten, nehmen wir auch als gegeben hin, was innerhalb wie außerhalb der Erzählung als Beziehungswahn angesehen wird: Wir sind dann selber von Paranoia nicht frei. So wird bei Nabokov jede literaturfremde Konstruktion wieder zu einem Rätsel, für dessen Lösung wir sie eben noch gehalten haben.[26]

---

[24]  Vgl. Thomas Mann: Buddenbrooks, GKFA 1.1, S. 121, und Nabokov: König Dame Bube, GW I, S. 516.

[25]  Vgl. Nabokov: Die Kunst des Lesens: Meisterwerke der europäischen Literatur (Anm. 16), S. 161, Eigensinnige Ansichten, GW XXI, S. 488, und Truman Capote: „Ich bin schwul. Ich bin süchtig. Ich bin ein Genie": Ein intimes Gespräch mit Lawrence Grobel, Zürich: Diogenes 1988, S. 100 f.

[26]  Vgl. Nabokov: Zeichen und Symbole, Erzählungen 2: 1935–1951, GW XIV, S. 492–501, Brian Boyd: Vladimir Nabokov: Die amerikanischen Jahre 1940–1977, Reinbek bei Hamburg: Rowohlt 2005, S. 182–185, Michael Maar: Die Glühbirne der Etrusker: Essays und Marginalien, Köln: DuMont 2003, S. 98 f., und Stephen Greenblatt: Will in der Welt: Wie Shakespeare zu Shakespeare wurde, Berlin: Berlin 2004, S. 383–385.

Zu Deutungsbeigaben zählte Nabokov auch, was ihm am *Ulysses* besonders lästig war: wenn Figuren „Bedeutung" aufgebürdet wird, vor allem eine mythologische und, noch lästiger, wenn diese Mythologie von der Philosophie eines Nietzsche vorpräpariert worden ist wie im *Tod in Venedig*, den Nabokov zwar für „durchaus plausibel", aber wegen ebenjener Aufladung wortwörtlich für so „trübe" hielt, wie der Himmel über Venedig es ist, als Aschenbach in Charons Gondel steigt.[27] Hatte das alles dann noch einen „freudschen Hautgout", verlor Nabokov vollends die Fassung. Ein literarisches Werk, wie es im *Sebastian Knight* heißt, „mit einer Prise Freud [...] modern [aufzumöbeln]", hat ihn zu einer strukturellen Gegenoffensive gereizt, wie sie die Weltliteratur sonst nicht kennt: *Lolita* ist eine bewusst gelegte Tretmine für die psychoanalytische Literaturbetrachtung. Humbert Humbert erklärt uns am Anfang dieses Bekenntnisses seine Obsession für gewisse Mädchen zwischen den Altersgrenzen von neun und vierzehn damit, dass er den Geschlechtsakt mit seiner ersten, zwölfjährigen Liebe nicht vollzogen hat, und sich selbst mithin zum pathologischen Fall. Seine Monate im Sanatorium verbringt er dann damit, für seine Psychoanalytiker „komplizierte Träume [...] zu erfinden", die ihnen „Träume verursachen und sie schreiend [aus ihrem Schlaf] auffahren lassen", und „sie mit vorgeschwindelten ‚Urszenen' zu necken". Zumindest bislang ist noch jede psychoanalytische Deutung *Lolitas* gescheitert: sie ist bereits selber in *Lolita* drin, entkräftet, um eine nabokovschen Vergleich zu gebrauchen, wie ein von einer wüsten Kinderorgie zurückgelassener Teddybär.[28]

Das Dritte, hier Letzte, wogegen sich Nabokovs romantische Fiktionsironie richtet, ist der *amor fati*, die – nach Thomas Mann – „verteufelt nett[e]" Denkfigur der Degeneration, also das Schicksals-, Verfalls- und Todesarrangement in *Buddenbrooks*, *Tod in Venedig* und *Zauberberg*. Diesem Schicksal, Geschick, Leben, Fatum gibt Humbert Humbert den Namen von Lolitas Schulkollegen Aubrey McFatum, macht ihn zum Dämon, der ihm überall hin folgt, und erklärt das Fatum – und damit auch dessen Platzhalter „Schicksal" und so fort – zur bloßen Willkürprojektion.[29] Der Roman *Der Späher* überrascht uns mit dem Einfall, dass sein Erzähler bereits tot sein könnte und die Wirklichkeit ihm beweisen muss, er sei es nicht. Der Roman *Die Mutprobe* endet nicht: er verblasst. Der *Einladung zur Enthauptung* stellt Nabokov das

---

[27] Vgl. Nabokov: Die Kunst des Lesens: Meisterwerke der europäischen Literatur (Anm. 16), S. 356 f., und ders.: Deutliche Worte, GW XX, S. 138 und 317.

[28] Vgl. Nabokov: Die Gabe, GW V, S. 68, Das wahre Leben des Sebastian Knight, GW VI, S. 72, und ders.: Lolita, GW VIII, S. 54 f.

[29] Vgl. den Brief Thomas Manns an Otto Grautoff Ende Mai 1895, GKFA 21, S. 58, den Kommentar von Eckhard Heftrich und Stephan Stachorski zu *Buddenbrooks*, GKFA 1.2, S. 16 f., 161 und 365, und Nabokov: The Annotated Lolita, hrsg. von Alfred Appel, New York: Vintage International 1991, S. 362–364.

Motto voran: „So wie ein Wahnsinniger sich für Gott hält, so halten wir uns
für sterblich." Und diesem Motto getreu bekommt Cincinnatus in der *Einladung zur Enthauptung* seine Enthauptung gar nicht mehr mit, die Welt um
ihn her bricht kulissengleich ein, während er eine andere betritt, „wo, nach
den Stimmen zu urteilen, ihm verwandte Wesen standen." Und im *Bastardzeichen* läßt Nabokov die Hauptfigur in einem Anfall klarsichtigen Wahnsinns begreifen, dass sie erfunden ist, und löst die Folterwelt des Romans in
sein Arbeitszimmer und in ein „Chaos beschriebener und umgearbeiteter Seiten" auf. Für Nabokov ist der Tod „nur eine Stilfrage, ein bloßer literarischer
Kunstgriff". Zumindest seine liebsten Geschöpfe lässt er aus der Hölle, die er
um sie herum erfunden hat, demonstrativ wieder frei, da er weiß, dass er es
letzten Endes ist, der quält.[30]

## 5

Bislang war Nabokovs Kritik an Thomas Mann auf Interviews und briefliche Unmutsäußerungen beschränkt, die uns zu Nabokovs Poetologie, seinem ästhetischem Gegenprogramm führten. Hier nun aber fängt der Hader
erst an – Nabokov trägt den einmal eröffneten Gegensatz zwischen Thomas
Mann und sich selbst nämlich noch konkreter aus, indem er ihn und sich
in sein Erzählwerk hineinspiegelt, indem er zweifelhafte bis grundgemeine
Künstlerfiguren ersinnt, wider die er dann eine Galerie von Gegenautoren
antreten lässt, und so kommt es, daß Thomas Mann durch Nabokovs Gesamtwerk geistert wie Satans Figurationen durch den *Doktor Faustus*. Dabei sind
die Spuren, die von den Thomas-Mann-Verwünschungen der Briefe und
Interviews ins eigentliche Werk Nabokovs führen, zwar nabokovtypisch
subtil versteckt, doch niemals so schwer auffindbar wie die eine berühmte
Spur hin zu Franz Werfel, dessen *Lied von Bernadette* sich im *Bastardzeichen* unter dem Bestsellertitel „Annunciata", Verkündigungen, mit der
Bemerkung wiederfindet, der Roman sei halb Oblate, halb Lutschbonbon.[31]
Fast jeder Roman Nabokovs hat seinen *„fraud"*, *„quack"*, seinen hauseige-
nen Scharlatan, und wenn einer, auch ohne „Thomas", darin „Mann" heißt,
kann man gewiss sein, daß Nabokov – in den Worten Michael Maars – eine
Papierschwalbe zu falten begonnen hat, um sie in Thomas Manns Richtung

---

[30] Vgl. Nabokov: Der Späher, GW II, S. 341–343, 388 und 418, Einladung zur Enthauptung, GW
IV, S. 9 und 253, und ders.: Das Bastardzeichen, GW VII, S. 15 und 318.
[31] Vgl. Nabokov: Das Bastardzeichen, GW VII, S. 12 f. und 54.

zu schießen.[32] Zuweilen erwähnt er Thomas Mann auch, fast schon pflicht-schuldig, ganznamentlich; oder aber Thomas Mann erscheint, kaum über-raschend, im langen Schatten Freuds.

In dem eingangs zitierten Neujahrsgruß verglich Nabokov Thomas Manns Humor mit dem von *Max und Moritz*, Thomas Mann also mit Wilhelm Busch, und – wir greifen nun weit in Nabokovs russische Phase zurück – in *Gelächter im Dunkel* ist ein gewisser Axel Rex Cartoonist, begabt, geistreich und böse, der sich selber für genial hält, die Menschen um ihn herum wie seine Comicfiguren behandelt und, wann immer er über ein Buch spricht, „das angenehme Gefühl [hat], [...] Komplize eines genialen Scharlatans zu sein"; diesem Axel Rex steht der deutsche Romancier und Proust-Pasticheur Udo Conrad gegenüber, der mit Nabokov ästhetische Grundüberzeugungen teilt. Im Roman *Verzweiflung* posiert dessen Erzähler Hermann Karlowitsch, wahnsinnig nach Dostojewskij-Manier und ein Mörder dazu, der sich frei-lich als – wiederum – genialer Schriftsteller feiert, vor einem Photographen bedeutsam wie Thomas Mann auf den Photographien aus den zwanziger Jahren, und im *Wahren Leben des Sebastian Knight* reizt ein anonymer, von Freud angehauchter und vor Manieriertheit „porzellanblauer" Romancier Sebastian „zu einer Orgie lärmender Zertrümmerung", und Knights Halb-bruder würde mit dem Biographen Sebastian Knights, dem Scharlatan Good-man – abermals: ein Scharlatan –, und mit dessen Vorliebe für Gegensätze wie „Kunst" und „Leben" am liebsten dasselbe tun.[33] In *Pnin*, der das Genre des Campusromans begründet hat, lehrt die Hauptfigur Timofey Pnin russische Grammatik aus dem Buch eines Professor Mann, eines – natürlich – „ehrwür-digen Scharlatans", der seinen Assistenten die Jagd nach den richtigen Gram-matikexempeln überlassen hat: wie ein Falkner seinen Falken die Taubenjagd. In der amerikanischen Collegewelt *Pnins* plagen sich Literaturabteilungen noch immer unter dem Eindruck, Thomas Mann wäre ein „große[r] Schrift-steller"; und zugleich taucht Thomas Mann im *Pnin* namenlos auch noch im Kontext von Nabokovs vielleicht massivster Freud-Schmähung auf: Statt dass sich die psychoanalytischen Eltern Victor Winds an dessen Malerbegabung erfreuen, traktieren sie Victor mit psychischen Tests, grübeln düster über die genetische Ursache seiner Begabung nach und führen sie dann fälschlich auf einen ihrer Vorfahren, einen Hans Andersen zurück, der, „nicht verwandt mit dem Schlafenszeit-Dänen [...], Fenstermaler in Lübeck gewesen war, ehe er den Verstand verlor (und sich selber für eine Kathedrale hielt)".[34] Von diesem

---

[32] Michael Maar: Die falsche Madeleine, Frankfurt/Main: Suhrkamp 1999, S. 115.

[33] Vgl. Nabokov: Gelächter im Dunkel, GW III, S. 169, Verzweiflung, ebd. S. 521, und ders.: Das wahre Leben des Sebastian Knight, GW VI, S. 9, 70–72, 80 f., 85 und 148.

[34] Vgl. Nabokov: Pnin, GW IX, S. 11, 46, 108 und 168 f., und Michael Maar: Sieben Arten,

Lübecker Fenstermaler wieder ist es für Nabokov-Leser nur ein Rösselsprung zu seiner Erzählung *Frühling in Fialta,* wo die Prosa eines bösen und unsterblichen verbalen Zauberers bemaltem buntem Glas gleicht, durch das man nichts mehr sehen kann – und, so der Erzähler weiter, „es hat den Anschein, als müßte sich die schaudernde Seele einer völligen schwarzen Leere gegenüber finden, wenn man es zerschlüge." Die Klage des Erzählers im *Frühling in Fialta* darüber, dass dieser „unverwundbare Schurke" von einem Schriftsteller einen Autounfall überlebt, während die geliebte Nina stirbt, unterscheidet sich freilich kaum mehr von jenen Todesverwünschungen, die hinter den eisigen Antworten mancher Schriftsteller lauern, wenn sie wieder einmal die Frage zu beantworten haben: *Was halten Sie von Thomas Mann?*[35]

## 6

Andererseits muss man den Vergleich zwischen Thomas Mann und einem größenwahnsinnig gewordenen Fenstermaler nicht ernster nehmen, als er gemeint war, und dann auch nicht der problematischen Abbiegung nach Fialta folgen. Es kommt bei dem Vergleich auf etwas anderes, auf das Stichwort „Hans Andersen" an: Offensichtlich hat Nabokov seinen Leib-und-Magen-Feind derart genau gelesen, dass ihm nicht einmal entging, wie produktiv Thomas Mann den Reizen des angeblich so gar nicht verwandten Hans Christian Andersen erlegen war. Die Undinen tauchen bei Nabokov selber ja auch beständig auf und unter, noch in *Ada* stirbt die ungeliebte Dritte, Lucette, am Ende Andersens kleiner Meerfrau szenengetreu hinterher, und als Lucette zu Beginn des Romans den ihr unerreichbaren Prinzen – erblickt gleich Andersens kleiner Meerfrau den ihren inmitten tanzender Matrosen auf Deck – steckt der Prinz Lucettes, immerhin, in einem Matrosenkostüm – so wie vor ihm Hans Hansen in *Tonio Kröger* und Tadzio wieder im *Tod in Venedig.*[36]

„Haben wir dich doch erwischt?!", möchte man hier mit Grünlich ausrufen; denn bei all dem despotischen Widerwillen gegen Thomas Mann ist diese

Nabokovs „Pnin" zu lesen (Anm. 9), S. 26f. und 54f. Die Anspielungen auf Nabokov sind etwa in Marisha Pessls vielgerühmtem Campusroman *Special Topics in Calamity Physics* von 2006 passagenweise derart zahlreich, daß man ihn fraglos auch als einen „Nabokovroman" bezeichnen könnte.

[35] Vgl. Nabokov: Frühling in Fialta, Erzählungen 2: 1935–1951, GW XIV, S. 70–104.

[36] Vgl. Thomas Mann: Tonio Kröger, GKFA 2.1, S. 244 und 306, Der Tod in Venedig, ebd. S. 530, Nabokov: Ada, Novels 1969–1974, S. 121–124, Michael Maar: Die Feuer- und die Wasserprobe (Anm. 4), S. 94–110, bes. S. 108, und ders.: Sieben Arten, Nabokovs „Pnin" zu lesen (Anm. 9), S. 27.

motivische Gemeinsamkeit zwischen Andersen und Nabokov und Thomas
Mann ein verräterisch funkelndes Detail. Auf einmal kommt einem dieser
Widerwille nicht mehr ganz so plausibel vor, und das Despotische daran hat
spätestens hier einen faulen Geschmack.

Die Lektüregenauigkeit, die Nabokov mit dem Fenstermaler in *Pnin*
demonstriert, beweist seine Vorlesung über *Das Eisenbahnunglück* an der
Cornell University von 1950 nicht – denn genau das soll sie auch nicht: Nachdem Nabokov Kafkas *Verwandlung* behandelt hat, soll sich Thomas Mann
vor Kafka und dem Auditorium blamieren und so selbst dafür sorgen, dass
ihn die Studenten ihr Lektüreleben lang nicht mehr ernstnehmen können.
Shakespeare begrub den ihm allzu wortbewussten Marlowe in der Gestalt
des Edmund im *King Lear*, Nabokov Thomas Mann in Axel Rex und anderen Scharlatanen an der Peripherie seines Werks, und so hat er mit seinen
Studenten auch *Das Eisenbahnunglück* gelesen: peripher und willkürlich
destruktiv – zumindest für einen Professor Nabokov, der von seinem Auditorium verlangte, auf Details mit zärtlicher Sorgfalt zu achten, um am Semes-
terende dann Prüfungsfragen stellen zu können wie: *Welches Muster hat die
Tapete im Schlafzimmer von Anna Karenina?* Wäre seine Vorlesung über
*Das Eisenbahnunglück* die Antwort auf eine kanariengelb unberechenbare
Prüfungsfrage dieser Art, käme Nabokov vielleicht gerade noch mit einem
„Genügend" davon. Bereits seine Eingangsbemerkung, *Das Eisenbahnunglück* sei „eine berühmte Thomas-Mann-Geschichte", ist so überflüssig wie
falsch: Sie will lediglich die imaginäre Höhe bestimmen, von der die universitäre Gipsbüste Thomas Mann nunmehr herabstürzen soll – die Bemerkung
wäre Nabokov bei jedem anderen als ihm selber eine rote Wellenlinie wert
gewesen. Der Anfang des *Eisenbahnunglücks*, dieses sich selbst inszenierende
Erzählen, ist weder „gewichtig schnoddrig" noch „schwerfällig launig", wie
Nabokov dekretiert, sondern von pirouettierender Leichtigkeit: Nabokov hat
die Ironie des Ganzen nicht erkannt und die Moral, so die Erzählung überhaupt eine hat, vollends verfehlt. Nabokov bringt den bösen Zauberer aus
Fialta fast wörtlich wieder zum Einsatz: Da Thomas Mann „[a]ls schlechter
Schriftsteller […] nichts als vorgefertigte Sätze [verwendet], um [das Eisen-
bahnunglück] zu beschreiben […], *sieht* Mann dieses Unglück nicht". Und
damit erklärt Nabokov auch die angebliche Ungereimtheit, dass nach dem
Unglück zwar keine Menschenverluste zu beklagen sind, dass zugleich aber
Kinder unter Trümmern vergraben liegen. Doch ist diese Ungereimtheit gar
keine: Nabokov hat „das Gepäck", unter dem die Kinder bei Thomas Mann
kurz vergraben liegen, schnell durch „Trümmer" ersetzt, damit *Das Eisenbahnunglück* aus inneren Widersprüchen besteht und als „Schwindelwelt"
entlarvt werden kann. So aber hat sich Nabokov mutwillig an Thomas Mann

verlesen, und seine Mann-Kritik fällt auf ihn selbst zurück: Er wird hier selbst zum Scharlatan.[37]

7

Warum nahm sich Nabokov an Stelle des *Eisenbahnunglücks* nicht ein Werk aus Thomas Manns Œuvre vor, das von ähnlicher Tragweite war und ist wie der *Don Quijote*, den er zunächst desgleichen für „Schwindel" hielt, um dreihundert Seiten Vorlesungsnotizen später zuzugeben, dass dieser Schwindel nur im Ruf des Autors begründet lag? Das Matrosenkostüm des Prinzen in *Ada* verrät es: weil Thomas Mann ihm näher, bedrängend näher war als Cervantes. Thomas Mann war Nabokovs Skandal: ihm zu verwandt, um ihn nicht öffentlich abzulehnen und um zugleich nicht heimlich und untergründig an ihm fortzuschreiben.[38]

In *Maschenka*, Nabokovs Romandebüt, ist die geisterhafte Berliner Pensionsgesellschaft eine Berghofwelt *en miniature*, und die Hauptfigur Ganin erinnert sich – wie Hans Castorp an Pribislav Hippe – an seine erste große Liebe Maschenka und an ihre Tartarenaugen auf einer Ruhebank – da mögen Nabokov die etwas stereotyp trägen und tugendlosen Russen im *Zauberberg* auch noch so missfallen haben. In *König Dame Bube* erscheint „der König", Dreyer, maskiert im Soldatenmantel in ovalem Licht vor einer Abendgesellschaft – wie Joachim Ziemßen während der *Zauberberg*-Séance – und verschwindet dann frühmorgens, ausgerechnet, nach Davos, um dort Schilaufen zu lernen und im Schnee von Trivialerem als Hans Castorp, nämlich davon zu träumen, den Telemarkschwung – sagen wir ruhig: so gut wie Hans Castorp – zu beherrschen. Im Gegenzug zum Ende des *Zauberberg* lassen Nabo-

---

[37] Vgl. Thomas Mann: Das Eisenbahnunglück, GKFA 2.1, S. 470–481, bes. S. 477, Zeile 19 f., Nabokov: Eigensinnige Ansichten, GW XXI, S. 444–449, Pnin, GW IX, S. 27 f., John Updike: Vorwort, in: Nabokov: Die Kunst des Lesens: Meisterwerke der europäischen Literatur (Anm. 16), S. 15 f., und Harold Bloom: The Anxiety of Influence: A Theory of Poetry, New York/Oxford: Oxford University Press 1997, S. xxxi und xlvi.

[38] Eine Vorlesung Nabokovs über den *Zauberberg* für seinen Kurs *Masters of European Fiction* hätte ähnlich geraten können wie die über *Bleak House* von Charles Dickens – ihm sieht Nabokov gar die an Thomas Mann kritisierten emblematischen Formeln und leitmotivischen Wiederholungen, die Dualismen und sprechenden Namen höflich nach. Nicht einmal, daß er durch seine Dickens-Rehabilitierung der Einschätzung Orwells, mit dem er sonst nichts gemein haben wollte, bedenklich nahe kam, scheint Nabokov gestört zu haben. Vgl. Nabokov: Die Kunst des Lesens: Meisterwerke der europäischen Literatur (Anm. 16), bes. S. 89 f., 102 f., 106, 164 f. und 168, Orwell: Essays (Anm. 4), S. 35–78, und Peter von Matt: Der Wilde und die Ordnung: Zur deutschen Literatur, München: Hanser 2007, S. 157 und 182.

kovs Tötungsskrupel allerdings nicht „unbekümmert die Frage offen", ob seine Figuren davonkommen oder nicht: Dreyer ist gerade damit beschäftigt, seine Krawatte zu lösen – „und verblieb für den Rest seiner bekannten Existenz mit offenem Hemdkragen."[39] Diese Kritik an der teleologischen Unerbittlichkeit auktorialer Vorsehung dem Romanpersonal gegenüber steigert Nabokov noch, in *Lushins Verteidigung*, wo auch das Zigarettenetui mit Troika von Thomas Buddenbrook auf Lushin junior übergegangen ist: Lushin senior will eine Erzählung über seinen, Hanno Buddenbrook gleichenden, Sohn schreiben, von der Schlussszene her rück- und – mit einem Arbeitstitel für *Buddenbrooks* gesagt – abwärts: „Ja, er wird jung sterben", sinniert Lushin senior genüsslich, und „sein Tod wird unabwendbar und sehr ergreifend sein."[40] In Nabokovs Roman *Verzweiflung* beugen sich Hermann Karlowitsch und sein künftiges Opfer über einen vieldeutigen silbernen Drehbleistift, Opfer Felix steckt den Bleistift ein, und Hermann Karlowitsch fühlt sich plötzlich – die homoerotischen Töne sind unüberhörbar – „wie nach einer langen und ekelerregenden Orgie"; er tötet den Bleistiftentleiher, indes auch Castorp nach seiner Hippevision „einem von frischer Tat kommenden Mörder" gleicht.[41] Sebastian Knights Arbeitshaltung schließlich wiederholt Aschenbachs „Willensdauer und Zähigkeit", so dass der eine wie der andere – in Nabokovs Worten – „den Märtyrer mit den Pfeilen in der Seite" zum Schutzheiligen und Knight ihn gleich noch zum Vornamen hat. Sie haben für ihre jeweiligen Schöpfer denn auch eine verwandte Entlastungsfunktion auf sich genommen: Thomas Mann hat seine abgebrochenen Projekte und seine homoerotische Disposition bekanntlich Gustav von Aschenbach zugeschrieben, der abgekämpft reif für den Untergang wird; und Nabokov ließ seine Affäre mit Irina Guadanini von Sebastian Knight durchleben, mit der androgynen Nina Rechnoy, um sich in der Fiktion auszumalen, was aus ihm wohl geworden wäre, wenn er die seine nicht abgebrochen hätte: Knight stirbt, von seiner Geliebten

---

[39] Vgl. Nabokov: Maschenka, GW I, S. 49, 54, 64, 76, 85 f., 92, 116, 155 und 171, ders.: König Dame Bube, ebd. S. 373, 378, 384, 411 und 525 f., und Thomas Mann: Der Zauberberg, GKFA 5.1, S. 716, 1032 f. und 1085.

[40] Vgl. Nabokov: Lushins Verteidigung, GW II, S. 31, 68, 84 f. und 290. Auch sieht Lushins Psychiater Dr. Edhin Krokowski verdächtig ähnlich: ebd. S. 18, 20, 180 und 183 f. – Von hier aus ließe sich zeigen, wie zwanghaft reibungslos Thomas Manns Hinrichtungszeremonie im Generationenwechsel funktioniert, wenn man auch nur ein Handlungsdetail der *Buddenbrooks* korrigiert: Wäre etwa Gerda mit Hanno gegen Ende hin nach Amsterdam gezogen, hätte Hanno es unter der musikliebenden Patronage seines Großvaters mindestens zu einem Griepenkerl auf dem Klavier bringen können – ob Hofrat Behrens Hans Castorp hätte kriegsuntauglich schreiben können, steht freilich wieder auf einem anderen Blatt.

[41] Vgl. Nabokov: Verzweiflung, GW III, S. 291 f., 348, 371 und 494, Thomas Mann: Der Zauberberg, GKFA 5.1, S. 190, Michael Maar: Die falsche Madeleine (Anm. 32), S. 99 f., und ders.: Das Blaubartzimmer: Thomas Mann und die Schuld, Frankfurt/Main: Suhrkamp 2000, S. 65 ff.

verlassen, qualvoll allein. Wie stark Nabokov *Der Tod in Venedig* – auf *Lolita*
hin – beeindruckt haben muss, ist noch der von ihm augenscheinlich erfundenen Anekdote anzumerken, ein Verlag hätte *Lolita* nur unter der Bedingung
veröffentlichen wollen, daß das Mädchen in einen zwölfjährigen Jungen und
Humbert Humbert in einen Farmer verwandelt wären, sich das Ganze also
wie ein Amalgam aus dem *Tod in Venedig* und Faulkners *Sanctuary* ausge-
nommen hätte und damit tatsächlich wie ein Roman von – Falknermann.[42]

## 8

Es liest sich wie ein pythonesker Kommentar zur Rivalität unter Autoren,
wenn Humbert Humbert und Clare Quilty, beide Literaten und Quilty der
Scharlatan *par excellence* unter den Scharlatanen in Nabokovs Werk, in *Lolita*
auf einem Teppich miteinander ringen, einer in des anderen Armen wie zwei
riesige, hilflose Kinder: „Ich rollte über ihn. Wir rollten über mich. Sie rollten über ihn. Wir rollten über uns."[43] Gleich wie Quilty Humbert Humbert
imitierte und persiflierte, um ihm seine geistige Verwandtschaft zu bekunden,
als Humbert hinter ihm und Lolita her war, so sind auch Nabokovs Zugriffe
auf Thomas Manns Werk parodistische Verzerrungen und karikaturistische
Korrekturen, hinter denen ein zwinkerndes Lächeln sichtbar wird. Liest man
Thomas Mann jedenfalls so, wie Nabokov es für die schöpferischen Autoren
von seinen Studenten gefordert und wie er Thomas Mann selber, nach diesen Anleihen zu schließen, auch gelesen hat, tut sich ein Horizont der Ana-
logien zwischen den beiden vor uns auf: Da ist dasselbe Kunstverständnis,
dass Literatur nämlich Mimikry, Täuschung, Scharlatanerie, eine Meisterfäl-
schung sei, in Thomas Manns Worten „Rolle", „Spiel", „Artisterei", und dass
ein Schriftsteller, in Nabokovs Worten, immer an der Vervielfältigung seiner
selbst schreibt wie Tonio Kröger – und es ist dieser Geist des Unernsts und der
Ironie, der Thomas Mann für eine an Humorlosigkeit grenzende moralische
Bestimmung des Dichters bei Musil, Joseph Roth, Canetti, Thomas Bernhard und Saul Bellow so überlegen wie nicht ganz geheuer machte.[44] Da ist

---

[42]  Vgl. Thomas Mann: Der Tod in Venedig, GKFA 2.1, S. 510–512, Nabokov: Das wahre Leben
des Sebastian Knight, GW VI, S. 159, Lolita, GW VIII, S. 512 f., und Reinhard Baumgart: Selbst-
vergessenheit. Drei Wege zum Werk: Thomas Mann, Franz Kafka, Bertolt Brecht, Frankfurt/Main:
Fischer Taschenbuch 1993, S. 17–22.

[43]  Nabokov: Lolita, GW VIII, S. 487 f.

[44]  Vgl. Thomas Mann: Tonio Kröger, GKFA 2.1, S. 263, Betrachtungen eines Unpolitischen,
GW XII, S. 11 f. und 444, Nabokov: Lushins Verteidigung, GW II, S. 302, Die Kunst des Lesens:
Meisterwerke der europäischen Literatur (Anm. 16), S. 30 f., Deutliche Worte, GW XX, S. 29 f.,

dieselbe Neigung, die Geschichte der Literatur von aller anderen Geschichte getrennt zu halten.[45] Da ist der *paedophile appeal*, da sind die Knaben bei Thomas Mann und die immer knabengleichen jungen Mädchen bei Nabokov, von Margot im *Gelächter im Dunkel* über Lolita bis zu *Adas* Lucette. Da sind all die notorisch trennungsfreudigen, *in eroticis* eklektischen Engel des Giftes, die *belles dames sans merci*, die Misogynie und die Kälte, die man ihnen beiden zum Vorwurf machte.[46] Da sind Oper und Theater bei Thomas Mann, das Kino bei Nabokov, die jeweils ihre oft melodramatischen Plots reflektieren.[47] Da ist die Schopenhauerpassion, die Nabokov nicht immer so gut verbarg, wie Thomas Mann sie offenlegte.[48] Da sind die Erzählerfiguren, Humbert Humbert und Felix Krull, und die ihrem Gegenstand nicht immer gewachsenen Biographen, Sebastian Knights Halbbruder und Serenus Zeitblom. Und da ist die Fiktionsironie, mit der Nabokov seit jeher und Thomas Mann seit dem *Krull* von 1910 auch jener nichtrealistischen, romantischen Tradition angehört, die mit Cervantes begann und die Thomas Mann zwar verhaltener, doch oft formfester und subtiler handhabe, als Nabokov wahrhaben wollte, etwa

59 f., 181 und 242, Eigensinnige Ansichten, GW XXI, S. 87, 103, 115, 167 und 334, Joseph Roth: Das journalistische Werk 1929–1939, Köln: Kiepenheuer & Witsch 1991 (= Werke, hrsg. von Klaus Westermann, Bd. 3), S. 907 f., Sven Hanuschek: Elias Canetti: Biographie (Anm. 4), S. 585, Alfred Doppler: Geschichte im Spiegel der Literatur: Aufsätze zur österreichischen Literatur des 19. und 20. Jahrhunderts, Innsbruck: Institut für Germanistik 1990 (= Innsbrucker Beiträge zur Kulturwissenschaft: Germanistische Reihe, Bd. 39), S. 187–196, Conversations with Saul Bellow, hrsg. Gloria L. Cronin und Ben Siegel, Jackson: University Press of Mississippi 1994, S. 208 und 275, Hans Wysling: Narzissmus und illusionäre Existenzform: Zu den Bekenntnissen des Hochstaplers Felix Krull, Frankfurt/Main: Klostermann 1990 (= TMS V), S. 21–66 und 112–137, ders.: Ausgewählte Aufsätze 1963–1995, hrsg. von Thomas Sprecher und Cornelia Bernini, Frankfurt/Main: Klostermann 1996 (= TMS XIII), S. 73 ff., und James Wood: The Broken Estate: Essays on Literature and Belief, London: Pimlico 2000, S. 106–121.

   [45] Vgl. Hanno Helbling: Vorwort, in: Thomas Mann: Betrachtungen eines Unpolitischen, Frankfurt/Main: Fischer Taschenbuch 2001, S. 7–24, Nabokov: Nikolaj Gogol, GW XVI, S. 110, und ders.: Eigensinnige Ansichten, GW XXI, S. 55–57 und 453.

   [46] Vgl. Karl Werner Böhm: Zwischen Selbstzucht und Verlangen: Thomas Mann und das Stigma der Homosexualität, Würzburg: Königshausen & Neumann 1991 (= Studien zur Literatur- und Kulturgeschichte, hrsg. von Heinz Dollinger, Eckhard Heftrich und Hermann Kurzke, Bd. 2), bes. S. 169 ff., Heinrich Detering: „Juden, Frauen und Litteraten": Zu einer Denkfigur beim jungen Thomas Mann, Frankfurt/Main: S. Fischer 2005, S. 22 ff., und Craig Raine: Afterword, in: Nabokov: Laughter in the Dark, London: Penguin 1998, S. 189–199.

   [47] Vgl. The Cambridge Companion to Thomas Mann, hrsg. von Ritchie Robertson, Cambridge: Cambridge University Press 2002, S. 84–95, The Cambridge Companion to Nabokov, hrsg. von Julian W. Connolly, Cambridge: Cambridge University Press 2005, S. 215–231, und Rudolf Vaget: Seelenzauber: Thomas Mann und die Musik, Frankfurt/Main: S. Fischer, S. 78 ff.

   [48] Vgl. Arthur Schopenhauer: Sämtliche Werke, hrsg. von Arthur Hübscher, Wiesbaden: Brockhaus 1946–1950, Bd. III, S. 532 ff., und Bd. VI, S. 290 f. und 296, Nabokov: Erinnerung, sprich, GW XXII, S. 19–25, Brian Boyd: Vladimir Nabokov: Die amerikanischen Jahre 1940–1977 (Anm. 26), S. 879, und Michael Maar: Die falsche Madeleine (Anm. 32), S. 102–113.

wenn Thomas Mann Hans Castorp im *Zauberberg* Hofrat Behrens gegenüber „ein ungefähres Bild" von Peeperkorn zeichnen und dann den Erzähler hinzufügen lässt, Castorp hätte „seine Sache nicht schlecht gemacht, – wir hätten sie auch nicht wesentlich besser machen können."[49]

Und da ist zuletzt die Séance im *Zauberberg*, die aus dem Stoff von Nabokovs Träumen gemacht war: So wie „wir" Leser, vom Kapitel *Fragwürdigstes* aus gesehen, an der Seite des Erzählers im *Zauberberg* zuletzt „Schatten am Wege" sind und schon immer gewesen sein könnten, vom *Vorsatz* an, so nehmen sich bei Nabokov Totenkomitees still und besorgt der Geschicke der Lebenden an. Am Ende von *Transparent Things*, den *Durchsichtigen Dingen*, Nabokovs vorletztem Roman, nimmt ein Romancier, der Thomas Mann nicht unähnlich ist, seinen Korrektor im Jenseits in Empfang mit den Worten: „Immer schön sachte, dann wird's schon, mein Sohn", *„Easy, you know, does it, son"* – und seitdem Nabokov aus dem Diesseits durch den Zypressenvorhang gegangen ist, haben die beiden ja doch so einiges noch auszumachen untereinander, der Lübecker Fenstermaler und der andere Scharlatan.[50]

---

[49]  Thomas Mann: Der Zauberberg, GKFA 5.1, S. 830. Vgl. Hermann J. Weigand: The Magic Mountain: A Study of Thomas Mann's Novel „Der Zauberberg", Chapel Hill: The University of North Carolina Press 1964, S. 59–95, Herman Meyer: Das Zitat in der Erzählkunst: Zur Geschichte und Poetik des Europäischen Romans, Frankfurt/Main: Fischer Taschenbuch 1988 [erstmals 1961], bes. S. 209–211, Francis Bulhof: Transpersonalismus und Synchronizität: Wiederholung als Strukturelement in Thomas Manns „Zauberberg", Groningen: Drukkerij van Denderen 1966, S. 159–188, Friedhelm Marx: Mynheer Peeperkorns mythologisches Rollenspiel: Zur Integration des Mythos in Thomas Manns „Zauberberg", in: Wirkendes Wort 42, 1992, H. 1, S. 67–75, Michael Neumann: Die Irritationen des Janus oder „Der Zauberberg" im Feld der klassischen Moderne, in: TM Jb 14, 2001, S. 69–85, und Thomas Sprecher: „Ein junger Autor hat es begonnen, ein alter setzt es fort": „Felix Krull" im Gesamtwerk Thomas Manns, in: TM Jb 18, 2005, S. 159–176.

[50]  Vgl. Thomas Mann: Der Zauberberg, GKFA 5.1, S. 1081 und 1083, Nabokov: Pnin, GW IX, S. 167, ders.: Transparent Things, Novels 1969–1974, S. 562, Vladimir E. Alexandrov: Nabokov's Otherworld, Princeton: Princeton University Press 1991, S. 3–22, die Aufsätze von D. Barton Johnson und Priscilla Meyer zu Nabokovs Jenseitswelten in: Nabokov's World, Volume 1: The Shape of Nabokov's World, hrsg. von Jane Grayson, Arnold McMillin und Priscilla Meyer, New York: Palgrave 2002, S. 71–87 und 88–193, und W.G. Sebald: Campo Santo, hrsg. von Sven Meyer, München/Wien: Hanser 2003, S. 184–192. In diesem Geistergespräch wird Nabokov dann auch die Tatsache nicht ignorieren können, daß es mittlerweile Autoren gibt, die sich vor ihnen beiden zugleich verneigen, als wäre für Nabokov im Pantheon ein Platz neben Thomas Mann freigehalten worden – so Gilbert Adair in *Love and Death on Long Island* von 1990, Alan Hollinghurst in *The Folding Star* von 1994, und Orhan Pamuk: Schnee. Roman, München/Wien: Henser 2005, S. 212 ff.

*Manfred Dierks*

# Ambivalenz

## Die Modernisierung der Moderne bei Thomas Mann

„Hans Castorp gähnte erregt." (5.1, 127) Es ist einen Tag nach seiner Ankunft auf dem Zauberberg, und Hans Castorp hat schon allerhand Merkwürdiges erlebt. Er hat den Herrenreiter husten gehört, wie er noch nie jemanden hatte husten hören, es klang wie ein „Wühlen im Brei organischer Auflösung" (5.1., 25) und es war, „als ob man dabei in den Menschen hineinsähe, wie es da aussieht" (5.1, 25). In Folge dieses ungewöhnlichen Einblicks nehmen „seine reisemüden Augen einen erregten Glanz" (5.1, 25) an. Später bekommt es Castorp dann mit einem weiteren, aber für ihn doch längst historisch gewordenen Reizthema zu tun, das sich unter der Hand geradezu einschleicht, nämlich mit der Schule. Die sich lautlos bewegende, aber scheppernd türenwerfende junge Russin, die ihn so beschäftigt – warum nur erinnerte sie ihn an ein Schulmädchen? Und welche verborgenen Wünsche hatte dann Herr Albin in Hans Castorp geweckt, als er den eigenen Zustand als unheilbar Kranker mit dem des Sitzenbleibers in der Schule verglich, mit dem keiner mehr rechnete und der alle Vorteile seiner Schande genoss? Jedenfalls „erschreckte den jungen Mann ein Gefühl von wilder Süßigkeit, das sein Herz vorübergehend zu noch hastigerem Gange erregte" (5.1, 125). Ja, Hans Castorp ist auf merkwürdige Weise erregt und belebt.

Und andererseits ist er sehr müde, man kann sagen: todmüde. Das kommt nicht nur von der langen Reise. Es verhält sich eher so, dass in Hans Castorp seit je eine Neigung zu Entspannung und Entgrenzung vorhanden war, die hier im Sanatorium nun ihren angemessenen Ort gefunden hat. Etwa die Vorliebe zu „dösen" – „nämlich mit schlaffem Munde und ohne einen festen Gedanken ins Leere zu träumen" (III, 46). Castorp hat ein natürliches Talent für die horizontale Lebensweise hier oben. Das äußert sich erst einmal als Müdigkeit. „Wann ist denn wieder Liegekur?", fragt er schon nach dem Frühstück. (5.1, 109)

Nun macht er die Erfahrung, dass die beiden gegensätzlichen Tendenzen – Erregung und Müdigkeit – hier oben sehr wohl zusammen auftreten können, in einem seltsamen Mischzustand. Vetter Joachim erzählt beispielsweise von dem Studenten, der sich nach der ärztlichen Generaluntersuchung drüben im Walde aufgehängt hatte, ein schockierendes Vorkommnis – aber in

irgendeiner Hinsicht auch faszinierend. Denn „Hans Castorp gähnte erregt"
(5.1, 127). Er „gähnte erregt" – das ist eine widerstreitende Befindlichkeit,
die ihm im Flachland nicht vorgekommen ist. Man könnte auch sagen: Hans
Castorp gähnte *ambivalent*, müde und munter. Man ändert hier eben seine
Begriffe.

Der geübte *Zauberberg*-Leser wird eine ganze Reihe solcher widersprüch-
licher Ausdrücke herzählen können. „Eilende Weile" (5.1, 1004) ist so einer,
„sympathische Magerkeit" (5.1, 464) ein anderer, und welchen Eindruck macht
denn Mijnher Peeperkorn auf Hans Castorp? „Robust und spärlich, das ist der
Eindruck" (5.1, 829). Der geübte *Zauberberg*-Leser weiß auch, dass wir in diesen widersprüchlichen Ausdrücken das Erzählprinzip des ganzen Romans *in
nuce* erfasst haben: Konflikt und Mehrdeutigkeit. Der gängigste Name dafür
lautet *Ambivalenz. Der Zauberberg* ist der erste Roman Thomas Manns, in
dem Ambivalenz ein absichtlich eingesetztes, durchgreifendes Erzählprinzip
ist. Ich behaupte, dass das an Folgendem liegt: *Der Zauberberg* ist ein Roman
über die Wurzeln und das Schicksal der westlichen Moderne. Und Ambivalenz – darin folge ich dem polnisch-englischen Philosophen Zygmunt Bauman[1] – ist ein grundsätzliches Merkmal dieser westlichen Moderne.

Was ist nun die westliche Moderne? Der Begriff ist jedenfalls seit etwa
zehn Jahren als Schlagwort bekannt, seitdem Samuel P. Huntington ihn in
seiner Prognose vom bevorstehenden „Kampf der Kulturen"[2] verwendet hat.
Er kommt derzeit vor allem in der Auseinandersetzung mit dem Islam vor.
Als kulturelle und politisch-wirtschaftliche Einheit wurde das Konzept der
„westlichen Moderne" ganz wesentlich von Karl Marx und dann von Max
Weber geprägt. Sie haben die auch heute noch gut nutzbare theoretische Basis
geschaffen. Über dieser Basis allerdings erhebt sich derzeit ein babylonischer
Turm aus unterschiedlichsten Moderne-Entwürfen, die sich weder über
Datierungen noch über Inhalte einig sind. Ich will auf diese Diskussion hier
nicht eingehen.[3] Stattdessen schlage ich einige wenige Festlegungen vor, und
zwar:

Die westliche Moderne ist ein Projekt der europäischen Aufklärung. Sie
beginnt mit dem Rationalisierungsschub des 17. Jahrhunderts und konzen-

---

[1] Zygmunt Bauman: Moderne und Ambivalenz. Das Ende der Eindeutigkeit, Hamburg: Junius
1992, S. 13–32; Zygmunt Bauman: Flüchtige Moderne, Frankfurt/Main: Suhrkamp 2003, S. 182,
244.

[2] Samuel P. Huntington: Kampf der Kulturen. Die Neugestaltung der Weltpolitik im 21. Jahrhundert, München: Europaverlag 1996.

[3] Ich stütze mich auf folgende Arbeiten: Ulrich Beck: Risikogesellschaft. Auf dem Weg in
eine andere Moderne, Frankfurt/Main: Suhrkamp 1986; Anthony Giddens: Konsequenzen der
Moderne, Frankfurt/Main: Suhrkamp 1996; Heiner Keupp u.a.: Indentitätskonstruktionen. Das
Patchwork der Identitäten in der Spätmoderne, Reinbek bei Hamburg: Rowohlt 1999.

triert sich auf folgende Entwicklungslinien: Emanzipation des Subjekts, Demokratisierung, Verwissenschaftlichung und Industrialisierung. Das Projekt durchläuft das 18. und das 19. Jahrhundert mit großen Erfolgen unter der Fahne des Fortschritts. Dabei zeigt es eine Eigentümlichkeit: *von Zeit zu Zeit muß sich die Moderne modernisieren*.[4] Das heißt: sie revidiert ihre Grundlagen und bezieht daraus eine neue Dynamik. In der Regel ist das ein Beschleunigungsschub, die Moderne wird schneller. Im letzten Drittel des 19. Jahrhunderts beispielsweise tritt eine solche Modernisierung ein und beschleunigt das Moderneprojekt – durch die Eisenbahn, die Telegraphie und durch die Rationalisierung der Fabrikarbeit. Zeit wird zu Tempo – am Arbeitsplatz und im Alltagsleben. Viele halten das nervlich nicht durch, sie sind einfach nicht flexibel genug. Es ist eine Krisen- und Umbruchszeit.

Es ist auch die Zeit, in der Thomas Mann seinen ersten Roman schreibt, in den Jahren 1897–1900. Er steht dabei unter dem Eindruck einer Erkrankung des Selbst, der *Neurasthenie* – der reizbaren Nervenschwäche. Für mehr als zehn Jahre versteht er sich und den Bruder Heinrich als Neurastheniker. Was war die Neurasthenie? Sie war eine Protestkrankheit, mit der viele auf die unerträgliche Beschleunigung des Lebens antworteten – bezeichnenderweise war sie aus dem kapitalistischen Amerika herübergekommen, aus einem Land, in dem die Modernisierung früher und auch rücksichtsloser betrieben wurde als in Europa. Seit 1882 arbeitete hier Frederick W. Taylor an seinen wissenschaftlichen Zeit-Studien, die die Industrieproduktion durch Verkürzung und Intensivierung der Arbeitszeit zunehmend ertragreicher machten. Und Henry Ford, der Taylors Zeit-Konzept am konsequentesten realisiert hat, steuert auf die Fließbandproduktion zu. Hinter all dem steht ein Lehrsatz von Benjamin Franklin, dem Philantropen und puritanischen Kapitalisten. Der Satz stammt bereits aus dem Jahre 1736/48 und lautet: „Remember that time is money." Jedermann kannte ihn in der Verkürzung: *Time is money*.[5] Die Neurasthenie steht also um 1900 in einem engen Zusammenhang mit der beschleunigten kapitalistischen Moderne und ihrer Zeit-Philosophie.

Als Thomas Mann *Buddenbrooks* konzipiert, gibt er die Neurasthenie an seine Untergangsfamilie weiter, insbesondere die Brüder Thomas und Christian müssen die Krankheit ausagieren – der eine als Held des Trotzdem, der

---

[4] Ulrich Beck/Wolfgang Bonß: Die Modernisierung der Moderne, Frankfurt/Main: Suhrkamp 2001; Ulrich Beck/Anthony Giddens/Scott Lash: Reflexive Modernisierung, Frankfurt/Main: Suhrkamp 1996.

[5] Max Weber: Die protestantische Ethik. Eine Aufsatzsammlung, hrsg. von Johannes Winckelmann, Gütersloh: Gerd Mohn 1978, Bd. 1, S. 40.

andere als Bajazzo. Ich habe das schon mehrfach ausführlich gezeigt,[6] und Karsten Blöcker,[7] Manfred Eickhölter,[8] Hans Dieter Mennel[9] und Thomas Rütten[10] verdanken wir jetzt weitere Einsichten in die Umstände der Krankheit. Tatsächlich kann, wer will, die meisten Verlaufseigentümlichkeiten und Symptome der Neurasthenie, wie sie sich an den Brüdern zeigen, in Dr. George Miller Beards Nerven-Handbuch von1881[11] nachlesen.

Heißt das nun, dass *Buddenbrooks* auch ein Stück Protestliteratur gegen die Modernisierung um 1900 darstellt?[12] Nein und Ja. Natürlich hat sich der Neurastheniker Thomas Mann nicht mit überforderten Fabrikarbeitern solidarisiert oder mit den hypernervösen Damen in der Telefonvermittlung von Siemens. Vermutlich hat er von ihnen gar nicht gewusst. Aber Moderne-Kritik hat er durchaus betrieben, schon, indem er seinen Roman in den Rahmen der europäischen Dekadenz-Ideologie stellte. Und mit einer geradezu verblüffenden Eigenleistung wird er auch zum Kapitalismus-Kritiker. Der Roman *Buddenbrooks* reproduziert nämlich sehr genau Muster der protestantischen Ethik: Wir finden sie im Arbeitsethos des Senators, im Prinzip der Selbstverantwortung, dem Christian nicht gewachsen ist, in der Hochschätzung von Ordnung und nutzbarer Zeit – nichts davon angelesen, alles rein aus dem Lübecker Erfahrungswissen des Autors.[13] Er kennt noch keinerlei Theorie,

[6] Manfred Dierks: Krankheit und Tod im frühen Werk Thomas Manns, in: TMS XVI, 1997, S.11–32. Ders.: „Buddenbrooks" als europäischer Nervenroman, in: TM Jb 15, 2002, S.135–151. Den Hinweis auf die Bedeutung der Neurasthenie verdanke ich Arbeiten von Joachim Radkau, siehe insbesondere seine Monographie Das Zeitalter der Nervosität, München, Wien: Hanser 1998; und seinen Vortrag Neugier der Nerven in: TM Jb 9, 1996, S.29–54.

[7] Karsten Blöcker: „Ach, wie ist es hart und traurig". Tony Buddenbrook in Esslingen am Neckar, hrsg. von der Deutschen Schillergesellschaft (= Spuren 58), Marbach am Neckar 2003. Ders.: „Es ist kein Schmerz, es ist... eine unbestimmte Qual". Christian Buddenbrook zur Kur in Bad Boll, Bad Cannstatt und Esslingen Neckar, hrsg. von der Deutschen Schillergesellschaft (= Spuren 71), Marbach am Neckar 2005.

[8] Manfred Eickhölter: *Buddenbrooks* und die Anfänge der Familienpsychologie, demnächst in: Hans Wißkirchen/Dietrich von Engelhardt (Hrsg): Literatur und Wissenschaften um 1900.

[9] Hans Dieter Mennel: Thomas Mann und die Pathologie, Vortrag auf der Davoser Tagung 2006 „Thomas Mann und die Wissenschaften vom Menschen" (erscheint TMS 2007).

[10] Thomas Rütten: Auf der Mannschen Eisenbahn. Die Pathogenität des Schienenverkehrs zum Zauberberg, Vortrag auf der Davoser Tagung 2006 „Thomas Mann und die Wissenschaften vom Menschen" (erscheint TMS 2007).

[11] George M. Beard: Die Nervenschwäche (Neurasthenia). Ihre Symptome, Natur, Folgezustände und Behandlung, Leipzig: F.C.W. Vogel 1881.

[12] Um so aktuell zu sein, fehlen dem 1897 begonnen Roman genau 20 Jahre erzählter Zeit. Er geht von 1835–1877. Die beiden Hauptakteure vor allem bekommen eine Krankheit zugesprochen – allerdings als Erbkrankheit verstanden –, deren äußere Bedingungen für sie noch gar nicht eingetreten waren.

[13] Manfred Dierks: „Buddenbrooks" und die kapitalistische Moderne, Vortrag auf der Davoser Tagung 2006 „Thomas Mann und die Wissenschaften vom Menschen" (erscheint TMS 2007).

die ihm gezeigt hätte, wie das protestantische Arbeitsethos dem Kapitalismus seine Basis geliefert hat. Damit wird er erst später bekannt, als er Max Webers Schrift zur protestantischen Ethik in die Hand nimmt. Ich empfehle dazu ein kleines Experiment: Man lese Webers heute noch grundlegende Schrift – ihr genauer Titel lautet *Die protestantische Ethik und der Geist des Kapitalismus* – und beobachte von dort her einmal Lebensführung und Geschäftsgebaren der männlichen Buddenbrooks. Wüsste man es nicht anders, würde man am Ende überzeugt sein: Thomas Mann hat's von Max Weber. Tatsächlich aber ist Webers Kapitalismus-Studie vier Jahre nach dem Roman erschienen. Soviel zu *Buddenbrooks* als unwillkürlicher Moderne-Kritik.[14]

In den Jahren nach dem Erscheinen dieses Romans dämmert es Thomas Mann, dass er zumindest mit Thomas Buddenbrook einen Widerstandshelden geschaffen hat, und er lässt ihm weitere folgen: Savonarola, in *Königliche Hoheit* den Dr. Sammet und den Dr. Überbein, und mit Gustav von Aschenbach erfährt dieser Heldentyp seine Apotheose. Widerstandshelden ... Aber Widerstand wogegen? Explizit: gegen die Modernisierung der Moderne. Etwas mag sich in uns allerdings gegen diese Antwort sträuben. Was, konkret, hat diese Modernisierung Thomas Mann denn zugefügt? Hat er sie denn am eigenen Leibe erlebt? Wir sehen ihn in jenen Jahren nirgendwo an den Schaltstellen der Beschleunigung – weder im Geschäftsleben, noch in der Politik, weder in der aufkommenden Massenpresse, noch an sonst einem Ort, wo Überforderung droht. Oder ist er denn ein Großstadtgeschädigter, wie so mancher Berliner? Ach, München hat ja noch nicht mal die U-Bahn ... Worunter Thomas Mann tatsächlich leidet, das ist eine nervöse Konstitution, eine Neurasthenie, von der er doch eher überzeugt ist, sie sei ihm von der Familie vererbt worden.[15] Und diese Nervenschwäche allerdings macht er fruchtbar, über sie wird er zum Repräsentanten der tatsächlichen Modernisierungsopfer.

---

[14] BeU 1916: „Ich sehe ferner, dass eben dieser Gefühlseinsicht in den Zusammenhang von kapitalistischer Neubürgerlichkeit und protestantischer Ethik eine gewisse zeitkritische Modernität meiner Produktion entstammt." (XII, 147)

[15] Die Mediziner waren sich zu dieser Zeit nicht einig, ob Neurasthenie vererbt oder ob sie extern als moderne Überforderungskrankheit verursacht wurde. Die Generallinie blieb allerdings, nach Radkau: Das Zeitalter der Nervosität (zit. Anm. 6), S. 66, die Auffassung, Neurasthenie werde von außen durch Zivilisationsdruck verursacht. Das Schreckgespenst der Brüder Mann, in Onkel Friedel verkörpert, in Christian Buddenbrook dargestellt, jedoch dürfte sich in einer Formulierung des sozialdemokratischen Hygienikers Alfred Grotjahn wieder finden, der über die „geborenen Neurastheniker" schreibt: „Stammen sie aus höheren Kreisen, so verbummeln sie, verarmen, treiben Hochstapelei, bilden den Schrecken ihrer Familien oder vertrödeln im besten Falle ihr Leben in ‚Pensionen für Nervöse'." (Nach Radkau: Das Zeitalter der Nervosität, S. 67) Dieser Satz bezeichnet wesentliche Motive, die Thomas Manns sozusagen „kontraphobisch" in seinem Frühwerk darstellt. Sie sind der psychische Realgrund unter dem Überbau der „Bürger-kontra-Künstler"-Ideologie.

Er kommentiert sich dazu selbst im *Tod in Venedig*, wenn er über Gustav von Aschenbach schreibt:

[Man konnte] zweifeln, ob es überhaupt einen anderen Heroismus gäbe als denjenigen der Schwäche. Welches Heldentum aber jedenfalls wäre zeitgemäßer als dieses? Gustav Aschenbach war der Dichter all derer, die am Rande der Erschöpfung arbeiten, der Überbürdeten, schon Aufgeriebenen, sich noch Aufrechterhaltenden, all dieser Moralisten der Leistung [...] Ihrer sind viele, sie sind die Helden des Zeitalters. Und sie alle erkannten sich wieder in seinem Werk, sie fanden sich bestätigt, erhoben, besungen darin, sie wußten ihm Dank, sie verkündeten seinen Namen. (2.1, 512)

Dieser Selbstkommentar wird 1916 in den *Betrachtungen eines Unpolitischen* wieder aufgegriffen, und ich füge den Passus hier an, weil er die konkrete Einsicht Thomas Manns in die moderne Überforderung deutlich macht:

Wenn ich irgend etwas von meiner Zeit sympathetisch verstanden habe, so ist es ihre Art von Heldentum, die modern-heroische Lebensform und -haltung des überbürdeten und übertrainierten, am Rande der Erschöpfung arbeitenden *Leistungsethikers* ... (XII, 144f.)

Gemeint ist hier der normale deutsche Berufsmensch, der der modernen Überanstrengung ausgesetzt ist und ihr standhalten muss. Der Anglizismus „übertrainiert" weist dabei auf die Weltgegend, aus der die Überforderung kommt: das industriell fortgeschrittenere Amerika mit seinem höheren Arbeitstempo. Thomas Mann hat mit dieser anstrengenden Berufswelt selber kaum etwas zu tun. Doch er vergleicht damit das eigene schwierige, nervöse Künstlertum und erklärt es zu eben seiner persönlichen Form der allgemeinen (er benutzt das Wort) „Modernisierung" (XII, 140). Wie gut aber, dass die realen Modernisierungsopfer sich in seinem Werk wiedererkannten und „seinen Namen [verkündeten]" (2.1, 512). Denn Thomas Mann kritisiert zwar die Moderne, aber er will auch ihren Ruhm und kann sich ihr deshalb nicht entziehen. Mit dieser Ambivalenz stattet er den *Zauberberg* aus: Hans Castorp wird zum Flüchtling der Moderne, versteckt sich vor ihr im Sanatorium, doch am Ende holt sie ihn sich zurück in ihre erste große Katastrophe, den Weltkrieg.

Hans Castorp als Flüchtling der Moderne – ist das nicht übertrieben? Ist er ihren Anforderungen denn überhaupt ausgesetzt? Und ist er nicht überhaupt viel zu unbedeutend, viel zu mittelmäßig? Solche Fragen sind durchaus berechtigt, weil der Roman selbst mit ihnen sein ambivalentes Bedeutungsspiel treibt. Vielleicht soll aus Castorps Mittelmäßigkeit ja gerade hervorgehen, dass er Durchschnitt ist und zwar durchschnittlich in dem Sinne, dass er repräsentativ ist für viele in seiner Zeit?

Ansonsten kennen wir Hans Castorp ja wohl zur Genüge nach Herkunft und Beschaffenheit. Einige Nebenzüge in der Beschreibung seiner Person, die selten beachtet werden, gewinnen jedoch erst in unserem Kontext Bedeutung. Beispielsweise der Gesundheitsbericht über die Familie Castorp. Er stimmt etwas bedenklich: Hans Castorps Großvater nämlich war noch eine „schwer zu fällende, im Leben zäh wurzelnde Natur" (5.1, 35) gewesen, sein Sohn, Castorps Vater, aber war dann schon „nicht der Stärkste" (5.1, 34); beide starben übrigens an einer Lungenentzündung, und der Roman lässt noch beiläufig fallen, dass auch Castorps Vetter Ziemßen nicht „ganz fest auf der Brust"(5.1, 56) war. Das wäre also das physische Argument dafür, weshalb Hans Castorp eines Tages ein Lungensanatorium gebrauchen kann. Das *Buddenbrooks*-Thema von Vererbung und Degeneration in der Familie ist hier wieder aufgenommen, es wird zwar nur verhalten angespielt – aber, es ist da. Es hat also ein bestimmtes Gewicht für Hans Castorps Ausgangslage.

Ähnlich geht es mit dem Thema „Künstlertum". In *Buddenbrooks* trieb der neurasthenische Niedergang die späte Angstblüte der Kunst – im kleinen Hanno mit seiner Musik. Und wie verhält es sich mit Hans, dem vielleicht letzten Castorp? Nicht anders. Er kann vorzüglich Schiffe zeichnen – jawohl: Fischkutter, Gemüseewer und Fünfmaster. Der Roman verwendet eine halbe Seite auf die Schilderung dieses nicht gerade alltäglichen Talents und auf sein kleines Meisterstück, das Bildnis des neuen Doppelschrauben-Dampfers *Hansa* von Blohm & Voss. (5.1, 55) Hans Castorp hätte durchaus Marinemaler werden können. Der „Marinemaler" schraubt das *Buddenbrooks*-Muster vom späten Künstlertum natürlich auf ein komisches Mittelmaß herunter. Aber, es ist inhaltlich auch ein genaues Selbstzitat Thomas Manns, steht da nicht nur spaßeshalber und hat somit ein bestimmtes Gewicht im Roman.

Eine weitere Veranlagung, sie kommt vom Großvater her, wird ausführlicher dargestellt – man kann sie *Zeitfühligkeit* nennen. Schon als kleiner Junge hat Hans Castorp ein Gespür dafür, dass es zwei Sorten Zeit gibt. Die eine, die lineare Form der Zeit, entspringt in der Vergangenheit, durchläuft die Gegenwart und vertickt in die Zukunft. Das ist die alltägliche, die Normalzeit. Die andere Zeitform dagegen hat gar keine Ausdehnung, sie ist die Ewigkeit, ein in der Gegenwart stehender Punkt, wie ihn die Mystiker kennen. Aber, eben nur die Mystiker. Der Normalmensch mit seinem linearen Zeitkonzept im Kopf kann die ausdehnungslose Ewigkeit nicht erfahren – oder doch nur in einer Annäherung: im Erlebnis der ständigen Wiederkehr. Da krümmt sich die lineare Zeit zum Kreis, schreitet nur scheinbar voran und kehrt am Ende wieder in den Anfang zurück. Die Ewigkeit besteht danach aus unendlichen Wiederholungen des Gleichen. Es ist so, als wenn man dir im Sanatorium jeden Tag um Zwölf die Suppe bringt – eine endlose Zahl von Wiederholungen, die sich durch nichts unterscheiden. Schließlich ist dir so, als ob man dir ewig die Suppe bringt, und du legst den Löffel niemals mehr aus der Hand.[16]

Hans Castorp macht diese Zeiterfahrungen früh. Er ist durchaus angepasst an den normalen, alltäglichen Zeittakt seiner Heimatstadt, doch seine innere Uhr geht manchmal anders, so, als sei ihre Feder erschlafft. Dann hat man ihm die Taufschale gezeigt, auf dem der Name des Vaters steht, der des Großvaters, dann der des Urgroßvaters –

und [es] verdoppelte, verdreifachte und vervierfachte sich die Vorsilbe ‚Ur‘ im Munde des Erklärers, und der Junge lauschte seitwärts geneigten Kopfes, mit nachdenklich oder auch gedankenlos träumerisch sich festsehenden Augen und andächtig-schläfrigem Munde auf das Ur-Ur-Ur-Ur, – diesen dunklen Laut der Gruft und der Zeitverschüttung, welcher dennoch zugleich einen fromm gewahrten Zusammenhang zwischen der Gegenwart, seinem eigenen Leben und dem tief Versunkenen ausdrückte und ganz eigentümlich auf ihn einwirkte. (5.1, 38).

Hier hat Hans Castorp also eine Anschauung von den zwei Zeitformen bekommen. Die lineare Zeit wandert von Täufling zu Täufling weiter, von Ur zu Ur zu Ur. Mit jedem Ur aber verhält es sich wie mit dem vorhergehenden und dem folgenden – was scheinbar linear voranschreitet, ist zugleich die Wiederholung des Immergleichen, so etwas wie Stillstand hinter dem Fortschritt. Diese Vermischung zweier Zeitformen – der linearen und der kreisförmigen – hat auf Castorp also eine eigentümliche Wirkung, nämlich

die sonderbare, halb träumerische, halb beängstigende Empfindung eines zugleich Ziehenden und Stehenden, eines wechselnden Bleibens, das Wiederkehr und schwindelige Einerleiheit war (5.1, 40).

Diese begriffliche Figur ist uns bekannt: zugleich ziehend und stehend, wechselndes Bleiben – es ist die Gegensatzfigur der Ambivalenz, diesmal angewandt auf das Zeitgefühl. Lineare, vorwärts ziehende Zeit und stehendes, ewiges Jetzt verbinden sich darin. Ist es nicht so, als ob sich die beiden Zeitformen in der Mitte treffen würden – im Mittelmaß von beiden?

Bei einem derart ambivalenten Verhältnis zur Zeit ist es kein Wunder, wenn Hans Castorp Schwierigkeiten hat mit einem zentralen Wert der Moderne, mit der Arbeit. Sie vollzieht sich ja im Medium der Zeit. Natürlich achtet Hans Castorp die Arbeit sehr hoch, er hat geradezu ein protestantisch-religiöses Verhältnis zu ihr (5.1, 56), wie es ihm anerzogen wurde. Tatsache allerdings ist, dass Castorp die Arbeit zwar respektiert, aber durchaus nicht liebt. Sie

---

[16] Das ist ein Spiel mit Schopenhauers Auffassung der Zeit. Vgl. Manfred Dierks: Mythos und Psychologie bei Thomas Mann, TMS II, S.118–125.

bekommt ihm einfach nicht. (5.1, 56) Hier müssen wir der diskreten Schilderung seines Charakters nun endgültig entnehmen, dass auch Hans Castorp ein moderner Neurastheniker ist – gewiss, verhalten gezeichnet, aber eben doch. Er zeigt den dafür klassischen Befund:

Angestrengte Arbeit zerrte an seinen Nerven, sie erschöpfte ihn bald [...] (5.1, 56).

Und das hat mit seinem ambivalenten Verhältnis zur Zeit zu tun. Es ist die lineare Zeit, die ihm Schwierigkeiten macht, die Zeit, die nach vorne forteilt und die man zähneknirschend ausfüllen muss mit der Bewältigung anstehender Aufgaben – kurzum, die Zeitsorte, die ihm am wenigsten gefällt, das ist die Arbeitszeit.

Angestrengte Arbeit zerrte an seinen Nerven, sie erschöpfte ihn bald, und ganz offen gab er zu, dass er eigentlich viel mehr die freie Zeit liebe, die unbeschwerte, an der nicht die Bleigewichte der Mühsal hingen, die Zeit, die offen vor einem gelegen hätte, nicht abgeteilt von zähneknirschend zu überwindenden Hindernissen. (5.1, 56)

Er hat diese neurasthenische Tendenz zur Erschöpfung ja wohl geerbt und nicht im Berufsalltag erworben. Doch sie verbindet ihn mit den vielen Modernisierungsopfern seiner Zeit, den Invaliden der Beschleunigung. Solche Signale sind deutlich gesetzt. Hans Castorp ist gesundheitlich vorbelastet, und er hat ein ausgeprägtes Faible für die arbeitsfreie, offene, die unbegrenzte Zeit. So sehen allerdings künftige Sanatoriumskunden aus. Und warum reist er denn am Ende nach Davos? Um den kranken Vetter Joachim zu besuchen? Nein, das erst in zweiter Linie. Er reist, weil er es nämlich selber nötig hat.

Zur Hauptprüfung hatte er scharf und anhaltend arbeiten müssen und sah, als er heimkam, eben doch noch matter aus, als es zu seinem Typus passte. Dr. Heidekind schalt, so oft er ihn sah, und forderte Luftveränderung, das heißt: eine gründliche. Mit Norderney oder Wyk auf Föhr, sagte er, sei es dieses Mal nicht getan, und wenn man ihn frage, so gehörte Hans Castorp, bevor er auf die Werft gehe, für ein paar Wochen ins Hochgebirge. (5.1, 59)[17]

Zur Hauptprüfung „scharf und anhaltend arbeiten" und dann sanatoriumsreif sein – das ist eben Hans Castorps gemäßigte Art und Weise, „am Rande der Erschöpfung" zu arbeiten, jedenfalls einmal, wenigstens fürs Examen. Er

---

[17] Hier wird ein Grundbefund aus dem damaligen Neurastheniediskurs zwar mit leichter Ironie, aber dennoch nach dem Gewicht, das die Termini damals besaßen, erhoben. „Überanstrengung", vor allem „intellektuelle Überanstrengung" sind in diesem Diskurs umschriebene Termini. So zählt etwa Paul Möbius: Die Nervosität, Leipzig: J.J. Weber 1906, S. 96, ausdrücklich die Examensvorbereitung zu den Ursachen des neurasthenischen Anfalls oder des Krankheitsausbruchs.

ist ja auch nicht gerade „übertrainiert" wie die anderen Leistungsethiker, sondern sitzt lieber auf der Terrasse des Uhlenhorster Fährhauses, während die Ruderkameraden schwitzend vorbeiskullen. Verglichen mit *Buddenbrooks* bevorzugt *Der Zauberberg* eben das parodistische Understatement, aber auf dieser Stufe ist aus der Pathologie der Moderne dann auch alles wieder da: physische Dekadenz, künstlerische Verfeinerung, Neurasthenie. Neu tritt hinzu: das ambivalente Verhältnis zur Zeit.[18]

Tatsächlich ist Hans Castorp ein Repräsentant der sich modernisierenden Moderne um 1900. Die politische Epoche von 1890 bis 1914, um die es dabei geht, firmiert allgemein unter der Bezeichnung „Wilhelminismus". Ihr Selbstverständnis war durchaus gespalten. Der Kaiser und viele Politiker priesen die kaum unterbrochene wirtschaftliche Hochkonjunktur, die innere Einheit festigte sich und das außenpolitische Ansehen nahm zu – Stichwort „Imperialismus". Auf der anderen Seite – bei Intellektuellen, bei linken Politikern, bei Psychiatern, aber auch bei zornigen Bismarckanhängern – existierte dagegen das Bild einer deutschen Dauerkrise auf vielen Gebieten. Wolf Lepenies hat beispielsweise von einer politischen Gelähmtheit des deutschen Bürgertums gesprochen, es sei damals geradezu in „Melancholie"[19] verfallen. Joachim Radkau, in seiner großen Studie zum *Zeitalter der Nervosität*[20] (damit ist der Wilhelminismus gemeint), spricht sich für eine komplexere Diagnose aus, die rein politische Herleitung sei zu kurzschlüssig. Er beschreibt dafür eine allgemeine „nervöse" Verstimmung, die viele Ursachen hatte. Sie produzierte einen diffusen Negativismus, der so intensiv wie schwer zu fassen war. Dieser allgemeine Negativismus wird auch vom *Zauberberg*-Erzähler als Grundzug der Epoche wahrgenommen, wenn er Hans Castorps Zeitgenossenschaft erörtert. „Der Mensch", so beginnt die Erörterung im Roman, „lebt nicht nur sein persönliches Leben als Einzelwesen, sondern, bewußt oder unbewußt, auch das seiner Epoche und Zeitgenossenschaft" (5.1, 53).

Und dann greift die Erörterung die Frage auf, warum denn Hans Castorp nicht hart arbeiten kann und sich schon gar nicht „überanstrengen" mag, und zwar „unter keinen Umstanden und um keines Gegenstandes willen" (5.1, 53). Und die Antwort lautet: Mag auch der einzelne Mensch durchaus den

---

[18] Als ein selbständiges, zentrales Thema. Auch *Buddenbrooks* haben schon, im Sinne der protestantischen Ethik, die lineare Zeit als zu nutzende Lebens- und Arbeitsstrecke. Das im *Zauberberg* ausgeführte Gegenstück dazu – die entgrenzte Zeit im Sinne Schopenhauers oder C.G. Jungs – deutet sich in Christians mangelnder Zeitdisziplin erst an und wird sich in der Vorkriegskonzeption des *Zauberberg* erst einmal als Zeitbummelei im Sanatorium ausgeprägt haben.

[19] Wolf Lepenies: Melancholie und Gesellschaft, Frankfurt/Main: Suhrkamp 1969, S. 200–202.

[20] Joachim Radkau: Das Zeitalter der Nervosität (zit. Anm. 6), Kap. 4, bes. S. 271–274.

Impuls zu hoher Anstrengung und Tätigkeit in sich verspüren – wenn aber die überpersönlichen Bedingungen um ihn her, ja, wenn

die Zeit selbst der Hoffnungen und Aussichten bei aller äußeren Regsamkeit im Grunde entbehrt, wenn sie sich ihm als hoffnungslos, aussichtslos und ratlos heimlich zu erkennen gibt und der bewußt oder unbewußt gestellten, aber doch irgendwie gestellten Frage nach einem letzten, mehr als persönlichen, unbedingten Sinn aller Anstrengung und Tätigkeit ein hohles Schweigen entgegensetzt, so wird gerade in Fällen redlicheren Menschentums eine gewisse lähmende Wirkung solches Sachverhalts fast unausbleiblich sein, die sich auf dem Wege über das Seelisch-Sittliche geradezu auf das physische und organische Teil des Individuums erstrecken mag. (5.1, 54)

Das ist offenbar auch der Fall Hans Castorps. Die Epoche hat eine „lähmende Wirkung" auf sein „Seelisch-Sittliches" bis hin zu seinem „physischen und organischen Teil", seinem Körper. Und für diese Epoche gilt der Kernbefund: dass sie „bei aller äußeren Regsamkeit" doch der „Hoffnungen und Aussichten im Grunde entbehrt". Es fehlt ihr der „unbedingte Sinn". Auch deshalb also kann Hans Castorp nicht angestrengt arbeiten und ist bald erschöpft.

Ich möchte nun an dieser Stelle Thomas Manns Epochenverständnis zusammenbringen mit einer jüngst aufgestellten und derzeit vieldiskutierten Theorie zur Moderne. Sie ist die erste umfassende Sicht auf die modernen westlichen Gesellschaften, die ganz von deren Zeitmustern ausgeht. Gemeint ist das 2005 erschienene Buch von Hartmut Rosa: *Beschleunigung. Die Veränderung der Zeitstruktur in der Moderne.*[21] Rosa zeigt, dass die „Art und Weise unseres *In-der-Welt-Seins* [...] in hohem Maße [abhängt] von den Zeitstrukturen der Gesellschaft [...], in der wir leben."[22] Wir leben in der Moderne, und deren Zeitstrukturen stehen „im Zeichen der Beschleunigung"[23]. Beschleunigung – das bedeutet eine schubweise, dynamische Umgestaltung sozialer, kultureller und technischer Bereiche. Wir erleben das ja gerade vielfach im Rahmen der „Globalisierung". Für viele wird beispielsweise das Arbeitsleben sehr beschleunigt, und sie können es mit 45 für immer beenden. Subtiler, weil schwerer messbar, ist der beschleunigte Verfall von Kenntnissen und Fertigkeiten. Man beobachtet heute oder erspürt auch nur solche Prozesse, kann sie aber oft noch nicht genau benennen. Was aber jedenfalls davon zurückbleibt, ist eine Erregung unseres Zeitgefühls.

Das führt mich zu einem bestimmten Lektüreereignis, das in den Zwanziger Jahren stattfand und das ich immer für einen Konvergenzpunkt der deut-

---

[21] Hartmut Rosa: Beschleunigung. Die Veränderung der Zeitstrukturen in der Moderne, Frankfurt/Main: Suhrkamp 2005.

[22] ebd., S.15.

[23] ebd., S.15.

schen Moderne gehalten habe. Es ereignete sich in Marburg und wird von
Rüdiger Safranski in seiner Heidegger-Biografie[24] erwähnt: Im Herbst 1924
nämlich, auf dem Höhepunkt ihrer Beziehung, lesen Hannah Arendt und
Martin Heidegger gemeinsam den soeben erschienenen *Zauberberg*-Roman
Thomas Manns. Heidegger schreibt seit einem Jahr an *Sein und Zeit*. Er ist
jetzt dabei, in die Daseinsanalyse den Begriff von Zeit und Zeitlichkeit ein-
zuführen. Der *Zauberberg* und *Sein und Zeit* werden dann eines gemeinsam
haben: Die Welt wird auf das menschliche Dasein bezogen, und dieses wird
im Hinblick auf seine Zeitlichkeit interpretiert. Es ist dabei ganz unerheblich,
dass Thomas Mann sich an Schopenhauer hält, während Heidegger von der
Daseinsanalyse ausgeht. Die Frage, so schien mir immer, ist vielmehr: Warum
verstärkt sich bei Mann und Heidegger nach 1910 derartig die Aufmerksamkeit für Zeit, intensiviert sich bei ihnen das Zeitgefühl? Das gilt ja auch für
manche andere,[25] etwa für den beiden benachbarten Oswald Spengler. Thomas Mann liest den *Untergang des Abendlandes* im Sommer 1919, als er sich
den *Zauberberg* wieder vorgenommen hat, und er ist sofort fasziniert von der
Rolle, die das Problem der Zeit auch bei Spengler spielt. Tatsächlich haben
beide Werke – *Der Untergang des Abendlandes* und *Der Zauberberg* – das
Zeitproblem von Anfang an als Grundmotiv. Thomas Mann kommentiert das
mit einer deutlichen Behauptung seiner eigenen Zeitgenossenschaft:

[Diese] Erfahrung bestätigt mir aufs neue eine ungewöhnliche Sensitivität, die ich mir
zuschreibe, und die meine Einsamkeit mit allem höheren Denken und Planen der Zeit
in sympathetische Beziehung setzt. Daß das Problem der ‚Zeit‘ für Philosophen und
Träumer um 1912 aktuell wurde und in ihre Produktion trat, mag an der historischen
Erschütterung unserer Tage liegen, die damals noch tief unterirdisch war.[26]

Lag es nur an der Erschütterung durch den Krieg? Aus der Moderne-Theorie
von Hartmut Rosa ergibt sich auch eine komplexere Antwort auf die Frage,
woher denn dies Zeit-Gefühl kommt: Die Philosophen und Träumer nämlich, für die das Zeit-Problem um 1912 aktuell wurde, hätten dann einen
Beschleunigungsschub erspürt – im Lebenstempo, im Sozialen, als technischen Prozess. Das bedeutet nicht unbedingt, dass in der engeren Umgebung
des eigenen Lebens etwas schneller geworden ist. Es kann auch eine schlag-

---

[24] Rüdiger Safranski: Ein Meister aus Deutschland. Heidegger und seine Zeit, München: Hanser
1994, S. 221.
[25] Die vier kanonischen Romane des 20. Jahrhunderts – *Ulysses, A la recherche du temps perdu,
Der Zauberberg und Les Faux-Monnayeurs* – sind alle auch Zeit-Romane und kurz vor dem ersten
Weltkrieg konzipiert worden.
[26] Tb, 2.7.1919. Kapitel II, 10 von *Der Untergang des Abendlandes* findet sich als Paraphrase im
*Zauberberg*-Abschnitt „Gedankenschärfe", wo Hans Castorp sich über „die Zeit" ergeht.

artige Einsicht in einen veränderten Weltzustand sein – ein neuer Blick auf Zeit und Raum. Nehmen wir beispielsweise das deutsch-britische Wettrüsten Mitte des Jahres 1911. Der große Krieg wird jetzt unmittelbar erwartet. Thomas Mann sitzt in seinem Tölzer Landhaus über einem Novellenstoff, den er aus Venedig mitgebracht hat. Da bricht, im Juni 1911, die später so genannte zweite Marokkokrise aus. Deutschland sieht durch Frankreich seine Interessen in Nordafrika bedroht. Der europäische Konflikt hat sich ausgelagert. Da entsendet der Deutsche Kaiser das Kanonenboot *Panther* von Kamerun zum marokkanischen Hafen Agadir und gibt das öffentlich bekannt. Alle Welt erwartet, dass das Kriegsschiff den Hafen bombardieren soll, womit dann das Signal zum europäischen Krieg gegeben wäre. Nun erscheinen damals die großen Tageszeitungen noch mehrmals täglich und bringen in jeder Ausgabe eine telegraphische Positionsmeldung des *Panther* – übrigens auch die Münchner Neuesten Nachrichten, die Thomas Mann liest. So geht das über einige Tage, jeder kann das ruckweise Herannahen der Katastrophe auf seinem Schulatlanten verfolgen. Für die gewohnte Raum-Zeit-Konstellation bei Kriegen ist damit etwas völlig Neues eingetreten. Über den Krieg wird auf einem ganz anderen Kontinent entschieden, und doch erfährt man jeden militärischen Entwicklungsschritt in Echtzeit, als geschehe er nebenan.

In diesen bedrohlichen Tagen der zweiten Marokkokrise trat die Beschleunigung der Nachrichtentechnik besonders spektakulär vor Augen und damit auch die Verkürzung des geografischen Raumes. Die Distanz zu Afrika war in jeder Funkmeldung auf ein Minimum geschrumpft, und das nicht nur rein geografisch, sondern auch politisch und existentiell.

Eine direkte Einwirkung dieses Zeit-Raum-Ereignisses auf Thomas Manns Gespür für Zeit lässt sich natürlich nicht nachweisen. Unser Beispiel illustriert nur, wie sich Zeit-Sensitivität um 1911/12 einstellen *konnte* – auch hinter dem Rücken literarischer Texte, die selbst noch nicht reagierten. *Der Tod in Venedig* zitiert 1912 lediglich das Geschichtsereignis, also Marokkokrise samt „Panthersprung nach Agadir": Gustav Aschenbach beginnt seinen schicksalhaften Spaziergang „an einem Frühlingsnachmittag des Jahres 19.., das unserem Kontinent monatelang eine so gefahrdrohende Miene zeigte" (2.1, 501). „Zeit" ist noch kein Thema. Doch einige Monate später wird *Der Zauberberg* als Gegenstück zur Venedig-Novelle konzipiert, und er hat von Anfang an als Grundmotiv das Zeit-Problem.[27] Es ist, wie Thomas Mann sich ja auch erin-

---

[27] „Die Zeit" als Kernthema tritt anfänglich wohl erst unter dem Aspekt der verbummelten oder kondensierten Zeit im Sanatorium auf (am 3.8.1915 vergleicht Mann das Zeit-Konzept mit Hauffs *Zwerg Nase*), 1919 entfaltet es sich umfangreich und wird mit Schopenhauer systematisiert – als Exposition fungiert das Kapitel II.1.

nert, um das Jahr 1912 für ihn aktuell geworden und bald in seine Produktion getreten.

Zum Schluss möchte ich hier zeigen, wie sich *Der Zauberberg* auf seinen ersten fünfzig Seiten an die Grundverfassung – an das Lebensgefühl – der Moderne herantastet. Was er herausfindet, gilt bis heute, bis zu uns. Der Weg dahin führt über die Zeitstrukturen der Moderne. Man erinnert sich an die zwei Zeitformen, mit denen Hans Castorp sich befasst – die eine läuft linear in die Zukunft, Hans Castorp liebt sie nicht, denn sie ist abgeteilt durch „zähneknirschend zu überwindende Hindernisse" (5.1, 57), es ist die Arbeitszeit. Die andere Form der Zeit aber ist offen und unbegrenzt – Hans Castorp gibt ihr bei weitem den Vorzug, und im Sanatorium wird er reichlich davon haben, so reichlich, dass er beinahe darin umkommt.

Beim Betrachten der Familientaufschale aber treten dem zeitfühligen kleinen Hans die beiden Zeitformen zusammen, die lineare und die offene, zu einer ständigen Wiederholung des Gleichen – zum Ur-Ur-Ur-Ur. Und den kleinen Hans kommt dabei eine sonderbare, mit Angstlust versetzte, Empfindung an. Es ist die ambivalente Empfindung eines

zugleich Ziehenden und Stehenden, eines wechselnden Bleibens. (5.1, 40)

Und mit dieser Wahrnehmung eines „zugleich Ziehenden und Stehenden" hat er den *Bewegungskern der Moderne* erspürt, das, was tief unterirdisch ihre Dynamik ausmacht.

Der Roman und sein Held tasten sich an diesen Bewegungskern – und das ist auch das Lebensgefühl – der Moderne noch aus einer anderen Richtung heran. Warum denn mag – ja, *kann* – sich Hans Castorp bei der Arbeit nicht sonderlich anstrengen, ist er bald erschöpft? Die Antwort heißt: Es liegt an der Zeit, in der er lebt. Sie entbehrt „bei aller äußeren Regsamkeit" im Grunde „der Hoffnungen und Aussichten", also der Zukunft. Das ist dieselbe Zeitstruktur wie „zugleich ziehend und stehend", wie „wechselndes Bleiben".

Dieser Befund Thomas Manns aus dem Anfang des Jahrhunderts wird an seinem Ende (1998) von einer drastischen Formel des Medientheoretikers Paul Virilio bestätigt. Er findet für die Kultur und die Zeitstruktur der Moderne den Ausdruck „Rasender Stillstand"[28]. Hartmut Rosas Zeittheorie der Moderne greift diese ambivalente Formel auf und fasst sie auf als zentrale Wahrnehmung:

---

[28] Genauer: Sie ist die Übertragung von *L'inertie polaire* durch seinen Übersetzer Bernd Wilczek.

Rasender Stillstand bedeutet [...], dass nichts bleibt, wie es ist, ohne dass sich etwas Wesentliches verändert.[29]

Diese Wahrnehmung entspricht genau derjenigen Hans Castorps: „zugleich ziehend und stehend", „wechselndes Bleiben". Castorp hat hier ein Prinzip erspürt: Beschleunigung in der Moderne hat immer auch eine Kehrseite – die Erfahrung des Stillstandes.[30] Sie drückt sich als kulturelle Stimmung aus – als *L'ennui* (die Müdigkeit Baudelaires), als Wiederkehr des Gleichen (Nietzsche), in unserer heutigen Gegenwart vermutlich als Depression.[31] Rosa beschreibt diese Stimmung für unsere „Spätmoderne", also für heute, mit folgenden Worten: Hier breite sich

paradoxerweise das Gefühl [aus], hinter der permanenten dynamischen Umgestaltung sozialer, materialer und kultureller Strukturen [...] verberge sich in Wahrheit ein tief greifender struktureller und kultureller Stillstand, eine fundamentale Erstarrung der Geschichte, in der sich *nichts Wesentliches* mehr ändere, wie schnell auch immer die Oberflächen sich wandelten.[32]

Dies Gefühl kennt aber auch *Der Zauberberg* schon, nämlich dass

die Zeit selbst der Hoffnungen und Aussichten bei aller äußeren Regsamkeit im Grunde entbehrt, wenn sie sich [...] als hoffnungslos, aussichtslos und ratlos heimlich zu erkennen gibt und der bewußt oder unbewußt gestellten, aber doch irgendwie gestellten Frage nach einem letzten, mehr als persönlichen, unbedingten Sinn aller Anstrengung und Tätigkeit ein hohles Schweigen entgegensetzt. (5.1, 54)

Ist das nun eine sehr pessimistische Auskunft – für gestern und heute? Ich möchte sie allerdings weniger pessimistisch als einfach ratlos nennen. Es ist eine Stimmung, die sich an den Umbruchzeiten der Moderne einstellt. Der „unbedingte Sinn" fehlt. Thomas Mann als Person hat ab 1922 gezeigt, dass man ihr nicht nachgeben darf, sondern mit Analyse und öffentlichem Eingreifen die politische – und das heißt heute: die wirtschaftliche und vor allem die soziale – Entwicklung begleiten sollte. Oder gibt es Fluchtwege aus der Zeit? Davos liegt ja noch immer hoch oben in den Bergen. Die Zeitsoziologie hat

---

[29] Rosa: Beschleunigung (s. Anm. 21), S. 436. Rosas Analysen richten sich gemeinhin auf den gegenwärtigen Zustand, beziehen aber die klassische „erste Moderne" um 1900 mit ein, insofern hier die gesamte, heute konstatierbare Entwicklung schon angelegt ist – und auch schon teilweise *vorausgesehen* wurde; deshalb kann er so oft Max Weber anführen, etwa in der Gleichung „Erstarrung = ‚stahlhartes Gehäuse'" (S. 41 u. ö.), siehe v. a. S. 42 f., S. 87 f und S. 436 ff.

[30] Rosa: Beschleunigung, S. 86 ff.

[31] Alain Ehrenberg: Das erschöpfte Selbst. Depression und Gesellschaft in der Gegenwart, Frankfurt/Main: Campus 2004.

[32] Rosa: Beschleunigung, S. 16.

übrigens einen hübschen Begriff für solche Fluchtorte: „Entschleunigungs-inseln". Die Zeitgeschwindigkeit wird hier herunter gefahren, man kann sich beruhigen, man kann einmal richtig Luft holen in den Bergen. Doch das war damals. Heute ist gerade Davos ein Zentrum der späten Moderne – dort tagt fast regelmäßig das Weltwirtschaftsforum. Ein häufiger Gast ist Bill Gates. Die Ambivalenz der Moderne ist auch hier endgültig angekommen.

*Hans Rudolf Vaget*

# Thomas Mann, der Amerikaner

In Thomas Manns Laufbahn als Schriftsteller nimmt sich das Jahr 1938 nicht als ein besonders markantes Datum aus: Er stand in seinem dreiundsechzigsten Lebensjahr, kein größeres Werk wurde zu Ende geführt oder begonnen. Zu Anfang des Jahres schrieb er am sechsten Kapitel von *Lotte in Weimar*, dem August Kapitel; Ende des Jahres hatte er gerade das siebte in Angriff genommen. Auch wenn man die publizistischen Aktivitäten dazu nimmt – und die waren beträchtlich –, wird man das Jahr 1938 zu den auf den ersten Blick weniger produktiven zählen müssen.

Dieses unheilschwangere Jahr brachte aber auch die Übersiedlung in die Vereinigten Staaten und damit eine einschneidende Zäsur – Grund genug, die relative schöpferische Dürre verständlich erscheinen zu lassen. Gewöhnlich jedoch wird dieser Zäsur weniger Gewicht beigemessen als seinem „Außenbleiben" im Jahr 1933 (XII, 787). Mit der Auswanderung nach Amerika, so die *communis opinio*, wurde lediglich ein Standortwechsel vollzogen innerhalb der größeren Lebensetappe des Exils, das mit den Folgeerscheinungen des *Protests der Richard-Wagner-Stadt München* seinen Anfang genommen hatte. Demgegenüber möchte ich zeigen, dass der Übersiedlung in die USA und deren Folgeerscheinungen eine weit höhere Bedeutung für den politischen Thomas Mann zuerkannt werden muss als gemeinhin angenommen wird. Die Tragweite der Entscheidung, seine Wirkungsbasis nach Amerika zu verlegen, war jedoch nicht sogleich erkennbar, auch für ihn selbst nicht; sie wurde erst nach dem Krieg in ihrem ganzen Ausmaß offenbar.

Vergegenwärtigen wir uns jedoch zunächst seine eigene Sicht der Dinge am Ende und zu Anfang jenes bedeutungsschwangeren Jahres 1938. Der Sylvesterabend 1938, der erste Jahreswechsel, den er in Princeton verbrachte, verlief ruhig in kleinstem Kreis mit Katia und Golo. Nach dem Essen hörte er „Sibelius-Platten" und einige Stücke aus der *Walküre*. Dann fährt das Tagebuch fort: „Schweizer Zeitungen gelesen. Die Zürcher Uhr schlägt Mitternacht. Das neue Jahr hat begonnen. Wer lebt, wird sehen. Ich spanne den neuen Kalender ein." (Tb, 31.12.1938) Im Vergleich zu der ruhigen Gefasstheit, mit der das schicksalsträchtige Jahr 1939 begrüßt wird, klingt die Vorschau am Sylvesterabend 1937 – noch ist Küsnacht sein Domizil – weit erwartungsfroher. „Punsch und Pfannkuchen", berichtet das Tagebuch. „Die Gäste gingen vor 12. Ich musizierte noch etwas allein [...] und spannte den neuen Kalender ein." Dann der

Blick nach vorn: „Das kommende Jahr fordert erhebliche Anstrengungen: Ich will in Arosa den Schopenhauer-Aufsatz schreiben. Dann kommt ein Vierteljahr weitläufigster Reise-Abenteuer. Mai oder Juni wird eine Reise nach Prag oder Wien folgen. Möge der Sommer, für den eine Badereise vorgesehen ist, oder der Herbst die Vollendung von ‚Lotte in Weimar' bringen. Dies ‚bringen' ist es eigentlich, woran ich glaube und worauf ich hoffe, nicht Energie und Aktivität. Die Zeit bringt alles. Möge mir Zeit gegönnt sein!" (Tb, 31.12.1937) Er ist sich also bewusst, dass ihm das publizistische Engagement viel „Energie und Aktivität" abverlangen wird. Wie stets würde er es vorziehen, an seinem Erzählteppich weiterzuweben.

Von den für 1938 ins Auge gefassten Vorhaben wurden nur die wenigsten verwirklicht. Der Abschluss des Schopenhauer-Essays gelang nicht schon während des Schneeurlaubs in Arosa, sondern erst im Mai in New York. Unter den Goethe-Roman konnte erst im Herbst des folgenden Jahres in Princeton der Schlusspunkt gesetzt werden. Die Reise nach Prag oder Wien fiel wegen der politischen Entwicklungen in Mitteleuropa aus, ebenso die erhoffte Badereise. Recht behielt er lediglich bezüglich der weitläufigen Reiseabenteuer, womit in erster Linie eine ausgedehnte Amerika-Reise gemeint ist.

Thomas und Katia Mann brachen am 15. Februar 1938 zu ihrer vierten Amerika-Reise auf, deren Hauptzweck eine große Vortragstournee war, die ihn zum ersten Mal über die Ostküste hinaus in das amerikanische *heartland* und an die Westküste führte. Sie kamen auf der Queen Mary am 21. Februar in New York an, ausgestattet mit einem tschechoslowakischen Reisepass und einem befristeten Besuchervisum.[1] Der Entschluss, einzuwandern und Amerikaner zu werden, reifte auf dieser Vortragsreise und wurde endgültig bestärkt durch den „Anschluss" Österreichs am 12. März, durch den auch die Sicherheit der neutralen Schweiz in Frage gestellt wurde. Thomas Mann teilte diese Wendung der Dinge am 21. März seiner neuen Gönnerin Agnes Meyer mit. Gleichzeitig wurde die Absicht, den Wohnsitz nach Amerika zu verlegen, in einem Interview mit dem Salt Lake Telegram (21.3.1938) publik gemacht.[2] Und in einem weiteren Interview sechs Wochen später wird ausdrücklich hervorgehoben, dass er in den USA nicht bloß Zuflucht, sondern *citizenship* suche.[3] Dieser wohl gewichtigste Aspekt seiner Umsiedlung in die Vereinigten Staaten sollte später und in seinem Nachleben eine ungeahnt gravierende Bedeutung erlangen, denn

---

[1]  Zu den Umständen und Motiven für den Erwerb der tschechoslowakischen Staatsbürgerschaft vgl. die erschöpfende Darstellung von Thomas Sprecher: Deutscher, Tschechoslowake, Amerikaner, in: TM Jb 9, 1996, S. 303 – 338.

[2]  Nach Gert Heine/Paul Schommer: Thomas Mann Chronik, Frankfurt/Main: Klostermann 2004, S. 321.

[3]  Cleveland Plain Dealer, 2.5.1938, BrAM, S. 840.

mochte der Autor selbst von seinem deutsch-amerikanischen Weltbürgertum noch so durchdrungen sein, die Außenwahrnehmung war eine andere. Den Deutschen, zumal denen, die zeitweilig oder bis zum bitteren Ende an Hitler und das Dritte Reich geglaubt hatten, erschien Thomas Mann, wenn nicht gerade als vollgültiger Amerikaner, so doch als schlechter Deutscher, der aus egoistischen, letztlich unehrenhaften Gründen sein Vaterland verraten hatte.

Um formell einzuwandern, musste sich Thomas Mann den noch heute gültigen Bestimmungen entsprechend außerhalb des Landes begeben und auf einem amerikanischen Konsulat die Einwanderung beantragen. Dieser bürokratische Vorgang wurde bloße sechs Wochen nachdem der Entschluss zur Einwanderung gefasst war, im zweiten Teil der Vortragsreise, die ihn ins kanadische Toronto führte, ins Werk gesetzt. Die Einwanderungsgesetze schreiben eine Wartefrist von fünf Jahren nach Ausstellung der so genannten *First Papers* vor, ehe die Vereidigung auf die amerikanische Verfassung stattfinden kann. In Thomas Manns Fall dauerte es ein Jahr länger, weil ihm die in Toronto beantragten *First Papers* erst acht Monate später, im Januar 1939, ausgestellt wurden. Er legte die obligate Staatsbürgerprüfung am 4. Januar 1944 in Los Angeles ab, wobei er, um seine Blößen in Staatsbürgerkunde zu kaschieren, zu einer an Felix Krull gemahnenden Flunkerei Zuflucht nehmen musste, und wurde am 23. Juni vereidigt, wiederum in Los Angeles. Im Tagebuch wird dieser Vorgang mit den nicht gerade ergriffenen Worten quittiert: „So denn also amerikanischer Bürger." An Agnes Meyer in Washington, die das Ereignis in einem Leitartikel in der Washington Post gebührend begrüßte,[4] schreibt er: „Die Citizenship ist mir lieb und wert. Mein Deutschtum ist in dem kosmopolitischen Universum, das Amerika heißt, am richtigsten untergebracht."[5] Die Los Angeles Times (23.6.1944) berichtete über Thomas Manns Einbürgerung sogar auf der Titelseite.[6]

Die Reibungslosigkeit, mit der Thomas Mann die in vielen Fällen schikanösen Formalitäten der Einwanderung hinter sich brachte, darf als ein besonders eklatantes Indiz für den Ausnahmecharakter seines Falles gelten. Für die allermeisten der rund 132.000 Deutschen, die zwischen 1933 und 1945 Aufnahme in den Vereinigten Staaten fanden, war die Einwanderungsprozedur ein Hürdenlauf, zumal für die 682 Angehörigen der schreibenden

---

[4] „New Citizens", The Washington Post, 26.6.1944. Darin schreibt Agnes Meyer, vermutlich aus persönlicher Kenntnis: „With Thomas Mann, as with Albert Einstein, Arturo Toscanini and so many illustrious Europeans who made their homes here in the years when the black plague of Nazi-Fascist tyranny was sweeping over the Old World, identification with America is not the result of any external compulsions, but of inner desire."

[5] BrAM, S. 568. Zu den Formalitäten der Einwanderung vgl. ebd., S. 117f., 531f., 839.

[6] Thomas Mann and wife given US Citizenship, in: Los Angeles Times, 23. 6. 1944; siehe BrAM, S. 1008.

Zunft, die zudem wegen der Sprachbarriere ihren Beruf nicht wie gewohnt ausüben konnten.[7] „Für jeden Thomas Mann", so der kanadische Historiker Michael Kater, „hat es viele Schriftsteller beiderlei Geschlechts gegeben, die nicht eine Spur" der legendären Gückhaftigkeit der amerikanischen Karriere des *Zauberberg*-Autors aufweisen. Im Gegenteil, „das Gros der Exilanten darbte [...], für viele endete das Exil in Depression und Alkoholismus, Krankheit und Tod."[8] Die nach dem Krieg sich entfaltende, entschieden Emigranten-feindliche Tendenz, den relativen Erfolg eines Thomas Mann, eines Franz Werfel oder eines Bruno Walter als Norm zu betrachten für das Schicksal aller Exilanten, darf als ein verräterisches Indiz gewertet werden für die tief sitzende Animosität gegen die Exilanten, deren Vertreibung man einst einspruchslos hingenommen hatte. Jetzt auf einmal wollte man sich und andere glauben machen, dass die Exilanten es viel besser hatten als die, die Deutschland die Treue hielten. Das „Exil als Ort eines bequemen Zuschauerdaseins" war denn auch ein gängiger Topos in der Diskussion um die Emigranten.[9]

Ein wesentlicher Faktor in dem glückhaften Verlauf von Thomas Manns Einwanderung war das diskrete Wirken Agnes Meyers, einer Journalistin deutscher Abstammung, die er 1937 kennen gelernt hatte. Sie war verheiratet mit dem Bankier Eugene Meyer, der als Präsident der amerikanischen Bundesbank gedient hatte und später der erste Präsident der Weltbank wurde. Eugene Meyer hatte 1933 die Washington Post gekauft, nicht zuletzt um auf die von ihm beargwöhnte Finanz- und Sozialpolitik Präsident Roosevelts ein kritisches Auge zu haben. Agnes Meyer war Mitbesitzerin der Washington

---

[7] Die Zahlen nach Horst Möller: Exodus der Kultur. Schriftsteller, Wissenschaftler und Künstler in der Emigration nach 1933, München: Beck 1984, S. 47. Zu den damals bestehenden Einwanderungsgesetzen und der generell defensiven Einwanderungspolitik der Vereinigten Staaten vgl. Manfred Durzak: Die Exilsituation in USA, in: Die deutsche Exilliteratur 1933–1945, hrsg. von Manfed Durzak, Stuttgart: Reclam 1973, S. 145–158.

[8] Michael Kater: Die vertriebenen Musen. Von den Schwierigkeiten deutschsprachiger Künstler und Intellektueller im Exil, in: Nationalsozialismus in den Kulturwissenschaften, hrsg. von Hartmut Lehmann und Otto Oexle, Göttingen: Vandenhoeck & Ruprecht 2004, Bd. 1, S. 489–511, 494, 501. Vgl. auch Durzak (Anm. 7), S. 151: „Als Sondergruppierung innerhalb der Künstler sind die Schriftsteller anzusehen, die über ganz Amerika verstreut lebten und mit Ausnahme von Thomas Mann, Franz Werfel und Lion Feuchtwanger, die auch in den USA erfolgreich waren und viel gelesen wurden, nur die Schattenseiten des Exils kennenlernten."

[9] Irmela von der Lühe: „Kommen Sie bald wie ein guter Arzt" – Die ‚große Kontroverse' um Thomas Mann (1945), in: Engagement, Debatten, Skandale. Deutschsprachige Autoren als Zeitgenossen, hrsg. von Joanna Jabłdowska und Małgorzata Potrola, Lodź: Wyndawn. Uniw. Lodzkiego 2002, S. 306–320, 311 f.; vgl. auch Jens Rieckmann: „Nicht ‚reif' für das Wiedersehen": Thomas Mann und die Deutschen – Die Deutschen und Thomas Mann, 1945–1947, in: Die Nationale Identität der Deutschen. Philosophische Imaginationen und historische Mentalitäten, hrsg. von Wolfgang Bialas, Frankfurt/Main: Lang 2002, S. 213–229, 225.

Post und verfügte in Washington und darüber hinaus über ausgezeichnete Kontakte. Dass sich diese Frau mit Elan und Phantasie um das Wohlergehen Thomas Manns in Amerika kümmerte und dabei geradezu einen „Fanatismus der Hingabe" an den Tag legte[10], entsprang in erster Linie ihrem ausgeprägten Hang zum „Höheren." Mit dem ihr eigenen Selbstbewusstsein ließ sie ihn wissen, dass sie ein Buch über ihn zu schreiben vorhabe, was ihn – man darf vermuten, in quasi prophylaktischer Absicht – zu einer außerordentlichen Mitteilsamkeit bewog, welche sich in ihrem umfangreichen Briefwechsel niedergeschlagen hat.

Freilich darf man sich ihr Verhältnis nicht als durchgehend ungetrübt vorstellen. Abgesehen von allerlei persönlichen Spannungen in seinem Verhältnis zu der „Fürstin",[11] taten sich immer wieder politische Differenzen auf. Agnes Meyer war eine liberale Republikanerin und stand der Sozialpolitik des demokratischen Präsidenten Roosevelt, die Thomas Mann rückhaltlos bewunderte und guthieß, skeptisch, ja ablehnend gegenüber. Im Übrigen war sie prinzipiell deutschfreundlich eingestellt und ließ gelegentlich ihr Missfallen an seiner immer entschiedeneren Deutschland-Kritik durchblicken. Überhaupt sah sie es nicht gern, dass er so viel Zeit und Energie auf die Politik verwandte, statt sein dichterisches Werk zu fördern – eine Sicht der Dinge, die ihn zu der folgenden, gereizten Erklärung an die Adresse der „Fürstin" veranlasste: „Wir empfinden nicht gleich in diesem Punkte, der für mich der Lebens- und Leidenspunkt und für Sie nur ‚Politik' ist, für die Sie mich gütiger Weise für zu schade halten. *Je faire la guerre* – und Sie wollen mich *au dessus de la mêlée* sehen, – gütiger Weise. Aber diese *mêlée* ist eine Entscheidungsschlacht der Menschheit, und alles entscheidet sich darin, *auch* das Schicksal meines Lebenswerkes [...] Sie wissen nicht, was ich in diesen acht Jahren gelitten habe, und wie es mein ein und alles ist, dass die ekelhafteste Niedertracht, die je ‚Geschichte' gemacht hat, zuschanden wird – und dass ich diese Genugtuung auch erlebe."[12] So Thomas Mann am 24. Januar 1941, ein knappes Jahr vor Amerikas Kriegseintritt.

Diese Entschlossenheit, mit allen ihm zur Verfügung stehenden publizistischen Mitteln gegen Hitler-Deutschland Krieg zu führen, ist als das herausragende Moment der amerikanischen gegenüber den Schweizer Exiljahren anzusehen. Man mag diese Entschlossenheit bereits aus jenem berühmten Satz heraushören, den er am 21. Februar 1938 bei seiner Ankunft

---

[10] BrAM, S. 639 (17.9.1945).
[11] Vgl. dazu Verf.: Die Fürstin. Ein Beitrag zur späten Biographie Thomas Manns, in: Internationales Thomas-Mann-Kolloquium 1986 in Lübeck, Bern: Francke 1987, S. 113–138; außerdem den einleitenden biographischen Essay in: BrAM, S. 5–71.
[12] BrAM, S. 253.

in New York den Journalisten in die Stenogrammblöcke diktierte: „Where I am, there is Germany."[13] Die einzige Quelle für diesen Satz war lange Zeit Heinrich Mann, der ihn in *Ein Zeitalter wird besichtigt* mit einer kleinen Akzentverschiebung überliefert hat. Dort lautet der Satz: „Wo ich bin, ist die deutsche Kultur."[14] In dieser Form war der Satz lange Zeit im Umlauf. Doch Thomas Mann bezog sich nicht auf die deutsche Kultur, sondern auf Deutschland, wenn auch mit dem bezeichnenden Zusatz: „I carry my German culture with me." In seinen kalifornischen Aufzeichnungen vom April 1938, die zum Einzugsgebiet von *Bruder Hitler* gehören, heißt es jedoch auch ganz lapidar: „Wo ich bin, ist Deutschland."[15] Im Übrigen liegt derselbe Gedanke in *Lotte in Weimar* auch Goethes Nachdenken über sein Verhältnis zu den Deutschen zu Grunde: „Sie meinen, sie seien Deutschland, aber ich bins" (9.1, 327). Darüber hinaus gehört dieser Gedanke zum Kernbereich des Deutschland-Diskurses im *Doktor Faustus*. Leverkühns Musik ist durch und durch, in seinen erzdeutschen wie in seinen transnationalen Ausprägungen, Musik von Kaisersaschern, so dass auch von ihm der Satz gilt: „Wo ich bin, da ist Kaisersaschern" (VI, 301f). Wir haben es hier also mit einer charakteristischen Denkfigur des Exilanten Thomas Mann zu tun. In seiner New Yorker Fassung besagt der Satz demnach mehr als dass er die deutsche Kultur in sich trage und niemand sie ihm absprechen könne. Er besagt auch: Ich bin und bleibe Deutscher, auch wenn mir die deutsche Staatsangehörigkeit genommen wurde; ich bin und bleibe Deutscher auch und gerade wenn ich gegen die derzeitige Erscheinungsform Deutschlands zu Felde ziehe. Dass ihm ein solcher Feldzug als die alles Andere überragende, geschichtliche Aufgabe zugewachsen war, muss ihm bei den Überlegungen, die zu dem Standortwechsel von der Schweiz in die USA geführt haben, als unabweisliche Erkenntnis aufgegangen sein. Dies lässt sich unter anderem aus dem gleichfalls 1938 verfassten Artikel *Hitler – das Chaos* ersehen, in dem die Assoziation von Hitler – Exil – Kampf am bündigsten zum Ausdruck kommt. Dort schreibt Thomas Mann über sich selbst: „Die Heimsuchung Deutschlands nun gar durch den Hitlerismus hat diesen ursprünglich unpolitischen Schriftsteller

---

[13] Mann Finds US Sole Peace Hope, in: New York Times, 22.2.1938, S. 13. Vgl. dazu Volkmar Hansen: „Where I am, there is Germany." Thomas Manns Interview vom 21. Februar 1938 in New York, in: Textkonstitution bei mündlicher und schriftlicher Überlieferung, hrsg. von Martin Stern, Tübingen: Niemeyer 1991, S. 176–188; Helmut Koopmann: Lotte in Amerika, Thomas Mann in Weimar. Erläuterungen zu dem Satz „Wo ich bin, ist die deutsche Kultur", in: Wagner – Nietzsche – Thomas Mann. Festschrift für Eckhard Heftrich, hrsg. von Heinz Gockel u.a., Frankfurt/Main: Klostermann 1993, S. 310–318.

[14] Heinrich Mann: Ein Zeitalter wird besichtigt, hrsg. von Gotthard Erler, Berlin und Weimar: Aufbau-Verlag 1973, S. 215.

[15] Ess IV, S. 440.

zu einem aus tiefster Seele Protestierenden [...], hat ihn zum Emigranten und zum politischen Kämpfer gemacht."[16]

Als ein erstes, vorläufiges Fazit lässt sich also feststellen: Thomas Mann ging als politischer Kämpfer nach Amerika. Sein durchaus erklärungsbedürftiger Entschluss, schon vor der eigentlichen Übersiedlung, auf seiner Vortragsreise, den Erwerb der amerikanischen Staatsbürgerschaft in die Wege zu leiten, wird letztlich aus diesem Willen zum politischen Kampf herzuleiten sein.

\*

Wir stehen damit vor einem heute noch brisanten Aspekt der politischen Biographie dieses Autors, der nicht nur unter seinen Verächtern, sondern auch unter seinen Bewunderern, offen oder zwischen den Zeilen, Irritationen auslöst. Diese Irritationen brachen unmittelbar nach Kriegsende in dem Streit über Thomas Manns Rückkehr, der als die „Große Kontroverse" in die Geschichtsbücher eingegangen ist, mit großer Vehemenz hervor. Der prominente Exilant wies das Ansinnen der Rückkehr zurück, wobei er u.a. auf seine amerikanische Staatsbürgerschaft verwies: „Ich soll Amerika, in dem ich doch schließlich meinen Eid geleistet habe, seinen Bürgerschein vor die Füße werfen, die mühsam errungene Lebensform meines Alters zerbrechen [...] und nach dem verwüsteten Deutschland eilen?" (XIII, 743) Noch 1950 schreibt er an Theodor Adorno: „Nach Deutschland bringen mich keine zehn Pferde."[17]

Das Etikett „Große Kontroverse" wurde jenem Streit erst viel später, nämlich 1963 von Johann Franz Gottlieb Grosser verpasst, der die einschlägigen Dokumente in einem kleinen Sammelband dieses Titels veröffentlichte. Gewöhnlich wird der Streit als die ressentimentgeladene Konfrontation der Inneren Emigration mit der *äußeren* Emigration verbucht. In Wirklichkeit jedoch ging es um Gravierenderes, nämlich die Frage der Schuld, und um den geschichtlichen Ort der Nazi-Periode. In gewissem Sinn darf dieser Streit von 1945/46 als die Mutter aller späteren und kommenden deutschen Debatten über das Dritte Reich angesehen werden, die jüngste Diskussion über Günter Grass eingeschlossen.

Hier ist nun der historische Scheinwerfer neben Walter von Molo und Frank Thieß, die gewöhnlich als die Hauptakteure figurieren, auf den Dritten im Bunde zu richten, auf den Taufpaten der „Großen Kontroverse", der auch ihr Geburtshelfer war. Grosser war nämlich keineswegs bloß der Sammler

---

[16] ebd., S. 313.
[17] Thomas Mann/Theodor W. Adorno: Briefwechsel 1943–1955, hrsg. von Christoph Gödde und Thomas Sprecher, Frankfurt/M.: Suhrkamp 2002, S. 67.

und Herausgeber der zerstreuten Zeugnisse, sondern auch ihr Initiator und im Anfangsstadium der Koordinator der ganzen Aktion. Es war Grosser, wie er selbst zugab, der Walter von Molo, den ehemaligen Präsidenten der Sektion Dichtkunst der Preußischen Akademie der Künste, veranlasst hatte, an Thomas Mann zu schreiben.[18] Grosser gibt an, dass am Anfang der Aktion der Wunsch gestanden habe, in der nach dem Zusammenbruch des Dritten Reiches herrschenden Orientierungslosigkeit einen großen Deutschen, der den „Wahnsinn" der Hitler-Zeit früh erkannt hatte, um Rat und Hilfe zu bitten.[19] Seine Beweggründe waren jedoch so lauter nicht, wie er beteuert. Im Gegenteil, Grosser war entschieden „Partei", wie seine Sprache, sein Verhalten und seine Vergangenheit erkennen lassen.

Was nicht nur von Molo und Thieß, sondern besonders auch Grosser eigentlich motivierte, war Manns Artikel *Die Lager* (XII, 951–953), der von der Befreiung Buchenwalds handelt und der zehn Tage nach der Kapitulation unter der nicht autorisierten Überschrift „Thomas Mann über die deutsche Schuld" in der Bayerischen Landeszeitung und anderswo erschienen war. Dieser Text wurde von vielen als Pauschalverurteilung aller Deutschen im Sinne der so genannten Kollektivschuldthese aufgefasst – eine Lesart, für die der Artikel selbst keine Handhabe liefert. Thomas Mann unterscheidet in den diesbezüglichen Texten der letzten Kriegsjahre grundsätzlich zwischen der Frage von „Schuld und Unschuld des einzelnen" und der Frage der „furchtbare[n] nationale[n] Gesamtschuld" Deutschlands (XIII, 746). Letztere, die nationale Gesamtschuld, ist als eine politische Schuld im Sinne von Karl Jaspers zu verstehen.[20] Sie impliziert Deutschlands Verantwortung für die in seinem Namen begangenen Verbrechen.

In dem vom Krieg traumatisierten Deutschland hielt sich eine große Anzahl von Menschen davon überzeugt, dass die amerikanische Regierung und mit ihr Thomas Mann alle Deutschen schuldig sprechen wollten. Die Goebbels-

---

[18] Die große Kontroverse. Ein Briefwechsel um Deutschland, hrsg. und bearbeitet von J. F. G. Grosser, Hamburg, Genf, Paris: Nagel 1963, S. 16. Vgl. auch die kommentierte Sammlung der einschlägigen Zeugnisse Thomas Manns bei Stephan Stachorski: Fragile Republik: Thomas Mann und Nachkriegsdeutschland, Frankfurt/Main: Fischer-Taschenbuch-Verlag 1999; sowie Eckhard Heftrich: Thomas Manns „Doktor Faustus" und die ‚innere Emigration', in: Etudes Germaniques 53 (1998), S. 455–469.

[19] Grosser (Anm. 18), S. 11.

[20] Karl Jaspers: Die Schuldfrage. Ein Beitrag zur deutschen Frage, 4. Aufl., Zürich: Artemis 1947, S. 10: „*Politische Schuld*: Sie besteht in den Handlungen der Staatsmänner und der Staatsbürgerschaft eines Staates, infolge derer ich die Folgen der Handlungen dieses Staates tragen muß, dessen Gewalt ich unterstellt bin, und durch dessen Ordnung ich mein Dasein habe. Es ist jedes Menschen Mitverantworung, wie er regiert wird." S. 39 f.: „Kollektivschuld also gibt es zwar notwendig als politische Haftung der Staatsangehörigen, nicht aber darum im gleichen Sinne als moralische und metaphysische und nicht als kriminelle Schuld."

Propaganda in der letzten Phase des Krieges sowie die Ankündigung von Entnazifizierungsverfahren, von denen man zunächst nicht ahnte, wie unzulänglich ihre Durchführung ausfallen würde, hatten das Ihre getan, um die Kollektivschuld als drohendes Gespenst aufzubauen. Wir haben es hier, wie Norbert Frei aufgezeigt hat,[21] mit einem bekannten Phänomen der Sozialpsychologie zu tun: Man wehrte sich gegen eine Anschuldigung, die niemand erhoben hat, um sich dem uneingestandenen Wissen um das Verbrecherische des Regimes, dem man gedient hatte, nicht stellen zu müssen. Gerade dies jedoch, die „volle und rückhaltlose Kenntnisnahme entsetzlicher Verbrechen", hatte Thomas Mann nach der Befreiung von Auschwitz und Birkenau in seiner Radiosendung vom Januar 1945 als „Vorbedingung" für die „Aussöhnung mit der Welt" (XI, 1106) bezeichnet. Grosser nun, der als Presseoffizier bei der Wehrmacht gedient und sich mit Publikationen über „Europäische Grossraumwirtschaft" und Ähnlichem hervorgetan hatte,[22] war von einer solchen Anerkennung noch 1963 weit entfernt. Auf der einen Seite versichert er, mit dem „Waffenrock" auch den Glauben an die „Irrungen der Vergangenheit" abgelegt zu haben, auf der anderen schwadroniert er im alten Tonfall von der „kühn-schnoddrige[n] Luftwaffe" und gar von der „utopistisch-widerständlerische[n] SS."[23] Man sieht, er hatte mehr Grund als von Molo oder Thieß, die angekündigte Entnazifizierung zu fürchten.

Grosser gelang es wohl schon unmittelbar nach dem Ende, seinen väterlichen Freund Walter von Molo dazu zu überreden, an Thomas Mann zu schreiben. Von Molo schrieb zunächst einen Geburtstagsbrief an seinen ehe-

---

[21] Norbert Frei: Von deutscher Erfindungskraft oder: Die Kollektivschuldthese in der Nachkriegszeit, in: Rechtshistorisches Journal 16 (1997), S. 621–634. Frei macht darauf aufmerksam, dass „kein einziges offizielles Dokument überliefert ist, in dem die Siegermächte eine solche Kollektivschuld postulieren", und deutet die heftige, um nicht zu sagen hysterische Abwehr dieses Vorwurfs als Ausdruck des Kollektivbewusstseins der Deutschen und ihres schlechten Gewissens. Die Rede von der Kollektivschuld habe darüber hinaus einen „trefflichen Vorwand" geboten, „sich ungerecht behandelt zu fühlen – und die Frage nach der persönlichen Schuld beiseite zu schieben" (S. 621, 632 f.). Unbegreiflicherweise übersieht Frei den erregten Streit über die angeblich von Thomas Mann propagierte Kollektivschuldthese.

[22] Vgl. Leonore Krenzlin: Geschichte des Scheiterns – Geschichte des Lernens? Überlegungen zur Lage während und nach der ‚Großen Kontroverse' und zur Motivation ihrer Akteure, in: Fremdes Heimatland. Remigration und literarisches Leben nach 1945, hrsg. von Irmela von der Lühe und Klaus-Dieter Krohn, Göttingen: Wallstein 2005, S. 57–70; dies.: Große Kontroverse oder kleiner Dialog? Gesprächsbemühungen und Kontaktbruchstellen zwischen ‚inneren' und ‚äußeren' literarischen Emigranten, in: Galerie. Revue Culturelle et Pedagogique 15 (1997), 7–25. Krenzlin, S. 13., weist Grosser als Autor folgender Bücher aus: Europäische Großraumwirtschaft (Berlin 1940); Funker am Feind (Dresden/Berlin 1941); mit Ina Seidel Dienende Herzen. Briefe von Nachrichtenhelferinnen des Heeres (Dresden/Berlin 1943); Die Führungstruppe. Weg und Wert einer Waffe (Chemnitz 1944).

[23] Grosser (Anm. 18), S. 11.

maligen Kollegen von der Sektion Dichtkunst, in dem er seiner Hoffnung Ausdruck gab, ihn bald wieder zu sehen und sprechen zu können.[24] Von Molo versuchte in durchaus verbindlichem Ton, den Kontakt wiederherzustellen und nach Möglichkeit schön Wetter zu machen. Vermutlich weil er mit Schiffspost geschickt wurde, gelangte dieser Initialbrief nach Ausweis des Tagebuchs erst am 30. August in Manns Hände. Zu diesem Zeitpunkt aber hatte ihn bereits der fatale zweite Brief von Molos erreicht. Erst dieser zweite Brief enthält die berühmte Aufforderung, nach Deutschland zurückzukehren, um „wie ein guter Arzt" in die „von Gram durchfurchten Gesichter zu blicken" und das „unsagbare Leid" in den Augen der vielen Deutschen zu sehen, „die nicht die Glorifizierung unserer Schattenseiten mitgemacht haben."[25] Der verräterische Euphemismus „unsere Schattenseiten" für die Naziherrschaft, aber auch manch andere Formulierung ließ erkennen, dass von Molo und seine Gesinnungsgenossen nicht bereit waren, die Enormität des Unrechts und der Verbrechen anzuerkennen.

Nachdem von Molo diesen Brief offenbar nach Vorgaben seines ehrgeizigen Freundes Grosser geschrieben hatte, nahm dieser selbst das Heft in die Hand, um mit diesem vorgeblich persönlichen Brief eine öffentliche Kontroverse um Thomas Mann anzuzetteln, mit dem Ergebnis, dass nun nicht mehr das Verhalten des einen oder anderen Schriftstellers zur Debatte stand, sondern ganz Deutschland. Grosser gibt das Motiv zu seiner Aktion selbst zu erkennen: Er wolle verhindern, erklärt er, dass „der Mensch in Deutschland, der Hinterbliebene in jeglicher Gestalt, [...] deklassiert, schematisch in Gruppen eingeteilt" werde, dass „neues Unheil, Rache und Haß, neuer Ungeist, [...] neues Unrecht" geschehe.[26] An Grossers Ausweichtaktik und seinen exkulpatorischen Absichten kann also kein Zweifel sein. Seine Aktion von 1945, wie auch sein Buch von 1963, gehören in den Kontext der prinzipiell exkulpatorischen und restaurativen Vergangenheitspolitik, die den Umgang mit der jüngsten Geschichte lange prägte und dem kulturellen und politischen Leben Deutschlands ihren Stempel aufdrückte.[27] Ein Kernpunkt dieser Vergangenheitspolitik war die Opposition gegen Thomas Mann. Genau betrachtet ging es also Grosser und seinen Mitverschworenen keineswegs darum, den berühmten Exilanten in

---

[24] BrAu, S. 365.
[25] ebd., S. 366.
[26] Grosser (Anm. 18), S. 17.
[27] Vgl. dazu vor allem Norbert Frei: Vergangenheitspolitik. Die Anfänge der Bundesrepublik und die NS-Vergangenheit, München: Beck 1996; Helmut Dubiel: Niemand ist frei von der Geschichte. Die nationalsozialistische Herrschaft in den Debatten des Deutschen Bundestags, München: Hauser 1999; Aleida Assmann/Ute Frevert: Geschichtsvergessenheit, Geschichtsversessenheit. Vom Umgang mit deutschen Vergangenheiten nach 1945, Stuttgart: Deutsche Verlags-Anstalt 1999, S. 112–117.

den deutschen Neuanfang einzuschalten, sondern vielmehr ihn auszuschalten, um so die „Deutungshoheit"[28] über die Vergangenheit den Emigranten zu entreißen und für die zu reklamieren, die das Dritte Reich mitgetragen hatten. Diese Abwehrstrategie sollte sich als eine entscheidende Weichenstellung der deutschen Nachkriegsgeschichte erweisen.

Die nächsten Schritte zum Zustandekommen der so genannten „großen Kontroverse" sind noch nicht alle aufgeklärt. Den Forschungen Leonore Krenzlins zufolge war die ganze Sache abgekartet und muss sich ungefähr wie folgt abgespielt haben: Grosser ging mit von Molos Brief, der undatiert war, zu Hans Habe, dem Presseoffizier der amerikanischen Militärregierung und Chefredakteur der unter amerikanischer Kontrolle stehenden Münchner Zeitung, in der der Brief am 4. August veröffentlicht wurde, gleichzeitig mit mehreren anderen Zeitungen in der amerikanischen Zone. Thomas Mann erhielt das Dokument vier Tage später vom *Office of War Information* zugestellt. Noch bevor der *Faustus*-Autor widerstrebend seine Replik verfasste, war am 18. August ebenfalls in der Münchner Zeitung aus der Feder von Frank Thieß ein Artikel unter dem Titel *Die Innere Emigration* erschienen, der nun die Sache beträchtlich eskalierte. Thomas Mann kam dieser Artikel, den er „abscheulich" schief und aufreizend fand (Tb, 18.9.1945), erst nach Abschluss seines Antwortbriefs an Walter von Molo vor Augen.

Ob Frank Thieß durch Grosser, durch Walter von Molo oder Hans Habe für die offensichtlich konzertierte Aktion gegen Thomas Mann gewonnen wurde, muss so lange ungeklärt bleiben, so lange sein Nachlass gesperrt bleibt.[29] Wie dem auch sei, es konnte dem *Faustus*-Autor nicht entgehen, dass sich hinter dem vorgeblich aus Not und Hilfsbedürftigkeit geborenen Ruf zur Rückkehr eine gemeine „Tücke" und eine „geheime Lust am Ruinieren" (XIII, 744) verbarg. Bereits der von Grosser inspirierte Brief von Molos brachte ihn in eine unmögliche Lage. Wäre er zurückgekehrt, so hätte er angesichts der Zerstörung und Not kaum umhin können, sich bis zu einem gewissen Grad zum Anwalt der Deutschen zu machen und damit Grossers Position des „Schwamm drüber" zu legitimieren. Lehnte er die Rückkehr ab, so stand er als herzlos da unter empfindlicher Schwächung seiner politisch-moralischen Autorität.

Nun war aber mit dem in viel schärferem Ton gehaltenen Artikel von Thieß ein neuer Gesichtspunkt hinzugekommen: Thomas Manns Deutschtum – ein Argument, das sogleich von einigen anderen Stimmen, die sich zu Wort meldeten, aufgenommen wurde. Thieß hielt Thomas Mann vor, dass er

---

[28] Von der Lühe (Anm. 9), S. 311.
[29] Krenzlin (Anm. 22), S. 63.

zum Thema deutsche Schuld eigentlich nichts zu sagen habe, da er die Zeit der Hitler-Herrschaft, die er als „deutsche Tragödie" bezeichnet, aus den „Logen und Parterreplätzen des Auslandes" bequem und gefahrlos überleben konnte. Die Daheimgebliebenen hingegen, die auf ihrem Posten ausharrten, hätten aus dieser unmittelbaren Zeugenschaft einen „Schatz an Einsicht und Erfahrung" gewonnen haben, dessen ein Exilant notwendig entraten müsse.[30] Die im Lande Verbliebenen seien somit die einzigen qualifizierten Zeitzeugen, die das in Deutschland Geschehene zu beurteilen vermögen. Mit anderen Worten: das Erlebnis der Nazi-Herrschaft habe aus den Daheimgebliebenen nicht nur bessere Menschen und Schriftsteller gemacht, sondern auch bessere Deutsche. Deutsche Schriftsteller gehörten nach Deutschland, auch Thomas Mann, der, wenn er nicht sofort, sondern erst später zurückkehre, „vielleicht nicht mehr" seine Muttersprache verstehen würde,[31] was wohl heißen soll, dass er dann nicht länger als deutscher Dichter angesehen werden könne. Nicht zu Unrecht hat man diese weit verbreitete Einstellung als „Fremdstigmatisierung" im Interesse der „Eigenaufwertung" gekennzeichnet.[32]

Wie sehr Grosser in diesem Streit auf Thieß' Seite stand geht u.a. daraus hervor, dass er einen an Thieß gerichteten offenen Brief von Herbert Lestiboudois, einem sonst unbekannten „Dichter der jüngeren Generation", in die Dokumentation der „großen Kontroverse" aufnahm. Darin heißt es: „Was weiß er [Thomas Mann] überhaupt von Deutschland, obwohl er ein deutscher Dichter ist? Nichts! [...] Darum haßt er uns und beschmutzt uns, denn er spürt noch dort in der Ferne, daß wir durch das Leid tiefer, wesentlicher, menschlicher werden und schon geworden sind, als er es ist – dass wir ihm überlegen sind, auch wenn wir unterliegen."[33] Der Brief von Lestiboudois wiederholt mit anderen, erregteren Worten, was Thieß schon verlauten ließ, und hat offenbar nur den einen Zweck, zu demonstrieren, dass auch die nachwachsende Generation von deutschen Dichtern genauso empfindet wie die Innere Emigration. Im Übrigen belegt dieses Zeugnis, dass die ehemaligen Nazis und Nazisympathisanten, ob alt oder jung, zuallererst Mitleid, ja Bewunderung einforderten für das, was sie durchgemacht hatten, und dass sie weit davon entfernt waren, die von Thomas Mann geforderte Anerkennung des ganzen Ausmaßes der Verbrechen und der Schuld auch nur in Betracht zu ziehen.

Die Thieß'sche Taktik, hinter Manns Deutschtum ein Fragezeichen zu setzen, hat auch bei anderen Teilnehmern an dem Streit ihren Niederschlag

---

[30] Grosser (Anm. 18), S. 24.

[31] ebd., S. 25.

[32] Sven Papcke: Exil und Remigration als öffentliches Ärgernis. Zur Soziologie eines Tabus, in: Exilforschung. Ein Internationales Jahrbuch Bd. 9 (1991), S. 9–25, 11.

[33] Grosser (Anm. 18), S. 93.

gefunden, am unverblümtesten in einem Beitrag von Otto Flake über den *Fall Thomas Mann*. Dieser zwar wohlmeinende und in verbindlichem Ton gehaltene Text illustriert die weit verbreitete Uneinsichtigkeit besonders deutlich. Flake, wie Thomas Mann ein Autor des S. Fischer Verlags, erinnerte daran, dass sein Kollege in Kalifornien „juristisch gesehen […] nicht mehr Deutscher" sei, sondern „amerikanischer Untertan" und dass damit zwischen ihm und Deutschland „das Tischtuch zerschnitten" sei.[34] Da nur der „legitim mitreden" dürfe, der die „Schicksale der Nation […] an Ort und Stelle" erlebt habe, werden Thomas Manns Einmischungen schlichtweg für illegitim erklärt. Wie Thieß hält sich Flake etwas darauf zugute, aus der Erfahrung der Naziherrschaft menschlich und künstlerisch gewonnen zu haben. Die Verbohrtheit dieser Position wird vollends offenbar, wenn er abschließend zum Dritten Reich meint, die Deutschen seien „töricht" genug gewesen, für die „Menschheit […] die Kastanien aus dem Feuer" zu holen und ihr die Gefahr vorzuleben, die immer dann drohe, wenn aus der Zerstörung aller Bindungen notwendig „Maßlosigkeit" hervorgehe. In diesem Sinne habe Deutschland zum Nutzen und Gewinn der ganzen Menschheit eine Art „Kloakendienst" übernommen, „während die anderen, die Hände in den Hosen, verächtlich" zugeschaut hätten.[35]

Bezeichnenderweise verlagerte sich der Streit auf Nebenschauplätze, um dem im Raum stehenden Hauptproblem, der Frage der Schuld und Verantwortung, auszuweichen. Ein solcher Nebenschauplatz tat sich mit Manns Behauptung auf, dass alle Bücher, die von 1933 bis 1945 in Deutschland erscheinen durften, „eingestampft" gehörten, weil ein „Geruch von Blut und Schande" (XII, 957) daran hafte. Dieser unbedachte Satz war offensichtlich unhaltbar, da ja Manns eigene Bücher noch bis 1936 in Deutschland erscheinen durften, aber er gab der Inneren Emigration die Gelegenheit, lange doch belanglose Gegenrechnungen aufzumachen.[36]

Als irreführend erweist sich auch Grossers Behauptung, Frank Thieß habe mit der Überschrift „Die Innere Emigration" einen „neuen Begriff in die Debatte" eingeführt.[37] Das soll heißen, dass erst Thieß einer ganzen Gruppe ehrenwerter Autoren, die Thomas Mann geschmäht hatte, ihre Identität und Dignität gegeben habe. In Wirklichkeit aber wurde der Begriff schon 1933 von Lion Feuchtwanger in *Die Geschwister Oppenheim*[38] und

---

[34] ebd., S. 53.
[35] ebd., S. 56.
[36] Vgl. dazu besonders den in der Weihnachtsnummer der Süddeutschen Zeitung erschienenen Artikel von Wilhelm Hausenstein: „Bücher – frei von Blut und Schande", ebd., S. 61–75.
[37] ebd., S. 21.
[38] Siehe Lion Feuchtwanger: Die Geschwister Oppenheim, Amsterdam: Querido 1933, S. 398.

von Thomas Mann selbst verwendet.[39] Mann denkt bereits im Tagebuch vom 7. November 1933 – also zu einem Zeitpunkt, als Thieß sich noch mit den Nazis gemein machte[40] – an die „innere Emigration" in Deutschland, „zu der ich im Grunde gehöre." (Tb, 7.11.1933) Auch und gerade nach der Kampfansage an Hitler-Deutschland erwies er der Inneren Emigration Respekt und zeigte Verständnis für ihre Situation. In *Schicksal und Aufgabe*, einem Vortrag, den er 1943 an der amerikanischen Nationalbibliothek in Washington und in anderen Städten hielt, warb er nachdrücklich um Sympathie für die, wie er mutmaßt, „nach Millionen zählende ‚innere Emigration'", die auf das Ende warte, „wie wir es tun" (XII, 923). In der Erzählerfigur des *Doktor Faustus*, einem vom Schuldienst zurückgetretenen Freisinger Gymnasialprofessor, ist dem Typus innerer Emigrant ein keineswegs unsympathisches Denkmal gesetzt.

Die Solidarität mit der Inneren Emigration ist also bei Thomas Mann für die ganze Dauer der Hitler-Herrschaft nachweisbar. Annulliert wurde sie erst nach dem Krieg, als Thieß diese Bezeichnung zu einem „Kampfbegriff" umfunktionierte.[41] Dieser Kampfbegriff war jedoch nicht pauschal gegen das gesamte Exil gerichtet, sondern spezifisch gegen Thomas Mann, den angeblichen Vertreter der amerikanischen These von der Kollektivschuld aller Deutschen. Einmal mehr also musste sich Thomas Mann von seinen Kollegen und vermeintlichen Verbündeten in der Opposition gegen Hitler zurückgestoßen fühlen, wie schon 1933, als seine Münchner Nachbarn und Weggefährten sich beeilten, ihn wegen seiner Wagner-Rede als national unzuverlässig zu denunzieren. Er empfand „jene rüde Denunziation" (Tb, 3.7.1933) der Münchner Wagnerianer als „nationale Exkommunikation" (XIII, 91), ein feierlicher Begriff, zu dem er auch in seinem großen Bonner Brief greift (XII, 789). Wie schon dort erinnert Thomas Mann auch in der Replik auf Walter von Molos Brief an jene „analphabetische und mörderische" Hetze (XII, 954) aus Anlass seiner Wagner-Rede. Und wie dort waren es ehemals Gleichgesinnte und eigentlich Nahestehende, die unmittelbar nach der Machtübernahme

---

Dort wird der Begriff „innere Emigration" auf „die Leute in Deutschland" angewandt, die vom Regime verfolgt werden oder als „Missvergnügte" nicht mitmachen und Berichte über den Alltag des Dritten Reichs nach draußen schmuggeln: „Es handelt sich da um Aufklärungsdienst im Innern. So eine Art Innere Mission [...] Eine beschwerliche Sache, die Innere Emigration, kann ich Ihnen sagen. Man lebt in Restaurants, Hotels, schläft jede Nacht wo anders, die Polizei immer hinterher."

[39] Vgl. dazu Peter Michelsen: „Wohin ich gehöre." Thomas Mann und die ‚innere Emigration', in: Frankfurter Allgemeine Zeitung, 2.6.1995.

[40] Vgl. dazu Yvonne Wolf: Frank Thieß und der Nationalsozialismus: ein konservativer Revolutionär als Dissident, Tübingen 2003: Niemeyer, S. 4 ff.

[41] Von der Lühe (Anm. 9), S. 311.

durch die Nazis und nun sogleich nach deren schimpflichem Ende, als gäbe es nichts Dringenderes, über Thomas Mann den Stab brachen.

Damit stellten sie sich aber – ob bewusst oder unbewusst, möge dahin gestellt bleiben – auf die Seite des NS Regimes und argumentierten im Geiste des im Juli 1933 erlassenen Gesetzes zur Frage der deutschen Staats-angehörigkeit. Jenes Gesetz sah deren Aberkennung in all den Fällen vor, in denen „durch ein Verhalten, das gegen Pflicht und Treue gegen Reich und Volk verstößt, die deutschen Belange geschädigt" wurden.[42] Frank Thieß, Otto Flake und andere hätten im Jahre 1945 den Vorwurf des Nazigeistes vermutlich entrüstet als infame Unterstellung von sich gewiesen. Aber im Endeffekt läuft ihre versteckte *ad hominem* Argumentation denn doch auf eine partielle Affirmation der Nazi- Doktrin in Sachen deutscher Identität hinaus.

Manns amerikanische Staatsangehörigkeit entpuppte sich somit in dem Streit, den die Daheimgebliebenen mit ihm führten, als der springende Punkt. Dies geht nicht nur aus der Argumentation Otto Flakes hervor, der die heikle Sache grob vereinfachte; es war im Grunde eine in der deutschen Bevölkerung weit verbreitete Sicht der Dinge, wie aus der Umfrage zu ersehen ist, die die amerikanische Militärbehörde im Sommer 1947 in Bayern durchführte. Die Frage war: „Wollt ihr Thomas Mann wiederhaben?"[43] Die über achtzig Befrag-ten waren meist Bildungsbürger mit Doktortiteln, also Meinungsführer. Eine klare Mehrheit von ihnen wollte Thomas Mann keineswegs wiederhaben. Als beispielhaft darf die Stellungnahme des Münchner Theater- und Musikkriti-kers Dr. Walter Panofsky gelten, eines über den Verdacht des Nazigeistes erha-benen Mannes. Panofsky gab zu Protokoll: „Den Ruf an die Emigranten halte ich für eine Selbstverständlichkeit, da unser Volk dazu schon aus Anstands-gründen die Verpflichtung hat." Im Übrigen könnten die Zurückgekehrten „helfen eine Brücke zwischen uns und der übrigen Welt zu schlagen." Was jedoch Thomas Mann betreffe, so stehe die Sache „ganz anders"; denn „vor den Toren zu sein, nicht den Mut zu haben, die Dinge zu sehen, wie sie sind, und dennoch darüber zu sprechen; das ist für mich ein moralisches und ethi-

---

[42] Nach Sprecher (Anm. 1), S. 319.

[43] In dieser Form stellt die Frage eine Verkürzung des amerikanischen Fragenkatalogs dar. Anknüpfungspunkt waren unausgesprochen auch hier die beiden Äußerungen Manns von 1945: *Die Lager* und *Warum ich nicht nach Deutschland zurückgehe*. Die entscheidenden Fragen waren: Kennen Sie Thomas Mann, Carl Zuckmayer, Helene Thimig und halten Sie es für „wünschens-wert", dass diese Emigranten zurückkehren, um „an der Wiedererziehung und Wiedergutmachung in Deutschland teilzunehmen?" Siehe Jost Hermand/Wigand Lange: „Wollt ihr Thomas Mann wiederhaben?" Deutschland und die Emigranten, Hamburg: Europäische Verlagsanstalt 1999, S. 59.

sches Versagen.“[44] Dabei ist es bemerkenswert, dass Panofsky zwar meint, die Emigranten sollten „nicht unter dem Gesichtspunkt ihrer heutigen Staatsbürgerschaft“ beurteilt werden, doch offenbar spielt dieser Punkt sehr wohl eine Rolle, denn seine Beispiele, Paul Hindemith und Alfred Kerr, von denen er meint, sie seien Amerikaner, beziehungsweise Engländer geworden, waren es nicht, während er von Thomas Mann dies wusste, weil dieser ja seine Staatsangehörigkeit als einen der Gründe für seine Nicht-Rückkehr angegeben hatte.

Man mag daraus ersehen, dass die von Otto Flake stammende Etikettierung des *Faustus*-Autors als „amerikanischer Untertan“ ausgesprochen und mehr noch unausgesprochen auf jede Meinungsäußerung zu Thomas Mann abfärbte. Flakes Etikett ist jedoch doppelt irreführend. Es verdeckt Manns wachsende Kritik an der Politik Amerikas, ganz davon abgesehen, dass der Begriff „Untertan“ deplaziert ist und auf Flake selbst zurückfällt. Verständlich ist allerdings seine Bemerkung: „Ich weiß nicht, warum Mann Amerikaner wurde.“[45] Auch die Thomas-Mann-Forschung weiß es nicht.

*

Kehren wir nun zu Thomas Manns Situation von 1938 zurück, um die Beweggründe zu rekonstruieren für die sofortige Ingangsetzung des Einbürgerungsprozesses. Für die Übersiedlung in die USA lassen sich ohne weiteres mehrere Faktoren namhaft machen: die sich rapide verschlechternde Lage in Europa, die auch die Schweiz gefährdet erscheinen ließ; die Gewissheit, fürs Erste eine akademische Stellung in Princeton zu haben sowie die anscheinend unbegrenzte Hilfswilligkeit Agnes Meyers. Doch über die Gründe für die Entscheidung, sich sogleich um die amerikanische Staatsbürgerschaft zu bewerben, schweigen sich die Briefe und Tagebücher aus. Ausgestattet mit der berühmten *green card*, also als *permanent resident*, hätte er sich über seine leibliche und ökonomische Sicherheit keine Sorgen zu machen brauchen. Als *permanent resident* hätte er die Frage der Staatsangehörigkeit auf unbestimmte Zeit auf sich beruhen lassen können bis zu dem fernen Zeitpunkt, zu dem eine Rückkehr in ein vom Nationalsozialismus befreites Deutschland möglich gewesen wäre.

Die Entscheidung, Amerikaner zu werden, war wohl überlegt, denn er machte sich ein Gewissen aus dem möglicherweise befremdlichen Eindruck, den dieser Schritt auf seine tschechoslowakischen Bewunderer und Helfer machen würde. Mann schrieb in dieser Sache an den Präsidenten der ČSR, Eduard Beneš, und an den ČSR Botschafter in der Schweiz, Jan Laška, um

---

[44] ebd., S. 156 f. Eine rühmliche Ausnahme unter den Befragten ist der Komponist Karl Amadeus Hartmann, der vorbehaltlos für Thomas Mann Partei nahm.

[45] Grosser (Anm. 18), S. 53.

zu versichern, dass er sich ihrem Land dankbar verbunden fühle und er auf jeden Fall für die nächsten fünf Jahre Bürger der Tschechoslowakei bleiben werde.[46] Wie so oft übernahm Erika die Aufgabe der Schadensbegrenzung. Sie schrieb, nach Absprache mit dem Vater (Tb, 20.5.1938), einen längeren Brief an Leopold Schwarzschild, den Herausgeber des Neuen Tage-Buchs, mit der Bitte um Veröffentlichung. Die darin enthaltene Auskunft, ihr Vater habe die *First Papers* und damit „das Options-Recht auf die amerikanische Staatsbürgerschaft" nicht beantragt, ist allein schon deshalb unwahr, weil ohne die Beantragung der *First Papers*, die als erster Schritt zur Einbürgerung unerlässlich sind, sein Aufenthalt in den Staaten begrenzt gewesen wäre und er keine Arbeitserlaubnis besessen hätte.[47] Auch Manns eigene Auskunft in dem Brief an Laška, die Frage seiner amerikanischen Staatsbürgerschaft werde erst in fünf Jahren akut, ist insofern irreführend, als sie nicht erst beim Erwerb und der Vereidigung akut war, sondern schon bei ihrer Beantragung.

Die Entscheidung, Amerikaner zu werden, lässt sich am ehesten aus der Entwicklung von Thomas Manns politischem Denken nachvollziehen. Hier ist zunächst jener Text heranzuziehen, mit dem er im Frühjahr seine erste große Vortragstour bestritt: *Vom zukünftigen Sieg der Demokratie*. Dieser Text steht weder bei der Thomas-Mann-Forschung noch bei den Politologen und Historikern in hohem Ansehen, zumal seit wir aus dem Tagebuch (27.11.1937) wissen, dass ihm die Arbeit daran kein „Vergnügen" bereitete und er sich selbst die zweifelnde Frage stellte: „Demokratischer Idealismus. Glaube ich daran? Denke ich mich nur hinein wie in eine Rolle?" Die Zweifel sind verständlich: fünfzehn Jahre nach seinem öffentlichen Bekenntnis zur Weimarer Republik war er immer noch kein lupenreiner, überzeugter Demokrat, mochte er sich doch keine Demokratie ohne den „notwendigen geistesaristokratischen" Einschlag vorstellen. (XI, 925)

Und in der Tat, um der Rolle willen, die zu spielen er entschlossen war, musste er sich in den demokratischen Idealismus erst hineindenken. Es war die Rolle eines Mahners, der die kriegsunwilligen Amerikaner davon überzeugen wollte, dass der Krieg mit Hitler-Deutschland unvermeidlich sei. Gleichzeitig argumentierte er, dass den Demokratien, die wie die Vereinigten Staaten unter Roosevelt eine soziale Erneuerung ins Werk setzen und sich somit für die kommende Auseinandersetzung stärken, der „Endsieg über die sie heute bedrohenden Tendenzen und Mächte" (XI, 916) beschieden sein wird. Der eigentliche Sinn

---

[46] Siehe Telegramm an Beneš vom 5.5.1938 und den Brief an Laška vom 6.5.1938; Regesten 38/69 und 38/72.

[47] Erika Mann an Leopold Schwarzschild, 28.5.1938; Erika Mann: Briefe und Antworten, hrsg. von Anna Zanco Prestel, Bd. I, München 1984, S. 127–129. Der Brief erschien unter dem Titel „Gerüchte um Thomas Mann" in: Das Neue Tage-Buch 6 (1938), S. 547–548.

der Rede wäre demnach besser getroffen, wenn der Titel lautete: Vom zukünftigen Sieg der Demokratien, also des Westens, über das faschistische Deutschland
und Italien. Diese Kriegserwartung geht schon aus dem signalhaften Bonner
Brief von der Jahreswende 1936/37 hervor, in dem Thomas Mann sich überzeugt
zeigt, dass der Nationalsozialismus nur den einen Sinn haben könne: Krieg zu
führen, um den 1918 gescheiterten Versuch von 1914 zu wiederholen und das
Urteil von Versailles zu korrigieren, nämlich die Erlangung der politischen Suprematie in Europa, den Griff nach der Weltmacht. Darf man den Bonner Brief
als die Eröffnungsfanfare seines persönlichen Krieges gegen Hitler-Deutschland
bezeichnen, so ist die Demokratie-Rede von 1938 als sein erster großer Feldzug
anzusehen. Weitere solche persönlichen Feldzüge sollten bald folgen.

Die Vortragsreise von 1938 war von Harold Peat, einem prominenten *literary
agent*, organisiert worden und führte Thomas Mann in fünfzehn Städte. Katia
und Erika begleiteten ihn. Dabei war ihm besonders die Hilfestellung willkommen, die Erika ihm bei den üblichen Fragen aus dem Publikum geistesgegen-
wärtig leistete. Thomas Mann hatte eine ausgesprochene Abneigung gegen diesen Brauch und nannte ihn die „nachfolgende Auspressung" (Tb, 18.3.1940).
Auch Peat begleitete ihn über weite Strecken. Der prominente Redner erhielt
für die fünfzehn Auftritte 15.000 Dollar, ein Spitzenhonorar für damalige Verhältnisse, wovon 25 Prozent an Peat gingen. Die Tour war ein großer Erfolg bei
Publikum und Presse. In Los Angeles sprach er vor 7.000 Menschen; in Berkeley und an anderen Universitäten war der Hörsaal zu klein, so dass seine Rede
in angrenzende Räume übertragen werden musste. Legt man die Presseberichte
zu Grunde, so beläuft sich die Zuhörerschaft aller fünfzehn Veranstaltungen
auf 43.000.[48] Kein anderer Emigrant konnte sich solcher Resonanz rühmen.
Die Tournee begann am 1. März in Chicago, genauer gesagt an der North-
western University in Evanston, nördlich von Chicago. Die letzte Station war
am 6. Mai die Carnegie Hall in New York. Höhepunkt der Reise war vermutlich Manns Auftritt in der historischen Constitution Hall in Washington.
Agnes Meyer hatte für den Vortrag wie auch für den anschließenden Empfang
in ihrem Haus das offizielle Washington mobilisiert und berichtete darüber in
der Washington Post (11.3.1938) in großer Aufmachung auf der Titelseite unter
der Überschrift: „Thomas Mann Says Pacifism Towards Fascists Tempts War."
Sie lieferte auch eine eigene, neue Übersetzung des Demokratie-Vortrags, die
im Sommer 1938 als kleines Buch bei Knopf erschien.[49]

---

[48]   Nach John F. White: Thomas Mann in America. The Rhetorical and Political Experiences of
an Exiled Artist, Dissertation, University of Minnesota 1971.
[49]   Thomas Mann: The Coming Victory of Democracy, translated from the German by Agnes E.
Meyer, New York: Alfred A. Knopf 1938, 67 Seiten. Die auf der Reise zum Vortrag gekommene
englische Fassung wurde noch in Zürich angefertigt und stammt von Mary Hottinger-Mackie.

Von Chicago führte die Reise an die University of Michigan in Ann Arbor und von dort zunächst zurück nach New York, wo er an zwei aufeinander folgenden Tagen in der Academy of Music in Brooklyn und am Vormittag des 10. März in der Town Hall in Manhattan sprach, um noch am gleichen Tag mit dem Zug nach Washington zu eilen, wo er noch am selben Abend sprach. Von der Hauptstadt ging es nach Philadelphia, wo er in der berühmten Academy of Music auftrat und zum ersten Mal in vorgeschalteten Bemerkungen zu der „Gewalttat an Österreich" (Tb, 12.3.1938) Stellung nahm. Solche Bemerkungen zu den aktuellen Ereignissen in Europa wurden fortan routinemäßig eingeschaltet. Von der Stadt Benjamin Franklins führte die Reise ins Landesinnere zu drei Terminen in Kansas City (Missouri), Tulsa (Oklahoma) und Salt Lake City (Utah). Es folgten drei Auftritte an der Westküste: im Opernhaus von San Francisco, an der University of California in Berkeley und in dem riesigen Shrine Auditorium in Los Angeles, wo er von dem Regisseur William Dieterle eingeführt wurde. Im zweiten Teil der Reise sprach er zunächst an der University of Illinois in Champagne-Urbana und sodann in Cleveland und in Toronto, von wo man zur letzten Station nach New York in die Carnegie Hall zurückkehrte.

Die riesigen Strecken wurden mit der Bahn zurückgelegt. Man reiste zwar bequem, doch die Belastungen der langen Fahrten sowie das gesellschaftliche Drum und Dran mit Fracktoilette, Empfängen, Diners und Interviews ließen die vierwöchige Pause, die man in Los Angeles einlegte, ebenso willkommen wie verdient erscheinen. So kurz er war, dieser erste Aufenthalt in Los Angeles erwies sich als folgenreich: Katia und Thomas Mann, die einen Bungalow des Beverly Hills Hotels gemietet hatten, waren von Südkalifornien, das sie an die französische Riviera erinnerte, höchst angetan. Der Gedanke, sich hier niederzulassen, war nahe liegend und ließ die sich abzeichnende Bindung an Princeton – noch war nicht die Universität selbst, sondern das Institute of Advanced Study im Gespräch – von vornherein als ein Zwischenspiel erscheinen.

Der andere, für sein Werk höchst bedeutsame Ertrag dieser Ruhepause war der improvisatorische Beginn eines Essays, der im Tagebuch (4.4.1938) zuerst als „Impromptu" auftaucht und dann einfach als „Tagebuchblätter" bezeichnet wird. Die Aufzeichnungen beginnen wie folgt:

Es ist gut, wieder zu schreiben, die introvertierte Lebensform literarischer Sammlung wieder zu kosten nach tumultuösen, überfüllten Wochen einer ganz nach außen gerichteten Anspannung und Aktivität [...] Wochen, die viel von der dankbaren Heiterkeit eines Erntefestes hätten haben können, wenn sie nicht von den grauenvollen Ereignissen der heimatlichen Ferne so tief beschattet gewesen wären.[50]

---

[50] Tagebuchblätter, in: Ess IV, S. 439.

Manns Aufzeichnungen, die eine Selbstbesinnung und eine Reflektion auf sein Verhältnis zu Deutschland beinhalten, münden in einen seiner bemerkenswertesten Texte: ein psychographisches Porträt Adolf Hitlers, der damals in Deutschland im Zenith seiner Popularität stand und der in Amerika wenige Monate später von dem Nachrichtenmagazin Time, zähneknirschend zwar aber unverdrossen, zum „Mann des Jahres 1938" gekürt werden sollte.[51] Der kleine Essay erhielt schließlich von Leopold Schwarzschild, in dessen Zeitschrift der deutsche Text zuerst erschien, den Aufmerksamkeit erheischenden Titel *Bruder Hitler*. Mit dem verblüffenden Eingeständnis, in Hitler, wenn auch auf der Stufe der Verhunzung, Züge seines eigenen Wesens wieder zu erkennen, ist ein entscheidender Schritt getan hin zu einem Deutschlandbild, das die simplistischen Alternativen einer distanzierten Verurteilung oder einer identifikatorischen Apologie transzendiert. Dieses ambivalente Deutschlandbild, das sich nicht zuletzt also der Selbsterforschung verdankt, wird zum ersten Mal – und nicht zufällig gerade aus diesem Anlass – in dem Wagner Essay von 1939 fixiert, der den irreführenden Titel *Zu Wagners Verteidigung* trägt. Dort heißt es:

Denn es gibt nur *ein* Deutschland, nicht zwei, nicht ein böses und ein gutes, und Hitler in all seiner Elendigkeit ist kein Zufall: nie wäre er möglich geworden ohne psychologische Vorbedingungen, die tiefer zu suchen sind, als in Inflation, Arbeitslosigkeit, kapitalistischer Spekulation und politischer Intrige. (XIII, 358)

Mit diesem Deutschlandbild ist ein Bogen geschlagen über den noch zu schreibenden vierten Band des *Joseph* hinaus zur Konzeption des *Doktor Faustus*, wodurch, beiläufig bemerkt, auch das auf den ersten Blick so unproduktive Jahr 1938 als ein höchst bedeutender Gewinn zu verbuchen ist.

Dieses komplexe, aus der Selbstbesinnung im Spiegel Hitlers gewonnene Deutschlandbild, das er sieben Jahre später in seiner Washingtoner Rede *Deutschland und die Deutschen* breit ausführte, erwies sich weder bei der äußeren noch bei der Inneren Emigration als konsensfähig. Die Emigranten-Kollegen in Kalifornien – man denke an Brecht und das gescheiterte Deutschland-Manifest vom August 1943[52] – unterstellten ihm, er habe die

[51] Man of the Year, in: Time, 2.1.1939, S. 11–14. Das Titelbild zeigt, statt eines Portrait von Hitler, einen allegorischen Stich von Rudolph Charles von Ripper: eine kleine Hitler-Figur sitzt in einem gotischen Kirchenraum mit dem Rücken zum Betrachter vor einer riesigen Orgel, über der ein mittelalterliches Folterrad mit Gehenkten und zu Tode Gequälten zu sehen ist; ein Geistlicher scheint die Szene abzusegnen. Die Absicht war, die „pseudo-religious pretensions of Nazi barbarism" in Erinnerung rufen. Der Artikel über Hitler schließt mit dem ominösen Satz: „To those who watched the closing events of the year it seemed more than probable that the Man of 1938 may make 1939 a year to be remembered."

[52] Vgl. Herbert Lehnert: Bertolt Brecht und Thomas Mann im Streit über Deutschland, in: Deutsche Exilliteratur seit 1933. Bd. I: Kalifornien, hrsg. von John M. Spalek und Joseph Strelka, München und Bern: Francke 1976, S. 62–88; BrAM, S. 502, 505, 983 f.

antideutschen Positionen gewisser Kreise der amerikanischen Regierung verinnerlicht, die Deutschland hart bestrafen wollten und zu denen neben Sumner Welles, Henry Morgenthau und Bernard Baruch auch Roosevelt selbst gehörten.[53] Brecht und die anderen wollten nicht zur Kenntnis nehmen, was Mann in dem Wagner-Essay von 1939 und in *Deutschland und die Deutschen* zu erklären versucht, dass nämlich „Völker nicht immer dasselbe Gesicht zeigen, und dass es auf Zeit und Umstände ankommt, wie ihre konstanten Eigenschaften sich ausnehmen" (XIII, 538). Die Innere Emigration andererseits konnte sich nicht mit dem Gedanken abfinden, der ebenfalls schon in dem Text über Wagner ausgesprochen ist: „Der National-Sozialismus muß geschlagen werden, das heißt praktisch heute leider: Deutschland muß geschlagen werden [...], auch geistig" (ebd.). Zu diesem Ende führte Thomas Mann seinen Krieg und leistete so einen bis heute noch nicht völlig gewürdigten Beitrag zur Befreiung vom Nationalsozialismus und damit zur politischen Kultur Deutschlands.

Um ein letztes Mal auf die von Otto Flake aufgeworfene Frage zurückzukommen: Hätte Thomas Mann seinen leidenschaftlichen publizistischen Krieg nicht auch ohne die amerikanische Staatsbürgerschaft führen können, ja sollen? Es ist eine zwar denkbare aber in diesem besonderen Fall eher unwahrscheinliche Möglichkeit angesichts seiner Überzeugung, dass es sich bei diesem Krieg nicht bloß um eine deutsche Angelegenheit handelt, sondern eine „Entscheidungsschlacht der Menschheit". Die globalen Dimensionen des zweiten Weltkriegs ließen offenbar einen möglichst globalen Wirkungsraum geboten erscheinen, und ein solcher mochte sich ihm als Amerikaner leichter öffnen. Für diese Hypothese spricht ein verräterisches Indiz. Als er wieder einmal Anlass hatte, sich über die Kritik amerikanischer Rezensenten an seinem Stil zu beklagen, entfuhr ihm dieser Stoßseufzer: „Wäre ich nur in die angelsächsische Kultur hineingeboren! Ich wollte euch ein Englisch schreiben!"[54] Durchaus ähnliche Empfindungen und Überlegungen mögen ihn auch dazu bewegt haben, nach Amerika zu gehen, um von dort aus einen wirkungsvolleren Krieg mit weiter tragender Resonanz führen zu können. Mit der sogleich publik gemachten Absicht, die Staatsbürgerschaft zu erwerben, war dieser Wirkungsabsicht der denkbar höchste Nachdruck verliehen.

Für die längste Zeit seiner amerikanischen Jahre empfand Thomas Mann, was die politische Atmosphäre betrifft, das Klima als gut und bekömmlich,

---

[53] Zu den unterschiedlichen Positionen vis á vis Deutschlands innerhalb der amerikanischen Regierung vgl. Hermand/Lange (Anm. 42), S. 11–22.
[54] An Agnes Meyer, 23.12.1948; BrAM, S. 717.

wenn auch das Wetter gelegentlich schlecht war.[55] Mit dem Beginn des Kalten Krieges und im Gefolge davon der hysterischen Kommunistenjagd wurde ihm jedoch auch das politische Klima unerträglich. Dass er 1952, als er in die Schweiz ging, sich weigerte, nach Deutschland heimzukehren, hat jedoch weniger mit seiner amerikanischen Staatsangehörigkeit zu tun, sondern viel mehr mit der „nationalen Exkommunikation" von 1933, die ja nicht offiziell vom Regime ausgesprochen worden war, sondern von den Münchner Kulturträgern. Verletzlich wie er war, betrachtete er jene Exkommunikation als endgültig, nicht zuletzt weil die Feindschaft der Inneren Emigration nach dem Krieg ihn davon überzeugte, dass er in seinem Heimatland immer noch für undeutsch angesehen wurde.

---

[55] Vgl. Hans Rudolf Vaget: Schlechtes Wetter, gutes Klima: Thomas Mann in Amerika, in: Thomas-Mann-Handbuch, hrsg. von Helmut Koopmann, 3. aktualisierte Aufl., Stuttgart: Kröner 2001, S. 68–77.

*Ruprecht Wimmer*

# „Neu doch auch wieder"

## Späte Selbstüberbietungsversuche Thomas Manns

## I. Der Mascagni-Komplex

Als *Buddenbrooks* nach anfänglich verhaltenem Start plötzlich Fahrt aufnahmen, fand sich der junge Autor Thomas Mann in einer Situation, die niemand, und schon gleich nicht er selbst, hatte vorhersehen können. „Es war der Ruhm" heißt es dazu lakonisch-selbstzufrieden im *Lebensabriß*.[1] Und er begann diesen Ruhm sehr rasch und überlegt nicht nur zu „verwalten", sondern auch zu nutzen. Das hatte natürlich eine technische Seite, um die sich bald Frau Katia kümmern sollte; es galt aber auch, mit dem beispiellosen Erfolg *künstlerisch* zu wirtschaften. Und da drohte vor allem eine Gefahr, die auch durch das positive Echo, das bald nachgelieferte Erzählungen wie etwa der *Tonio Kröger* fanden, nicht aus der Welt geschafft werden konnte. Es drohte das Schicksal, vor den Augen der Nachwelt dazustehen als der Autor eines triumphal aufgenommenen Erstlingswerkes, dem nichts auch nur annähernd Entsprechendes mehr folgte. Thomas Mann hatte sich die Latte selbst sehr hoch gelegt, und er wusste es.

Seine diesbezügliche Sorge nahm rasch literarische Gestalt an. Das erste Mal wohl im Jahr 1904, also drei Jahre nach dem Erscheinen der *Buddenbrooks*. Wie so oft schreibt er über sich, wenn er über andere schreibt. Diesmal ist es Gabriele Reuter, die heute kaum mehr bekannte Autorin, die – wie Thomas Mann im S. Fischer Verlag – das Erfolgsbuch *Aus guter Familie* veröffentlicht hatte. Am Text des Thomas Mannschen Essays über die Dichterin läßt sich deutlich ablesen, dass er durch seinen Gegenstand, den isolierten Bestseller der Reuter, gewissermaßen besorgt hindurchblickt auf seinen eigenen Erstling.[2] Später dann sind es andere mögliche Parallelfiguren, mit denen er halbironisch spielt: so der Italiener Pietro Mascagni, der einzig und allein durch *Cavalleria rusticana* die Opernbühnen der Welt erobert hatte – sein Einakter gehört bis heute zum festen italienischen Repertoire. Dann Carl Maria von Weber, dessen *Freischütz* als die romantische Oper schlechthin,

---

[1] XI, S. 114.
[2] Vgl. Heinrich Detering in der *Entstehungsgeschichte* zu *Königliche Hoheit*, in: 4.2, S. 10 f.

ja manchen als die deutsche Oper schlechthin gilt und an Berühmtheit alle folgenden Werke Webers in den Schatten stellt. Immerhin, so Thomas Mann in gespielter Selbsttröstung, habe der Komponist später mit *Euryanthe* und *Oberon* doch noch Achtbares geschaffen.

Es ließe sich manches in chronologischer Folge anführen, das in dieselbe Richtung weist, das die Konturen eines „Mascagni-Komplexes" sichtbar werden lässt: die hohen Erwartungen, die der Autor mit dem Folgeroman der *Buddenbrooks*, mit *Königliche Hoheit* also, verband, und die Enttäuschung über die deutlich mattere Aufnahme, die das zweite größere Werk fand. Und bis 1929, bis zum Jahr der Nobelpreisverleihung, quälen Thomas Mann Zweifel, ob das Stockholmer Komitee nicht doch Recht hatte, ihm den Preis für *Buddenbrooks* zuzuerkennen, obwohl der *Zauberberg* schon fünf Jahre vorlag.

## II. Anschwellender Ton

Mit dem plötzlichen Ruhm richtig umzugehen – das hieß nicht nur, die drohenden Gefahren zu bewältigen, es hieß nicht nur, ein wie immer zu definierendes Niveau zu halten, es hieß, sich selbst und das Getane hinter sich zu lassen, in gewissem Sinne zu „überbieten". Es wäre nun irreführend, wollte man die Entstehungsgeschichten der folgenden Werke vorwiegend aus dieser Perspektive heraus beurteilen – es ist aber aufschlussreich, auf die retrospektiven Stilisierungen des wachsenden Lebenswerkes durch den Autor selbst zu schauen. Thomas Mann war es darum zu tun, im Nachhinein seine Steigerungen auf verschiedene Weise festzuhalten. Einmal, indem er mehrmals eine gewissermaßen gottgewollte regelmäßige Strukturierung seines Künstlerlebens durch „große" Werke konstatierte; dann durch die Charakterisierung einer jeweils neuen Dimension des betreffenden Werkes, jedenfalls was die großen Romane betrifft.

Stellvertretend für viele annähernd parallel laufende ernste Zahlenspiele mit der eigenen Biographie kann hier ein Zitat aus einem Brief an die Literaturwissenschaftlerin Anni Carlsson stehen, das Thomas Mann nicht von ungefähr auch im Tagebuch protokolliert. Der Text ist ein rundes Jahr vor dem Tod des Autors geschrieben – ein trüber, aber aufschlussreicher Rückblick:

Wagner, der ‚sieche' Gralshüter, der ‚Zerbrechende', der alte Sünder, war dabei einer der größten *Vollbringer* der Welt, ein Werk-Mensch, Werk-Held sondergleichen – und

ach, wie liebe und bewundere ich das Vollbringertum, das Werk – jetzt zumal im
Alter, wo es damit für mich aus ist. Ich kann von Glück sagen, dass ich doch mit
25, mit 50, mit 60 und 70 Jahren, mit „Buddenbrooks", „Zauberberg", „Joseph" und
„Faustus" etwas wie einen kleinen Vollbringer abgeben konnte. (Tb, 19.6.1954)

Die Abfolge der Werke, ihre jeweilige Neuheit – der Autor sieht das einerseits
als ästhetische „Zunahme", andererseits und vor allem natürlich auch als Inno-
vation in der jeweiligen Zeit und dieser Zeit gemäß. *Buddenbrooks* werden von
ihm wiederholt als zutiefst „deutsches Buch" gekennzeichnet, wobei die bürgerliche Verfallsgeschichte auf Probleme ihrer Epoche antwortet und in ihrem
deutschen Szenarium zugleich „Welt" vermittelt. Der triumphale Erfolg des
*Zauberberg* seinerseits, diesseits und jenseits der Schwelle eines europäischen
Umbruchs entstanden, erscheint ihm weniger als derjenige der *Buddenbrooks*
„epischer Natur", vielmehr „zeitlicher bestimmt, aber darum nicht seichter
und flüchtiger, denn er beruhte auf Schmerzenssympathie."[3] Dem deutschen
Buch folgte das europäisch dimensionierte, und diesem dann schließlich das
„Weltgedicht", das „Menschheitsgedicht" der Josephstetralogie.

Es ist wohl eine Regel, dass in gewissen Jahren der Geschmack an allem bloß Individuellen und Besonderen, dem Einzelfall, dem ‚Bürgerlichen' im weitesten Sinne des
Wortes allmählich abhanden kommt. In den Vordergrund des Interesses tritt dafür
das Typische, Immer-Menschliche, Immer-Wiederkehrende, Zeitlose, kurz: das
Mythische. (XI, 656)

So sieht es der Autor nachträglich immer wieder gern. Freilich täten wir ihm
Unrecht, wollten wir nicht wenigstens festhalten, dass im jeweiligen Entste-
henshorizont für ihn das Wechseln zwischen Schwer und Leicht, zwischen
„Tragödie" und „Komödie", das Sich Auswachsen von anfänglich Leichtem
ins Schwere, aber auch das Schritthaltenwollen mit aktuellen politischen Entwicklungen eine wichtige Rolle spielen; Werke wie der immer wieder auf-
tauchende und nie beendete *Felix Krull*, der vom Autor stets als novellistisch
vollkommen angesehene *Tod in Venedig* und das essayistische Schmerzens-
buch der *Betrachtungen* sind in diesen stilisierenden – von uns zusätzlich sti-
lisierten – Reigen nicht aufgenommen.

Verzeihen Sie, wenn ich im folgenden Text Spuren eines ästhetischen
Wunschtraums Thomas Manns in eigener Sache zu erkennen glaube, Spuren nur, und verborgen gehalten in den Falten des Kleides der Erzählung. Es
handelt sich um eine Erinnerung Hans Castorps, als er im Schneetraum ins
märchenhaft-humane Paradies schaut:

---

[3] Lebensabriß, XI, S. 134.

Es war, wie einmal, manches Jahr war das schon her, als Hans Castorp einen welt-
berühmten Sänger hatte hören dürfen, einen italienischen Tenor, aus dessen Kehle
gnadenvolle Kunst und Kräfte sich über die Herzen der Menschen ergossen hatten.
Er hatte einen hohen Ton gehalten, der schön gewesen war gleich am Anfang. Allein
allmählich, von Augenblick zu Augenblick, hatte der leidenschaftliche Wohllaut
sich geöffnet, sich schwellend aufgetan, sich immer strahlender erhellt. Schleier auf
Schleier, den vorher niemand wahrgenommen, war gleichsam davon abgesunken – ein
letzter noch, der nun denn doch, so glaubte man, das äußerste und reinste Licht enthüllt hatte, und dann ein aller- und dann ein unwahrscheinlich aberletzter, befreiend
einen solchen Überschwang von Glanz und tränenschimmernder Herrlichkeit, dass
dumpfe Laute des Entzückens, die fast wie Ein- und Widerspruch geklungen, sich aus
der Menge gelöst hatten [...]. (5.1, 739)

Die Überbietung des vollkommen Scheinenden, die nicht für möglich gehaltene Weitung des großen, des größten Formates – da ist von Grundsätzliche-
rem als einem Tenor die Rede.

Bevor wir uns dem *Doktor Faustus* zuwenden, von dem wir befürchten,
dass er als Wendepunkt des Gesamtwerkes die Metapher des anschwellenden
Tonglanzes ad absurdum führen wird, ist auf ein strukturierendes Element
dieses Gesamtwerkes wie auch der meisten Einzelwerke einzugehen, das mit
der Überbietungslinie konkurriert.

## III. Zyklen

Hand in Hand mit der Entschlossenheit zum Vorangehen, zum Weiterkom-
men, zum Hinter-sich-Lassen geht der Wille zur Rundung des Einzel- wie
des wachsenden Gesamtwerkes. Wir alle kennen das Goethezitat, das Thomas
Mann sich programmatisch zu eigen gemacht hat: seine Werke seien „Bruch-
stücke einer großen Konfession". Dementsprechend werden Gegensätze, ja
als abrupt erscheinende Wendungen in der eigenen Entwicklung nachträglich
erklärt, als notwendig und Einheit stiftend deklariert – erinnert sei hier nur
an die spätere Einordnung der *Betrachtungen* ins Oeuvre.

Das Einzelwerk anbetreffend äußert sich dies immer wieder in der Glori-
fikation des Vollbringens, des Vollendens. Im obigen Briefzitat war davon die
Rede – mit Blick auf das Vorbild Richard Wagner. Die großen Romane sind
„vollendete" Welten, soweit wir sie bis jetzt ins Auge gefasst haben, und das
zeigt sich, abgesehen von der allseits bekannten Leitmotivtechnik, in zyklischen Strukturen. *Buddenbrooks* beginnen mit einer Katechismusfrage und
enden mit einer Katechismusantwort, im dargestellten Verfall einer Familie

ist nach des Autors eigenen Worten vom „Nibelungenring" „ein Hauch"[4]
zu verspüren, der *Zauberberg* stellt nicht nur die in sich kreisende Zeit und
das Aus-der-Zeit-Geraten des Helden Hans Castorp dar, er bringt auch das
programmatische Bekenntnis zur sozialen Liebe, zur humanen Caritas einer
ersehnten Zukunft, wie es der Held nach dem Schneetraum halbbewusst ausspricht, als demonstrative Wiederaufnahme am Ende des Textes. Im *Joseph*
schließlich, als die in Thomas Manns Erzählen im Grunde immer schon vorhandene mythische Sicht der Dinge gewissermaßen zu sich selbst gelangt,
ist wieder die andere Tetralogie, der Nibelungenring, allgegenwärtig, und
in archaisch stilisierter Geschlossenheit kehrt die Geschichte zum Anfang,
kehrt in ihren Titel zurück: „So endet die Geschichte von *Joseph und seinen
Brüdern.*"

Es ist hinzuzufügen, dass der einzig unvollendet bleibende Roman der frühen Zeit, die *Bekenntnisse des Hochstaplers Felix Krull*, dem Autor nie aus
dem Blick gerät; ihn wieder aufzunehmen und eben zu vollenden, auch in
diesem Fall ein „Vollbringer" zu sein, bleibt ein Anliegen, und wird es, auch
nach der späten Fortführung noch, bis zum Lebensende sein.

Der *Joseph* , die „Weltkomödie" größten Formates, kollidiert freilich rasch
mit der härtesten Realität: das Exil und die deutsche Katastrophe beeinflussen
und verändern nicht nur die Konzeption der wachsenden Tetralogie, sondern
auch den Ausbau des Lebenskreises, den der der Autor sich in den vergangenen Jahrzehnten geschaffen hatte. Es ist aufschlussreich, dass Thomas Mann
diese Störung nicht nur als Realität, sondern auch als ästhetisches Phänomen
sieht: „Dass ich aus dieser Situation hinausgedrängt wurde, war ein schwerer
Stil- und Schicksalsfehler meines Lebens." Auch ein „Stilfehler" also.

## IV. „Das wildeste Buch"

Fällt trotz allem ein weiterer Schleier – schwillt der Glanz des hohen Tones
nochmals an? Es war vorherzusehen: es würde eine Überbietung ganz neuer,
bedrängender Art sein müssen, die angesichts der Weltereignisse heran stand;
unsere Tenormetapher hat ausgedient. Natürlich wirkten diese Weltereignisse, wie gesagt, schon in die Mythenwelt der mit Zähigkeit weiter voran-
getriebenen Josephstetralogie herein, doch wuchsen die Notwendigkeit und
der Drang, ein direkteres Wort zu sprechen zur de facto-Infragestellung der
eigenen biographischen und kulturellen Herkunft durch die Nationalsozia-

---

[4] 14.1, S. 74.

listen. Die Entwicklung in Deutschland und Europa ging Thomas Mann an die Existenz, er fühlte sich nicht nur aufgerufen, eine Summe, eine Bilanz in eigener Sache zu ziehen, er musste zugleich und darüber hinaus Rechenschaft ablegen. Dem deutschen Thema hatte er sich schon im Vorspiel seines Goetheromans *Lotte in Weimar* zugewandt; nach dem Abschluss der Josephstetralogie, deren Niederschrift durch die *Lotte* unterbrochen worden war, war es der genuin deutsche Stoff des Magiers Doktor Faustus im Gewand einer Künstlerbiographie, der, seit langem sich ankündigend, zum Instrument der Rechenschaftsablage wie der Auseinandersetzung wurde.

Der Autor spart nicht mit Superlativen bei der Kennzeichnung dieses Romanunternehmens, das um sein siebzigstes Jahr, von 1943 bis 1947, verwirklicht wird. Es passt also, wir haben es oben schon gesehen, zahlenspielerisch wieder in die sich steigernde Abfolge der großen Werke, es ist das letzte davon. Ein „radikales Bekenntnis" nennt er das Buch, und als er nachträglich auf die Gründe seiner schweren Krankheit zu sprechen kommt, die 1946 die Niederschrift unterbricht, ja die Fortsetzung ernsthaft gefährdet, nennt er den *Doktor Faustus* als Hauptursache von Erkrankung und von Genesung: wer „mit siebzig Jahren sein ‚wildestes' Buch" schreibe,[5] lege damit Zeugnis ab für seine Opferbereitschaft und seine Vitalität zugleich.

Ein „radikales Bekenntnis", das „wildeste Buch": Die Auseinandersetzung mit Deutschland und seinem Sündenweg ist zugleich – und das hat die frühe Rezeption des Romans fast ganz verschlafen – ein „Gerichtstag halten über das eigene Ich."[6] Nicht umsonst kennzeichnet Thomas Mann den Roman als „Bekenntnis". Der *Doktor Faustus* ist kein blankes Eingeständnis, ans Ende gekommen zu sein (wie Deutschland auch) – in der fiktionalen Einkleidung, dass Adrian Leverkühn mit seiner Kunst scheitert, dass er sich dem Teufel ergeben hat, der dieses Ende besiegelt. Der Roman stellt ein Bekenntnis dar zum gelebten Künstlerleben und sendet Signale der Hoffnung aus. Sie sind nicht überbetont, auf den ersten Blick dominiert die Handlungslinie des alten *Volksbuchs*, die den Magier Faust verdammt sein lässt. Aber es gibt sie: Allseits bekannt ist das Geständnis des Autors, dass er die Möglichkeit der Erlösung Adrians anfangs zu stark herausgearbeitet hatte und dann durch Adorno zur Dämpfung angehalten wurde.

Worin sollte diese Erlösung bestehen? Ich erinnere an die soeben zitierte Vokabel des Opfers, des Selbstopfers, das der Autor bringt. Er lässt es seinen Helden ebenfalls bringen: dieses Opfer ist auch im Roman gebracht für

---

[5] Entstehung, XI, S. 148.

[6] Vgl. Ruprecht Wimmer: Thomas Manns Zeitroman „Doktor Faustus", Aburteilung Deutschlands oder „Gerichtstag über das eigene Ich"? In: Man erzählt Geschichten, formt die Wahrheit, hrsg. von Michael Braun u.a., Frankfurt/Main: Lang 2003, S. 209–224.

eine Kunst der Zukunft. Es geht hier wie dort um einen „Durchbruch" der Kunst, die an ihr Ende gekommen scheint. Der Autor präzisiert das einmal im Munde Adrian Leverkühns folgendermaßen: Der geglückte „Durchbruch [...] aus geistiger Kälte in eine Wagniswelt neuen Gefühls" entspreche der „Wiedergewinnung des Vitalen und der Gefühlskraft"[7] in der Kunst. Ob Leverkühns letzte Werke dies leisten, ob sein höchstreflektiertes Zusammennehmen und Verarbeiten aller Musik der Welt in der rigiden Unterwerfung unter das Zwölftongesetz trotz der teuflischen Befeuerung letztlich seine Erlösung bedeutet, sei hier dahingestellt – wesentlich für unser Thema scheint der hohe, ja der höchste denkbare Anspruch, den der Roman erhebt.

Neben den Superlativen und superlativischen Etikettierungen, die der Autor dem Werk zuteil werden lässt und die klar auf Überbietung des Früheren weisen, steht die wiederholte Kennzeichnung als „Endwerk". Auch hier begegnen sich also wieder die Programme des hinter-sich-Lassens und der zyklischen Rundung des Oeuvres. Der *Doktor Faustus* ist Thomas Manns *Parsifal*, ein letztes, alles Frühere aufnehmendes und zusammennehmendes Gipfelwerk, nach dem nichts mehr zu kommen braucht, eigentlich nichts mehr kommen darf. Wieder ein kennzeichnender Rückblick:

So ist es, wenn man sich überlebt. Wagner schrieb mit annähernd 70 sein Schlußwerk, den Parsifal, und starb nicht lange danach. Ich habe ungefähr im selben Alter mein Werk letzter Konsequenz, den Faustus, Endwerk in jedem Sinn, geschrieben, lebte aber weiter. (Tb, 6.7.1953)

Alles Notwendige geschrieben zu haben und unproduktiv weiterleben zu müssen, das ist die Sorge des Autors, sie wird immer wieder mit dem berühmten Zitat aus dem Schlussmonolog von Shakespeares Zauberer Prospero ausgedrückt, der auf seine Zauberkräfte verzichtet hat: „And my ending is despair" – „Verzweiflung ist mein Lebensend."[8]

Thomas Mann grämt sich aber nicht nur wegen der drohenden Unmöglichkeit, über den *Doktor Faustus* hinauszugelangen, er stellt sich und anderen in den Folgejahren immer wieder die Frage, wieweit der eigene Künstlerroman das einlöse, was Leverkühns Musik im Roman intendiere: Zukunftshaltigkeit, „Modernität", vielleicht sogar „Avantgarde". Gerade in der *Faustus*-Zeit richtet sich der Blick ständig auf Autoren, ja auch auf bildende Künstler, deren Modernität außer Frage steht, auf James Joyce, Marcel Proust, gelegentlich

---

[7] Thomas Mann: Doktor Faustus, 10.1, S. 468.
[8] Vgl. Ruprecht Wimmer: End my ending is despair. Thomas Manns Krankheit des Alterns, in: Vom „Zauberberg" zum „Doktor Faustus", hrsg. v. Thomas Sprecher, Frankfurt/Main: Klostermann 2000, S. 31–46 (=TMS 23).

auch auf Pablo Picasso. Freilich wird auch die Modernität eines Nahestehenden befriedigt festgehalten – der „Greisen-Avantgardismus" in der Sprache Heinrich Manns. Gehört der *Faustus* mit seinem ironischen Konstruktivismus, seiner mythischen Dimension, seiner Behandlung der allgemeinen Kunstkrise auch zur Vorhut?

Die Mittelstellung des *Faustus* zwischen einer aufs höchste gesteigerten Tradition und dem Durchbruch, dem Aufbruch in neue Dimensionen der Kunst, drückt der vom Autor offenbar hingenommene Widerspruch aus, der sich aus der – von Adorno her kommenden – Ächtung des gerundeten „Werkes" innerhalb des Textes und den Geschlossenheitstendenzen des Romans selbst ergibt: da wird der „Trug" des Werkes alter Provenienz mit höchster Raffinesse und künstlerischer Bewusstheit generiert,[9] zyklische Tendenzen triumphieren, und dies nicht nur in den Produktionen Leverkühns. Der Roman kann also nicht oder nicht ganz das sein, wovon er spricht. Auch er überbietet und rundet zugleich. Hans Maier sagt einmal ebenso beiläufig wie treffend von den Musikbeschreibungen des *Faustus*, „dass sie die Motive und Formen, die Charakterisierungs- und Auslegungskünste der älteren Musikpoesie [...] bündeln und [...] steigern."[10]

Was war noch möglich? Die Demonstration der eigenen Zukunftsfähigkeit? Die – vielleicht doch – steigernde Fortsetzung des einmal Begonnenen, die zugleich die Rundung des Oeuvres bedeuten konnte?

## V. *Der Erwählte* – nur ein „Romänchen"?

Die beiden Romane, die noch kommen sollten, der *Erwählte* und der zweite *Krull*, haben beide wesentliches mit dem *Doktor Faustus* zu tun. Sie sind zu sehen als halbe Überbietungsversuche, verschämt zwar und fast uneingestanden, aber von der vorsichtigen Hoffnung des Autors begleitet.

Im Gregorius-Roman greift Thomas Mann eine Geschichte aus der mittelalterlichen Legenden-Sammlung der *Gesta Romanorum* auf, die er bereits durch Adrian Leverkühn hatte komponieren lassen. Die musikalische Fassung von Teilen dieser Sammlung erschien im *Faustus* als Station auf dem Weg in eine Kunst der Zukunft. Leverkühn wollte mit diesem, anti-wagnerisch konzipierten, Werk die „geschwollene Pathetik einer zu Ende gehenden Kunstepoche" überwinden. Er wollte – unter weitgehender Beibehaltung mythischer

---

[9] Vgl. Doktor Faustus, Kap. XXII, 10.1, S. 276–283.
[10] Hans Maier: Cäcilia unter den Deutschen und andere Essays zur Musik, Frankfurt/Main und Leipzig: Insel 1998, S. 39.

Stoffe der Spätromantik – mit den Mitteln der Ironie und des Spottes, in Verbindung des Avanciertesten mit dem Elementaren, eine neue Selbstverständlichkeit, eine neue Gemeinschaftstauglichkeit der Kunst schaffen, eben jenen oben bereits zitierten Durchbruch erreichen. Er sagt das selbst im Gespräch, das sich an die Klavierdemonstration des Werkes anschließt:

Die ganze Lebensstimmung der Kunst [...] wird sich ändern, und zwar ins Heiter-Bescheidenere. [...] Die Zukunft wird in ihr, sie selbst wird wieder in sich die Dienerin sehen an einer Gemeinschaft. [...] Wir stellen es uns nur mit Mühe vor, und doch wird es das geben und wird das Natürliche sein: eine Kunst ohne Leiden, seelisch gesund, unfeierlich, untraurig-zutraulich, eine Kunst mit der Menschheit auf Du und Du." (10.1, 469)

Dass Thomas Mann sich gerade diese Geschichte nach dem *Faustus* vornimmt, ist symptomatisch. Einmal betont er das „Leichte" des Romans, er nennt ihn wiederholt „Romänchen" und deklariert ihn als Versuch, seinem Publikum zu demonstrieren, dass er nach dem „prätentiös lastenden Denkertum" des *Doktor Faustus* durchaus eine Komödie wie diese liefern könne. Außerdem verfährt er gelegentlich wie Adrian: er nimmt mittelalterliche, romantische und spätromantische Traditionen zusammen, „siebt" sie ironisch und durchschießt sie mit „Gegenwart". Neben den Anspielungen auf die mittelalterliche Epik – nicht nur auf Hartmann von Aue – sind die augenzwinkernden Wagnerreminiszenzen gerade im „Romänchen" Legion. Ein besonderes „modernistisches" und komödiantisches Apercu ist darüber hinaus die imaginäre Präsentation des Fußballs in mittelalterlicher Form.[11]

Zugleich europäisiert er die ohnedies schon im Europäischen wurzelnde Handlung weiter: das juxhafte Sprachengemisch und die Unwissenheit des Chronisten, in welcher Sprache er denn eigentlich schreibe, führen schließlich zur Feststellung: „Über den Sprachen ist die Sprache". Europa, das im *Faustus* als künstlerische Zukunftsdimension bereits entworfen war, wird in Sprache und Handlung künstlerische Wirklichkeit. Man geht nicht zu weit, wenn man das Alles als Versuch eines Durchbruchs in eigener Sache nimmt, und eine doch rasch erreichte Popularität des *Erwählten* schien dem Verfasser Recht zu geben. Natürlich freut den Autor schon vorweg, bei ersten Lesungen im kleinen Kreis, wenn er aus den Reaktionen schließen kann, dass er „Lust an etwas Neuem, wieder Neuem und Neugier Erweckenden gefunden habe" (Tb, 3.5.1948)

Bei aller spottenden Abgefeimtheit der Machart heiter-bescheiden, einem breiteren Publikum entgegenkommend – das heißt beileibe nicht, dass Grund-

---

[11] Vgl. Ruprecht Wimmer: Der sehr große Papst, in: TM Jb 11, 1998, S. 91–107.

sätzlichstes, Ureigenes aus dem Blick gerät: Aufschlussreich ist der Ärger des Autors über zu schlichte Heiterkeit, besonders wenn sie sich bei Personen zeigt, die es eigentlich besser wissen müssten:

> Die gewohnte Plumpheit des Philosophen Marcuse, den alles nur sehr amüsiert hatte. Wenn es gottlob zum Lachen ist, so ist es doch nicht *nur* zum Lachen. (Tb, 17.1.1951)

Denn das Lebensthema, gerade erst im *Faustus* voll entfaltet, wird auch im *Erwählten* unüberhörbar durchgespielt: die Trias von (bewusster oder unbewusster) Schuld, Gnade und Erwählung, dazu die lebensbestimmende Verpflichtung des Wiedergutmachens.

Nicht die immer wiederkehrenden Depressionen des Autors, keine Bagatellisierungen des entstehenden Werkes können darüber hinwegtäuschen, dass hier etwas Neues gewollt ist und mit Konsequenz betrieben wurde.

## VI. Der zweite *Krull* – halbe Hoffnungen

Die Annäherung an den „alten Roman", an den ersten Teil des *Krull*, überschneidet sich mit dem Abschluss des *Erwählten*, doch gibt es zusätzlich vereinzelte frühere Signale, die verdeutlichen, dass auch die Fortsetzung des liegen gebliebenen Schelmenromans als eine Art Kontrastprogramm zum *Faustus* ins Auge gefasst wurde. So im Brief an Agnes E. Meyer, im Erscheinungsmonat des *Doktor Faustus*:

> In belebteren Stunden bewege ich allerlei Arbeitspläne, [...] den Ausbau des Felix Krull-Fragments zu einem modernen, in der Equipagenzeit spielenden Schelmen – Roman. Das Komische, das Lachen, der Humor erscheinen mir mehr und mehr als Heil der Seele, ich dürste danach, nach den nur notdürftig aufgeheiterten Schrecknissen des „Faustus" und mache mich anheischig, bei düsterster Weltlage das Heiterste zu erfinden." (Bf. vom 10.10.1947, Br II, 557)

Als die Wiederaufnahme aktuell wird, steht eine zweite einschneidende Lebenszäsur bevor: mit der Beendigung des *Erwählten* wird in den letzten Monaten des Jahres 1950 die innere Abwendung vom veränderten Amerika endgültig; die Rückkehr nach Europa wird jetzt ernsthaft geplant.

Die Annäherung an den *Krull* erfolgt zunächst deutlich lustlos[12], vom Enthusiasmus des zitierten Briefes scheint nichts geblieben. Selbst die Chance einer Rundung des Lebenswerkes wird eher nüchtern gegen anderes abgewogen:

---

[12] Vgl. Ruprecht Wimmer: „Krull I" – „Doktor Faustus" – „Krull II". Drei Masken des Autobiographischen. In: TM Jb 18, 2005, S. 31–50.

Für den „Hochstapler" spricht der Reiz des Ausfüllens eines weit offen Gelassenen im Werk, des Bogen-schlagens über 4 mit soviel anderem erfüllte Jahrzehnte hinweg. (Tb, 25.11.1950)

Es ist vor allem der Stoffkreis um Erasmus und Luther, den Thomas Mann sich gegenwärtig hält, „falls es mit dem Krull nicht weitergehen sollte." Die stillschweigende Bedingung, die sich der Autor setzt, ist wieder die des „Neuseins", und wenn eine erste versuchende Lesung vor Freunden den „Eindruck von Frische, nicht von Aufgewärmtheit" erweckt, dann ist das eine nicht zu unterschätzende Motivation, beim Stoff zu bleiben. (Tb 30.1.1951).

Doch die „Neuheit" des Betriebenen darf sich nicht in ersten Reaktionen von gewogenen Zuhörern erschöpfen. Thomas Manns Ehrgeiz des hinter-sich-Lassens ist denn auch recht bald bemerkbar. Im Brief an Agnes E. Meyer hatte er den barocken Schelmenroman des *Simplicissimus* als Auslöser seiner Fortsetzungspläne genannt, und schon am 23.2.1951 hält er im Tagebuch fest:

„Simplicius", Schicksal eines Werkes. Höchst frommer Ausgang. Verleugnung seines Sündenlebens. Längst vorher Ausartung aus dem Realistisch-Zeitkritischen ins Allegorisch-Fantastische. (Tb, 23.2.1951)

Dazu passt die Zufriedenheit des Autors, dass sich der „parodistische Stil" im Fortgang der Niederschrift allmählich abmildert – es zeichnet sich ab, dass von einem bloßen Weiterschreiben nicht mehr die Rede sein kann – auch der *Krull* muss „wachsen". Dazu wieder im leisen Kontrast die befriedigte Feststellung angesichts einiger Kritiken zum *Erwählten*:

Richtig die Charakterisierung als Spätwerk, Summe, etwas Letztes, Äußerstes, nach dem nichts mehr kommt. Habe nichts dagegen, ein Spätester und Letzter zu sein, ein Erfüller zu sein. Damit repräsentiert man das Abendland. [...] Bin einer der Letzten, vielleicht der Letzte, der überhaupt weiß, was ein Werk ist. (Tb, 3.4.1951)

Ein Letzter, der aber noch keineswegs inaktiv repräsentieren will, sondern durchaus mit seinem aktuellen Werk noch einiges vorhat. Wohl verstanden: dieser Ehrgeiz zeigt sich fragmentarisch und ist stets gefährdet: immer wieder locken stoffliche Abzweigungen – neben Erasmus-Luther eine „Goethe-Novelle" etwa –, und immer wieder begegnen wir dem resignierten Achselzucken angesichts des gerade Geschriebenen und noch zu Schreibenden. Dennoch: Eines von Thomas Manns Reizworten heißt immer noch und wieder „Faust":

Auf der Reise mit K. und Erika über den Krull und meine Sorgen wegen des Romans. „Faust muß in die Welt geführt werden." Aber ich besitze wenig Welt. (Tb, 22.7.1951)

Die Analogie *Krull/Faust II* wird verschämt und unentschlossen hin und her gewendet: einerseits stellt der Autor in Abrede, dass es möglich sei, den Hochstapler-Roman als zweiten Faust aufzufassen, „an den man die letzte Kräfte seines Alters wendet"[13], andererseits hält er – nicht ohne leise Koketterie, will mir scheinen – fest, dass der *Krull* Gefahr laufe, ins Faustische zu geraten;[14] er apostrophiert darüber hinaus das entstehende Werk immer wieder als „Scherze", „piquareske Scherze" und weiß genau, dass Goethe seinen zweiten *Faust* als „sehr ernste Scherze" bezeichnet hat.

Die Weitung des Romans, das Phantasmagorische eines zweiten *Faust* klang schon in der obigen Kennzeichnung des möglichen Barockmodells *Simplicissimus* an, sie scheint für Thomas Mann wenigstens vorübergehend Gestalt zu gewinnen im „Kuckuck-Kapitel". „Die Grundidee des Romans" erscheint ihm hier als „nichts Geringeres als die Liebe in ihrer sinnlichen Übersinnlichkeit" und er entwirft einen Tag später im Tagebuch die folgende Grundformel:

Felix' Einführung in die Ideen von *Leben*, einschl. des Menschen, anorganischen *Sein* und *Nichtsein*, mit dem auch Raum und Zeit aufhören. Alles geht ohne genaue Grenze ineinander über: der Mensch ins Tierische, dieses ins Pflanzliche, das Organische ins unorganische Sein, das Sein ins Nichtsein. Alles hat angefangen und wird aufhören [...]. Das Leben auf Erden eine *Episode*, so vielleicht alles *Sein ein Zwischenfall* zwischen Nichts und Nichts. (Tb, 23.12.1951)

Augenblicksweise tut sich die Silhouette des kosmischen Romans auf – könnte der eine Steigerung des tetralogischen Weltgedichts des Joseph sein und zugleich ein „Faust(us) II"?

Nun – es kommt natürlich nicht dazu. Bald nach dem „Kuckuck-Kapitel", das in fast allen folgenden Lesungen die große Attraktion sein würde, nahm der Vollendungseifer ab, bald meldete sich der Gedanke an den vorzeitigen Abschluss (mit dem Lissabon-Aufenthalt), die *Betrogene* wurde eingeschoben; und schließlich gelangte der Hochstapler-Roman doch noch an sein vorläufiges Ende – allerdings ohne dass sich die hochfliegenden Hoffnungen zurückmeldeten. Immerhin geht der Autor wohl nochmals in Goethes Spuren, wenn er – möglicherweise dessen Liberalität gegenüber dem die *Wanderjahre* redigierenden Eckermann im Blick – sich gegen zu rationalistische Änderungswünsche Erikas wehrt:

Möge das Ding doch Vergeßlichkeiten u. dergl. offen und lässig aufweisen. Tendenz zu teils müder, teils souveräner Indulgenz. (Tb, 16.2.1954)

---

[13] Vgl. Tb, 4.4.1952
[14] Brief an Paul Amann vom 23.12.1951

## VII. Schließt sich der Ring?

Der *Krull* war ein Bombenerfolg, doch Thomas Mann spielt ihn herunter:
„War mir's nicht vermutend."[15] Er kaschiert damit wieder einmal, dass seine
Zweifel am Weiterschreiben-Können stets ihre Widerlegung im Werk suchen.
Das gilt selbst für den Einschub der *Betrogenen*. Neuheit, Steigerung und
zugleich die organische Zugehörigkeit zum Oeuvre sind ihm auch hier die
Hauptanliegen. Nach dem Abschluss notiert er:

Nun denn, auch das ist noch durchgehalten. Die zweite Hälfte ermüdet. Aber neu in
meinem Werk ist es auch wieder. (Tb, 18.3.1953)

Und der Autor ist glücklich über „Erikas Äußerungen darüber, wie sehr es
in meinen ‚Ur-Kram' gehört [...]". Schon Klaus, so wieder Erika, habe sich
seinerzeit darüber erregt, dass alle Liebesgeschichten des Vaters „dem Bereich
des Verbotenen und Tödlichen angehören", und „diese Geschichte, noch
immer die nämliche, sei noch eine Übersteigerung." Der Vater hierzu: „Also
wenigstens nicht schwach."[16]
    Ausdrücklich sei hier festgehalten, was Inge Jens bereits betont hat: Ohne
Erikas ebenso energische wie behutsame – und liebevolle – Hilfe und Ermuti-
gung wäre Thomas Manns Bild als bis zuletzt produktiver Schriftsteller nicht
aufrechtzuerhalten gewesen. Was aber nicht heißt, dass seine letzten Texte
nicht von ihm geschrieben wurden. Nur die Ausformung in das von ihm so
geliebte „Werk" wäre – jedenfalls in der Zeit nach dem *Doktor Faustus* – ohne
„das kühne, herrliche Kind" so nicht mehr möglich gewesen.
    In das Jahr 1954 – das letzte Haus in Kilchberg ist bereits bezogen – fallen
die Arbeiten am *Tschechow*-Essay (und an der Schillerrede). Die Einsicht in
das Abnehmen der Produktivkraft wächst – gearbeitet wird trotzdem. Und
der Blick richtet sich immer noch auf mögliche Innovationen: der Erasmus-
Luther-Stoffkreis bleibt bis ans Ende präsent. Was literarisch um ihn herum
geschieht, interessiert den verzweifelt um weitere, um letzte „Werke" Ringen-
den nur am Rande, von der generellen Anerkennung einer jüngeren Avantgarde ist nicht die Rede. In seinen letzten fünf Lebensjahren liest Thomas
Mann, teils darauf hingewiesen, teils gebeten, selten aus innerem Antrieb,
einiges an entstehender Literatur und sieht einiges auf der Bühne: Aufrichtig bewundernd äußert er sich über Marguerite Yourcenar[17] und Samuel

---

[15]  Tb, 19.11.1954
[16]  Tb, 2.4.1953
[17]  z.B. Tb, 12.12.1953

Beckett,[18] matt anerkennend über Siegfried Lenz[19] und Hans Werner Richter[20] („nicht schlecht", „gefällt mir gut"), zwischen entschiedener Anerkennung und Vorbehalt schwankt sein Urteil über eine Novelle von Hermann Lenz,[21] über Dürrenmatts *Ein Engel kommt nach Babylon* heißt es:

[W]ie mans heut so macht. Nicht ohne Bühnenphantasie, aber Gemisch von Anspruch und Billigkeit, Ideenunsinn, langweilig. (Tb, 30.1.1954)

Frischs *Don Juan oder die Liebe zur Geometrie* kommt kaum besser weg; „[...] oft reizvolles, aber etwas leeres Spiel mit dem Theater und ungewichtige Parodie in hübscher Aufführung[...]."[22] Scharf ablehnend ist die Haltung gegenüber der Gruppe 47, von der er offenbar noch nichts Genaueres gehört hat. Er nennt sie „unverschämte Bande" und erregt sich über die „Unverschämtheit der nichtskönnenden ‚jungen Generation' in Deutschland."[23]

In eigener Sache herrscht nach wie vor die Angst, „unneu" zu sein – so angesichts der fertig gestellten Schillerrede[24] – und es begegnet weiterhin der kritisch bilanzierende, Stimmigkeit und Rundung suchende Blick zurück: ein Anlass hierfür ist Tschechows *Langweilige Geschichte*, der er sich im Essay ausführlicher zuwendet und deren Helden, einen alten General und Gelehrten, er zum frühvollendeten und jung verstorbenen Tschechow in legitimer Analogie sieht: beide fragen sich, ob ihr nunmehr gelebtes Leben sie zufrieden stellen könne, ob ihm nicht eine „allgemeine Idee" gefehlt habe, ob es nicht das Leben eines Verzweifelten gewesen sei. Am Ende des Essays dann die Feststellung:

Ich will aussprechen, dass ich die Zeilen hier mit tiefer Sympathie geschrieben habe. Dieses Dichtertum hier hat es mir angetan. Seine Ironie gegen den Ruhm, sein Zweifel an Sinn und Wert seines Tuns, der Unglaube an seine Größe hat von stiller, bescheidener Größe so viel. ‚Unzufriedenheit mit selber', hat er gesagt, ‚bildet ein Grundelement jedes echten Talents.' In diesem Satz wendet die Bescheidenheit sich denn doch ins Positive. ‚Sei deiner Unzufriedenheit froh', besagt er. ‚Sie beweist, dass du mehr bist als die Selbstzufriedenen, – vielleicht sogar groß.' (IX, 868f.)

Selbstzweifel, ja Verzweiflung, und gerade deshalb die Hoffnung, groß zu sein: in der ständigen „Gutmachung" durch die Reihe der Werke, durch ihr

---

[18]  Tb, 2.2.1954
[19]  Tb, 27.7.1951
[20]  Tb, 18.10. und 19.10.1951
[21]  Tb, 14.4., 16.4. und 18.4.1953
[22]  Tb, 5.5.1953
[23]  Tb, 11.5. und 17.5.1954
[24]  Tb, 11.1.1955

sich immer irgendwie steigerndes Aufeinanderfolgen. Damit ist Thomas Mann so nahe bei sich wie selten.

Gegen das Ende hin dominiert dann das zyklische, das „rundende" Programm gegenüber demjenigen der Steigerung, ohne dass wir von Resignation in dieser Hinsicht sprechen dürfen. Es ist zwar immer wieder, mit zunehmender Häufigkeit und Dichte, die Rede davon, dass es mit der Produktivität zu Ende sei, aber eben im matten Glauben daran, dass die eigene Rede Widerlegung finden könne. Dieser Prospero legt nicht wie bei Shakespeare den Zauberstab freiwillig nieder, er hält ihn bis zuletzt in der Hand, sich quälend und hoffend. Thomas Mann konnte und wollte kein „Lebenserntedankfest" feiern – so sehr er mit zunehmenden Jahren zunehmender Ehrungen bedurfte.

Die Ereignisse nehmen ihm das ab. Das Schillerjubiläum und der eigene 80. Geburtstag nahen heran, die Schillerrede wird in Anwesenheit des Bundespräsidenten in Stuttgart gehalten, es geht im Triumph nach Weimar, dann nochmals heim in die erste, die alte Heimat, nach Lübeck, es folgt in der Schweiz der unter beispiellosen Ehrungen begangene Geburtstag – und schließlich kommt die allerletzte Reise ans Meer, der Empfang durch die Königin der Niederlande, die letzte Krankheit, der letztlich überraschende Tod.

Kein kunstvoll abschwellender Ton, kein „Lebenserntedankfest" – eher bis zuletzt der Kampf um die Rechtfertigung des Lebens durch „neue" Werke in des Wortes doppelter Bedeutung – und durch ein gerundetes Gesamtwerk. Die Achtung, die Sympathie und die Bewunderung der allermeisten, die zu lesen verstehen, sollten Thomas Mann sicher sein.

*Daniel Jütte*

# „Placet experiri"

## Ein unbekanntes Vorbild für Lodovico Settembrini[1]

„Die Germanisten vergleichen viel zu viel",[2] hat Thomas Manns Witwe Katia mit Blick auf den *Zauberberg* geäußert. Mutmaßungen über die realen Hintergründe der Figuren aus Thomas Manns 1924 erschienenem Roman erfreuen sich jedoch seit jeher großer Beliebtheit. Insbesondere die Figur des Lodovico Settembrini hat immer wieder Anlass zu Spekulationen über ein mögliches reales Vorbild gegeben.[3] Der italienische Republikaner, der abseits vom sinnenfrohen Davoser Sanatorium Berghof mit zwei Zimmern unter dem Dach eines Damenschneiders vorlieb nimmt und einen Gutteil seiner Energie auf die humanistische Erziehung des Helden Hans Castorp verwendet, nimmt im Roman bekanntlich eine zentrale Rolle ein. Die geistige Physiognomie der Romanfigur ist zweifellos bei weitem zu vielschichtig, um auf ein einziges Vorbild reduziert zu werden. Es ist verschiedentlich darauf hingewiesen worden, dass Thomas Mann für die literarische Ausgestaltung des enthusiastischen Aufklärers Settembrini beispielsweise auf Schriften des italienischen Freiheitshelden Giuseppe Mazzini zurückgegriffen habe.[4] Mehr noch: Der Autor habe sich „nicht einmal bemüht, Spuren zu verwischen" – so das Urteil des Germanisten Hans Wißkirchen –, als er Settembrinis Ausführungen über die Mitarbeit an einem Lexikon mit dem Titel *Soziologie der Leiden* teilweise fast wörtlich aus einer gleichnamigen, zeitgenössischen Publikation des Privatgelehrten Franz Müller-Lyer übernahm.[5] Für das geistige Profil Settembrinis gilt letztlich, was Ernst Robert Curtius bereits 1925 in einer (durchaus nicht unproblematischen Rezension) über den ganzen Roman feststellte: er ist „eine Mischung vieler seltener Substanzen".[6] Dies trifft auch auf den Namen der Romanfigur zu: Diesen hat Thomas Mann möglicherweise vom italienischen Literaten und Politiker Luigi

---

[1] Eine gekürzte Fassung dieses Artikels erschien am 7.1.2006 in der Neuen Zürcher Zeitung.

[2] Katia Mann: Meine ungeschriebenen Memoiren, 5. Auflage, Frankfurt/Main: Fischer 2001, S. 88

[3] Eine Zusammenfassung bietet der von Michael Neumann verfasste *Zauberberg*-Kommentarband, 5.2, S. 83–88.

[4] Vgl. Neumann, S. 86.

[5] Hans Wißkirchen: „Ich glaube an den Fortschritt, gewiß." Quellenkritische Untersuchungen zu Thomas Manns Settembrini-Figur, in: Thomas Sprecher (Hg.): Das „Zauberberg"-Symposium 1994 in Davos, Frankfurt/Main: Klostermann 1995 (= Thomas-Mann-Studien, Bd. 11), S. 81–116, hier S. 91.

[6] Ernst Robert Curtius, in: Luxemburger Zeitung vom 9.1.1925, zitiert nach Wißkirchen, S. 83.

Settembrini geborgt, auch wenn er sich, im Jahre 1951 danach gefragt, nicht mehr erinnern konnte.[7] Gegen Ende seines Lebens führte Mann die Namensbildung vielmehr auf „venti settembre" zurück, die italienische Bezeichnung für den 20. September 1870 – ein berühmtes Datum der italienischen Revolution und damit der Geschichte der Staatswerdung Italiens, an der die Familie des Romanhelden Settembrini so maßgeblich Anteil genommen hatte.[8]

Thomas Mann hat allem Anschein nach – *volens* oder *nolens* – mit Blick auf die Settembrini-Figur eindeutige Festlegungen vermieden. Die Frage aber, ob gar ein Zeitgenosse dem Schriftsteller Modell für Settembrini gestanden habe, ist fast so alt wie der Roman. Thomas Manns Biograph Arthur Eloesser kolportierte schon 1925, der Autor des *Zauberbergs* sei lange vor seinem Davos-Besuch in einem Schweizer Sanatorium einem „italienischen Literaten", einem „liebenswürdigen Schwadroneur" begegnet.[9] Dieser sei das Vorbild für die Romanfigur Settembrini. Noch Konkreteres erfuhr der Medizinhistoriker Christian Virchow nach dem Tode Thomas Manns von dessen Witwe Katia.[10] Sie berichtete, dass Thomas Mann „während seines Kuraufenthalts in Zürich einen Herrn kennengelernt" habe, der ihm als Vorbild für Settembrini diente.[11] Katia Mann bezog sich auf den Aufenthalt ihres Mannes im Zürcher Sanatorium „Lebendige Kraft" von Maximilian Bircher-Benner. Dort hatte sich Thomas Mann 1909 für vier Wochen aufgehalten. Vor dem besagten Kuraufenthalt hatte der Schriftsteller noch über das „hygienische Zuchthaus"[12] auf dem Zürichberg gespöttelt; nach dem Antritt der Kur fand er – wie er im Juni 1909 in einem Brief an Walter Opitz bekennt – aber Gefallen an dem „jetzt sehr gepriesenen Sanatorium des Dr. Bircher, wo man ausschließlich mit Gemüsen, Nüssen und Früchten bewirtet wird."[13] Während seines Aufenthalts hat sich Thomas Mann in das heute noch erhaltene Besucherbuch eingetragen – und eine Handbreit daneben ein gewisser „Paolo Enrico Zendrini".[14] Zendrini weilte vom 20. April bis zum 20. Mai 1909 im Sanatorium Bircher-Benner. Tho-

---

[7] Neumann, S. 84.

[8] Neumann, S. 86.

[9] Zitiert nach Neumann, S. 84.

[10] Christian Virchow: Das Sanatorium als Lebensform. Über einschlägige Erfahrungen Thomas Manns, in: Thomas Sprecher (Hg.): Literatur und Krankheit im Fin de Siècle (1890–1914). Thomas Mann im europäischen Kontext, Frankfurt/Main: Klostermann 2002 (= Thomas-Mann-Studien, Bd. 26), S. 171–197.

[11] Virchow, S. 192.

[12] An Heinrich Mann, 10.5.1909, BrHM, S. 141.

[13] An Walter Opitz, 11.6.1909. Zitiert nach der bislang ausführlichsten Wiedergabe des Briefes bei Virchow, S. 191. Vgl. auch Reg I, 09/35.

[14] Das Gästebuch befindet sich heute zusammen mit dem übrigen Bircher-Benner-Archiv im Medizinhistorischen Institut der Universität Zürich. Mein Dank gilt Herrn Dr. Eberhard Wolff (Medizinhistorisches Institut der Universität Zürich) für diesen Hinweis sowie für seine außerordentliche Hilfsbereitschaft und Gastfreundschaft.

mas Mann vom 12. Mai bis zum 5. Juni. Nichts ist bislang über den Einfluss bekannt, den eine mögliche Begegnung mit diesem Gast für Thomas Manns *Zauberberg*-Konzeption gehabt haben könnte. Doch nicht nur die frappierende Ähnlichkeit der Namen scheint auf einen solchen Einfluss hinzudeuten, auch in der beruflichen Tätigkeit von Romanfigur und mutmaßlichem Vorbild lassen sich Parallelen ausmachen: Im *Zauberberg* bezeichnet sich Settembrini ausdrücklich als „freier Schriftsteller".[15] Der 1879 geborene Paolo Enrico Zendrini war, so seine Eintragung im Besucherbuch des Sanatoriums, Schriftsteller aus Mailand. In dieser Eigenschaft hat Zendrini mit dem Literaten Settembrini etwas Ungewöhnliches gemeinsam: Er hat publizistisch kaum Spuren hinterlassen. Die wenigen, „unselbständigen" Veröffentlichungen, die sich nachweisen lassen und übrigens ausnahmslos in deutscher Sprache verfasst sind, bezeugen jedoch ein weit gespanntes Interesse des Autors. Zeitungsartikel in der österreichischen Tagespresse über *Raffael* (1912) und *Venezianische Künstlerstätten* (1913)[16] sowie eine lange Würdigung zum zweihundertsten Geburtstag Carlo Goldonis in der renommierten Neuen Freien Presse (1907) sind hier anzuführen.[17] Dass Zendrini in der Deutschen Rundschau einen Artikel über *Die Einwirkung Luthers auf Italien im 16. Jahrhundert* veröffentlichte,[18] zeigt, dass der italienische Publizist sich für jene Glaubenskämpfe der Vergangenheit interessierte, die auch in den heftigen Kontroversen zwischen der Romanfigur Leo Naphta, dem kommunistischen Jesuiten, und dem humanistischen Aufklärer Settembrini eine wichtige Rolle spielen. Zendrinis Luther-Artikel erschien übrigens 1910. Es ist also gut möglich, dass die Thematik der Reformation, mit der sich Zendrini 1909 zur Vorbereitung seines Artikels intensiv befasst haben muss, bei einer wahrscheinlichen Begegnung mit Thomas Mann in Zürich eine Rolle gespielt hat.

Lauter Zufälle? Thomas Mann jedenfalls erwähnt eine Begegnung mit Zendrini in seinen Briefen nicht (die Tagebücher aus dieser Zeit sind ebenso wie der größte Teil der Materialsammlung zum *Zauberberg* nicht erhalten). In einem Brief aus dem Sanatorium erwähnt der Schriftsteller allerdings, der Aufenthalt bei Bircher-Benner sei ihm „durch freundliche Gesellschaft erleichtert" worden.[19] Und nachweislich mindestens eine Inspiration für die spätere Arbeit am *Zauberberg* verdankte er der „Lebendigen Kraft": Bei der Gestaltung des *Zauberberg*-Arztes Krokowski habe Thomas Mann, so Katia Mann in ihren Memoiren, „ein bisschen an Dr. Bircher in Zürich gedacht".[20] Vielleicht auch

---

[15] 5.1, S. 242.
[16] Pester Lloyd vom 24.12.1912 bzw. 30.3.1913.
[17] Beilage zur Neuen Freien Presse (Wien) vom 24.2.1907.
[18] Deutsche Rundschau, 144 (1910), Berlin: Paetel, S. 429–452.
[19] An Walter Opitz (wie Anm. 13)
[20] Katia Mann, S. 89.

bei der Erfindung Settembrinis an den Sanatoriumsgast Zendrini? Die Parallelen enden jedenfalls nicht bei Namensähnlichkeit und Beruf: Zendrini war zum Zeitpunkt seines Aufenthalts bei Bircher-Benner 30 Jahre alt. Das Alter Settembrinis beträgt im Roman „zwischen dreißig und vierzig", wobei „seine Gesamterscheinung jugendlich" wirkt.[21] Ob die Physiognomie der Romanfigur – z.B. der „geschwungene Schnurrbart" – derjenigen Zendrinis entsprach, lässt sich mangels Fotografien nicht ermitteln. Nicht nur Bildnisse Zendrinis fehlen, auch seine Spur verliert sich seit den 1920er Jahren. (Doch ist diese für die *Zauberberg*-Forschung nicht weiter von Bedeutung.) Womöglich war auch der bisherige Lebensweg Zendrinis für Thomas Mann 1909 nicht in erster Linie von Interesse. Weitaus mehr als für die Biographie des 30jährigen Italieners dürfte sich Mann für dessen Familiengeschichte interessiert haben. Und was diese betrifft, so ergeben sich erstaunliche Überschneidungen mit der fiktiven Geschichte der Familie Settembrini. Der prominenteste Vorfahre des Romanhelden ist bekanntlich der barrikadenstürmende Großvater Giuseppe Settembrini, „der zu Mailand Advokat, hauptsächlich aber ein großer Patriot gewesen und etwas wie einen politischen Agitator, Redner und Zeitschriften-Mitarbeiter vorgestellt hatte".[22] Stolz rühmt der Enkel Lodovico seinen Großvater als einen engagierten „carbonaro" (ein Mitglied der italienischen Revolutionsbünde), der nur mit Mühe den „Häschern des Fürsten Metternich" entkommen sei.[23] Die Familiengeschichte der Settembrinis ist – nicht unähnlich derjenigen der Buddenbrooks – die eines Niedergangs: Der Großvater Giuseppe Settembrini ist ein Oppositionsmann in „größerem, kühnerem Stile", der sich mit Österreich und der Heiligen Allianz anlegt und aus Trauer über sein geknechtetes Land schwarze Kleidung trägt. Sein Sohn ist hingegen „nicht, wie dieser, ein politischer Agitator und Freiheitskämpfer, sondern ein stiller und zarter Gelehrter, ein Humanist an seinem Pulte".[24] Der Enkel Lodovico Settembrini schließlich ist dazu verurteilt, „wie er selber mit Bitterkeit bemerkte", seine aufklärerischen Energien im Sanatorium Berghof zu verschwenden. Eine abfallende Linie also,[25] die eine auffällige Parallele in der Familiengeschichte der Zendrinis findet: Auch dort steht zu Beginn ein Freiheitskämpfer. Der Großvater, ein Arzt, war – wie sich ermitteln ließ – wie bei Thomas Mann ein „vecchio carbonaro" und für seine Umtriebe von den Österreichern zum Tode verurteilt worden – eine Strafe, die später in

---

[21] 5.1, S. 88.

[22] 5.1, S. 233.

[23] 5.1, S. 234.

[24] 5.1, S. 241.

[25] Zumal, wenn man die Familiengeschichte bis auf den im 18. Jahrhundert wirkenden, bedeutenden Mathematiker Bernardino Zendrini zurückführt, wie Paolo Enricos Vater dies versuchte. Vgl. dazu Gian Maria Bonomelli: Bernardino Zendrini, Grande matematico della republica di Venezia. Vita e opere, Brescia: Cividate Camuno 1977, S. 15.

eine mehrjährige Gefängnisstrafe umgewandelt wurde.[26] Sein Sohn hingegen wählte – in völliger Entsprechung zur Familie Settembrini – den Berufsweg des Gelehrten.[27] Der Enkel, dem Thomas Mann mutmaßlich im Sanatorium begegnete, hielt sich bereits als Gelegenheits-Feuilletonist über Wasser.

Allerdings sollte nicht unerwähnt bleiben, dass Thomas Mann ein weiteres Vorbild zweifellos vor Augen stand. Der Autor des *Zauberbergs* hat, wie eingangs angedeutet, viele Züge des Großvaters Guiseppe Settembrini nach dem Vorbild des Revolutionärs Giuseppe Mazzini modelliert und teilweise zu diesem Zweck im *Zauberberg* auch aus Mazzinis *Politischen Schriften* zitiert. Während der Freiheitskämpfer Mazzini im Roman jedoch namentlich nicht genannt wird, spielt der italienische Schriftsteller Giosuè Carducci in den Ausführungen Settembrinis immer wieder eine wichtige Rolle. Lodovico zählt sich zu den Bewunderern und Schülern Carduccis. Er habe sogar – so erfährt Hans Castorp bereits bei der ersten Begegnung mit Settembrini – den Nachruf auf Carducci in deutschen Zeitungen geschrieben. Vergleicht man damit nun die Familiengeschichte Paolo Enrico Zendrinis, so ist nicht auszuschließen, dass Thomas Mann das Motiv einer übersteigerten Carducci-Anhängerschaft gewissermaßen unter umgekehrten Vorzeichen in den *Zauberberg* übernommen haben könnte. Paolo Enrico war nämlich der Sohn des 1839 in Bergamo geborenen italienischen Germanisten und Dichters Bernardino Zendrini. Dieser hatte in Zürich und Pavia studiert, wurde 1867 auf eine Professur für deutsche Literatur in Padua berufen und war seit Anfang der 1860er Jahre mit seinen (mehrfach aufgelegten) Übersetzungen der Werke Heinrich Heines ins Italienische hervorgetreten.[28] Zugleich kritisierte Zendrini andere Übersetzer Heines öffentlich. Er zog sich damit den Spott Carduccis zu, der sich seit den 1870er Jahren einen zunehmend heftigeren Streit mit Zendrini lieferte.[29] Erst nach Zendrinis Tod äußerte sich Carducci versöhnlicher – doch Zendrinis Ansehen, namentlich als Dichter, war zu diesem Zeitpunkt längst im Abnehmen begriffen. Der Heine-Übersetzer – eigentlich „ein zarter und stiller Gelehrter" wie Settembrinis Vater – war, so geht aus Nachrufen hervor, von den Polemiken Carduccis tief getroffen. Wenige Wochen bevor Bernadino Zendrini 1879 im Alter von 40 Jahren in Palermo an den „schwarzen Blattern" starb, war sein einziger Sohn Paolo Enrico im Frühjahr 1879

---

[26] Giuseppe Pizzo: Bernardino Zendrini, in: Nuova antologia di scienze, lettere ed arti. Seconda serie, 22 (1880), Rom: Barbèra, S. 692–730, S. 694.

[27] Eine kompakte Zusammenfassung gibt der Eintrag in der Enciclopedia italiana, Rom: Istituto della enciclopedia italiana di scienze, lettere ed arti 1937, Bd. 35, S. 919 sowie das Dizionario universale della letteratura contemporanea, Mailand: Mondadori 1962, Bd. 4, S. 1235.

[28] Ausführlich dazu Pizzo, S. 698 ff.

[29] Vgl. z.B. A. B. Levi: Bernardino Zendrini [Nachruf], in: Il Tempo. Giornale politico-letterario-commerciale del Veneto, Nr. 194 vom 14.8.1879, S. 1.

zur Welt gekommen.[30] Paolo Enricos Mutter, Bettina Zendrini geb. Kitt, war somit kurz nach der Hochzeit und der Geburt ihres Sohnes zur Witwe geworden. Sie entstammte einer altehrwürdigen Schweizer protestantischen Familie[31] und scheint ihren Sohn in Italien deutschsprachig erzogen zu haben. Bemerkenswert an dieser Stelle, dass im *Zauberberg* Lodovico Settembrini zwar nicht über eine deutsche Mutter, aber über eine deutsche Großmutter verfügt, die ihren Mann in der Schweiz geheiratet hat! Aus dem unveröffentlichten, heute in der Bayerischen Staatsbibliothek in München befindlichen Briefwechsel (1879–1910) zwischen Bettina Zendrini und Paul Heyse, dem deutschen Schriftsteller und Freund ihres verstorbenen Mannes, geht hervor, wie sehr Paolo Zendrini nach dem Vorbild des übermächtigen Vaters geformt wurde: Vom lebhaften Wunsch, „in dem lieben Kleinen Aehnlichkeiten mit seinem geliebten Vater zu entdecken",[32] berichtet die Mutter ebenso wie von der Tatsache, dass Paolo so häufig nach seinem Vater frage, „daß ich oft nicht weiß, was ich antworten soll".[33] Die Erziehung des Sohnes hatte sie bereits wenige Tage nach dem Tod ihres Mannes emphatisch zu ihrer Lebensaufgabe erklärt: „Für dieses Kind soll und will ich noch leben."[34]

Vielleicht auch zur Sicherung der finanziellen Verhältnisse der Familie heiratete sie Ende der 1880er den wohlhabenden jüdischen Bankier Otto Joel aus Danzig,[35] der seit den 1890er Jahren am Aufbau der „Banca Commerciale Italiana" maßgeblich beteiligt war und 1910 sogar die italienische Staatsbürgerschaft annahm. Der Stolz auf den verstorbenen Bernardino Zendrini zog sich jedoch auch nach der zweiten Heirat wie ein roter Faden durch das Familienbewusstsein, und mit Genugtuung vermerkte Bettina Zendrini noch 1909, dass ihrem Mann ein Vierteljahrhundert nach seinem Tod in „Sachen Carducci" Gerechtigkeit widerfahre.[36] In Vergessenheit ist Bernardino Zendrini gleichwohl geraten. Sein Name ist in Italien heute kaum noch bekannt und war es wohl schon zum Zeitpunkt einer möglichen Begegnung seines einzigen Sohnes mit Thomas Mann nicht mehr. Der Name Carducci aber dürfte bei einer solchen Begegnung – wenn es zu einer Schilderung der Familiengeschichte

[30] Vgl. Bettina Zendrini an Paul Heyse, 8.8.1879, Heyse-Archiv (VI) der Bayerischen Staatsbibliothek München.

[31] Heinrich Blass: Zur Geschichte der Kitt von Zürich, in: Zürcher Taschenbuch auf das Jahr 1968, Zürich: Sihl AG 1967, S. 1–28, hier v.a. S. 27f. Paolo Enrico wird darin nicht namentlich genannt.

[32] Bettina Zendrini an Paul Heyse, 13.6.1883, Heyse-Archiv (VI) der Bayerischen Staatsbibliothek München.

[33] Ebd.

[34] Bettina Zendrini an Paul Heyse, 8.8.1879.

[35] Blass, S. 28.

[36] Bettina Joel [verwitwete Zendrini] an Paul Heyse, 14.12.1909, Heyse-Archiv (VI) der Bayerischen Staatsbibliothek München.

kam – eine prominente, ja überproportionale Rolle gespielt haben; und auch der Name Heinrich Heine – der Stein des Anstoßes für den Streit – könnte in diesem Zusammenhang mehrfach gefallen sein. Wenn Settembrini im Roman Hans Castorp dazu aufruft, „die Sache des Menschen, die irdischen Interessen" zu verfechten und den „Himmel billig den Spatzen zu überlassen",[37] dann zitiert er – wie der Germanistik nicht unverborgen geblieben ist – aus Heinrich Heines „Wintermärchen". Settembrini ist also „ein Heine-Kenner!" – so stellte 1995 der Germanist Hans Wißkirchen mit Begeisterung fest.[38] Könnte sich die Zeichnung Settembrinis als Heines „später Nachfahre" (Wißkirchen) der Begegnung Thomas Manns mit dem Sohn des Übersetzers und Apologeten Heines in Italien verdanken? Diente das Bild vom Ringen der Literaten Zendrini und Carducci Thomas Mann als Vorbild für die hervorgehobene Rolle des letzteren im *Zauberberg*? Stand die Familiengeschichte Zendrinis zumindest teilweise Modell für diejenige Settembrinis? Eine definitive Antwort scheint unmöglich. Thomas Mann erklärte 1934 die Figur des Settembrini für „so gut wie frei erfunden".[39] Und er setzte – als salvatorische Klausel eines Meisterwerks – hinzu: „Nur leichte Anhaltspunkte bot die menschliche Wirklichkeit."

---

[37] 5.1, S. 242.
[38] Wißkirchen, S. 98.
[39] An Pierre-Paul Sagave, 30.1.1934, Br I, S. 350.

*Holger Rudloff*

# Die Sendung mit der Maus

Über den „Urenkel Schillers, Herrn von Gleichen-Rußwurm"
in Thomas Manns Roman *Doktor Faustus*

Die Sendung mit der Maus ist eine Postsendung. Der Leser findet sie am Ende
des 39. Kapitels in Thomas Manns Roman *Doktor Faustus*. Es handelt sich um
eine Anekdote über „den Urenkel Schillers, Herrn von Gleichen-Rußwurm"
(VI, 561). Der fiktive Nachfahre des deutschen Klassikers Friedrich Schiller plant einen hinterlistigen Versicherungsbetrug. Er sperrt eine Maus in ein
hochversichertes Wertpaket, das angeblich wertvollen Schmuck enthält. Das
Tier soll ein Loch in die Verpackung nagen um vorzutäuschen, der Schmuck
sei zufällig herausgefallen. Doch der Plan misslingt: Die Maus erstickt, der
Coup fliegt auf.

Indem der Erzähler die Sendung mit der Maus ausdrücklich mit dem Urenkel Schillers verbindet, wird die Anekdote zu einem Teil von Thomas Manns
Schiller-Rezeption. Gleichzeitig reiht sich der Romanabschnitt in die Über-
lieferungsgeschichte des deutschen Klassikers Friedrich Schiller ein. Einer
kunsttheoretischen Metapher Walter Benjamins zufolge gehören zur Tradierung von Kunstwerken ihre zahlreichen Reproduktionen und Fälschungen:
„... die Geschichte der Mona Lisa zum Beispiel [umfasst] Art und Zahl der
Kopien, die im siebzehnten, achtzehnten, neunzehnten Jahrhundert von ihr
gemacht worden sind."[1] Allein Rezeptionsgeschichten halten Sekundäres fest,
sie gehören nicht zum Werk, nicht zum literarischen Text. Sie klären hingegen
über verfälschte Aneignungen und entstellenden Umgang mit den Klassikern
auf.

In der Forschung zu Thomas Manns Auseinandersetzung mit dem Werk
Friedrich Schillers nimmt der *Faustus*-Roman eine untergeordnete Bedeutung
ein. Zentral stehen frühe Erzählungen: *Tonio Kröger* (1903), *Schwere Stunde*
(1905), *Der Tod in Venedig* (1912). Zudem der Roman *Lotte in Weimar* (1939),
in dem Schiller als fiktive Gestalt in der kritischen Sicht Goethes auftaucht.
Studien verweisen auf das essayistische Werk, in dem Notizen über Schiller in
*Geist und Kunst* (ab 1905) vorkommen oder auf *Goethe und Tolstoi* (1921), wo
Schiller mit Dostojewski verglichen wird. Zahlreiche Untersuchungen sind

---

[1] Walter Benjamin: Das Kunstwerk im Zeitalter seiner technischen Reproduzierbarkeit. Drei
Studien zur Kunstsoziologie, Frankfurt/Main: Suhrkamp 1969, S. 52.

dem *Versuch über Schiller* (1955) gewidmet, denn Thomas Mann macht hier eine lebenslange Beziehung zu Schiller geltend: „‚Don Carlos‘ – wie könnte ich je die erste Sprachbegeisterung meiner fünfzehn Jahre vergessen, die an dem stolzen Gedicht sich entzündete!“ (IX, 892) Die Zuhörer der Festreden zum 150. Todestag Schillers und zahlreiche Kritiker nehmen ihm das ab; Thomas Mann hält eine gekürzte Fassung des *Versuchs* am 8. Mai in Stuttgart und am 14. Mai 1955 in Weimar. Im geteilten Deutschland will jede Seite den Klassiker Friedrich Schiller und den Klassiker Thomas Mann für sich reklamieren. Erst 1965 enthüllt die umfassende Studie von Hans-Joachim Sandberg, wie sehr die Schiller-Rezeption Thomas Manns eher sporadischer Natur ist. Der *Versuch* erweist sich als Kontrafaktur einschlägiger Sekundärliteratur, angereichert durch Zitate aus Schillers Dramen und Gedichten. Thomas Mann beabsichtigt, sich „dem Publikum gegenüber den Anschein eines unbefangenen und gründlichen Schiller-Kenners geben zu müssen.“[2] Neuere Interpretationen unterstreichen Thomas Manns starke emotionale Verbindung zu Schiller, von einer profunden Kennerschaft könne jedoch kaum die Rede sein.[3] Dabei weist man auf den *Doktor Faustus* hin, der Schillers Antinomie von Sinnlichem und Geistigem entfaltet. Wendell Kretschmar erteilt seinem Schüler Adrian Leverkühn entsprechende Lektionen.[4] Freilich wird schon früher die Bedeutung von Schillers *Lied an die Freude* für den *Faustus* erkannt, denn die Zurücknahme der Neunten Symphonie Beethovens durch Adrian Leverkühns Faust-Kantate „Dr. Fausti Weheklag“ widerlegt zugleich Schillers Jubelgesang.[5]

Da der „Urenkel Schillers, Herr von Gleichen-Rußwurm“ im Roman nur en passant vorkommt, könnte er als eine relativ unbedeutende Nebenfigur eingestuft werden. Die Postsendung mit der Maus wäre dann nur ein lustiges Einsprengsel, eine komische Begebenheit, in dem so strengen Roman. Doch Nebenfiguren gibt es nicht:

Nebenfiguren geraten bei Thomas Mann oft in das bloße Streulicht des Lichtstrahls hinein, der sich eigentlich auf die Hauptgestalten richtet, aber das haben sie im Grunde genommen nicht verdient, schon deswegen nicht, weil es interpretatorische Lichtblicke sein mögen, die, um im Bilde zu bleiben, durch sie gegeben werden, oder vielmehr: weil sie Aussagen tragen, die durchaus nicht ephemer zu sein brauchen. Nebenfiguren

---

[2] Hans-Joachim Sandberg: Thomas Manns Schiller-Studien. Eine quellenkritische Untersuchung, Oslo: Universitetsforlaget 1965, S. 117 (Germanistische Schriftenreihe der norwegischen Universitäten und Hochschulen, Nr. 3).

[3] Helmut Koopmann: Thomas Manns Schiller-Bilder – Lebenslange Mißverständnisse? In: Thomas Mann Jahrbuch, Bd. 12, Frankfurt/Main: Klostermann 2000, S. 113–131.

[4] Ebd., S. 130.

[5] Erich Heller: Doktor Faustus und die Zurücknahme der Neunten Symphonie. In: Thomas Mann 1875–1975. Vorträge in München – Zürich – Lübeck, hrsg. v. Beatrix Bludau, Eckhard Heftrich, Helmut Koopmann, Frankfurt/Main: Fischer 1977, S. 173–188.

in diesem Sinne gibt es bei Thomas Mann eigentlich nur herzlich wenig, so wenig, wie es in einem musikalischen Werk Nebentöne gibt [...].[6]

Im Sinne einer Tagebuchnotiz Thomas Manns vom 11. April 1943 erscheint es für den *Doktor Faustus* zweckmäßig, statt von Rand- oder Nebenfiguren von „prägnanten Umgebungsfiguren"[7] zu sprechen. Alle Figuren spielen also eine treffende Rolle. Zu fragen bleibt, welche besondere Funktion der Schiller-Erbe in der Komposition des Erzählgeschehens einnimmt.

Die Montagetechnik des *Doktor Faustus* beabsichtigt, Personen der Zeitgeschichte namentlich zu benennen. Prominente Kapellmeister wie Otto Klemperer, Bruno Walter oder Richard Strauss treten ohne fiktionale Verschlüsselung auf. Das trifft ebenso auf den Nachkommen Schillers zu. Der „Urenkel Schillers", der „Herr von Gleichen-Rußwurm", ist mit dem wirklichen Nachfahren von Friedrich Schiller, Alexander von Gleichen-Rußwurm (1865–1947) identisch. Seine Großmutter Emilie (1804–1872), jüngste Tochter des Klassikers, heiratet 1828 den bayrischen Kammerherrn Heinrich Adalbert von Gleichen-Rußwurm. Ihr Sohn Ludwig wird Alexanders Vater. Da die Ehe des Urenkels kinderlos bleibt, stirbt mit ihm die Familie des deutschen Dichters Friedrich Schiller aus.[8] Ob der Leser die Romanfigur entschlüsselt, hängt von seinem Informationsstand ab. Das bildungsbürgerliche Leserpublikum zur Zeit der Entstehung des *Doktor Faustus* unterscheidet sich zweifellos vom gegenwärtigen. Allein im Jahr 2005 ist der Urenkel nicht vergessen. Anlässlich der Feiern zum 200. Todestag Friedrich Schillers erinnern Ausstellungen auch an seinen letzten Nachkommen, da Alexander von Gleichen-Rußwurm vor seinem Tod 1947 den Familiennachlass dem Schiller-Nationalmuseum in Marbach stiftet.[9]

Der *Faustus*-Roman erzählt vom „Urenkel Schillers, Herrn von Gleichen-Rußwurm" durchgängig im Zusammenhang mit der Münchner Salonwelt vor

---

[6] Helmut Koopmann: „Doktor Faustus" als Widerlegung der Weimarer Klassik. In: Internationales Thomas-Mann-Kolloquium 1986 in Lübeck, hrsg. v. Eckhard Heftrich und Hans Wysling, Bern 1987 (=Thomas-Mann-Studien VII), S. 92–109, S. 101.

[7] Thomas Mann: Tagebücher 1940–1943; hrsg. v. Peter de Mendelssohn, Frankfurt/Main: Fischer 1982, S. 562.

[8] Vgl. Historische Kommission bei der Bayerischen Akademie der Wissenschaften (Hrsg.): Neue Deutsche Biographie (NDB), 6. Bd., Berlin: Duncker & Humblot 1964, S. 445 ff.; Walter Killy/Rudolf Vierhaus (Hrsg.): Deutsche Biographische Enzyklopädie (DBE), Bd. 4, München, New Providence, London, Paris: K. G. Saur 1996, S. 28. Vgl. dazu ausführlich: Christian Fuchs / Wolfgang Buhl: Der Urenkel Schillers. Ein fränkischer Essayist: Alexander von Gleichen-Rußwurm. Nürnberg 1984. (Manuskript des Bayrischen Rundfunks der Sendung vom 31.05.1984).

[9] Heike Gfrereis / Ulrich Raulff (Hrsg.): Katalog zur Ausstellung ‚Götterpläne und Mäusegeschäfte. Schiller 1759–1805', Schiller-Nationalmuseum, Marbach am Neckar: Deutsche Schillergesellschaft 2005, S. 260. – Im Deutschen Literaturarchiv in Marbach a. N. findet man auch den Nachlass Alexander von Gleichen-Rußwurms, er umfasst immerhin neun Archivkästen.

und nach dem Ersten Weltkrieg. Thomas Mann kannte die kulturkritischen und politischen Diskussionszirkel aus eigener Erfahrung. Mehrfach trifft er mit einem Herrn von Gleichen-Rußwurm zusammen. Allerdings handelt es sich hier nicht um Alexander von Gleichen-Rußwurm, sondern um Heinrich von Gleichen-Rußwurm, den Organisator zahlreicher Herrenclubs, einen führenden Vertreter der „Konservativen Revolution". Die Zeitgeschichte kennt *zwei* Personen mit dem Familiennamen Gleichen-Rußwurm. Zur besseren Orientierung schicke ich meine zentrale These voran: Thomas Mann montiert mit dem „Urenkel Schillers, Herrn von Gleichen-Rußwurm" zwei Personen der Zeitgeschichte, nämlich Alexander von und Heinrich von Gleichen-Rußwurm zusammen; er folgt dabei dem Strukturprinzip des Romans, Figuren mit konträren und komplementären Eigenschaften geheimnisvoll zu vereinen.

Drei Stellen des *Doktor Faustus* handeln von Schillers Urenkel. Die folgenden Untersuchungen entsprechen in ihren Abschnitten den jeweiligen Textstellen (Teil I–III). Teil IV zeigt abschließend, wie die Personen Alexander und Heinrich von Gleichen-Rußwurm in maßgebenden Werken der Thomas Mann-Forschung behandelt werden. Die Werkausgabe, eine viel beachtete Biographie und eine Chronik nehmen Verwechslungen und Fehlangaben vor, die bisher nicht erkannt sind.

# I

Von dem Nachfahren Friedrich Schillers handeln Passagen im 23., 39. und im 47. Kapitel. Der deutsche Tonsetzer Adrian Leverkühn, dessen Leben im Roman von einem Freunde erzählt wird, begegnet im 23. Kapitel „dem ‚Urenkel Schillers', Herrn von Gleichen-Rußwurm" (268). Der Text sieht hier ausdrücklich einfache Anführungszeichen für den „Urenkel Schillers" vor. Eine Hervorhebung, die im Roman selten vorkommt und damit auf eine besondere Konstellation hinweist. Die Zusammenkunft findet bei kultur- und sozialkritischen Diskussionen im Münchner Salon des Ehepaars Schlaginhaufen statt: „Ihr säulengeschmückter Salon war der Treffpunkt einer das Künstlerische und das Aristokratische umfassenden Gesellschaft [...]" (ebd.). Vom Urenkel des Klassikers erfährt der Leser bei dessen erster Nennung nur in einem eingeschachtelten Nebensatz, dass er „kulturgeschichtliche Bücher schrieb" (ebd.). Das ist alles. Allerdings entspricht es dem Prinzip der Montagetechnik des Romans, authentische Materialien in die Handlung einzuschleusen. Alexander von Gleichen-Rußwurm, der wirkliche Nachkomme Schillers, verfasst zahlreiche kulturhistorische Abhandlungen. Zu ihnen gehören Biographien über die Markgrafen von Bayreuth (1925), über die Königin Victoria (1936) und auch über Friedrich Schiller (1913). Zudem legt er eine zwölfbändige *Kultur- und Sittengeschichte aller Zeiten und Völker* (1929/31) vor.[10] Möglicherweise schlägt diese Schrift eine Brücke zum vorhergehenden Romangeschehen und zum Lebensweg der Hauptfigur. Adrian Leverkühn stößt im Wartezimmer eines der diabolischen Ärzte, die er zur Behandlung seiner venerischen Krankheit aufsucht, auf „eine illustrierte Sittengeschichte" (209). Ob eine Montage vorliegt oder nicht, bleibt dahingestellt. Man kann den *Faustus* lesen, ohne Zitate zu entdecken. Der geübte Thomas Mann-Leser vermutet überall einmontierte Stellen.

Zunächst scheint die erste Textstelle über Schillers Erben wenig herzugeben. Doch ein näherer Blick verrät Themen und Motive, die den ganzen Roman bestimmen, die eine aufschlüsselnde Funktion haben und auf ihre Art die Zukunft des Romangeschehens vorausdeuten. Sicher nicht zufällig finden die Debatten der Münchner Gesellschaft in einem „säulengeschmückte(n) Salon" statt. Traditionell verkörpert die antike Säule ein Symbol von Macht, Größe und Stärke, einen Anspruch auf Beständigkeit und Glorie bestehender Strukturen. Gleichzeitig laden die antiken Säulen als Überreste verfallener Tempel zur Assoziation über die Ruinen Griechenlands und Roms ein. Die doppelte Optik vom Aufstieg und historischem Niedergang in der Sinndeutung der Säulen kommt im *Doktor Faustus* in der erzählten Handlung vom Aufstieg und Fall des Dritten Reiches zum Ausdruck. Der Erzähler Serenus Zeitblom greift am „23. Mai 1943" (9) zur Feder und beschließt seine Aufzeichnungen im Mai 1945. Vor diesem Hintergrund erscheinen die Münchner Salongespräche als Vorgeschichte von Gewaltherrschaft und Krieg. Ihre Illusionen von aristokratischer Größe und von der Wiederauferstehung vergangener Reiche stehen von Beginn an im Zeichen der Ruinen des Zweiten Weltkrieges. Allerdings findet das erste Treffen beim Ehepaar Schlaginhaufen am Vorabend des Ersten Weltkriegs statt; der Chronist registriert ausdrücklich, man sei „nur vier Jahre noch vom Krieg entfernt" (270). Auf diese Weise werden die beiden großen Kriege des 20. Jahrhunderts verbunden. Hinter der Kulissenwelt der klassizistischen Salonsäulen zeichnen sich die Katastrophen ab.

Wird mit dem „säulengeschmückte(n) Salon" des Ehepaars Schlaginhaufen die „Säulenhalle" im Buddenbrooks-Haus aufgerufen? Der Untertitel der *Buddenbrooks* benennt paraphrasierend die zentrale Thematik des Romans: „Verfall einer Familie". Der *Doktor Faustus* erzählt, wie die Debatten im Münchner Säulensalon den Untergang ganz Deutschlands und des alten Europas vorbe-

---

[10] Vgl. NDB, S. 446.

reiten. Mit den *Buddenbrooks* verbindet den „Urenkel Schillers" ein weiterer Gesichtspunkt. Erklärt der kleine Hanno Buddenbrook nach seinem Lineal-strich unter die Familienchronik der großbürgerlichen Handelsdynastie noch zögernd: „Ich glaubte ... ich glaubte ... es käme nichts mehr ..."" (1.1, 576), so steht für einen Leser, der die historische Person Alexander von Gleichen-Rußwurm kennt, sofort fest, dass die Geschichte unter den Stammbaum der Familie Fried-rich Schillers mit seinem letzten Urenkel einen Schlusspunkt setzt. Als Roman-figur vertritt der „Herr von Gleichen-Rußwurm" einen kulturgeschichtlichen Niedergang, der weit über den Verfall einer Familie hinausreicht.


## II


Die zweite Textstelle über Schillers Abkömmling befindet sich im 39. Kapi-tel. Die erzählte Zeit handelt von der deutschen Atmosphäre der zwanziger Jahre. Zunächst bereitet eine versteckte Anspielung auf eine romantische Tragödie Friedrich Schillers den Auftritt des Urenkels vor. Das Kapitel führt Mademoiselle Marie Godeau ein, eine bildschöne junge Frau, um die Adrian Leverkühn an späterer Stelle vergeblich wirbt. Ihr steht eine „Gesellschafte-rin, Wirtschafterin, Ehrendame" zur Seite, die mit „‚Tante Isabeau' angeredet wurde" (555)[11]. Isabeau ist in Schillers Schauspiel *Die Jungfrau von Orleans* der Name der intriganten und bösartigen Königin von Frankreich, der Mutter Karls des Siebten.

Böse Machenschaften kehren im Roman wieder. Nach dem Präludium zu Ehren des humanistischen Klassikers liest man wenige Seiten später die Erzählung von der Postsendung mit der Maus, in der der unrühmliche Des-zendent die Rolle eines Versicherungsschwindlers übernimmt. Zunächst ist wörtlich übereinstimmend zum 23. Kapitel vom „Urenkel Schillers, Herrn von Gleichen-Rußwurm" (561) die Rede. Dieses Mal allerdings ohne die vor-her benutzten einfachen Anführungszeichen. Der Erzähler erklärt den Leser offenbar zu seinem Vertrauten. Hervorhebungen erübrigen sich. Man kennt sich und den Urenkel. Die Handlung spielt erneut im Münchner „Säulen-

---

[11] Die Figur „Tante Isabeau" ist der Gräfin Löwenjoul aus Thomas Manns Roman *Königliche Hoheit* nachempfunden. Auch die Gräfin Löwenjoul begleitet als „Gesellschaftsdame" (4.1, 201), und „Ehrendame" (4.1, 202) eine junge Frau, Imma Spoelmann. Bezüge zu Schillers *Die Jungfrau von Orleans* fallen hier noch deutlicher aus. Zum einen reitet die Gräfin Löwenjoul ein Pferd, das den Namen der Königin von Frankreich trägt, „eine große Falbe namens Isabeau" (4.1, 271). Zum anderen träumt die Gräfin davon, sich auf ihre „Schlösser in Burgund" (4.1, 245) zurück zu ziehen.

salon" (ebd.) des Ehepaars Schlaginhaufen. Allerdings erscheint der „Herr von Gleichen-Rußwurm" nur retrospektiv. Er fehlt beim „Erfrischungsbuffet" (ebd.) im Salon. Der ironische Erzähler entschuldigt die Abstinenz: Ihn „gab es nicht mehr, da ein mit närrischer Ingeniosität erdachter, aber mißglückter Betrugsversuch, dessen er überwiesen war, ihn aus der Welt verscheucht und ihn zum quasi-freiwilligen Arrestanten auf seinem niederbayrischen Gute gemacht hatte" (561 f.). Für die Ausgestaltung des Satzes greift Thomas Mann auf reale Begebenheiten aus dem Leben Alexander von Gleichen-Rußwurm zurück. Mit dem niederbayrischen Gut verweist er auf den Sommersitz des Barons, auf das Schloss Greifenstein im Fränkischen, den Erbsitz der Dynastie.[12] Im narrativen Geschehen folgt die Anekdote mit auktorialer Einleitung, prägnanter Knappheit der Darstellung sowie mit schlagfertiger Pointe:

Die Sache war fast nicht zu glauben. Der Baron hatte, angeblich, ein wohlverpacktes und sehr hoch, über seinen Wert, versichertes Schmuckstück zur Umarbeitung an einen auswärtigen Juwelier gesandt, – welcher, als das Paket bei ihm eintraf, nichts darin fand als eine tote Maus. Diese Maus hatte untüchtigerweise die Aufgabe nicht erfüllt, die der Absender ihr zugedacht hatte. Offenbar war die Idee gewesen, daß der Nager sich durch die Hülle beißen und entkommen sollte, – die Illusion erzeugend, daß das Geschmeide durch das Gott weiß wie entstandene Loch gefallen und verlorengegangen sei, womit die Versicherungssumme fällig gewesen wäre. Statt dessen war das Tier verendet, ohne den Ausgang zu schaffen, der das Abhandenkommen des nie hineingelegten Colliers erklärt hätte, – und aufs lächerlichste sah der Erfinder des Schelmenstückes sich bloßgestellt. Möglicherweise hatte er es in einem kulturhistorischen Buche aufgepickt und war ein Opfer seiner Lektüre. Vielleicht aber auch trug ganz allgemein die moralische Verwirrung der Zeit an seiner verrückten Eingebung die Schuld. (562)

Die Anekdote schließt mit einem Kommentar des Erzählers. Er gibt zu bedenken, der Urenkel Schillers habe alles vielleicht „in einem kulturhistorischen Buche aufgepickt". Eben das ist erneut auf die wirkliche Lebensgeschichte des Alexander von Gleichen-Rußwurm gemünzt. Seine schriftstellerische Arbeit umfasst eine „Weltgeschichte in Anekdoten und Querschnitten", eine Nacherzählung von über 600 Anekdoten.[13] Im letzten Satz der Maus-Anekdote

---

[12] Vgl. NDB, S. 445.
[13] Alexander von Gleichen-Rußwurm: Weltgeschichte in Anekdoten und Querschnitten. Ein Versuch, Berlin: Max Hesses 1929. – Der Autor erzählt hier, in der Regel ohne Angabe seiner Quellen, an die 600 Anekdoten von der sog. „Uranekdote" der Antike bis zur Gegenwart nach. Um eine Definition bemüht, schlägt er einleitend vor: „Die Anekdote ist die bündigste und daher treffendste Kritik der Dummheit." Und: „Mit schneller Hand deckt die Anekdote auf, wie rührend dumm ein großer Teil der Menschheit ist, wie dumm aus Denkfaulheit ein anderer, wie boshaft eitler Verbohrtheit ein dritter, und enthüllt außerdem, daß die klügsten Leute zwar weniger Dummheiten sagen als die unklugen, aber desto eifriger Dummheiten begehen." (Ebd., S. 18)

folgen Überlegungen über den Begriff der Schuld. Nicht zufällig schließt der Text mit dem Wort „Schuld" ab. Er lässt einstweilen offen, ob „die moralische Verwirrung der Zeit" zu den „verrückten Eingebungen" des Barons beigetragen haben. In der Chronik der laufenden Ereignisse klärt der Roman, was es mit der Verwirrung der Zeit auf sich hat. Fest steht allerdings bereits an dieser Stelle, dass aus dem Erben des Humanisten Friedrich Schiller ein Trickbetrüger geworden ist.

Wie bedeutsam Thomas Mann die Anekdote über den Urenkel Schillers für sein literarisches Spiel ist, verraten die Begleitumstände der amerikanischen Übersetzung. Am 18.3.1948 erhält er einen Brief von Blanche Knopf wegen des „Falles Gleichen-Rußwurm"[14]. Der Verleger befürchtet juristische Schritte des Schiller-Erben wegen der Geschichte mit der Maus. Thomas Mann antwortet ausführlich in englischer Sprache über „the problem Gleichen-Rußwurm". Er verweist auf die Authentizität des Falles: „The man actually did the trick in his time, and the story was discussed in all German papers." Zudem betont er seine besondere Arbeitsweise der Montagetechnik: „That I called him by name belongs to this novel's specific ‚montage' technique which, time and again, takes in direct elements of reality." Eine gerichtliche Auseinandersetzung hält der Autor allerdings für unerwünscht und bittet, sachkundigen Rat vom „lawyer" einzuholen. Im Falle einer negativen Auskunft wäre er bereit, eine Namensänderung vorzunehmen. Der Baron solle dann „von Oppeln-Ohrwurm" heißen. Dabei könne die Verwandtschaft zu Schiller bedenkenlos bestehen bleiben, wenn man statt Enkel oder Urenkel einfach von einem entfernten Verwandten spreche: „I think one could keep the relationship to Schiller, if one would not speak of a grandson or great grandson, but simply of some distantly related descendent."[15] Schon wenige Tage später gibt der Verleger Entwarnung und grünes Licht für die Beibehaltung des ursprünglich vorgesehenen Namens, da der Verlagsjurist keinerlei Bedenken habe. Allein für Thomas Mann ist der Kasus noch nicht ausgestanden. Postwendend trägt er Peter Suhrkamp den Sachverhalt über Gleichen-Rußwurm vor und fragt, ob die Persönlichkeitsrechte des Barons verletzt würden: „Halten Sie es trotz der gerichtsnotorischen Wahrheit der Anekdote und obgleich der eigentümliche Memoiren-Charakter des Romans die Verwendung wirklicher Namen und Vorkommnisse gewissermaßen rechtfertigt, für möglich, daß wir [...] Unannehmlichkeiten zu befürchten haben, etwa eine Klage gewärtigen müssen?" Sollte das der Fall sein, schlägt er, wie bereits gegenüber dem amerikanischen Verleger, den Ersatznamen „Oppeln-Ohrwurm" vor und rät, aus dem Schiller-

---

[14]  Thomas Mann: Tagebücher 28.5.1946 – 31.12.1948, hrsg. v. Inge Jens, Frankfurt/Main: Fischer 1989, S. 238.
[15]  Ebd., S. 724.

Enkel einen „unehelichen Nachkomme(n) Goethes" zu machen. Aber: „Das wäre lächerlich, würde dem Buch schlecht anstehen und bei der Bekanntheit des Falles ganz auf dasselbe hinauslaufen." Schlecht anstehen würde das dem Buch vor allem deshalb, weil durch mögliche Namensänderungen die „sonderbare Neigung des Buches zur Wirklichkeits-Montage"[16] verletzt würde.

Bekanntlich kommt es zu keinen Konsequenzen bei der Auswahl des Namens. Die Romanfigur Baron von Gleichen-Rußwurm schickt die Sendung mit der Maus unter seinem Familiennamen ab. Wie wichtig dem Erzähler die Verwandtschaft des Barons mit dem deutschen Klassiker Friedrich Schiller ist, unterstreicht sein *dritter* Auftritt im 47. Kapitel. Dabei wird der „Baron von Gleichen-Rußwurm" mit einem modifizierten Attribut verbunden. Man liest nicht mehr vom Urenkel Schillers, sondern verallgemeinernd von einem „Schiller-Enkel" (654). Auch an dieser Stelle wird er mit dem „Ehepaar Schlaginhaufen" (653) und der Salonwelt Münchens in eine Beziehung gebracht.

Thomas Mann setzt bei seinen zeitgenössischen Lesern in Deutschland voraus, sie könnten die Romanfigur, den „Urenkel Schillers, Herrn von Gleichen-Rußwurm" mit dem wirklichen Urenkel Schillers, Alexander von Gleichen-Rußwurm, identifizieren. Zudem geht er davon aus, dass sie sich an den Trickbetrug erinnern. Die Sendung mit der Maus wurde ja in allen deutschen Zeitschriften („in all German newspapers") kolportiert, die Anekdote sei allgemein bekannt, sie sei eine „gerichtsnotorische Wahrheit". Allerdings besitzt die wiederholt betonte „Wirklichkeits-Montage" des Romans, Personen der Zeitgeschichte in die fiktive Handlung zu integrieren, einen Haken. Der wirkliche Urenkel Schillers, Alexander von Gleichen-Rußwurm, hatte zwar seinen Winterwohnsitz in München. Allerdings gehörte er nicht zur Salonwelt der Polit-Szene nach dem Ersten Weltkrieg, wie sie der Roman im Zusammenhang mit dem Ehepaar Schlaginhaufen so nachhaltig akzentuiert. Warum hebt das narrative Geschehen bei allen drei Textstellen, die Gleichen-Rußwurm betreffen, seine Verbindung mit der vornehmen Gesellschaft Münchens hervor? Diskreditiert der Autor damit sein Vorhaben der Wirklichkeits-Montage? Die Fragen lassen sich beantworten, wenn man das fiktive Geschehen im Schlaginhaufenschen Salon weiter verfolgt und zusätzlich den realen historischen Hintergrund berücksichtigt.

Im 23., 28. und 34. Kapitel des Romans begegnet der Leser einer Reihe von Münchner Honoratioren, Künstlern, Gelehrten, Politikern und Industriellen, die sich im Salon des Ehepaars Schlaginhaufen und in anderen Wohnungen der Stadt zu Diskussionsabenden treffen. Chaim Breisacher, Leo Zink, Daniel zur Höhe, Dr. Unruhe, Professor Georg Vogler und viele andere

---

[16] Ebd., S. 726.

Figuren des Romans sind präsent. Eine von ihnen ist Sixtus Kridwiß, „Graphiker, Buchschmuck-Künstler und Sammler ostasiatischer Farbenholzzuschnitte und Keramik" (481). Er gibt dem sogenannten Kridwiß-Kreis seinen Namen. Die Forschung hat die Mitglieder des Diskussionskreises als entlehnte Figuren aus dem Bekanntenkreis Thomas Manns identifiziert. Allerdings bleibt die Teilnahme des Schiller-Nachfahren, Baron von Gleichen-Rußwurm, unberücksichtigt.[17] Wie unzweideutig er jedoch im Schlaginhaufenschen Salon mit von der Partie ist, konnte bereits oben belegt werden. Der Baron gehört zu den Gründungsmitgliedern der Münchner Salonwelt, sein Auftritt im 23. Kapitel weist ihn als Aktivisten der ersten Stunde aus (vgl. 268), lange bevor Sixtus Kridwiß erwähnt wird, dessen „Bekanntschaft" der Erzähler erst im 34. Kapitel „im Schlaginhauf'schen Salon gemacht" (469) hatte. Die Debatten im Kridwiß-Kreis drehen sich um Kulturkritik, um eine legendäre Verschmelzung von Rechts und Links, von Rückschritt und Fortschritt, von Konservativismus und Revolution. Alle Redner postulieren „Wahrheit, Freiheit, Recht, Vernunft", um die Ideale des Klassikers Friedrich Schiller für ihre Zwecke zu nutzen. In welcher Art und Weise sie den Geist des Klassikers auslegen, verdeutlicht der folgende ausführliche Bericht des Erzählers:

Es war eine alt-neue, eine revolutionär rückschlägige Welt, in welcher die an die Idee des Individuums gebundenen Werte, sagen wir also: Wahrheit, Freiheit, Recht, Vernunft, völlig entkräftet und verworfen waren oder doch einen von dem der letzten Jahrhunderte ganz verschiedenen Sinn angenommen hatten, indem sie nämlich der bleichen Theorie entrissen und blutvoll relativiert, auf die weit höhere Instanz der Gewalt, der Autorität, der Glaubensdiktatur bezogen waren, – nicht etwa auf eine reaktionäre, gestrige oder vorgestrige Weise, sondern so, daß es der neuigkeitsvollen Rückversetzung der Menschheit in theokratisch-mittelalterliche Zustände und Bedingungen gleichkam. Das war so wenig reaktionär, wie man den Weg um eine Kugel, der natürlich herum-, das heißt zurückführt, als rückschrittlich bezeichnen kann. Da hatte man es: Rückschritt und Fortschritt, das Alte und Neue, Vergangenheit und Zukunft wurden eins, und das politische Rechts fiel mehr und mehr mit dem Links zusammen. Die Voraussetzungslosigkeit der Forschung, der freie Gedanke, fern davon, den Fortschritt zu repräsentieren, gehörten vielmehr einer Welt der Zurückgebliebenheit und der Langenweile an. (489)

---

[17] Gunilla Bergsten: Thomas Manns Doktor Faustus. Untersuchungen zu den Quellen und zur Struktur des Romans, 2. Aufl., Tübingen: Niemeyer 1974, S. 33 ff.; Klaus Harpprecht: Thomas Mann. Eine Biographie, Reinbek bei Hamburg: Rowohlt 1995, S. 1484 f.; Herman Kurzke: Thomas Mann. Das Leben als Kunstwerk. Eine Biographie, München: Beck 1999, S. 500; Stefan Breuer: Wie teuflisch ist die „konservative Revolution"? Zur politischen Semantik Thomas Manns. In: Werner Röcke (Hrsg.): Thomas Mann. Doktor Faustus 1947–1997, Bern, Berlin, Bruxelles u.a: Lang. 2001, S. 59–71.

Es ist unmittelbar einsichtig, in welchem Ausmaß die Generationen der Enkel und Urenkel Schillers die Wertvorstellungen der Klassik bis zur Unkenntlichkeit entstellen. Übrig bleibt einzig ein schales Gerede, das seine Dürftigkeit aufputzt mit dem falschen Gebrauch entwendeter Schiller'scher Termini. Die herrschenden Schichten verabschieden sich mit ihrem Salongeschwätz in toto von der bürgerlichen Tradition der Persönlichkeitsbildung und vom liberalen Humanismus. Sie mutieren zu Etikettenschwindlern, zu Falschmünzern des Wortes. In ihren Kreis fügt sich nahtlos der Schiller-Erbe, Herr von Gleichen-Rußwurm, ein, der mit seinem Trickbetrug, der Sendung mit der Maus, ein stellvertretendes Zeichen setzt. Schäbiges politisches Kalkül und egoistisches Vorteilsdenken sind motivisch verflochten. Der Herr von Gleichen-Rußwurm und seine Kampfgefährten sind repräsentative Träger einer Kulturüberlieferung, die den Geltungsanspruch der Begriffe „Wahrheit, Freiheit, Recht, Vernunft" (489) verhunzt haben.

Der fiktive Kridwiß-Kreis ahmt eine reale Gesprächsrunde im Deutschland nach dem Ersten Weltkrieg nach; er behandelt die Vertreter der sogenannten „Konservativen Revolution". Hier treffen Kultur-Kritiker unterschiedlichster Couleur zusammen, die der als bedrückend empfundenen Modernität ihr Konzept altüberkommener Traditionen entgegenhalten. Politisch treten sie für eine Art Ständestaat und für einen nationalen Sozialismus ein. Der Historiker Fritz Stern bezeichnet die Diskussionsgruppe als einen „illustre(n) Kreis",[18] in dem sich „Männer von großen öffentlichem Einfluß und hervorragender geistiger Bedeutung zusammengefunden hatten".[19] In den ersten Jahren wahrt die Gruppe „zweifellos einen überparteilichen Charakter",[20] seit Anfang der 20er Jahre wird sie zu einem „Sammelcontainer für die rechtsintellektuellen Strömungen zwischen Nationalsozialisten und Deutschnationalen".[21] Zu den populärsten Vertretern der „konservativen Revolution" zählt Heinrich von Gleichen-Rußwurm, Gründer und Mitglied zahlreicher kulturkritischer und politischer Diskussionszirkel. Es gibt also *zwei* in der Öffentlichkeit bekannte Personen mit dem Familiennamen Gleichen-Rußwurm. Zum einen den besagten Urenkel Friedrich Schillers, Alexander von Gleichen-Rußwurm (1865–1947), zum anderen den konservativen Politiker Heinrich von Gleichen-Rußwurm (1882–1959). Sie sind Vettern zweiten Grades.[22] Thomas Mann hat beide in München persönlich kennen gelernt. Während mit dem Schiller-

---

[18] Fritz Stern: Kulturpessimismus als politische Gefahr. Eine Analyse nationaler Ideologie in Deutschland, München: dtv 1986, S. 272.

[19] Ebd., S. 273.

[20] Ebd., S. 272.

[21] Stefan Breuer, 2001, S. 63 (vgl. Anm. 17).

[22] NDB, S. 446.

Erben nur zwei Treffen belegt sind,[23] pflegt er mit dem Repräsentanten der „Konservativen Revolution" näheren gesellschaftlichen Kontakt. Er verfolgt dessen Publikationen, trifft sich mehrere Male mit ihm, wechselt Briefe und nimmt schließlich eine Einladung in die Motzstraße an.[24] Im Berlin der 20er Jahre ist die Motzstraße 22 eine bekannte Adresse, „lange Mittelpunkt der jungkonservativen Strömungen".[25] Heinrich von Gleichen-Rußwurm leitet hier zusammen mit Arthur Möller van den Bruck den im Jahr 1919 gegründeten Juni-Klub, einen von jenen politischen Vereinigungen, die der Ausbreitung reform-konservativen Gedankenguts dienen. Zu diesen zählen auch das Politische Kolleg (1920–23), der 1924 eröffnete Deutsche Herrenklub, der Jungkonservative Klub und „13 wesensverwandte Herrengesellschaften im Lande".[26]

Thomas Mann, der sich bekanntlich schon Mitte der 20er Jahre von den

---

[23] Am 3.12.1916 nimmt Thomas Mann im Hotel Continental an der Feier zu Alexander von Gleichen-Rußwurms 50. Geburtstag teil. (Vgl. Gert Heine / Paul Schommer: Thomas Mann Chronik, Frankfurt/Main: Klostermann 2004, S. 75. – Die Chronik vermerkt, dass der Tatbestand nicht belegt werden kann.) Am 30.4.1921 besuchen beide eine „Film-Konferenz im Saal des Kaufm. Vereins" und treten „zu Fuß" den gemeinsamen Heimweg an. (Vgl. Thomas Mann, Tagebücher 1918–1921; hrsg. v. Peter de Mendelssohn, Frankfurt/Main: Fischer 1979, S. 512.)

[24] Im November 1918 notiert Thomas Mann im Tagebuch seine Lektüreerfahrungen der Europäischen Zeitung. Die Eintragungen zeigen, wie deutungsbedürftig der Begriff der „Konservativen Revolution" gerade aus heutiger Sicht ist: „Die Haltung ist mir sympathisch, denn sie ist national und außenpolitisch orientiert und versteht die Sozialisierung und den Kommunismus als nationale Solidarität. [...] Aber man vertrete den sozialen Gedanken auch international, nach außen mit unermüdlichem Nachdruck, man erkläre auch die Erde und ihre Schätze als Gemeingut der Menschheit [...]." (Vgl. Thomas Mann, Tagebücher 1918–1921, hrsg. v. Peter de Mendelssohn, Frankfurt/Main: Fischer 1979, S. 94). Die Forderung nach gerechter Verteilung der Ressourcen auf dieser Erde ist sicher kein genuin rechter Gedankengang. – Am 1.12.1918 spricht Thomas Mann bei der Gründung der „Münchner Politischen Gesellschaft 1918" mit von Gleichen in den Räumen des Automobilklubs (ebd., S. 99). Wie nachhaltig ihn dieses Treffen beschäftigt hat, zeigt, dass er ein halbes Jahr später, im Mai 1919, „die erste Hälfte eines Briefes an den Frhn. von Gleichen in Berlin über den Bolschewismus" schreibt (ebd., S. 247). Am 12.3.1920 empfängt Thomas Mann den „jungen H. v. Gleichen" in seinem Haus. Jener fordert ihn auf, „zu Pfingsten in Berlin bei der Tagung des Bundes deutscher Gelehrter u. Künstler (einen Vortrag) über deutsche Selbstbesinnung zu halten". Der Vortrag „möge eine Rekapitulation der Elemente" der *Betrachtungen eines Unpolitischen* sein. Der potentielle Referent bittet sich „Bedenkzeit" (ebd., S. 396) aus. Zwei Tage später besucht er Gleichen-Rußwurm „zum Thee" und hört sich von diesem die „höchste Würdigung für Lenin" an; der russische Revolutionär sei „der einzige Mann auf der Welt", „ein Dschingis Khan, der unvergleichlich gewaltigere Gegensatz des armen Wilson" (ebd., S. 398). Schließlich sucht Thomas Mann am 23. Februar 1921 die Motzstraße in Berlin auf: „12 Uhr Frühstück in der Motzstraße, im Kreise der Leute vom ‚Gewissen'" (ebd., S. 486), so notiert er im Tagebuch. Ob er Heinrich von Gleichen dort getroffen hat, bleibt im Tagebuch offen. Es ist jedoch anzunehmen, da jener Mitherausgeber des sogenannten „Gewissen(s)" war.

[25] Armin Mohler: Die konservative Revolution in Deutschland 1918–1932. Ein Handbuch, 2. Aufl., Darmstadt: Wissenschaftliche Buchgesellschaft 1972, S. 60.

[26] NBD, S. 447.

Herrenklubs und deren politischer Gesinnung verabschiedet,[27] weiß aus eigener Erfahrung sehr genau, wovon er schreibt, wenn er im *Doktor Faustus* die Münchner Salonwelt und ihre Mitglieder in einer authentischen sozialen und ideenmäßigen Umgebung entwirft. Das fiktive Geschehen lebt zu einem guten Teil von den Übernahmen realer historischer Ereignisse. Deshalb spricht einiges dafür, dass die Wirklichkeits-Montage, die Personen der Zeitgeschichte ins literarische Werk integriert, mit dem „Urenkel Schillers, Herrn von Gleichen-Rußwurm" (561) gleichzeitig auf den Politiker Heinrich von Gleichen-Rußwurm anspielt. Vor diesem Hintergrund verschmelzen der Erbe Schillers und der Fürsprecher der „Konservativen Revolution" zu einer Romanfigur. Sie sind ein Wesen, das sich in sich selbst getrennt, und sie sind zwei, die der Erzähler erlesen hat, dass man sie als eines kennt. In ihnen fällt das Schicksal der bürgerlichen Gesellschaft zusammen. Im Unterschied zu den anderen Mitstreitern des Kridwiß-Kreises, deren Namen durchgängig verschlüsselt sind, bedarf der Herr von Gleichen-Rußwurm keines fingierten Namens. Die Romanfigur besitzt selber einen doppelten Boden in der Zeitgeschichte nach dem Ersten Weltkrieg.

Die Kunst des Erzählers betreibt mit Herrn von Gleichen-Rußwurm und seinem alter ego ein Verwirrspiel, wie es R. L. Stevensons seltsame Geschichte von *Doktor Jekyll und Mr. Hyde* vorzeichnet; jenem „Meisterstück" (XI, 156), das Thomas Mann bei der Niederschrift seines Romans auf dem Nachttisch liegen hat.[28] Die Doppelfigur des Herrn Gleichen-Rußwurm knüpft an die Grundkonzeption des *Doktor Faustus* an, an das Geheimnis der Identität. Adrian Leverkühn und sein erzählender Freund Serenus Zeitblom tauschen, wie sattsam bekannt, bei manchen Gelegenheiten ihre Rollen. Die Überschreitungen der Grenze zwischen dem Erzähler und seiner Erzählfigur, zwischen Ich und Er, reichen bis zur Adaption physischer Schmerzen. Zeitblom glaubt, dass der Wangenstreich, den Esmeralda seinem Freund zufügt, ihn selber trifft: „Tagelang spürte ich die Berührung ihres Fleisches auf meiner eigenen Wange und wußte dabei mit Widerwillen, mit Schrecken, daß sie seither auf der seinen brannte."(198) Ähnlich tritt Frau von Tolna auf, die „unsichtbare

---

27 Vgl. Daniel Argelès: Thomas Manns Einstellung zur Demokratie. Der Fall eines ‚progressiven Konservativen'. In: Manfred Gangl / Gérard Raulet (Hrsg.): Intellektuellendiskurse in der Weimarer Republik. Zur politischen Kultur einer Gemengelage, Frankfurt/New York: Campus 1994, S. 221–231.

28 Vgl. dazu den Hinweis auf Stevensons Roman bei Hans Mayer: Thomas Mann, Frankfurt/M. 1984, S. 321. – Einer These von Terence James Reed zufolge findet Thomas Mann durch die Lektüre des englischen Schauerromans zur Gestaltung von Zeitblom und dessen Verhältnis zum Romanhelden. Ders.: Die letzte Zweiheit: Menschen-, Kunst- und Geschichtsverständnis im „Doktor Faustus". In: Volkmar Hansen (Hrsg.): Thomas Mann. Romane und Erzählungen, Stuttgart: Reclam 1993, S. 294–322; hier: S. 301 f.

Figur" (518), die „unkenntlich verschleierte Fremde" (676). Erst auf den zweiten Blick gibt sie dem Leser ihr Geheimnis preis, mit dem Freudenmädchen
Hetaera Esmeralda identifizierbar zu sein.[29] Unzählige Verwandlungskünste
mit Decknamen und in Deckmänteln durchläuft der Teufel bis er „im Däm-
mer auf dem Roßhaarsofa" (297) des italienischen Landgutes sitzt. Auch er soll
nicht unmittelbar zu fassen sein; offen bleibt, ob es sich um den Leibhaftigen
oder nur um eine Vision handelt. Zudem begegnet man in Leverkühns Elternhaus einer „Stallmagd namens Hanne" (35), die es, wie der Erzähler betont,
„gewiß nicht überraschenderweise" auch an seinem „späteren Aufenthaltsort" in Pfeiffering gibt, und „die der Hanne von Buchel so ähnlich sah, wie
eben eine Stallmagd der anderen ähnlich sieht, und die im Wiederholungsfalle
Waltpurgis hieß" (41). Schließlich denke man an Adrian Leverkühns Mutter,
die mit „Signora Manardi" (282), Frau Schweigestill und anderen Frauenfiguren so zahlreiche Rollen tauscht; oder an Adrians Vater, dessen Tabakrauch
die Stube auf Hof Buchel und die im Zufluchtsort Pfeiffering ausfüllt. Die
Figurengestaltung entspricht der Raumgestaltung. Immer wieder taucht das
Muster des Verwechslungsspiels auf, vom Baum in den jeweiligen Bauern-
höfen bis zu zahlreichen Hauseinrichtungen. Der Erzähler sieht darin eine
„bedrückende" Übereinstimmung, einen „Parallelismus, der zwischen Adrians Kindheit und seinem späteren Lebensrahmen bestand" (520). Schließlich
trägt die erzählte deutsche Geschichte einen Doppelcharakter; gute und verhängnisvolle Züge sind vermischt; humaner Fortschritt und Reaktion, Kultur
und deren Niedergang. Nicht zuletzt geht es in dem Künstlerroman über den
Komponisten um die Musik, um, wie es der Erzähler Zeitblom ausdrückt,
„das tiefste Geheimnis der Musik, welches ein Geheimnis der Identität ist"
(502). Leverkühns musikalische Arbeitsweise entspricht der Erzählkunst seines Autors Thomas Mann:

Leverkühn war nicht der erste Komponist und wird nicht der letzte gewesen sein, der
es liebte, Heimlichkeiten formel- und sigelhafter Art in seinem Werk zu verschließen,
die den eingeborenen Hang der Musik zu abergläubischen Begehungen und Befol-
gungen, zahlenmystischen und buchstabensymbolischen, bekunden. (207)

Mummenschanz und geheimnisvolle Paarungen aus konträren und komplementären Figuren bestimmen die Romankomposition. Die Doppelbödigkeit
des „Urenkel Schillers, Herrn von Gleichen-Rußwurm" bestätigt die Regel.
In ihr sind der wirkliche Urenkel Schillers, Alexander von Gleichen-Rußwurm und der historisch ausgewiesene Vertreter der „Konservativen Revo-

---

[29] Victor Oswald: Thomas Mann's Doktor Faustus. The Enigma of Frau von Tolna, in: The
Germanic Review, Vol. 23, no. 4, New York 1948, S. 249–253.

lution", Heinrich von Gleichen-Rußwurm, verbunden. Schillers Erbe ist doppelt besetzt. Für den Roman erfüllt das die Funktion, die Tradierung der humanistischen Kultur durch eine verhängnisvolle Politik darzustellen. In der Münchner Salonwelt des Betrugs und der Wortverdrehungen verschieben sich die Identitäten. Eine Figur spielt verschiedene Rollen; die Charaktere sind austauschbar.

## III

Die dritte und letzte Textstelle über Schillers Erben spielt im 47. Kapitel, im letztbezifferten Kapitel des Romans. Auch dieses Mal bereiten Verweise auf Friedrich Schillers Werk den Auftritt vor. Jetzt allerdings nicht mehr durch versteckte Anspielungen, sondern durch eindeutige Hinweise. Bereits im vorangegangenen Kapitel handelt der Erzähler ausführlich ab, worum es geht: um die „Symphonische Kantate ‚Dr. Fausti Weheklag'" (640), die Schillers *Lied an die Freude* in Beethovens Neunter Symphonie nun „in jedem Takt und Tonfall" zurücknimmt und zum Abgesang eines „Liedes an die Trauer" (649) macht. Bei der radikalen Zurücknahme des Schiller'schen Jubelgesangs, der Abweisung der „Positivität der Welt" (650), durch die geplante Klaviervorstellung des Komponisten Adrian Leverkühn soll der „Baron von Gleichen-Rußwurm" (654), unbedingt zur Stelle sein. Unter den „an die dreißig" (652) Gästen nimmt er eine bevorzugte Stellung ein. Die anderen Teilnehmer werden „teils durch geschriebene Karten", teils durch Zeitblom eingeladen, „wobei wieder einzelne Geladene ersucht wurden, die Aufforderung an andere weiterzugeben, wieder andre aber aus sachlicher Neugier sich selbst einluden [...]". Dem „Schiller-Enkel" jedoch hatte Adrian „schon acht Tage im voraus eine Einladung auf sein Schloß gesandt" (654).

Warum fällt dem „Baron von Gleichen-Rußwurm" eine Sonderrolle zu? Diese Frage führt in den Kern des Romans. Sie verlangt nach einer Erklärung, die sich nicht einfach damit begnügt, dass der Schiller-Erbe als Repräsentant bürgerlicher Kultur ihrem konzertanten Untergang beiwohnt. Der *Doktor Faustus* spielt auf verschiedenen zeitlichen Ebenen. Adrian Leverkühns Abschiedsvorstellung fällt in „das Jahr 1930" (651). Gleichzeitig erzählt der fiktive Biograph Zeitblom vom „Schicksalsjahr 1945" (636). Die beiden Ebenen sind miteinander verwoben. Durch die doppelte Zeitrechnung gelingt es, den endgültigen Zusammenbruch des nationalsozialistischen Deutschland und Leverkühns Trauerkantate aufeinander zu beziehen. Dabei darf nicht übersehen werden, wie sehr Leverkühn bereits *in* seiner Musik die Geschichte der Deutschen antizipiert. Ausdrücklich beschreibt der Erzähler Zeitblom das Werk seines Freundes als eines, „das soviel Untergang seherisch vorwegnimmt" (649). Zum Verweis auf das nahende Ende lädt der Komponist die Wegbereiter des Debakels ein. Unter den Gästen des Klavierabends befinden sich das Ehepaar Schlaginhaufen und die alten Kameraden aus dem Kridwiß-Kreis: Sixtus Kridwiß, Dr. Kranich, Professor Vogel und wie sie alle heißen. Doch sie wollen allesamt vom nahenden Unheil weder etwas wissen noch hören. Einer nach dem anderen verlassen sie empört das Klagewerk, das ihnen im wahrsten Sinne des Wortes die Zukunftsmusik vorspielt.

Nicht zu unterschätzen ist dabei die Rolle des Herrn von Gleichen-Rußwurm. Er nimmt bei seinem kurzen Auftritt das zukünftige Verhalten eines großen Teils des deutschen Volkes nach dem Zusammenbruch im Jahre 1945 vorweg. Dazu knüpft das 47. Kapitel an das 39. Kapitel an, an die Postsendung mit der Maus. Zunächst verrät der Text, dass sich der Baron „seit der Geschichte mit der Maus zum allerersten Mal mit seiner fülligen, aber eleganten Gemahlin, einer Österreicherin, gesellschaftlich blicken ließ". Der ironische Erzähler vermerkt dabei, dass „der so sonderbar kompromittierte Schiller-Enkel der eigenartigen Gelegenheit zu sozialer Wiederanknüpfung recht froh gewesen [war]" (654). Völlig ernst hingegen meint es die elegante Frau von Gleichen-Rußwurm, die den Trickbetrug auf ihre Art und Weise schönfärbt:

Die Baronin Gleichen ging umher, Sympathie nachsuchend für das abstruse Mißgeschick, von dem ihr Gatte und sie betroffen worden. ‚Sie wissen doch, wir haben ja dieses ennui gehabt', sagte sie da und dort. (655)

In der französischen Sprache besitzt das Wort *ennui* mindestens zwei Bedeutungen: Langweile und Kummer. Offensichtlich zielt die ebenso elegant auftretende wie doppelbödig argumentierende Baronin auf den Wortsinn *Kummer* ab. Sie weiß sich, wie einst Hans Castorp im Roman *Der Zauberberg*, aus peinlichen Situationen zu retten: „... parler français, c'est parler sans parler, en quelque manière, – sans responsabilité [...]" (5.1, 511). Für die aus der Verantwortung flüchtende Baronin heißt das im übertragenen Sinn so viel wie: *Wir* haben nichts getan, *wir* haben doch den Kummer gehabt; Betrug hin oder her, wir haben die Last getragen. Alles soll eher ein Kavaliersdelikt, ein Kabinettstückchen, eine Art von Betriebsunfall gewesen sein. Die Täter betreiben mit den Opfern ein Verwechslungsspiel. So erinnern die Baronin und der Baron von Gleichen-Rußwurm mit dem Wort *ennui* gleich Kummer an den Baron von Münchhausen, den notorischen Lügenbaron. Im „Schicksalsjahr 1945" und lange Zeit später gehören beschönigende Erklärungen zum festen Bestandteil der Vergangenheitsbewältigung. Die zweite Garnitur wird vorgeschoben, um alles ins rechte Licht zu rücken und um sich selbst zu konsolidieren. Stellvertretend für zahlreiche Zeit- und Parteigenossen wirbt die „Baronin Gleichen" im *Faustus*-Roman mit ihren Ausreden um „Sympathie". Von einem Eingeständnis, von einem Schuldbekenntnis sind die Beteiligten weit entfernt.

Mit dem Wort „Schuld" schließt die vorher im 39. Kapitel erzählte Anekdote von der Sendung mit der Maus. Der Erzähler lässt hier noch offen, ob die „moralische Verwirrung der Zeit" oder eine „verrückte Eingebung" (562) den Herrn von Gleichen-Rußwurm zur Tat beflügelt. Mit dem „Schicksalsjahr 1945", den Öffnungen der „Folterkeller" (637) und der Zerstörung der deutschen Städte (vgl. 636) wird das im Romangeschehen später hinreichend geklärt. Bezeichnenderweise gehört der Begriff der Schuld ausschließlich zum Vokabular des Erzählers. Im Repertoire des Trickbetrügers kommt er nicht vor. Damit wird Gleichen-Rußwurm zum direkten Gegenspieler der Aussage und der ästhetischen Wahrheit von Leverkühns „Dr. Fausti Weheklag". Ihr „Generalthema" lautet: „Denn ich sterbe als ein böser und guter Christ" (646). Das heißt, „ein guter kraft seiner Reue, und weil er im Herzen immer auf Gnade für seine Seele hoffe, ein böser, sofern er wisse, daß es nun ein gräßlich End mit ihm nehme und der Teufel den Leib haben wolle und müsse" (ebd.). Ausschließlich die Kantate betont die „Reue" eines guten Christen. Für die Mitglieder des Kridwiß-Kreises ist das kein Thema.

Auf der ersten Zeitebene, jener des Jahres 1930, nehmen die Anekdote von der Postsendung mit der Maus und die wendigen Dementi der Familie Rußwurm den Charakter einer Komödie an. Auf der zweiten Zeitebene, 1945, zeichnet sich eine Tragikomödie ab. Die komischen Sachverhalte erscheinen in tragischer Beleuchtung. Der entfesselte Weltkrieg und seine Greuel setzen die durchgängige Verleugnung der humanistischen Ideale, die sich schon in den 30er Jahren abzeichnet, konsequent fort. Wer die Ideale nie respektiert und sich schon frühzeitig an zwielichtigen Täuschungsmanövern beteiligt, dem kommen Fragen nach Reue und Schuld erst gar nicht in den Sinn. Durchaus konsequent verfälscht der Schiller-Erbe seinen Trickbetrug zu einem *ennui*.

Es ist nicht weit hergeholt zu schlussfolgern, der Roman reihe neben dem Schiller-Enkel Alexander von Gleichen-Rußwurm zugleich Heinrich von Gleichen-Rußwurm, den Gründer der Herrenklubs und dem Vertreter der „Konservativen Revolution" in die Falange der Ausflüchtigen ein. Thomas Mann bezeichnet ihn in seinem Tagebuch als „Schrittmacher des Elends"[30], als er 1934 von dessen erzwungener Emigration erfährt. Ob das Urteil historisch zutrifft, sei dahingestellt. Die Interessen eines Schriftstellers sind nicht die

---

[30] Thomas Mann: Tagebücher 1933–1934. Hrsg. v. Peter de Mendelssohn, Frankfurt/Main: Fischer 1977, S. 458.

eines Historikers. Der *Doktor Faustus* beabsichtigt keine wissenschaftliche Geschichtsschreibung. Der Roman gestaltet durch seine Mittel der Montagetechnik, mit dem Geheimnis der Identität zweier realer historischer Personen, Alexander von und Heinrich von Gleichen-Rußwurm, wie das Ende des Humanismus und das Ende der liberalen Politik zusammenfallen. Die Kunstfigur des „Urenkel Schillers, Herrn von Gleichen-Rußwurm" synthetisiert den Untergang der kulturellen und politischen Werte des Bürgertums. In ihr sind die traditionellen Gegensätze zwischen Kunst und Politik, zwischen Geist und Macht negativ eingeebnet. In der Münchner Salonwelt verelendet der Geist humaner Kultur zur Machtpolitik. Zurück bleibt die Doppelfigur von Doktor Jekyll und Mr. Hyde, von Alexander von und Heinrich von Gleichen-Rußwurm, die zunächst komische, dann tragikomische Züge annimmt. Zur Erscheinung kommt ein gar nicht mehr lustiger Hans Wurst, der Trickbetrug, kulturelle und politische Verfälschung mit schäbigen Ausreden verbindet und zur Barbarei beiträgt.

## IV

Maßgebende Publikationen der Thomas Mann-Forschung haben sich, so ist zu vermuten, vom Doktor Jekyll und Mr. Hyde-Spiel des Erzählers des *Doktor Faustus* mit den beiden Herren von Gleichen-Rußwurm anstecken lassen. Die lange Zeit verbindliche 13-bändige Werkausgabe druckt Thomas Manns „Tagebuchblätter aus den Jahren 1933 und 1934" ab. Hier liest man:

Der ‚Herrenklub' nationalistisch und reaktionär genug, ist aufgelöst, v. Gleichen und andere ins Ausland entkommen. Ich bemitleide diese Schrittmacher des Elends nicht [...]. (XII, 736)

Thomas Manns Tagebuchnotiz „v. Gleichen" betrifft zweifellos Heinrich von Gleichen-Rußwurm. Das „Verzeichnis der erwähnten Namen, Personen, fremden Werke und Verszitate" notiert aber zu dieser Textstelle den anderen Herrn von Rußwurm: „Gleichen-Rußwurm, Alexander Freiherr von XII 736" (XIII, 958).

Klaus Harpprechts *Thomas Mann. Eine Biographie* folgt der falschen Spur. An einer Stelle heißt es: „... der konservative Freiherr von Gleichen-Rußwurm, der später den Herren-Club in Berlin gründete [...]".[31] Es erübrigt

---

[31] Klaus Harpprecht: Thomas Mann. Eine Biographie, Reinbek bei Hamburg: Rowohlt 1995, S. 476.

sich festzustellen, dass hier Heinrich von Gleichen-Rußwurm genannt ist. Das „Namensregister" kommentiert die Passage aber: „Gleichen-Rußwurm, Carl Alexander Freiherr von".[32]

In der *Thomas Mann Chronik* sind zwei Stellen über die Vertreter der Familie Gleichen-Rußwurm vermerkt. Zum einen über Thomas Manns Tätigkeit am 3. Dezember 1916: „Nimmt an der Feier des 50. Geburtstags von Alexander von Gleichen-Rußwurm im Hotel Continental teil."[33] Zum anderen über den 22. Juli 1920: „Lehnt es ab, sich Heinrich Freiherr von Gleichens *Ring*-Sphäre anzuschließen."[34] Eindeutig ist einmal von Alexander, das andere Mal von Heinrich die Rede. Das Personen-Register kennt die zwei aber nur unter einem Namen: „Gleichen-Rußwurm, Alexander von 75, 103".[35]

Allerdings hätten es die Verfasser durchaus besser wissen können. Denn die von Peter de Mendelssohn und Inge Jens edierten *Tagebücher* Thomas Manns unterscheiden in ihren Anmerkungen durchgängig sachlich richtig zwischen Alexander von und Heinrich von Gleichen-Rußwurm.

Nachzutragen bleibt zweierlei. Zum einen Ort und Datum des Gerichtsprozesses gegen den des Versicherungsschwindels bezichtigten Alexander von Gleichen-Rußwurm. Er findet 1929 in Würzburg statt. Zum anderen geht es um den Inhalt der Postsendung mit der Maus. Thomas Manns Erzähler spricht lapidar von einem „Schmuckstück" (562); es handelt sich dabei in Wirklichkeit um eine zweieinhalb Meter lange Perlenkette aus dem Familienbesitz Alexander von Gleichen-Rußwurms.[36]

---

[32] Ebd., S. 2228.

[33] Gert Heine / Paul Schommer, 2004, S. 75 (vgl. Anm. 23).

[34] Ebd., S. 103.

[35] Ebd., S. 584. (Man möchte scherzen, der Chronist Zeitblom sei am Werk gewesen, der ja beide Zeitvertreter mit dem Familiennamen von Gleichen-Rußwurm zu *einer* literarischen Figur vereint.)

[36] Vgl. Christian Fuchs / Wolfgang Buhl, 1984, S. 20 (vgl. Anm. 8).

*Rainer-Maria Kiel*

# Thomas Mann – Bayreuth – Karl Würzburger

## Thomas Mann und Bayreuth – ein abgegriffenes Thema?

Am 12. August 1955 verstarb in Kilchberg bei Zürich der Schriftsteller und Nobelpreisträger Thomas Mann, zweifellos einer der bedeutendsten Romanciers der deutschsprachigen Literatur. Mit zahllosen Veranstaltungen und Publikationen gedachte man im Jahr 2005 allerorten der 50. Wiederkehr seines Todestages. In Bayreuth jedoch war vom Thomas-Mann-Jahr nur wenig zu spüren. Immerhin widmete die Klaviermanufaktur Steingraeber in ihrem Rokokosaal dem „Wagnerianer aus Leidenschaft" eine musikalisch-literarische Matinee.[1] Im Musiksalon der Villa Wahnfried las Hans-Jürgen Schatz (*1958) Manns *Tristan*-Novelle, und in der Stadthalle konnte sich das interessierte Publikum an einer dramatisierten Fassung des Romans *Der Zauberberg* ergötzen.[2]

Die bayreuthische Zurückhaltung kam freilich weder überraschend, noch war sie unbegründet, gab es doch allem Anschein nach nur flüchtige Beziehungen zwischen dem Nobelpreisträger und der Festspielstadt. Ganze zweimal – 1909 und 1949 – hat Thomas Mann Bayreuth besucht. Beeindruckt hat ihn die oberfränkische Metropole gewiss nicht. Beide Male verweilte er nicht länger als unbedingt nötig und in seinen Schriften verlor er kein Wort über die Stadt und ihre Bewohner. Dirk Heißerer, der rechtzeitig zum Gedenkjahr Thomas Manns Spuren in Bayern nachgezeichnet hat, erwähnt denn auch die Bayreuth-Besuche des Dichters nur in knappen Worten.[3]

Obendrein hatten nur wenige Jahre zuvor zwei namhafte Literaturwissenschaftler und ausgewiesene Thomas-Mann-Kenner die kargen Beziehungen des Schriftstellers zu Bayreuth scheinbar erschöpfend abgehandelt. Hans Rudolf Vaget legte 1996 einen materialreichen Essay mit dem Titel „Thomas Mann und Bayreuth" vor. Paul Schommer berichtete zwei Jahre später in einer Miszelle über „Thomas Manns Aufenthalt in Bayreuth im

[1] Vgl. Sandra Blass: Wagnerianer aus Leidenschaft, in: Nordbayerischer Kurier, 2.8.2005, S. 17.

[2] Vgl. Frank Piontek: Zwischen Einfried und Wahnfried. Schauspieler und Rezitator Hans-Jürgen Schatz gestaltete Thomas Manns Novelle Tristan, in: Nordbayerischer Kurier, 15.8.2005, S. 13, und: Episoden aus dem Zauberberg, in: Nordbayerischer Kurier, 19.10.2005, S. 13.

[3] Dirk Heißerer: Im Zaubergarten. Thomas Mann in Bayern, München: Beck 2005, S. 153 f. und S. 222 f.

Juli 1949"[4]. Wer wollte sich unter diesen Umständen neuerlich mit der Thematik befassen? Das Feld schien bestellt. Bei näherer Betrachtung jedoch lösen die genannten Aufsätze den Anspruch ihrer Titelformulierungen nur sehr bedingt ein.

Vaget hatte sich keineswegs vorgenommen, Manns Beziehungen zu Bayreuth vollständig auszuloten. Sein erklärtes Ziel war vielmehr, „Thomas Mann unter dem Gesichtspunkt der Wagner-Wirkung zu betrachten"[5]. Der Begriff Bayreuth im Titel seines Aufsatzes ist deshalb vornehmlich in übertragenem Sinne zu verstehen. Er bezeichnet nicht die Stadt und ihre Bewohner, sondern die schwärmerische Verehrung für Richard Wagner und sein Werk, die auch Thomas Mann vorübergehend erfasst und in den Festspielen alter Prägung ihren sichtbarsten Ausdruck gefunden hatte. Und Paul Schommer wollte nur Irrtümer korrigieren, die sich in die Sekundärliteratur eingeschlichen hatten und das Quartier des Schriftstellers und die Eintragung ins Gästebuch seines Hotels betrafen.

Hält man sich die begrenzten Zielsetzungen Vagets und Schommers vor Augen, scheint es längst nicht mehr so abwegig, Thomas Manns Besuche in Bayreuth einer nochmaligen Betrachtung zu unterziehen und Nachlese zu einem nur scheinbar erschöpften Thema zu halten. Dies gilt um so mehr, als im Jahre 2001 völlig neues Quellenmaterial aufgetaucht ist, das hier erstmals vorgestellt wird. Obwohl nur von geringem Umfang dokumentiert es doch die Bekanntschaft Thomas Manns mit dem Bayreuther Rundfunkpionier, Schriftsteller und Kulturpolitiker Dr. Karl Würzburger (1891–1978), die der Fachwissenschaft bisher völlig entgangen ist.

## Der Festspielbesuch im Jahre 1909

Seit 1894 hatte Thomas Mann immer wieder mit dem Gedanken gespielt, die Festspiele zu besuchen. Doch als „sich schließlich die lange anvisierte Pilgerfahrt nach Bayreuth verwirklichen ließ, lag ihm die Periode seiner intensivsten Wagner-Schwärmerei um 1900 schon recht fern"[6]. Ein „Zeugnis der Unentschiedenheit und des Zweifels" sind denn auch die beiden einander in Wortlaut und Argumentation sehr ähnlichen Briefe, in denen Mann zwei Schriftstellerkollegen über die Aufführung des *Parsifal* berichtet, die er in Bayreuth

---

[4] Hans Rudolf Vaget: Thomas Mann und Bayreuth, in: TM Jb 9, 1996, S. 107–126; Paul Schommer: Thomas Manns Aufenthalt in Bayreuth im Juli 1949, in: TM Jb 11, 1998, S. 231–235.

[5] Vaget: Thomas Mann und Bayreuth, S. 107.

[6] ebd., S. 115.

erlebt hatte.[7] Am 23. August 1909 schreibt er Ludwig Ewers (1870–1946), einem einstigen Klassenkameraden seines Bruders Heinrich (1871–1950), am 26. August 1909 an Walter Opitz (1879–1963), der zu seinem Münchner Freundeskreis zählt.[8]

„Anfang des Monats bekam ich durch Zufall ein ‚Parsifal'-Billet und fuhr nach Bayreuth, – zum ersten Mal und zu spät eigentlich, denn meine Passion für Wagner hat in den letzten Jahren bedeutend nachgelassen". So beginnt die entsprechende Passage im Brief an Ewers. Trotz seiner erkalteten Leidenschaft für Wagners Werk fühlte Mann sich „schließlich doch tief erschüttert". Die Musik des *Parsifal* sei – ein Seitenhieb auf Richard Strauss – „der Gipfel der Modernität und von niemandem irgendwie überboten". Dennoch überwiegt am Ende des Briefes die Skepsis: „Ob freilich dieser ganze Geist und Geschmack noch eine Zukunft hat, ob er nicht schon sehr historisch ist, ist eine andere Frage". Den Einfluss, den der amerikanische Lyriker Walt Whitman (1819–1891) „auf die jüngste Generation" ausübe, hält Mann jedenfalls für größer als den Richard Wagners.

Er sei zu spät nach Bayreuth gekommen, heißt es auch in dem Schreiben an Opitz, „denn wenn ich an Wagner nie eigentlich geglaubt habe, so hat auch meine Leidenschaft für ihn in den letzten Jahren sehr nachgelassen". Dennoch leugnet Mann keineswegs die starke „seelische Bewegung", die ihn ergriffen habe: „Gewisse Dinge, der ‚Charfreitagszauber', die Taufe, die grandiose Verwandlungsmusik des III. Aktes und das unvergeßliche Schlußbild, dieser äußerste Triumph der Romantik – sind eben doch schlechthin unwiderstehlich". Der Seitenhieb auf Richard Strauss fällt noch etwas deutlicher aus als im Ewers-Brief: „Straussens ‚Fortschritt' ist Gefasel. Vom Parsifal leben und zehren sie Alle. Welch furchtbare Ausdruckskunst!" Gleich darauf aber bricht wieder der Zweifel hervor, ob diese Kunst sich nicht bereits überlebt habe. Der Hinweis auf Whitman beschließt auch diesen Brief.

Furchtbar heiß sei es gewesen, erwähnt Mann beiläufig im Opitz-Brief. Ansonsten schweigt er sich über die näheren Umstände der Reise und des Aufenthaltes in Bayreuth aus. Dennoch liest man in der neueren Forschungsliteratur wie selbstverständlich, Mann habe – begleitet von seinem Schwager Klaus Pringsheim (1883–1972), der möglicherweise die Karten besorgt hatte – die

---

[7] ebd., S. 116.

[8] Der Ewers-Brief ist abgedruckt in: Im Schatten Richard Wagners. Thomas Mann über Richard Wagner. Texte und Zeugnisse. 1895–1955, Ausgewählt, kommentiert und mit einem Essay von Hans Rudolf Vaget, Frankfurt/Main: Fischer-Taschenbuch-Verl. 1999, S. 39 (Text) und S. 267 (Kommentar). Der Opitz-Brief findet sich in Br I, 77 f. (Text) und 455 f. (Kommentar). Beide Briefe sind jetzt auch in der Frankfurter Ausgabe nachzulesen: 21, 425- 428 (Texte) und 757–758 (Kommentar).

*Parsifal*-Aufführung vom 4. August 1909 unter der Stabführung von Carl Muck (1859–1940) besucht.[9] Einen exakten Beleg für das Aufführungsdatum, für das Dirigat Mucks und für die Anwesenheit Pringsheims aber bleiben alle Kommentare schuldig. In Manns Briefen an Ewers und Opitz sind diese Angaben jedenfalls nicht enthalten.

Unbestritten lag den sieben *Parsifal*-Aufführungen von 1909 die von Wagner selbst gebilligte Originalinszenierung des Jahres 1882 mit den Bühnenbildern nach Entwürfen Paul von Joukowskys (1845–1912) zugrunde. Die musikalische Leitung teilten sich Carl Muck und Siegfried Wagner (1869–1930), wie man seit langem bei Egon Voss nachlesen kann.[10] So steht es auch auf der aktuellen Homepage der Bayreuther Festspiele im Internet.[11] Welcher der beiden Dirigenten jedoch an welchem Tag am Pult stand, gibt keine der genannten Quellen an. Nach neuesten, bislang unveröffentlichten Ermittlungen Reinhard von Brünkens leitete Carl Muck die *Parsifal*-Aufführungen vom 23. und 31. Juli sowie vom 7., 11. und 20. August. Siegfried Wagner dagegen dirigierte nur zweimal: am 4. und am 8. August.[12]

Damit aber geraten die Angaben der Fachliteratur über Thomas Manns Festspielaufenthalt ins Wanken. Wohnte Mann wirklich der Aufführung vom 4. August bei, so hat er als Dirigenten nicht Carl Muck, sondern Siegfried Wager erlebt. Aber weilte er denn am 4. August überhaupt schon in Bayreuth? Er selbst schreibt doch nur, dass er „Anfang des Monats" ein Billet erhalten habe! Das besagt noch nichts über die Zeit seines Aufenthalts. Einen Anhaltspunkt bieten jedoch die gedruckten Fremdenlisten zweier örtlicher Druckereien, die über Rang, Namen, Herkunftsort und Quartier der angereisten Gäste informierten. Sie bieten nicht nur eine vorzügliche Ausgangsbasis für eine soziologische Analyse des frühen Festspielpubli-

---

[9] Vaget: Thomas Mann und Bayreuth, S. 116; und Vaget: Im Schatten Wagners, S. 267. Analog in: 21, 757; und bei Gert Heine/Paul Schommer: Thomas-Mann-Chronik [künftig: Thomas-Mann-Chronik], Frankfurt/Main: Klostermann 2004, S. 51. Über Pringsheim – von 1909–1914 Opernkapellmeister, Opernregisseur und Dramaturg in Prag – vgl. Die Musik in Geschichte und Gegenwart. Allgemeine Enzyklopädie der Musik, Hrsg. von Friedrich Blume, Bd. 10, Kassel: Bärenreiter 1962, S. 1626–1627; sowie Hugo Riemann: Musik-Lexikon, Ergänzungsband, Personenteil L-Z, Hrsg. von Carl Dahlhaus, Mainz: Schott 1975, S. 416.

[10] Vgl. Egon Voss: Die Dirigenten der Bayreuther Festspiele, Regensburg: Bosse 1976 (= Arbeitsgemeinschaft „100 Jahre Bayreuther Festspiele"; 6), S. 115. Auf Voss beziehen sich auch die o.g. Thomas-Mann-Forscher.

[11] Vgl. im Internet (Stand: 16.11.2005) „www.bayreuther-festspiele.de/dirigenten/Muck.asp" bzw. „www.bayreuther-festspiele.de/dirigenten/wagner.asp".

[12] Reinhard von Brünken ist Computerexperte im Festspielhaus und stellte die Angaben nach dortigen Archivalien zusammen. Eine Kopie seiner Aufstellung befindet sich in der Richard-Wagner-Gedenkstätte. Für freundliche Auskunft sei Herrn von Brünken und Frau Unger, der Bibliothekarin im Hause Wahnfried, herzlich gedankt.

kums, sondern geben auch wertvolle Hinweise zum Aufenthalt einzelner Besucher.[13]

Erst am 10. August 1909 meldete die Morgenausgabe von *Leonh*[hard]. *Tripss Original-Fremden-Liste*, dass der Kapellmeister Klaus Pringsheim und der Schriftsteller Thomas Mann, beide aus München, in Bayreuth Quartier bezogen hätten, und *Lorenz Ellwanger's Original-Fremden-Liste* bestätigte die Nachricht am nämlichen Tage.[14] Diese ersten und einzigen Eintragungen aber liegen eine volle Woche nach der *Parsifal*-Aufführung vom 4. August, die Mann und Pringsheim angeblich besuchten. Dabei bemühten sich die Druckereien um größtmögliche Aktualität und ließen ihre Listen täglich, nicht selten sogar mehrmals am Tag erscheinen. Der Stadtmagistrat hatte zudem alle Hotels, Gasthöfe und Zimmervermieter unter Strafandrohung angewiesen, jeden Gast spätestens 24 Stunden nach seinem Einzug zu melden.[15] Dass Mann und Pringsheim verspätet gemeldet wurden, ist denkbar. Wahrscheinlicher aber ist, dass sie am 4. August noch nicht in Bayreuth weilten, sondern erst kurz vor dem 10. August eintrafen.

Diese Vermutung lässt sich noch auf andere Weise stützen. Hans Bürgin und Hans-Otto Mayer haben Thomas Manns umfangreiches Briefcorpus chronologisch zusammengestellt und durch Regesten und Register erschlossen. Zusätzlich vermerkten sie auch den jeweiligen Absendeort. Ganze sieben Schreiben weisen sie für den August des Jahres 1909 nach.[16] Das erste wurde am 7. August in Bad Tölz ausgefertigt, wo Mann erst wenige Wochen zuvor sein neues Sommerhaus bezogen hatte. Von Tölz ging auch das zweite ab, das auf den 11. August datiert ist. Daraus darf man schließen, dass Mann frühestens am 7. August nach Bayreuth aufbrach und spätestens am 11. August wieder in Tölz eintraf. In dieser Zeit stand *Parsifal* aber nur zweimal auf dem Spielplan: am 7. und am 8. August. Mithin gibt es drei Möglichkeiten.

Wenig wahrscheinlich ist, dass Mann am Morgen des 7. August in Tölz noch einen Brief schrieb und dann zum Bahnhof eilte. Um rechtzeitig zum Aufführungsbeginn (16.00 Uhr) am Grünen Hügel einzutreffen, hätte er um

---

[13] Vgl. Sylvia Habermann: Der Auftritt des Publikums. Bayreuth und seine Festspielgäste im Kaiserreich 1876 bis 1914, Bayreuth: Druckhaus Bayreuth 1991.

[14] Leonh[hard]. Tripss Original-Fremden-Liste: vollständiges Verzeichnis der zu den Bühnenfestspielen anwesenden Fremden, No. 29, Morgen-Ausgabe, [Bayreuth]: Tripss, 10. August 1909, S. 1. Frau Unger, die Bibliothekarin im Hause Wahnfried, stellte freundlicherweise eine Kopie dieses sehr seltenen Druckes zur Verfügung. Lorenz Ellwanger's Original-Fremden-Liste: Vollständiges Verzeichnis der zu den Bühnenfestspielen Parsifal, Der Ring des Nibelungen und Lohengrin in Bayreuth anwesenden Festgäste, No. 31, Bayreuth: Ellwanger, 10. August 1909, S. 10.

[15] Vgl. Habermann, S. 4.

[16] Reg I, S. 108 f.

5.50 Uhr den frühesten Zug nach München besteigen müssen.[17] Schon eher kann man sich vorstellen, dass er am 7. August ohne Zeitdruck anreiste und erst die Aufführung des Folgetags besuchte. Vermutlich ist Mann aber am 8. August angereist und wohnte der Aufführung dieses Tages bei. Dass sein Quartiergeber ihn nicht unmittelbar vor Aufführungsbeginn mit Formalitäten plagen wollte, leuchtet ein. Er genügte auch vollauf seiner Meldepflicht, wenn er die Übernachtung erst am 9. August anzeigte. Als das Bayreuther Publikum am 10. August von Thomas Manns Festspielaufenthalt erfuhr, war der Schriftsteller wohl schon längst abgereist. Es gibt keinen konkreten Hinweis, dass er sich am 10. oder gar am 11. August noch in Bayreuth aufhielt.

Der Gedanke, Mann habe die *Parsifal*-Aufführung vom 8. August erlebt, ist besonders reizvoll. Geleitet hat sie Siegfried Wagner, zu dessen Ehre die Orchestermitglieder an jenem Abend das Dirigentenpult mit einem Lorbeerkranz schmückten.[18] Die nämliche Vorstellung sah und hörte auch der Komponist Alban Berg (1885–1935), der seit 1904 Schüler Arnold Schönbergs (1874–1951) und später musikalischer Lehrmeister Theodor Adornos (1903–1969) war. Dass Mann und Berg einander 1909 in Bayreuth persönlich begegneten, ist freilich unwahrscheinlich. Beide berichteten über ihren *Parsifal*-Besuch in ausführlichen Briefen und hätten eine solche Begegnung sicher vermerkt. Zweifellos aber hat Thomas Mann sich in späteren Jahren intensiv mit Bergs Leben und Werk befasst. Bester Beleg dafür ist sein 1947 erschienener Roman *Doktor Faustus*. Dessen Hauptfigur, Adrian Leverkühn, trägt unverkennbar Züge Arnold Schönbergs, aber auch Alban Bergs.[19]

In zwei Briefen an seine Frau hat Berg in sehr persönlicher Weise seine Eindrücke von *Parsifal*-Aufführung und Festspielbetrieb geschildert.[20] Den ersten schrieb er unmittelbar nach der Rückkehr vom Grünen Hügel nachts um

---

[17] Die Bahnverbindungen und Abfahrtszeiten konnten leider nur dem Winterfahrplan 1908/09 entnommen werden, doch ist anzunehmen, dass sich der Sommerfahrplan 1909 davon nicht grundlegend unterschied. Vgl. Königl[ich]. Bayerische Staatseisenbahnen mit Eisenbahn-Übersichtskarte, Winterdienst 1908/09, [Auf dem Umschlag:] Schnug's MomentFahrplan für Bayern [...], Bearbeitet nach amtlichen Material, Ansbach: Schnug 1908. Fuhr man um 5.50 Uhr von Tölz ab, traf man um 7.45 Uhr in München ein. Von dort hatte man um 8.00 Uhr Anschluss an den Schnellzug Rom-München-Berlin, der um 10.47 Uhr in Nürnberg hielt. Dort gab es bereits um 11.18 Uhr Anschluss über Schnabelwaid nach Bayreuth (Ankunft 14.43 Uhr). Man konnte aber auch um 9.10 Uhr von München nach Regensburg fahren (Ankunft 11.06 Uhr) und dort um 11.11 Uhr den Anschlusszug nach Bayreuth nehmen. Allerdings traf man dann erst um 15.12 Uhr in der Festspielstadt ein. Mit einem Fiaker, ja selbst zu Fuß wäre man aber immer noch rechtzeitig zur Aufführung am Grünen Hügel eingetroffen.

[18] Vgl. Bayreuther Tagblatt, 10.08.1909, S. 5.

[19] Vgl. Egon Schwarz: Adrian Leverkühn und Alban Berg, in: MLN 102 (1987), S. 663–667.

[20] Zitiert nach: Der Festspielhügel. Richard Wagners Werk in Bayreuth von den Anfängen bis zur Gegenwart, 4. erw. Aufl., Für die Taschenbuchausg. überarb. Fassung, hrsg. von Herbert Barth, Bayreuth: Fehr 1987, S. 108–110.

halb elf Uhr in seinem Quartier, dem „Hotel Anker“[21]. Manche Formulierung ähnelt den Berichten Manns an Opitz und Ewers. Worte sagen „das, was ich fühle, nicht annähernd, welch ungeheuren belebenden und zerschmetternden Eindruck das Werk auf mich gemacht hat. Welch eitles Beginnen wäre es auch, Musik zu beschreiben, solche Musik zu beschreiben". Als Berg wenige Tage später, am 12. August, den zweiten, längeren Brief abfasst, hat er Bayreuth bereits verlassen. So begeistert er am Aufführungsabend von Wagners Musik schwärmte, so erbarmungslos rechnet er aus der zeitlichen und räumlichen Distanz mit dem Festspielbetrieb ab: „Wenn es nicht um den unvergänglichen Parsifal wäre, [...] sähe mich wohl Bayreuth nie wieder".

Berg stößt sich an den Baracken, die man als „Festbierhaus" und „Fest-speisehaus" neben dem Festspielhaus errichtet hatte und in denen sich das Publikum – „an der Spitze Siegfried Wagner mit seiner Gesellschaft" – schon vor Aufführungsbeginn vergnügte. Nach dem ersten und zweiten Akt werde wieder gegessen und getrunken, um solchermaßen „angepampft" noch bis zum Ende um zehn Uhr auszuhalten. Aber nicht nur das breite Publikum und Siegfried Wagner, auch dessen Mutter Cosima, „die talentierte Geschäfts-leiterin von Bayreuth", das Orchester und die Chöre werden mit äußerst kri-tischen Worten bedacht. Nur die Solisten finden halbwegs Gnade. Immerhin: Die „Freude an dem einzigen Wunderwerk ‚Parsifal'" will sich Berg nicht durch den Gedanken an die „Bayreuther Sauwirtschaft" verderben lassen!

Mann und Pringsheim mögen ähnlich empfunden haben. Ersterer enthielt sich unmittelbarer Äußerungen zum damaligen Festspielbetrieb, letzterer kritisierte ihn fünf Jahre später in wohlgesetzten, aber eindeutigen Worten. Unter dem Motto „Los von den Wagnerianern – Los von Bayreuth – Los von Wagner" stellte Pringsheim 1914 drei kleine Abhandlungen zusammen, deren zweite „Zur Parsifalfrage" überschrieben ist.[22] Der „Festspielhügel", heißt es darin, sei „schon heute nicht mehr, was er war [...]". Wer den *Parsi-fal* als „Weihfestspiel" erleben wolle, könne dies auch „ohne Festspielhügel" haben: „ohne Eisenbahnfahrt am selben Vormittage (wer sichs so einrichten kann, trifft ja erst wenige Stunden vor Beginn der Vorstellung ein), ohne internationalen Fremdenbetrieb und ohne all das fatale Beiwerk, das eine rührige Mittelstadtbevölkerung in die Weihfestspielatmosphäre zu mengen pflegt".

---

[21] Vgl. Lorenz Ellwanger's Original-Fremdenliste [...], Nr. 29, 9. August 1909, S. 10. Genannt ist dort Bergs Name und Herkunftsort (Wien), nicht jedoch sein Beruf. Das in der Opernstraße zwi-schen Sternplatz und markgräflichem Opernhaus gelegene, auch heute noch renommierte Hotel (voller Name: Goldener Anker) existiert seit 1753.

[22] Klaus Pringsheim: Vom modernen Wagnerproblem, Regensburg: Bosse 1914. Motto auf S. 8, die nachfolgenden Zitate auf S. 53.

Darf man die Parenthese des Zitats als Erinnerung an persönliches Erleben deuten, so sahen Mann und Pringsheim den *Parsifal* tatsächlich noch am Tag ihrer Anreise. Während sich der 8. August 1909 als mutmaßlicher Anreisetag letztlich doch nur erschließen, aber nicht belegen lässt, kann man die Frage nach der Unterkunft der illustren Gäste zweifelsfrei beantworten. Sie bezogen ein Privatquartier in einer Parterrewohnung der Wiesenstraße. Das belegen die fast identischen Eintragungen in den beiden Fremdenlisten, die sich allein hinsichtlich der Hausnummer unterscheiden: 13 bei Ellwanger, 15 bei Tripss. Bei der 15 handelt es sich jedoch nur um einen Druckfehler, denn das zeitlich nächstliegende *Adressbuch der K. Kreishauptstadt Bayreuth pro 1908* weist den von beiden Listen genannten Vermieter, den Kontrolloffizianten Christian Wenz, eindeutig als Bewohner des Hauses Wiesenstraße 13 aus.[23]

Die Häuser 13 und 15 stehen noch heute und bilden zusammen eine architektonische Einheit. Auf einem Sandsteinfundament erheben sich Parterre und erster Stock in Ziegelbauweise. Friese, Eckpilaster und Fenstereinfassungen aus Sandstein gliedern die Fassaden. Die Traufseite des Dachgeschosses schließt jeweils mit einem Dreiecksgiebel ab. Haus Nummer 13 hatte 1903 der Drechslermeister Karl Bergmann von der Bayreuther Firma Schäferlein & Nützel erbauen lassen.[24] 1909 bewohnten es außer dem Bauherrn die Schreinermeisterswitwe Marie Bergmann, der Konsistorialkanzlist Anton Rückert, der Kaufmann Georg Schatz sowie im Erdgeschoss besagter Christian Wenz. Leider hat man die großzügigen Fenster seiner Wohnung in neuerer Zeit verkleinert und damit die Ausgewogenheit der ursprünglichen Fassadengliederung empfindlich gestört. Mit Grausen aber wendet sich der Beschauer von den Kunststoffplatten ab, deren Fliesenimitation heute den Sandsteinsockel des Hauses verunziert.

Die Wiesenstraße gehörte zum Stadtteil Neuer Weg, einem sozialen Brennpunkt Alt-Bayreuths. Hier wohnten überwiegend Arbeiterfamilien unter erbärmlichen hygienischen und sanitären Verhältnissen.[25] Auch vor dem Neuen Weg aber machte die rege Bautätigkeit nicht halt, die Bayreuth im Zuge der Industrialisierung erfasst hatte. Neue Stadtviertel und Straßenzüge entstanden, „die ab ungefähr 1880 allmählich mit Wohnhäusern für gehobenes Bürgertum bebaut wurden" und bei den Festspielgästen besonders beliebt

---

[23] Vgl. Adressbuch der K[öniglichen]. Kreishauptstadt Bayreuth pro 1908, Bayreuth: Mühl 1908, S. 214.

[24] Die Bauakte ist noch heute im Bauamt der Stadt Bayreuth vorhanden. Herrn Gradl vom städtischen Bauamt sei für die freundliche und unbürokratisch erteilte Auskunft zum Anwesen Wiesenstraße 13 herzlich gedankt.

[25] Vgl. Karl Müssel: Bayreuth in acht Jahrhunderten. Geschichte einer Stadt, Bayreuth: Gondrom 1993, S. 177–178; Rainer Trübsbach: Geschichte der Stadt Bayreuth. 1194–1994, Bayreuth: Druckhaus Bayreuth 1993, S. 193–194.

waren.[26] Das galt auch für die um 1900 erbauten Häuser in der Wiesenstraße, von der aus man Bahnhof, Festspielhaus und Innenstadt zu Fuß in wenigen Minuten erreichen konnte. Auch Thomas Mann und Klaus Pringsheim wählten ihr Quartier wohl seiner Nähe zu Festspielhaus und Bahnhof wegen. Dass sie bei ihrem kurzen Aufenthalt Bayreuths Stadtkern besichtigten oder gar die sozialen Missstände im Neuen Weg wahrnahmen, ist unwahrscheinlich.

## Der Bayreuth-Besuch von 1949

Als Thomas Mann vierzig Jahre später die Wagner-Stadt wieder sah, hatten zwei Weltkriege die alte Ordnung erschüttert. Monarchie, Weimarer Republik und Drittes Reich waren untergegangen. Aufgeteilt unter den Siegermächten lag Deutschland ohnmächtig darnieder. Ungeachtet ihres einstigen Bündnisses standen sich die neuen Weltmächte USA und Sowjetunion voller Misstrauen Gewehr bei Fuß gegenüber. Der Eiserne Vorhang markierte deutlich sichtbar die Grenze ihrer Einflusssphären in Europa. Es galt deshalb als Politikum ersten Ranges, dass Thomas Mann, der nach der Machtergreifung der Nationalsozialisten von einer Schweizreise nicht mehr nach Deutschland zurückgekehrt war, seit 1938 in den Vereinigten Staaten lebte und 1944 die amerikanische Staatsbürgerschaft angenommen hatte, in dieser Hochphase des Kalten Krieges das geteilte Deutschland besuchte und seine „Ansprache im Goethejahr 1949" nicht nur im Westen, in Frankfurt am Main, sondern auch im sowjetisch besetzten Weimar hielt.

Verlauf und nähere Umstände des Deutschland-Besuches von 1949 lassen sich in der einschlägigen Literatur nachlesen und müssen hier nicht erneut ausgebreitet werden. In der Paulskirche hatte Mann am 25. Juli seine denkwürdige Ansprache gehalten und den Goethepreis der Stadt Frankfurt entgegengenommen. Stuttgart, München und Nürnberg waren die nächsten Stationen seiner Reise. Von München über Nürnberg kommend, traf er am späteren Nachmittag des 30. Juli zusammen mit seiner Frau Katia in Bayreuth ein. Hauptquelle für den kurzen Bayreuth-Aufenthalt ist das erst 1988 erschienene Büchlein *Thomas Mann – von nahem erlebt* des Schweizers Georges Motschan (1920–1989)[27]. Er hatte das Ehepaar Mann 1949 mit seinem geräumigen Buick durch Deutschland chauffiert und den Part des Reisemarschalls übernommen.

---

[26] Vgl. Habermann, S. 19–20, Zitat S. 20.

[27] Georges Motschan: Thomas Mann – von nahem erlebt, Nettetal: Matussek 1988. Herrn Hans K. Matussek, Nettetal, danke ich herzlich für die Übermittlung von Motschans Lebensdaten.

Es ist verzeihlich, dass Motschan sich 39 Jahre später nicht mehr exakt an alle Einzelheiten erinnerte. So liest man in seinem Bändchen, die Reisenden hätten sich im Hotel „Bayerischer Hof" einquartiert.[28] Der „Bayerische Hof" aber war 1945 im Bombenhagel zerstört worden, lag 1949 noch weitgehend in Trümmern und nahm erst 1951 nach Fertigstellung des neu errichteten Vordergebäudes den Hotelbetrieb wieder auf.[29] Paul Schommer hat in seinem Aufsatz akribisch nachgewiesen, dass Motschan und die Manns nicht im „Bayerischen Hof", sondern im Hotel „Goldener Anker" übernachteten.[30] Auf Bitten des Hoteliers trugen sie sich in das noch heute erhaltene Gästebuch ein, beließen es jedoch bei einer einfachen Unterschrift.[31] Nach ihnen verewigten sich 1949 und 1950 auf der nämlichen Seite noch der (Wagner-)Schriftsteller Zdenko von Kraft (1886–1979)[32], die langjährige Wahnfried-Archivarin Gertrud Strobel-Degenhardt (1898–1979), Neu-Bayreuths Begründer Wieland (1917–1966) und Wolfgang (*1919) Wagner, der Dirigent Joseph Keilberth (1908–1968) sowie die Bundesminister Hans-Christoph Seebohm (1903–1967; Verkehr) und Eberhard Wildermuth (1890–1952; Wohnungsbau).

Zu später Stunde, als das Ehepaar Mann sich bereits zurückgezogen hatte, trafen – so Motschan – die erwarteten Abgesandten aus der Ostzone ein, die den Schriftsteller in Bayreuth abholen und über die Zonengrenze nach Thüringen geleiten sollten. Es waren Johannes R[obert]. Becher (1891–1958), der Präsident des „Kulturbundes zur demokratischen Erneuerung Deutschlands", und Klaus Gysi (1912–1999), der Generalsekretär dieser Massenorganisation, die 1945 auf Initiative der Sowjetischen Militäradministration in Deutschland gegründet worden war, 1958 in „Deutscher Kulturbund" und 1974 in „Kulturbund der DDR" umbenannt wurde.[33] Beide waren Mitbegründer des Ostberliner Aufbau-Verlages, dessen Leitung Gysi fast ein Jahrzehnt lang

---

[28]  Vgl. Motschan, S. 117–118.

[29]  Allerdings bot man, wie mir Frau Seuß, die Seniorchefin des „Bayerischen Hofs", auf telephonische Anfrage (31.03.2006) freundlicherweise mitteilte, im unzerstörten Hintergebäude schon ab 1947 in kleinem Stil Übernachtungsmöglichkeiten an und richtete sogar ein bescheidenes Lokal ein.

[30]  Vgl. Schommer, S. 233. Im selben Hotel hatte vierzig Jahre zuvor Alban Berg übernachtet!

[31]  Abb. der Seite bei Schommer, S. 235.

[32]  Er verfasste u. a. Ein Richard-Wagner-Roman, 3 Bde. Leipzig: Grethlein 1920–1922, sowie – im Auftrag von Winifred Wagner (1897–1980) – Der Sohn. Siegfried Wagners Leben und Umwelt, Stuttgart: Stocker 1969.

[33]  Zu Becher vgl.: Wer war wer in der DDR? Ein biographisches Lexikon, Hrsg. von Helmut Müller-Enbergs [...], Berlin: Links 2000, S. 51–52, ferner: Deutsches Literatur-Lexikon. Das 20. Jahrhundert. Biographisch-bibliographisches Handbuch, Begr. von Wilhelm Kosch [...], Hrsg. von Konrad Feilchenfeldt, Bd. 2, Bern; München: Saur 2001, S. 69–81; sowie im Internet das DDR-Lexikon (http://www.ddr-wissen.de). Zu Klaus Gysi vgl.: Wer war wer in der DDR, S. 297–298, sowie das DDR-Lexikon im Internet.

(1957–1966) innehatte. Beide machten später in der DDR (kultur-)politische Karriere.

Becher, einst herausragender Dichter des deutschen Expressionismus, hatte sich längst zum führenden Vertreter des sozialistischen Realismus gewandelt. 1954 wurde er Kulturminister der Deutschen Demokratischen Republik, die ihm den Wortlaut ihrer Nationalhymne verdankte. Weniger schöpferisch als organisatorisch war Gysi dem literarischen Leben verbunden. Als Leiter des Ressorts Deutsche Literaturgeschichte (1952–1957) im Ostberliner Verlag Volk und Wissen stellte er die Weichen für jene große *Geschichte der deutschen Literatur von den Anfängen bis zur Gegenwart*, die trotz ideologischer Befrachtung selbst im Westen beachtet und anerkannt wurde.[34] Auch Gysi war jahrelang (1966–1973) Kulturminister der DDR. Später ernannte man ihn zum Botschafter in Rom (1973–1978), schließlich zum Staatssekretär für Kirchenfragen (1979–1988). Der heutige PDS-Politiker Gregor Gysi (*1948) ist sein Sohn.[35]

Becher und Gysi hatten den Auftrag, die Manns zum Grenzübergang Wartha bei Eisenach zu geleiten. Dort sollte sie das offizielle Empfangskomitee begrüßen. Motschan dagegen wollte „auf dem allerkürzesten Weg über Hof nach Plauen und von da auf die Autobahn Richtung Hermsdorfer Kreuz" fahren, wo man nur noch „wenige Autominuten" von Weimar entfernt wäre.[36] Bechers und Gysis Plan bedeute einen „Umweg von nicht weniger als 300 Kilometern" und sei nach den Strapazen der bisherigen Reise völlig unzumutbar. Thomas und Katia Mann stimmten Motschans Argumentation am andern Morgen zu. Becher und Gysi, die wohl ebenfalls im „Goldenen Anker" logiert, sich aber nicht ins Gästebuch eingetragen hatten, mussten sich fügen. Telephonisch teilten sie ihren Auftraggebern die neue Route mit. Mit Mühe wurde das bereits zur Grenze aufgebrochene Empfangskomitee umdirigiert. Am 31. Juli gegen 12.00 Uhr passierten die Manns und ihre Begleiter die Zonengrenze. Erst am Hermsdorfer Kreuz holte sie das Empfangskomitee ein.[37]

In einer kleinen, bislang unbeachtet gebliebenen Notiz informierte die Fränkische Presse – damals Bayreuths einzige Tageszeitung – ihre Leser über

---

[34] Geschichte der deutschen Literatur von den Anfängen bis zur Gegenwart, Hrsg. von Klaus Gysi [...], 12 Bde., Berlin: Volk und Wissen 1963–1990. Im Vorwort des ersten, 1963 erschienenen Bandes wird die zehn Jahre zuvor festgelegte Zielsetzung, „eine umfassende marxistisch-leninistische Geschichte der deutschen Literatur vorzubereiten", unverbrämt angesprochen.

[35] Zu Gregor Gysi vgl. z.B. das DDR-Lexikon im Internet (s. Anm. 33) sowie: Deutsches Literatur-Lexikon. Biographisch-bibliographisches Handbuch, Begr. von Wilhelm Kosch, 3., völlig neu bearb. Aufl., Erg.-Bd. IV, Bern; München: Saur 1997, S. 432.

[36] Dieses und das Folgezitat bei Motschan, S. 120.

[37] Vgl. Thomas-Mann-Chronik, S. 460.

den Besuch des berühmten Schriftstellers.[38] Völlig zutreffend heißt es da, Thomas Mann habe zusammen mit seiner Gattin von München kommend auf dem Wege nach Weimar „am Samstagabend in Bayreuth Station" gemacht und im Hotel „Goldener Anker" übernachtet. Dass „dem Dichter die notwendigen Papiere für den Grenzübertritt durch einen besonderen Beauftragten aus der Ostzone nach Bayreuth überbracht worden" seien, entspricht im Kern ebenfalls dem Bericht Motschans. Zwei Sätze aber lassen aufhorchen, enthalten sie doch bislang unbekannte Einzelheiten des Besuchs: „Der Leiter des Kulturamtes, Dr. Karl Würzburger, stattete dem Dichter am Abend einen Besuch ab. Am Sonntagmorgen besichtigte er [Thomas Mann] das markgräfliche Opernhaus und setzte dann seine Fahrt im Wagen fort."[39]

Das markgräfliche Opernhaus, ein architektonisches Kleinod von europäischem Rang, hatte das Bombardement Bayreuths im April 1945 wie durch ein Wunder unbeschadet überstanden. 1948 feierte man mit einer bescheidenen Festveranstaltung das zweihundertjährige Bestehen des Gebäudes, das Markgräfin Wilhelmine (1709–1758) in Auftrag gegeben, der Baumeister Joseph Saint-Pierre (um 1709–1754) errichtet und der Theaterarchitekt Giuseppe Galli Bibiena (1696–1756) ausgestattet hatte. Der „Goldene Anker" liegt nur wenige Schritte davon entfernt. Eine Besichtigung war also auch bei knapp bemessener Zeit gut möglich. Motschan freilich berichtet weder vom Besuch des Opernhauses noch von der Begegnung mit dem Bayreuther Kulturamtsleiter. Letztere aber wird durch eine absolut verlässliche zweite Quelle bestätigt. In einer erst unlängst aufgetauchten eigenhändigen Notiz gedenkt Würzburger nicht nur des Treffens vom 30. Juli 1949, sondern auch seiner früheren Kontakte und Begegnungen mit Thomas Mann. Bevor jedoch diese ausführlicher geschildert werden, sei erst einmal Karl Würzburger selbst vorgestellt.

## Lebensabriss Karl Würzburgers

Karl Würzburger (1891–1978) stammte aus einer bekannten jüdischen Arztfamilie und besuchte wie schon sein Vater und Großvater vor ihm das Bayreuther Gymnasium Christian-Ernestinum.[40] Anschließend studierte er in Leipzig,

---

[38] Thomas Mann in Bayreuth, in: Fränkische Presse, 02.08.1949, S. 8. Der nicht signierte Eintrag findet sich in der Rubrik „Nachrichten aus Bayreuth".

[39] ebd.

[40] Sein Großvater Simon Würzburger (1816–1895) hatte in Bayreuth ein „Asyl für israelitische Geistes- und Gemütskranke" eröffnet. Sein Vater Albert Würzburger (1856–1938) verlegte

Jena und Marburg Philosophie, Volkswirtschaft und Kunstgeschichte. Den Ersten Weltkrieg erlebte er ab 1916 als Fernmelder an der Westfront. 1919 promovierte der Kriegsheimkehrer über das Thema *Individualismus und Sozialismus. Abriß einer Grundlegung von Wirtschaft, Politik und Erziehung.* 1920 heiratet er Emilie von Vogelsang (1888–1955). Das junge Paar zieht nach Berlin. Ein Jahr später kommt als einziges Kind Tochter Renate (1921–2005) zur Welt. Würzburger versucht sich in unterschiedlichsten Berufen und ist daneben als freier Schriftsteller tätig. Schon 1921 tritt er dem Schutzverband deutscher Schriftsteller bei. Mehrere Jahre lang gehört er dem Hauptvorstand dieser Autoren-Gewerkschaft an. 1929 wird er auch Mitglied des PEN-Clubs.

Die Jahre wirtschaftlicher Unsicherheit enden für die kleine Familie erst, als der Rundfunk auf Würzburgers 1926 erschienenes Buch *Pädagogik. Ein Jahresring. Briefe über die Erziehung in Schule und Haus* aufmerksam wird.[41] Karl Würzburger wird Mitarbeiter der Deutschen Welle, die später als Deutschlandsender bekannt wurde und für ihn mit ihrem an der Volkshochschulidee orientiertem Bildungsprogramm wie geschaffen war. Bereits im folgenden Jahr gehört er der Programmleitung an. Bis 1932 redigiert er auch die Programmzeitschrift der Deutschen Welle. Würzburger war – so würde man heute sagen – ein Medienexperte. Seine speziellen Kenntnisse und Fähigkeiten vermittelte er als Dozent für „Mikrophonie" an der Staatlichen Hochschule für Musik in Berlin. Da er auch die Gefahren erkannte, die von dem neuen Massenmedium ausgingen, wenn es in falscher Absicht genutzt würde, reklamierte er den Rundfunk nachdrücklich für die Volksbildung.

Würzburgers Rundfunkarbeit fand mit der Machtergreifung der Nationalsozialisten im Jahre 1933 ein jähes Ende. Seiner jüdischen Abstammung wegen entlassen, kehrte er zunächst nach Bayreuth zurück. Anfang 1936 emigrierte er angesichts der immer bedrohlicher werdenden Schikanen in die Schweiz. Frau und Tochter folgten ihm 1937 bzw. 1938 nach. Würzburger gehörte zu den wenigen deutschen Exilschriftstellern, die in der Schweiz Bücher veröffentlichen durften. 1940 erschien unter dem Titel *Der Angefochtene* seine große Monographie über Johann Heinrich Pestalozzi (1746–1827).[42] 1944 folgte mit der *Erziehung nach dem Evangelium* eine katechetische Schrift,

---

das Sanatorium, das längst auch nichtjüdischen Patienten offenstand, 1894 auf die Herzoghöhe und baute es zu einer weithin geachteten Musteranstalt aus. Als Angehöriger von Magistrat und Gemeindekollegium gehörte er zu den angesehensten Bürgern der Stadt.

[41] Karl Würzburger: Pädagogik. Ein Jahresring. Briefe über die Erziehung in Schule und Haus, Berlin: Deutsche Buchgemeinschaft 1926, 374 S.

[42] Karl Würzburger: Der Angefochtene. Ein Buch über Heinrich Pestalozzi, Zürich: Zwingli 1940, IV, 428 S.

die sicher mit einem einschneidenden Erlebnis seiner Emigrantenzeit zusammenhängt: der Hinwendung zum christlichen Glauben.[43] Was in ihm vorging, ehe er sich am ersten Advent 1936 taufen ließ, hat Würzburger in seinem 1945 gedruckten autobiographischen Schlüsselroman *Im Schatten des Lichtes* literarisch bewältigt.[44]

Unmittelbar nach Kriegsende durften sich die in die Schweiz emigrierten deutschen Schriftsteller wieder als Berufsverband zusammenschließen. Am 25. Mai 1945 konstituierte sich in Zürich der Schutzverband deutscher Schriftsteller in der Schweiz. Ehrenpräsident wurde der bekannte expressionistische Dramatiker Georg Kaiser (1878–1945), der nur wenige Tage später verstarb. In den Vorstand wählte man u.a. Hans Mayer (1907–2001) und Stephan Hermlin (1915–1997). Den Vorsitz übernahm Jo Mihaly (1902–1989; wirklicher Name Elfriede Steckel).[45] Der Vorstand wiederum berief eine Reihe von Mitgliedern – unter ihnen auch Karl Würzburger – in einen beratenden Arbeitsausschuss. Über all diese Vorgänge informierte Mihaly in einem langen, auf den 2. September 1945 datierten Brief auch Johannes R. Becher.[46] Ob diesem Name und Person Würzburgers damals bekannt war oder sich einprägte, sei dahingestellt.

Den Schutzverband vertrat Karl Würzburger am 20. November 1947 in Basel bei der Trauerfeier und Einäscherung Wolfgang Borcherts (1921–1947), der mit seinem Drama *Draußen vor der Tür* bis heute als literarischer Repräsentant jener Generation gilt, die ihrer Jugend beraubt und bar aller Illusionen aus den Schrecken des Zweiten Weltkrieges in ein zertrümmertes Land zurückkehrte. Neben Würzburger sprachen damals nur ein reformierter Geistlicher und der Verleger Henry Goverts (1892–1988), der zusammen mit Emil Oprecht (1895–1952) und Ernst Rowohlt (1887–1960) dem todkranken Borchert die Anreise aus Hamburg und den Aufenthalt im Basler St.-Clara-Spital ermöglicht hatte. Dort hatte Würzburger den jungen Dichter dreimal am Krankenlager besucht. Später berichtete er wiederholt über ihre intensiven Gespräche. Den Eltern des frühverstorbenen Dichters, Fritz

---

[43] Karl Würzburger: Erziehung nach dem Evangelium, Zürich: Zwingli 1944, 222 S.; Neuauflage: Olten; München: Roven-Verlag 1965, 233 S.

[44] Der in Deutschland 1945 kaum beachtete Roman wurde 1997 nachgedruckt und mit einem ausführlichen biographischen Nachwort versehen, auf dem – an einigen Stellen aktualisiert und ergänzt – vorliegender Lebensabriss basiert. Vgl. Karl Würzburger: Im Schatten des Lichtes, Unveränd. Nachdr. der 1945 im Pan-Verlag Zürich ersch. Erstausg., Mit einem Nachwort von Rainer-Maria Kiel, Hrsg. im Auftrage des Evangelischen Bildungswerkes Bayreuth-Bad Berneck e.V. von Rainer-Maria Kiel [...], Bayreuth: Rabenstein 1997, 370 S.

[45] Über Mihaly vgl.: Deutsches Literatur-Lexikon, Bd. 10, Sp. 1071. Todesjahr nach Kürschners Deutscher Literatur-Kalender 61 (1998), S. 1376.

[46] Die Briefe an Johannes R. Becher 1910–1958, Hrsg. von Rolf Harder, Berlin; Weimar: Aufbau-Verlag 1993, S. 171–177.

(1890–1959) und Hertha Borchert (1895–1985), blieb er bis ins hohe Alter freundschaftlich verbunden.[47]

1948 folgte Karl Würzburger dem Ruf seiner zu einem Drittel kriegszerstörten Vaterstadt, als Leiter des Kulturamtes für den Wiederaufbau des kulturellen Lebens Verantwortung zu tragen. Bleibendes Verdienst hat er sich in seiner Amtszeit um den Neubeginn der Bayreuther Festspiele erworben. Darüber hinaus stand er schon bald auch der städtischen Volkshochschule vor. Inhaltlich knüpfte Würzburger dabei an seine Arbeit bei der Deutschen Welle an und versuchte, seine Vorstellung von Kultur in die Tat, d.h. in die Jugend- und Erwachsenenbildung, umzusetzen. 1958 zog sich der 67-jährige aus der Kulturpolitik zurück und übersiedelte zu Tochter und Schwiegersohn in die Schweiz. Dort waren ihm noch zwanzig erfüllte Jahre vergönnt, in denen er sich verstärkt der Rundfunkarbeit widmete. Seine Frau, die ihn durch alle Fährnisse des Lebens begleitet hatte, war schon 1955 verschieden.

Als freier Mitarbeiter des Westdeutschen Rundfunks gestaltete Würzburger bis ins hohe Alter über 120 Folgen seiner Sendereihe *Biblische Geschichten Kindern erzählt*. Noch in seinem letzten Lebensjahr arbeitete er zusammen mit der Graphikerin Ursula Zander an einem *Werkbuch Bibel*.[48] Erst 23 Jahre später jedoch konnte die Illustratorin einen Verleger zur Publikation des Werkes bewegen, das analog zur Hörfunkreihe für die Bibelarbeit mit Kindern gedacht war und in Lieferungen erscheinen sollte. Doch die Zeit war Würzburgers pädagogischen Zielsetzungen abhold geworden, und auch sein Erzählstil fand in einer veränderten Welt offenbar keinen Anklang mehr. Im Jahre 2002 schlief das *Werkbuch Bibel* mit der vierten Folge ein.

1978 ist Karl Würzburger in Hausen am Albis gestorben. Die Urne mit seinen sterblichen Überresten setzte man im Bayreuther Stadtfriedhof bei. Das Grab wurde im Frühjahr 2000 auf Wunsch von Tochter und Schwiegersohn – nunmehr selbst im Greisenalter – aufgelassen, die Grabplatte jedoch als Gedenkstein zwischen zwei Grufthäusern an der Friedhofsmauer aufgestellt, die den alten vom neuen Friedhofsteil trennt. Würzburgers literarischen Nachlass hatten Schwiegersohn Dr. Hans Häberli (1924–2004) und Tochter Renate Häberli-Würzburger schon 1994 wohlgeordnet und vorzüglich erschlossen der Universitätsbibliothek Bayreuth als Geschenk überlas-

---

[47] Vgl. zu diesem Abschnitt: Rainer-Maria Kiel: ‚Ich lese nur noch das‘. Wolfgang Borchert und Karl Würzburger. Eine Bayreuther Ergänzung zur Wanderausstellung „Wolfgang Borchert: Leben – Werk – Wirkung", Bayreuth: Universitätsbibliothek 1999, S. 6–16.

[48] Karl Jakob Würzburger/Ursula Zander: Werkbuch Bibel, Lfg. 1–4, Rheinau: Junker 2001–2002. Den zusätzlichen Vornamen Jakob hatte Würzburger bei seiner Taufe angenommen.

sen und in den Folgejahren mehrmals mit ergänzenden Materialien berei-
chert.[49]

## Karl Würzburger und Thomas Mann

Ende 2001 übersandte Häberli als Nachtrag zum Nachlass seines Schwieger-
vaters verschiedene Dokumente, die sich in Büchern aus dessen Privatbib-
liothek – sie verblieb in Familienbesitz – gefunden hatten. Dazu gehörte ein
handschriftliches Dankschreiben (datiert 7. August 1926) der schwedischen
Autorin Selma Lagerlöf (1858–1940), der Würzburger offenbar ein Exemplar
seiner *Pädagogik* übersandt hatte. Dazu zählte ferner ein eigenhändiger, sehr
persönlich gehaltener Dankesbrief (datiert 22. Februar 1954) des baltischen
Erzählers Werner Bergengruen (1892–1964). Würzburger hatte ihm zum Tode
seiner Schwiegermutter kondoliert. Des weiteren gehörte dazu ein undatierter
Neujahrsgruß an „Herrn Dr. Würzburger". Das mit Pinsel gezeichnete und
lavierte Blatt zeigt einen Landsknecht mit Bierkrug und ist mit „Graf Sten-
bock" unterschrieben. Absender war vermutlich der Karikaturist, Bühnen-
bildner und Kinderbuchillustrator Nils Graf Stenbock-Fermor (1904–1969)
oder – weniger wahrscheinlich – dessen Bruder Alexander (1902–1972), der
seit 1928/29 als freier Schriftsteller und Publizist in Berlin lebte[50].

Die genannten Schriftstücke bestätigen, was schon in der Borchert-Epi-
sode aufschien. Selbstbewusst, aber mit gewinnender menschlicher Wärme
und ohne sich in den Vordergrund zu drängen, knüpfte und unterhielt Karl
Würzburger vielfältige Kontakte. Dazu gehörte auch seine Bekanntschaft
mit Thomas Mann, die sich durch zwei weitere Schriftstücke der genannten
Nachlassergänzung ziemlich genau rekonstruieren lässt. Häberlis Sendung
enthielt nämlich auch eine bislang unbekannte Postkarte des Nobelpreisträgers an Karl Würzburger sowie die Kopie eines Zettels, den Würzburger selbst
beschrieben und in sein Exemplar von Manns *Tagebücher 1933–1934* – der
Band erschien 1977, ein Jahr vor Würzburgers Tod – eingeklebt hatte.[51] Mit
schon zittrig gewordener Hand hielt der Greis darauf seine Kontakte und

---

[49] Als der für Nachlässe zuständige Bibliothekar an der Universitätsbibliothek Bayreuth lernte
ich Hans und Renate Häberli 1994 persönlich kennen. Aus der dienstlichen Begegnung entwickelte sich rasch eine herzliche Freundschaft, derer ich dankbar gedenke.

[50] Über die Grafen Stenbock-Fermor vgl.: Deutsches Literatur-Lexikon, Bd. 19, S. 581–583.

[51] Thomas Mann: Tagebücher 1933–1934, hrsg. von Peter de Mendelssohn, Frankfurt/Main:
Fischer 1977.

Begegnungen mit Thomas Mann fest.[52] Die nachstehenden Abschnitte stellen sie in chronologischer Folge dar.

„Ich besitze von ihm einen kurzen brieflichen Dank mit Anerkennung für meine erste Pädagogik", schreibt Würzburger. Leider hat sich gerade dieser Brief nicht erhalten, so dass die näheren Umstände nur zu erahnen sind. Vermutlich hat Würzburger 1926 seine eben erschienene *Pädagogik* gezielt an einschlägige Institutionen und namhafte Personen – nicht nur an Selma Lagerlöf und Thomas Mann – versandt, um mit dem druckfrischen Band auf sich aufmerksam zu machen. Schließlich war der junge Familienvater damals beruflich keineswegs abgesichert, sondern suchte noch immer nach einer Tätigkeit, die seiner Begabung und seinen Fähigkeiten entsprach, aber auch zur Ernährung von Frau und Kind hinreichte. In der Tat war es sein pädagogisches Erstlingswerk, das ihm den Weg zum Rundfunk bahnte und zur Anstellung bei der Deutschen Welle verhalf.

Persönlich erlebt hat Würzburger Thomas Mann nach eigenem Bekunden „zum ersten Mal im Jahr meiner Aufnahme in den PEN, gemeinsam mit Emy, zur Feier des eben empfangenen Nobelpreises". Der genaue Zeitpunkt lässt sich unschwer ermitteln. Am 10. Dezember 1929 hatte Mann in Stockholm den Literaturnobelpreis aus der Hand des schwedischen Königs entgegengenommen. Am 18. Dezember ehrte ihn die deutsche Gruppe des PEN-Clubs mit einem großen Empfang im Bankettsaal des Zoologischen Gartens zu Berlin. Karl Würzburger und seine Frau gehörten offenbar zu den über 250 Teilnehmern dieser Veranstaltung. Grußworte sprachen der Bibliophile Fedor von Zobeltitz (1857–1934), der Literatur- und Theaterkritiker Arthur Eloesser (1870–1938) und der Lyriker Oskar Loerke (1884–1941). Carl Heinrich Becker (1876–1933), der preußische Minister für Wissenschaft, Kunst und Volksbildung, hielt die Festrede.[53]

Erhalten hat sich Thomas Manns „freundliche Dankeskart[e] aus Kairo 1930 für den ihm zugesandten Band im Horen-Verlag erschienener Gedichte". Die übersandten *Gedichte* – Würzburgers eigene – waren mit Unterstützung der Clauß-Rochs-Stiftung erschienen.[54] Diese Stiftung, der so genannte Künstlerdank, hatte sich der „Förderung i[n]. d[er]. Entwicklung befindlicher Talente u[nd]. schuldlos in Not u[nd]. Sorge geratener d[eu]tsch[er]. Künstler" verschrieben, „deren Werke zur Erhöhung künstlerischer Kultur beitragen"[55]. Als Volksbildner hatte sich Würzburger mit seiner *Pädagogik* empfohlen.

---

[52] Sofern nicht anders angegeben, stammen die folgenden Würzburger-Zitate aus diesem Blatt.
[53] Vgl. Thomas-Mann-Chronik, S. 208–210.
[54] Karl Würzburger: Gedichte, Hrsg. vom Künstlerdank (Clauß-Rochs-Stiftung), Berlin-Grunewald: Horen-Verlag 1930, 69 S.
[55] Kürschners Deutscher Literatur-Kalender 44 (1928), S. 246.

Gewiss wollte er mit dem neuerlichen Buchgeschenk auf seine literarischen Fähigkeiten aufmerksam machen. Immerhin würdigte ihn der Nobelpreisträger einer Antwort und schrieb ihm am 28. Februar 1930 eigenhändig jene bislang unbekannte, seit 2001 nun in Bayreuth befindliche Karte – allerdings nicht aus Kairo, wie der greise Würzburger sich zu erinnern meinte, sondern aus dem Cataract Hotel im oberägyptischen Assuan.

Zusammen mit seiner Frau war Mann am 14. Februar 1930 von München zu einer Reise nach Ägypten und Palästina aufgebrochen, von der beide erst am 16. April zurückkehrten. Welch enorme Bedeutung dieser Fahrt für die Entstehung seines vierbändigen, zwischen 1926 und 1943 erscheinenden Romanzyklus *Joseph und seine Brüder* zukam, hat die einschlägige Forschung genug aufgezeigt und bedarf hier keiner weiteren Wiederholung. Dass Mann sich auf dieser an Eindrücken nicht eben armen Reise Würzburgers und seines Büchleins erinnerte und den Verfasser gar mit einer Karte bedachte, ist keineswegs selbstverständlich, darf aber auch nicht überbewertet werden. Die Bildpostkarte, deren Schauseite ein altägyptisches Relief zeigt[56], blieb bei allem Wohlwollen letztlich nur eine Geste unverbindlicher Höflichkeit: „Sehr geehrter Herr, Gestatten Sie einen freundlichen Reisegruß zum Dank für Ihr sehr anziehendes dichterisches Geschenk! Ihr ergebener Thomas Mann."

„Vorgestellt wurde ich ihm", heißt es bei Würzburger weiter, „bei Gelegenheit des im Berliner Herrenclub im Kreis von ausgewählten 50 Mitgliedern des PEN – einzige anwesende Frau Frau Hauptmann – gefeierten 70[.] Geburtstag[s] Gerhart Hauptmanns". Höchstwahrscheinlich ist damit das Bankett des Schutzverbandes Deutscher Schriftsteller und des PEN-Clubs Berlin gemeint, das am 17. November 1932, zwei Tage nach Hauptmanns Geburtstag, stattfand. Der Gefeierte hielt dabei eine Ansprache, die unter dem Titel „Dank an das Schicksal" bekannt wurde.[57] Dass Würzburger sich noch Jahrzehnte später genau des Ortes, der Teilnehmerzahl und der Anwesenheit von Hauptmanns zweiter Frau Margarete (1875–1957) entsann, scheint für die Richtigkeit seiner Angaben zu sprechen. Sie wären dann aber auch der erste und bislang einzige Beleg, dass Thomas Mann sich am 17. November 1932 in Berlin aufhielt. In der *Thomas-Mann-Chronik* klafft zwischen dem 16. November und dem nächsten, auf „Ende November" datierten Eintrag eine zeitliche Lücke.

Sicher ist, dass Mann noch am Abend des 16. Novembers zu Hause den „Kuhle-Kreis", eine „lose Vereinigung von Freunden der Münchner Buch-

---

[56] Der hunde- oder schakalköpfige Gott Anubis empfängt wohl einen Pharao (?) im Totenreich.

[57] Erster Entwurf abgedruckt in: Gerhart Hauptmann: Sämtliche Werke, Bd.11, Frankfurt/Main u.a., Propyläen-Verl. 1974, S. 1124–1126. Schlussfassung in Bd.6, 1963, S. 874–875.

handlung Lehmkuhl", empfing und dabei aus dem ersten Teil seines *Joseph-Zyklus* vorlas.[58] Dennoch könnte er anderntags mit dem Zug nach Berlin gereist sein und als Vorsitzender des Gaues Bayern im Schutzverband deutscher Schriftsteller gleichsam in offizieller Funktion an dem besagten Bankett teilgenommen haben.[59] Unklar bliebe allerdings, warum er Hauptmann sein Kommen nicht schon in seinem Brief vom 1. November 1932 ankündigte.[60] Immerhin sagte er darin seine Teilnahme an der Hauptmann-Feier zu, die deutlich später, am 11. Dezember, vormittags im Münchner Nationaltheater stattfand. Außerdem lud er das Ehepaar Hauptmann ein, nach dem Festakt das Mittagsmahl in seinem Haus an der Poschinger Straße einzunehmen.

Selbst wenn die Feier, an die sich Würzburger erinnerte, nicht mit jenem Bankett vom 17. November 1932 identisch gewesen sein sollte, so besteht doch kein Zweifel, dass er Thomas Mann gegen Jahresende 1932 persönlich kennen gelernt hatte. Fast fünfzehn Jahre sollten verstreichen, ehe er ihn neuerlich sah: „1947 hörte ich ihn aus dem noch nicht erschienenen Dr[.] Faustus vorlesen in Zürichs Tonhalle". Tatsächlich hatte Mann in diesem Jahr zum ersten Mal nach dem Ende des Krieges sein amerikanisches Exil verlassen, um dem alten Kontinent einen Besuch abzustatten. Deutschen Boden zu betreten, brachte er allerdings auf dieser ersten seiner insgesamt vier Europareisen noch nicht über sich. Dagegen genoss er allem Anschein nach den mehrwöchigen Aufenthalt in der Schweiz. Dort schloss er auch die Korrektur der Druckfahnen des *Dr. Faustus* ab und las bei verschiedenen Anlässen aus dem neuen Roman.

Die *Thomas-Mann-Chronik* verzeichnet Romanlesungen im Züricher Schauspielhaus (8. Juni), im Auditorium maximum der Eidgenössischen Technischen Hochschule (10. Juni), in der Aula des städtischen Gymnasiums in Bern (12. Juni), in der Tonhalle zu St. Gallen (11. Juli), in Wädenswil (2. August) und in Amriswil (5. August). Karl Würzburger aber dürfte wohl jener Lesung beigewohnt haben, die am 25. Juli 1947 nur für den Schutzverband deutscher Schriftsteller im überfüllten kleinen Saal der Züricher Tonhalle stattfand.[61] Den Erfolg der Veranstaltung beurteilte Mann in seinem Tagebuch allerdings recht skeptisch: „Vorlesung des 1. Echo-Kapitel [= Kap. XLIV], über dessen Wirkung ich mir trotz auch beim Weggehen wiederholtem herzlichem Beifall nicht klar wurde". Indessen tröstete er sich im Anschluss mit einigen Bekannten in „der Bar des Konzerthauses" mit „Chokolade und Bier".[62]

[58]  Vgl. Thomas-Mann-Chronik, S. 241.
[59]  Dass Mann damals noch Gauvorsitzender war, belegt Kürschners Deutscher Literatur-Kalender 46 (1932), S. 305.
[60]  Vgl. Reg I, 32/156.
[61]  Vgl. Thomas-Mann-Chronik, S. 433.
[62]  Tb, 25.7.1947.

## Wiedersehen in Bayreuth

Würzburger scheint 1947 Thomas Mann wohl nur gehört, nicht gesprochen zu haben. Dazu kam es erst wieder zwei Jahre später: „1 Stunde gesprochen habe ich ihn in Begleitung unserer Frauen gelegentlich seiner Übernachtung im Hotel Goldener Anker Bayreuth auf der Reise zum Schillervortrag in Weimar 1949". Dieser eigenhändige Vermerk Würzburgers bestätigt zweifelsfrei, dass die sonst nur in der Fränkischen Presse belegte Begegnung wirklich stattgefunden hat. Freilich verwechselte der Greis in der Rückschau Manns „Ansprache im Goethe-Jahr 1949" mit dessen „Schillervortrag" von 1955. Hoch gebildet, selbst schöpferisch tätig und über lange Jahre in Schriftstellerverbänden engagiert, denen auch Mann angehörte, sah Würzburger dem Gespräch sicher mit Freude entgegen. Wahrscheinlich hat er als Leiter des Kulturamtes der Stadt Bayreuth dem hohen Gast auch in offizieller Funktion seine Aufwartung gemacht. Vielleicht aber hatte sein Besuch noch einen ganz praktischen Hintergrund: die Quartiervermittlung.

Bekanntlich genoss Thomas Mann den Aufenthalt in vornehmen und renommierten Häusern. Vierzig Jahre nach seinem kurzen Besuch der Wagner-Stadt erinnerte er sich aber gewiss nicht mehr daran, welche Hotels in Bayreuth Rang und Namen hatten. Auch hätte er schwerlich wissen können, ob sie nach den Zerstörungen des Krieges überhaupt noch existierten. Wie nun, wenn Karl Würzburger kraft seines Amtes das Quartier im „Goldenen Anker" vermittelt hätte? Ist es reiner Zufall, dass er sich zusammen mit seiner Frau nur knapp vier Wochen vor dem Mann-Besuch ins Gästebuch ebendieses Hotels eingetragen hat? Es lohnt sich, die beiden Seiten (S. 57 und 58) des Gästebuchs vor den Unterschriften Motschans und des Ehepaares Mann näher zu untersuchen, die Schommer in seiner Miszelle offenbar nicht weiter beachtet hat. Sie beginnen mit folgendem Wortlaut: „Zu Dido und Aeneas in sorgenreicher, || gemeinsamer Arbeit, 28.VI. bis 10.VII.49: || D. Emil Preetorius".[63]

Die gesamte Bayerische Staatsoper war Ende Juni 1949 nach Bayreuth gekommen, um im markgräflichen Opernhaus vom 2. bis zum 10. Juli eine Festwoche unter dem Motto „Musik des Europäischen Barock" zu veranstalten. Auf dem Programm standen ein Konzert, zwei Ballette und drei Aufführungen von Henry Purcells (1659–1695) Oper *Dido und Aeneas*. Die Initiative zu dem ungewöhnlichen Gesamtgastspiel sei – so berichtete die Fränkische Presse – von der Stadt Bayreuth ausgegangen.[64] Das bestätigen auch die ein-

---

[63] Frau Eva Graf-Handel, der heutigen Eigentümerin des Hotels, danke ich sehr herzlich, dass sie mir das Gästebuch zur neuerlichen Durchsicht vorlegte.

[64] Vgl. die Artikel in der Fränkischen Presse vom 2. und 12. Juli 1949.

schlägigen Akten, die sich bis heute im Bayreuther Kulturamt erhalten haben.[65] Höchstwahrscheinlich ging die Idee sogar auf Karl Würzburger selbst zurück, bei dem auf städtischer Seite alle Fäden der praktischen Organisation zusammenliefen. Aus dem erfolgreichen Gastspiel, das auch außerhalb Frankens große Beachtung fand, entwickelte sich die sog. Fränkische Festwoche, die bis heute alljährlich in Bayreuth stattfindet.

Aus Anlass des Gastspiels lud Oberbürgermeister Hans Rollwagen (1892–1992), der von 1948 bis 1958 die Geschicke Bayreuths lenkte, die maßgeblichen Honoratioren und Künstler für Sonntag, den 3. Juli 1949, zu einem Essen in den „Goldenen Anker" ein. Sicher wurde bei dieser Gelegenheit auch das Gästebuch des Hotels herumgereicht. Als erstem legte man es offenbar Emil Preetorius (1883–1973) vor, der für *Dido und Aeneas* Bühnenbild und Kostüme entworfen hatte und in Bayreuth als szenischer Leiter der Wagner-Festspiele 1932 bis 1941 gewiss kein Unbekannter war. Alle Personen aufzuführen, die sich nach ihm eintrugen (Gästebuch S. 57 oben bis S. 58 Mitte), würde zu weit führen. Als Beispiele genügen hier Georg Solti (1912–1997), damals Chefdirigent der Staatsoper, und Rudolf Esterer (1879–1965), seinerzeit Präsident der Bayerischen Verwaltung der Staatlichen Gärten, Schlösser und Seen. Für die Stadt unterzeichnete Oberbürgermeister Rollwagen und – zusammen mit seiner Frau – auch Karl Würzburger (S. 58).

Ein einzelner Eintrag trennt die Unterschriften der festlichen Runde von jenen Motschans und der Manns, hat jedoch weder mit der Bayreuther Festwoche noch mit dem Aufenthalt des Nobelpreisträgers zu tun.[66] Gut vorstellen kann man sich indes einen Zusammenhang zwischen dem Eintrag Manns und denen von Würzburger und Preetorius. Am 28. Juli 1949 war Thomas Mann in München eingetroffen, wo ihn am Spätnachmittag die Bayerische Akademie der Schönen Künste im Prinz-Carl-Palais mit einem offiziellen Empfang ehrte.[67] Die einleitenden Worte sprach dabei kein anderer als Emil Preetorius, der seit 1948 (bis 1968) der Akademie als Präsident vorstand und mit Mann mindestens seit 1919 persönlich bekannt war. Zwei Tage nach diesem Empfang fuhr Mann über Nürnberg nach Bayreuth. Könnte nicht Preetorius seine erst jüngst erneuerten Bayreuth-Beziehungen genutzt und Mann auf

---

[65] In einem „Stadt Bayreuth 313b Markgräfliches Opernhaus Veranstaltungen (Mozartfestspiele, 200-Jahrfeier, Barockwoche 1949) 10–12 (Bd. I)" beschrifteten Leitzordner hat sich u.a. ein aufschlussreiches Geheft „Markgräfliches Opernhaus – Veranstaltungen hier: Musikwoche des europäischen Barock 1949" erhalten. Frau Gabriele Röhler, der heutigen Leiterin des Kulturamtes, danke ich sehr herzlich für die unbürokratische Vorlage der genannten Unterlagen.

[66] Gästebuch, S. 58 unten: Eintrag des bayerischen Staatsministers für Ernährung, Landwirtschaft und Forsten, Dr. Alois Schlögl (1893–1957), der am 25. Juli 1949 den Bauerntag des Landkreises Bayreuth besuchte. Vgl. Fränkische Presse, 26. Juli 1949, S. 7.

[67] Vgl. Thomas-Mann-Chronik, S. 458 f.

den „Goldenen Anker" und für organisatorische Dinge auf Karl Würzburger hingewiesen haben? Manches spricht für die genannte Vermutung; beweisen lässt sie sich jedoch nach derzeitiger Quellenlage nicht.

Ebenfalls im Bereich der Spekulation bewegt man sich, will man die Frage beantworten, worüber Mann und Würzburger sich bei ihrem einstündigen Gespräch im „Goldenen Anker" unterhalten haben. Vielleicht erinnerte Würzburger den Gast an ihre wenigen persönlichen Kontakte, die bei ihm gewiss einen tieferen Eindruck hinterlassen hatten als bei Mann. Vermutlich sprachen sie über gemeinsame Bekannte aus früheren und gegenwärtigen Tagen. Wahrscheinlich kamen Ausgrenzung und Exil zur Sprache, die sie beide in je unterschiedlicher Weise, aber gleichermaßen schmerzlich erfahren hatten. Auch die problematische Rückkehr in die alte Heimat dürften sie kaum ausgeklammert haben. Viermal reiste Mann aus dem amerikanischen Exil nach Europa, ehe er – wenn auch nicht in Deutschland – auf Dauer blieb. Auch Würzburger hatte sein Schweizer Exil keineswegs sofort nach Kriegsende verlassen. Erst Jahre später war er dem Ruf seiner Heimatstadt gefolgt, nicht ohne sich vorher auf einer Sondierungsreise ein eigenes Bild von den neuen Verhältnissen gemacht zu haben.

Ein besonders nahe liegendes Gesprächsthema aber war die Zukunft der Bayreuther Wagner-Festspiele. Oskar Meyer (1885–1954), von November 1945 bis 1948 Bayreuths Oberbürgermeister, hatte mit Schreiben vom 28. August 1946 die Reorganisation der Festspiele ziemlich direkt Franz Wilhelm Beidler (1901–1981) als politisch unbelastetem Mitglied der Familie Wagner angetragen.[68] Beidler, Sohn des Dirigenten Franz Beidler (1872–1930) und seiner Frau Isolde, geb. von Bülow (1865–1919),[69] war schon 1933 emigriert und lebte seit 1934 in Zürich. Tief bewegt hatte er sich bereit erklärt, die Aufgabe zu übernehmen und in den folgenden Monaten „Richtlinien für eine Neugestaltung der Bayreuther Festspiele" ausgearbeitet. Ihr Kernpunkt war, das Erbe Richard und Cosima Wagners in eine Stiftung zu überführen und die bisherigen Besitzer zu enteignen. Anfang 1947 hatte Beidler personelle Vorschläge für die Zusammensetzung des geplanten Stiftungsrats unterbreitet und als dessen Ehrenpräsidenten niemand anderen als Thomas Mann auserkoren.

Dass Beidler gerade auf Mann verfiel, kam nicht von ungefähr, war er

[68] Um die Darstellung nicht unnötig zu komplizieren, sei nur am Rande erwähnt, dass Meyer eines Neubeginns wegen auch mit Siegfried und Winifred Wagners emigrierter Tochter Friedelind (1918–1991) Kontakt aufnahm. Die Möglichkeit einer Übernahme der Festspielleitung – in welcher Form auch immer – durch Friedelind Wagner zerschlug sich jedoch aus Gründen, die auszuführen hier nicht erforderlich ist.

[69] Isolde war bekanntlich Cosimas erstes Kind aus der Verbindung mit Richard Wagner. Da Cosima zu diesem Zeitpunkt aber noch offiziell mit Hans von Bülow (1830–1894) verheiratet war, wurde Isoldes spätere Klage (1914) auf Anerkennung von Wagners Vaterschaft abgewiesen.

doch Thomas und nicht minder Katia Mann aufs engste verbunden. Dieter Borchmeyer charakterisierte den unglücklichen Wagner-Enkel im Nachwort seiner Ausgabe von Beidlers Schriften ungeniert als „Adoptivkind" der Familie Mann, zu deren „ständigen Hausgästen" er in Züricher Tagen gehörte.[70] Thomas Mann teilte zwar Beidlers Freude über das Angebot aus Bayreuth, reagierte aber hinsichtlich einer Ehrenpräsidentschaft zurückhaltend. Brieflich bat er Beidler am 27. Januar 1947 um Bedenkzeit. Die weitere Entwicklung enthob ihn dann einer definitiven Entscheidung. Das Testament Siegfried Wagners machte eine Überführung des Privatvermögens in ein Stiftungsvermögen aus rechtlichen Gründen unmöglich, und die Besatzungsmacht wollte von einer Enteignung der bisherigen Besitzer nichts wissen. Beidlers Plan verlief im Sande.

Sicher kannte Würzburger all diese Vorgänge, hatte er doch als einer der ersten Bayreuther Politiker Siegfried Wagners Testament in seiner vollen juristischen Konsequenz erfasst.[71] Es zielte eindeutig darauf ab, die Trägerschaft der Festspiele auf unmittelbare Erben zu beschränken. Nach den unglücklichen Verstrickungen Winifred Wagners in den braunen Netzen kamen für die Fortführung der Festspiele letztlich nur ihre Söhne Wieland und Wolfgang in Frage. Deshalb setzte er sich mit Nachdruck für das Brüderpaar ein und scheute dabei auch nicht die Konfrontation mit dem bayerischen Kultusminister Dr. Alois Hundhammer (1900–1974; Kultusminister 1946–1950). Darüber hinaus nutzte er seine Rundfunkkontakte aus Weimarer Zeit. Persönlich intervenierte er bei Adolf Grimme (1889–1963), dem damaligen Generaldirektor des Nordwestdeutschen Rundfunks (1948–1956), und sicherte so die Bezuschussung der ersten Nachkriegsfestspiele (1951) durch die ARD. Wolfgang Wagner, Mitbegründer Neu-Bayreuths und seit 1966 alleiniger Festspielleiter, gedachte denn auch in seiner *Lebens-Akte* dankbar Würzburgers Engagements. Mit ihm und Oberbürgermeister Rollwagen sei „endlich die notwendige, bisher nur leider meist vermißte Sachlichkeit in die Debatte um die Zukunft der Festspiele" gekommen.[72]

---

[70] Die Abschnitte über Beidler basieren auf Franz W. Beidler: Cosima Wagner-Liszt. Der Weg zum Wagner-Mythos. Ausgewählte Schriften des ersten Wagner-Enkels und sein unveröffentlichter Briefwechsel mit Thomas Mann, Hrsg. und mit einem Nachwort versehen von Dieter Borchmeyer, Bielefeld: Pendragon 1997. Zitate dort S. 402. Auch Vaget (Thomas Mann und Bayreuth, S. 112 f.) berief sich auf diesen Band, der bei Abfassung seines Aufsatzes noch nicht ausgeliefert war. Offenbar hatte ihm Borchmeyer die einschlägigen Passagen vorab übermittelt.

[71] Vgl. Rainer-Maria Kiel: Ein Geburtshelfer Neu-Bayreuths. Zur Erinnerung an den Schriftsteller und Kulturpolitiker Karl Würzburger, in: Heimat-Kurier. Das historische Magazin des Nordbayerischen Kurier 34, Nr. 4 (2001), S. 11–12.

[72] Vgl. Wolfgang Wagner: Lebens-Akte. Autobiographie, München: Knaus 1994, S. 142 und 144, Zitat S. 142.

Thomas Mann dürfte das Eintreten Würzburgers für die Brüder Wagner und gegen die Pläne Meyers und Beidlers weniger positiv gesehen haben. Leider hat er es unterlassen, das Gespräch im „Goldenen Anker" in seinem Tagebuch oder an anderer Stelle zu erwähnen, geschweige denn zu kommentieren. Welche Atmosphäre diesen letzten persönlichen Kontakt zwischen Mann und Würzburger prägte, lässt sich deshalb nicht mit Bestimmtheit sagen. Anscheinend waren weder Motschan noch Becher und Gysi am Gedankenaustausch der Ehepaare Mann und Würzburger beteiligt. Es ist fraglich, ob sie den Besuch des Bayreuther Kulturamtsleiters überhaupt bemerkten. Chauffiert von Motschan und geleitet von Becher und Gysi, reisten Mann und seine Frau anderntags nach Weimar. Damit gehörte auch der zweite und letzte Besuch Thomas Manns in der Wagner-Stadt der Vergangenheit an, und damit endet auch diese Nachlese zum Thomas-Mann-Gedenkjahr 2005 in Bayreuth, die sich unversehens zu einer Spurenlese über eine bislang unbekannte Beziehung des großen Romanciers zu einer nicht ganz unbedeutenden Bayreuther Persönlichkeit ausgewachsen hat.

*Elisabeth Galvan*

## Aschenbachs letztes Werk

Thomas Manns *Der Tod in Venedig* und Gabriele d'Annunzios *Il Fuoco*

Das europäische literarische Phänomen Gabriele d'Annunzio nimmt um die Jahrhundertwende auch in der deutschen literarischen Szene einen erstrangigen Platz ein. 1888 erscheinen in einem Sammelband *Neueste italienische Lyrik* erstmals einige seiner Texte, fünf Jahre später übersetzt Stefan George in den Blättern für die Kunst mehrere Gedichte aus dem *Poema paradisiaco*.[1] Ab 1896 werden in schneller Reihenfolge d'Annunzios Romane übersetzt[2] und in der Neuen Deutschen Rundschau vorab gedruckt. Auch seine zahlreichen Dramen werden in Deutschland verlegt, u. a. übersetzt von Karl Gustav Vollmoeller und Rudolf Georg Binding. Die Übersetzerin der Romane hingegen ist Maria Dohm-Gagliardi, dritte der vier Töchter Hedwig Dohms und Tante von Katia Pringsheim, verheiratet mit Ernesto Gagliardi, einem in Berlin lebenden italienischen Professor für neuere Geschichte. Mit Ausnahme des Romans *Il Fuoco*, der bei Heinrich Manns Verleger Langen Müller erscheint, werden d'Annunzios Romane – als erste eines italienischen Autors – von Samuel Fischer verlegt.

Die Berührung der Brüder Heinrich und Thomas Mann mit Gabriele d'Annunzio geht aber den verlagsgeschichtlichen Parallelen voran. Mit an Sicherheit grenzender Wahrscheinlichkeit haben sie bereits während ihrer Rom-Aufenthalte von dem ständig für Schlagzeilen in der italienischen Tagespresse sorgenden Phänomen d'Annunzio Kenntnis genommen.

Im Juli 1895 kommt Thomas Mann zum ersten Mal nach Rom. D'Annunzios Roman *Trionfo della morte* ist seit einem Jahr auf dem Buchmarkt, eine

---

[1] Zur Rezeption Gabriele d'Annunzios im deutschsprachigen Raum siehe Hans Hinterhäuser: D'Annunzio und die deutsche Literatur, in: Archiv für das Studium der neueren Sprachen, Jg. 116, Bd. 201 (1964), S. 241–261; D'Annunzio e la cultura germanica. Atti del VI Convegno internazionale di studi dannunziani, Pescara 3–5 maggio 1984, Centro Studi dannunziani Pescara, im besonderen Katharina Maier-Troxler: Recezione delle opere di D'Annunzio nei paesi tedeschi, S. 267–275; Anne Kupka: Der ungeliebte d'Annunzio. D'Annunzio in der zeitgenössischen und der gegenwärtigen deutschsprachigen Literatur, Frankfurt/Main: Lang 1992; Adriana Vignazia: Die deutschen D'Annunzio-Übersetzungen, Frankfurt/Main, Lang 1995.

[2] L'Innocente (1892), dt. Der Unschuldige (1896); Il Piacere (1889), dt. Lust (1898); Trionfo della morte (1894), dt. Triumph des Todes (1899); Il Fuoco (1900), dt. Feuer (1900); Le vergini delle rocce (1896), dt. Die Jungfrauen vom Felsen (1902).

französische Übersetzung soeben erschienen. Ab Herbst 1896 hält Thomas Mann sich erneut in Rom auf. In diesem Winter ist auch Gabriele d'Annunzio mit seiner Geliebten Eleonora Duse in der Hauptstadt, um gemeinsam das Drama des Dichters *Sogno di un mattino di primavera* zu inszenieren. Der Einakter wird im Teatro Valle uraufgeführt – Thomas Mann wohnt in unmittelbarer Nähe in der Via del Pantheon. Und im Juli 1897, also gerade in jenem Sommer, in dem Thomas Mann in Italien mit den Vorarbeiten zu *Buddenbrooks* beschäftigt ist, wird d'Annunzio als Abgeordneter ins italienische Parlament gewählt: auch dieses Ereignis findet in der Presse breiten Widerhall.

Es erscheint demnach nahe liegend, dass die Brüder Mann Gabriele d'Annunzio sehr früh zur Kenntnis genommen haben und dass sein Werk Spuren bei ihnen hinterlassen hat. Im Falle Heinrichs ist das besonders für die *Göttinnen*-Trilogie und die Novelle *Pippo Spano* nachgewiesen.[3] Im Falle des jüngeren Bruders durchzieht die literarische Auseinandersetzung mit dem italienischen Dichterkollegen weite Teile seines Werks.[4] Dies gilt gerade für jenen Text, der nach Aussage seines Autors „fast durchweg aufs Plumpste missverstanden worden" sei – nämlich *Der Tod in Venedig*.[5] Dabei ist es ein ganz entscheidender Aspekt, der offenbar nicht wahrgenommen wurde – nämlich sein Parodiecharakter. Thomas Mann spricht wiederholt von nicht erkann-

---

[3]    Vgl. Lea Ritter Santini: L'italiano Heinrich Mann, Bologna: Il Mulino 1965; dies.: Die Verfremdung des optischen Zitats. Anmerkungen zu Heinrich Manns Roman „Die Göttinnen", in: dies.: Lesebilder. Essays zur europäischen Literatur, Stuttgart: Klett-Cotta 1978, S. 7–47; dies.: Maniera Grande. Über italienische Renaissance und deutsche Jahrhundertwende, in: ebd., S. 176–211. Vgl. des weiteren Renate Werner: Skeptizismus, Ästhetizismus, Aktivismus. Der frühe Heinrich Mann, Düsseldorf: Bertelsmann 1972, im besonderen S. 145–163; Walter Gontermann: Heinrich Manns „Pippo Spano" und „Kobes" als Schlüsselnovellen, Phil. Diss. Köln 1973. Siehe auch die jüngst erschienene Untersuchung von Chiara Cerri: Heinrich Mann und Italien, München: Meidenbauer 2006.

[4]    Vgl. Verf.: Thomas Mann, Gabriele d'Annunzio und Giuseppe Verdi (zweisprachig), in: Thomas Mann e la storia del suo tempo – Thomas Mann und die Geschichte seiner Zeit, hrsg. v. Arnaldo Benini und Arno Schneider, Firenze: Passigli 2006, S. 133–171. Der Beziehung Thomas Mann – Gabriele d'Annunzio hat die Kritik bisher wenig Aufmerksamkeit geschenkt. Vgl. Vittorio Santoli: Thomas Mann und d'Annunzio, in: ders., Philologie und Kritik. Forschungen und Aufsätze, Bern/München: Francke 1971, S. 188–196; Lea Ritter Santini: Il Cavaliere e la Malinconia. D'Annunzio, Dürer e Thomas Mann, in: dies.: Le immagini incrociate, Bologna, Il Mulino 1986, S. 251–289 (der für „Il Fuoco" aufschlussreiche Aufsatz geht lediglich andeutungsweise und indirekt auf den „Tod in Venedig" ein, S. 276 und 280); Giorgio Culatelli: I due Mann e d'Annunzio, in: D'Annunzio e la cultura germanica, a. a. O., S. 277–281 (nahezu ausschließlich zu Heinrich Mann); Giuliana Giobbi: Gabriele d'Annunzio and Thomas Mann. Venice, Art and Death, in: Journal of European Studies 19 (1989), S. 55–68; Jochen Bertheau: Eine komplizierte Bewandtnis. Der junge Thomas Mann und die französische Literatur, Frankfurt/Main: Lang 2002, S. 105–106.

[5]    Brief an Paul Amann, BrA 10.09.1915 (= 22, S. 94).

ter „Mimicry"[6] bzw. „Parodie" und hält es für ein „erstaunliches öffentliches Missverständnis",[7] dass dies nicht erkannt worden sei.

Wer – oder was – ist nun das Objekt eines derartigen Missverständnisses? Die „hieratische Atmosphäre" einer Erzählung, die als Thomas Manns Anspruch aufgefasst, anstatt ganz auf Gustav Aschenbach bezogen wurde. Die Distanz zur literarischen Figur einerseits und den Parodiecharakters andererseits zu erkennen, hält Thomas Mann entscheidend für das Verständnis der Novelle.

Aschenbach ist ein alternder Schriftsteller, der sich in einer Schaffenskrise befindet, während eines Spaziergangs durch München in die Nähe eines Friedhofs gerät, dort zweideutige geistig-mystische Erlebnisse hat, welche zunächst die visionäre Schau einer exotischen Landschaft und im weiteren die tatsächliche Reise nach Venedig zur Folge haben. Hier trifft er auf den Knaben Tadzio, zu dem ihn bald eine zunehmend hemmungslose Leidenschaft ergreift. Darum bleibt Aschenbach trotz der sich ausbreitenden Cholera in der Stadt, gewissermaßen in den eigenen Tod einwilligend, der denn auch nicht auf sich warten lässt. Soweit das äußere Handlungsgerüst. Was aber widerfährt Aschenbach wirklich in der Lagunenstadt?

Es widerfahren ihm, oder besser: er *schafft* vor allem – Bilder, ähnlich wie bereits am Friedhof in München. Diese von Aschenbach hervorgebrachten Bilder machen den Großteil der gesamten Erzählung aus, dergestalt, dass er selbst über lange Strecken hin als erlebende und erzählende Figur neben dem eigentlichen Erzähler in den Vordergrund tritt. Gewissermaßen ist er es mitunter, der den Text schreibt oder zumindest *mit*-schreibt. Denn ein Erzähler ist durchaus vorhanden, und er begleitet das Geschehen – genauer: Aschenbachs Verhalten und Zustand – mit zuweilen eindeutig kritischem Kommentar. Zu dieser an sich bereits hochkomplexen Erzählsituation kommt noch hinzu, dass der Schriftsteller Aschenbach erklärtermaßen der Autor einiger (fast ausschließlich unvollendeter bzw. geplanter) Werke Thomas Manns ist,

---

[6] Im selben Brief fährt Thomas Mann fort: „Am peinlichsten war, daß man mir die ‚hieratische Atmosphäre' als einen persönlichen Anspruch auslegte, – während sie nichts als mimicry war."

[7] Im Kapitel „Bürgerlichkeit" der *Betrachtungen eines Unpolitischen* spricht Thomas Mann ein Jahr später von einem „stilistischen Dilettantismus [...], welcher den Gegenstand reden läßt und zum Beispiel im Falle des ‚Tod in Venedig' zu dem erstaunlichen öffentlichen Mißverständnis führte, als sei die ‚hieratische Atmosphäre', der ‚Meisterstil' dieser Erzählung ein persönlicher Anspruch, etwas, womit ich *mich* zu umgeben und auszudrücken nun lächerlicherweise ambitionierte, – während es sich um Anpassung, ja Parodie handelte..." (XII, S. 105). Am 6. Juni 1919 kommt Mann in einem Brief an Josef Ponten nochmals auf den Parodiecharakter zurück: „Und so freut es mich, daß der ‚Tod in Venedig' Ihnen zugesagt hat. [...] Unter uns gesagt, ist der Stil meiner Novelle etwas *parodistisch*. Es handelt sich da um eine Art von Mimikry, die ich liebe und unwillkürlich übe." (22, 294)

und schließlich, dass Aschenbach, am Lido sitzend, selbst zur Feder greift, um „über ein gewisses großes und brennendes Problem der Kultur und des Geschmackes sich bekennend vernehmen zu lassen".[8] Man weiß, auch dies verbindet Aschenbach mit seinem Autor und dessen kurzer Abhandlung *Auseinandersetzung mit Wagner*, geschrieben im Mai 1911 am venezianischen Lido auf dem Briefpapier des Hotel des Bains.

Das hochartifizielle Spiel mit wirklichem und fiktivem Autor, mit Erzähler und Held der Erzählung, der ebenfalls zum Erzähler wird, verleiht dem *Tod in Venedig* seinen hochgradigen, ästhetischen Reflexionscharakter. Das hat er mit einem Roman Gabriele d'Annunzios gemein, der in exemplarischer Weise eben jene Themen, Motive und ästhetisch-philosophischen Bezugspunkte vereinigt, die Thomas Mann als seine ureigensten erkennen musste: d'Annunzios Roman *Il Fuoco*, 1900 erschienen und noch im selben Jahr ins Deutsche übersetzt, ist – allen überlieferten Gemeinplätzen zum Trotz – primär kein die Beziehung seines Autors zu Eleonora Duse darstellender erotischer Roman, sondern ein eminent künstlerischer, in dem Überlegungen zur ästhetischen Produktion, Reflexionen über das Kunstwerk der Zukunft und die Auseinandersetzung mit Richard Wagner den weitaus größten Teil der über 300 Seiten einnehmen. Eigentliches Thema ist also ein ästhetischer Diskurs der *Décadence*, der mit dem Ort der (durchaus spärlichen) Handlung in engem Zusammenhang steht: Venedig ist nicht nur Schauplatz der künstlerischen Liebesbeziehung zwischen einem berühmten, für seine Nation repräsentativen Dichter und einer (ebenso repräsentativen) Schauspielerin, sondern weit mehr noch *genius loci* für das Entstehen eines unerhört neuen Kunstwerks aus der Wiederbelebung des antiken Mythos. Für die künstlerische Schöpfung, die schließlich zustande kommt, spielt nicht nur Venedig, sondern auch die Frau, welche den Dichter inspiriert, eine entscheidende Rolle.

Im *Tod in Venedig* findet sich eine ganze Reihe von intertextuellen Bezügen zu d'Annunzios Roman – von den zwei thematischen Strängen (Liebespassion und ästhetische Produktion) bis zu Figurenkonstellationen, Handlungsschauplätzen, Motiven, Stil und Sprache. Die Beziehung zwischen dem Romanhelden Stelio Effrena und der Schauspielerin Foscarina hat für die beiden Beteiligten eine jeweils unterschiedliche Funktion. Für den Dichter Effrena ist sie hauptsächlich Quelle künstlerischer Inspiration: durch Foscarina wird er nicht nur zur Gestalt der Persephone und dem gleich lautenden Drama inspiriert, sondern ebenso zur dichterischen Gestaltung Kassandras, wobei in diesem Fall die individuelle Identität Foscarinas sich zunehmend in

---

[8]  2.1, S. 555.

die mythische Kassandras auflöst. Stellenweise nimmt der Romanheld die Frau ausschließlich in mythischer Überhöhung wahr.

Für Foscarina hingegen bedeutet die Beziehung zum jüngeren Dichter hauptsächlich Liebespassion. Eben daran erinnert sie auffallend an Gustav Aschenbach. Da ist zunächst das Alter: d'Annunzio nimmt jede nur mögliche Gelegenheit wahr, um auf das Alter Foscarinas im Unterschied zu Effrenas Jugend hinzuweisen – kein Wunder, dass sie in ständiger Furcht lebt, er könne ein weißes Haar an ihr entdecken. Nebenbei bemerkt: Eleonora Duse ist beim Erscheinen des Romans im Jahr 1900 42 Jahre alt, d'Annunzio 37. Rechnet man nach, entdeckt man nicht nur, dass Thomas Mann beim Erscheinen des *Tod in Venedig* ebenso alt ist wie d'Annunzio, sondern (und dies scheint wichtiger), dass Eleonora Duse (1858–1924) derselbe Jahrgang ist wie Aschenbach, von dem wir aufgrund der Arbeitsnotizen wissen, dass er 1858 geboren und demnach zur Zeit des erzählten Geschehens 53 Jahre alt ist.[9]

Im Verlauf von Foscarinas Liebespassion kommt es zu drei topischen Situationen, die in genauer Entsprechung Stationen auf Aschenbachs Liebesweg markieren: der Besuch in San Marco, die Szene „Am Brunnen" und das Labyrinth. Auf dem Höhepunkt ihrer Verwirrung flüchtet sich Foscarina in die Basilika, „fürchtend, hoffend, daß der Geliebte ihr folgte".[10] Hier steht sie nun, „unbeweglich, mit einem Gesicht, von Fieber und nachttiefen Schatten verzehrt, die Augen voller Entsetzen auf die furchtbaren Mosaikgestalten geheftet, die in einem gelben Feuer flammten".[11]

Aschenbach befindet sich in ähnlicher Lage, als er Tadzio anlässlich des sonntäglichen Gottesdienstes bis in die Basilika verfolgt. Hier steht nun auch er, „im Hintergrunde, auf zerklüftetem Mosaikboden, inmitten knienden, murmelnden, kreuzschlagenden Volkes, und die gedrungene Pracht des morgenländischen Tempels lastete üppig auf seinen Sinnen" (2.1, S. 565).

Foscarinas nächste Station ist ein Brunnen, der sich auf einem stillen und verlassenen Hof in der Nähe von San Marco befindet und den sie bereits früher einmal besucht hat. Hier überkommt sie die volle Erkenntnis der Aussichtslosigkeit ihrer Liebe: „Sie neigte sich über den Rand, sie sah ihr Gesicht, sie sah ihr Entsetzen und ihre Verdammnis [...]. [...] Sie schloß die Lider fest in dem Gedanken an den Tod".[12]

Auf einer seiner Verfolgungen gelangt auch Aschenbach zu einem kleinen

---

[9] Das Geburtsjahr der Duse scheint allerdings bis heute umstritten, da in einigen Nachschlagwerken 1859 aufscheint. Zu Aschenbachs Biographie vgl. 2.2, S. 493.
[10] Gabriele d'Annunzio: Feuer. Einzig autorisierte Übersetzung aus dem Italienischen von M. Gagliardi, München: Albert Langen 1900, S. 321.
[11] ebd., S. 318.
[12] ebd., S. 323 f.

und verlassenen Platz, den er wieder erkennt und in dessen Mitte ein Brunnen steht. Und auch er gelangt hier, auf den Stufen sitzend, bei ebenfalls geschlossenen Lidern zu wichtigen Einsichten – in Thomas Manns Arbeitsnotizen festgehalten unter dem Stichwort „Erkenntnisse bei der Cisterne" (2.2, S. 501). Die Brunnenszene ist im *Tod in Venedig* die vorletzte Szene des fünften Kapitels, des fünften „Aktes" der Tragödie. Es folgt die Strandszene, die unmittelbar in Aschenbachs Tod mündet. In Aschenbachs Fall handelt es sich aber nicht nur um eine ausweglose Liebe, sondern um eine ausweglose Ästhetik und eine ebenso ausweglose Form der dichterischen Existenz: „Die Meisterhaltung unseres Stiles ist Lüge und Narrentum, unser Ruhm und Ehrenstand eine Posse, das Vertrauen der Menge zu uns höchst lächerlich" (2.1, S. 589).

Die dritte topische Situation, welche Foscarina und Aschenbach verbindet, ist das Labyrinth. Kurz vor ihrer endgültigen Trennung machen Effrena und Foscarina einen Ausflug nach Strà, wo sie die Villa Pisani besuchen. Foscarina verirrt sich im Labyrinth, das sich im Park der Villa befindet – ein Erlebnis, das sie zutiefst verstört. Die Metapher des Labyrinths kehrt auch im *Tod in Venedig* wieder und markiert Aschenbachs zunehmenden Verlust jeglicher Kontrolle: „Mit versagendem Ortssinn, da die Gäßchen, Gewässer, Brücken und Plätzchen des Labyrinthes zu sehr einander glichen, auch der Himmelsgegenden nicht mehr sicher" (2.1, S. 586 f.), irrt er durch die Stadt, lediglich darauf bedacht, Tadzio nicht aus den Augen zu verlieren.

Soviel zu parallelen Figurenkonstellationen und Handlungsschauplätzen in Thomas Manns Novelle und Gabriele d'Annnzios Roman. Daneben finden sich zahlreiche Parallelen auf stofflicher sowie sprachlich-stilistischer Ebene.

Da ist zunächst die Gondel, von Aschenbach wahrgenommen als „seltsames Fahrzeug" und „so eigentümlich schwarz, wie sonst unter allen Dingen nur Särge es sind", das „an den Tod [erinnert], an Bahre und düsteres Begängnis und letzte, schweigsame Fahrt" (2.1, S. 523). Ähnliche Assoziationen hat bereits Effrena. Für ihn ist die Gondel der „Nachen des Charon"[13], und das Gondeldach lässt ihn wiederholt an eine „Totenbahre" denken.[14] Eng damit verknüpft erscheint bei d'Annunzio das Symbol des Granatapfels, das leitmotivartig den gesamten Roman durchzieht.[15] Durch den Genuss einiger Granatapfelkerne verfällt Persephone bekanntlich dem Gott der Unterwelt, der Hadestiefe des Eros. Foscarina wandelt in Persephones ‚mythischen Spuren', wenn sie unmittelbar vor der Liebesnacht einen im Garten gefundenen Granatapfel in die Hand nimmt: „Er war reif, beim Fallen hatte er sich geöffnet,

---

[13]  ebd., S. 25.
[14]  ebd., S. 281, 292.
[15]  Nach Absicht d'Annunzios sollte *Il Fuoco* der erste Roman einer „I romanzi del Melagrano" (Die Romane des Granatapfels) betitelten Trilogie sein.

und der blutrote Saft lief heraus, badete die heiße Hand und befleckte das helle Kleid".[16]

Aschenbach hingegen trinkt Granatapfelsaft (2.1, S. 571 und 577)[17], und dies genau in dem Moment, in welchem er beschließt, den sich in der Stadt ausbreitenden unheimlichen Anzeichen – Spuren des Todes, der Cholera – auf den Grund zu gehen, dem drohenden Untergang aber nicht auszuweichen.

[16] ebd., S. 182f. – Der Persephone-Mythos spielt nicht nur im Roman *Feuer* eine überaus bedeutende Rolle, sondern auch in den Versen von *Laus vitae*. Unter dem Einfluss von Walter Paters in den *Greek Studies* (1895) enthaltenen Abhandlung „Demeter and Persephone" plante d'Annunzio für die Eröffnung des „Teatro di Festa", welches er unter freiem Himmel in Albano errichten wollte, ein Persephone-Mysterium. Die Eröffnung sollte auf den 21. März 1899 fallen. D'Annunzios literarisches Projekt wird im folgenden an Stelio Effrena abgetreten, der das von seinem Autor unausgeführte Vorhaben – darin Aschenbach gleich – verwirklicht. Zum Persephone-Mythos bei d'Annunzio vgl. Herbert Anton: Der Raub der Proserpina. Literarische Tradition eines erotischen Sinnbildes und mythischen Symbols, Heidelberg: Winter 1967, S. 116–120.

[17] Im *Zauberberg* taucht der Granatapfel erneut auf – was nicht verwundert, hat doch Thomas Mann wiederholt bemerkt, der Roman sei ein ‚humoristisches Gegenstück' zum *Tod in Venedig*. Vgl. dazu die in 5.2, S. 13f. angeführten Belegstellen sowie Eckhard Heftrich: Geträumte Taten. „Joseph und seine Brüder". Frankfurt/Main: Klostermann 1993, S. 201–210 und 241–245. Diesem Hinweis in all seiner Reichweite und Tiefgründigkeit nachzugehen würde eine eigene Studie erfordern; hier sei lediglich an die kurze Konversation zwischen Settembrini und Hans Castorp erinnert, mit der die aufgrund der „Walpurgisnacht" unterbrochene Beziehung zwischen den beiden wieder aufgenommen wird. In klarer Anspielung auf die Begegnung mit Madame Chauchat fragt Settembrini: „‚Nun, Ingenieur, wie hat der Granatapfel gemundet?' Hans Castorp lächelte erfreut und verwirrt. ‚Das heißt ... Wie meinen Sie, Herr Settembrini? Granatapfel? Es gab doch keine? Ich habe nie im Leben ... Doch, einmal habe ich Granatapfel mit Selters getrunken. Es schmeckte zu süßlich.' Der Italiener, schon vorüber, wandte den Kopf zurück und artikulierte: ‚Götter und Sterbliche haben zuweilen das Schattenreich besucht und den Rückweg gefunden. Aber die Unterirdischen wissen, daß, wer von den Früchten ihres Reiches kostet, ihnen verfallen bleibt'" (5.1, S. 536). Vgl. dazu 5.2, S. 264f. Ob Castorps „Granatapfel mit Selters" wohl dasselbe „Gemisch aus Granatapfelsaft und Soda" ist, mit welchem sich Aschenbach „zuweilen die Lippen kühlt", während er der Aufführung der Straßenmusikanten beiwohnt? – Darüber hinaus geht es hier natürlich um die symbolische Bedeutung des Granatapfels für den Komplex Claudia Chaucht – Eros/Venus – Hadesverfallenheit, der sich ganz aus dem Persephone-Mythos herleitet. Als erotisches Symbol taucht der Granatapfel aber auch noch viel später in Mut-em-enets augenöffnendem Traum auf: „... sie war im Begriffe, mit einem scharf geschliffenen Bronzemess, einen Granatapfel zu zerteilen, und aus Zerstreutheit glitt ihr die Schärfe aus und fuhr ihr in die Hand, ziemlich tief ins Weiche hinein, zwischen dem Daumen und den vier Fingern, so daß es blutete. Es war eine ausgiebige Blutung, von Rubinröte wie der Saft des Granatapfels, und mit Scham und Kummer sah sie sie quellen. Ja, sie schämte sich ihres Blutes, so schön rubinrot es war, wohl auch weil sie sofort und unvermeidlicherweise ihr blütenweißes Gewand damit befleckte [...]" (V, S. 1020). Mut erwacht aus diesem Traum „kalt vor Grauen und heiß gleich wieder danach vor Wonne des Heils, wissend, daß sie der Schlag der Lebensrute getroffen hatte" (V, S. 1022), auch darin werkgenetisch eine Nachfahrin Aschenbachs, von dem es im Zusammenhang mit seinem Bacchanal-Traum heißt: „Aus diesem Traum erwachte der Heimgesuchte entnervt, zerrüttet und kraftlos dem Dämon verfallen" (2.1, S. 584). Vgl. dazu Heftrich: Geträumte Taten, a. a. O., S. 152, 262f., 539.

Am Ende der Straßensänger-Szene fragt er den Gitarristen, weshalb Venedig desinfiziert werde. Der Musikant leugnet jede Gefahr. Aschenbach weiß, dass er lügt und ebenso, dass er selbst dennoch nicht abreisen wird. Während er den Granatapfelsaft trinkt, fällt ihm die Sanduhr ein, die im Haus seiner Eltern gestanden hatte. Er sieht „das gebrechliche und bedeutende Gerätchen auf einmal wieder, als stünde es vor ihm" (2.1, S. 577): die obere Höhlung ist beinahe leer – seine Zeit ist abgelaufen.[18]

Eine letzte wichtige stoffliche Parallele betrifft das mythologische Bild des Gottes, der auf einem Feuerwagen naht. In Venedig beginnt Aschenbach, die Wirklichkeit zunehmend in mythologischer Überhöhung wahrzunehmen. So wird z. B. am Anfang des IV. Kapitels der natürliche Tagesablauf folgendermaßen beschrieben: „Nun lenkte Tag für Tag der Gott mit den hitzigen Wangen nackend sein gluthauchendes Viergespann durch die Räume des Himmels, und sein gelbes Gelock flatterte im zugleich ausstürmenden Ostwind." (2.1, S. 549)[19]

Man weiß, es handelt sich hier um den Sonnengott, Helios oder auch Phoibos Apollon. Ein ganz ähnliches Bild (auch wenn es sich in diesem Fall um Dionysos handelt) hatte d'Annunzios Romanheld Effrena in einer Rede evoziert, welche den Anfang des Romans bildet. Auch hier ein ähnlich „hieratischer" Stil, um jene Definition aufzugreifen, die Thomas Mann selbst auf seinen eigenen Novellenstil anwendet.

Effrena hält genau die Rede, welche d'Annunzio selbst im November 1895 anlässlich der ersten Biennale gehalten hat. Bei dieser Gelegenheit entdeckt letzterer übrigens seine Begabung als Redner und seine Fähigkeit, die Masse zu fesseln. Die Rede trägt den Titel *Allegorie des Herbstes* und wird in einer von d'Annunzio sehr häufig angewandten Montagetechnik dem Roman eingefügt. Es geht hier unter anderem um die allegorische Vermählung Venedigs mit dem Herbst. Das Nahen des Bräutigams wird folgendermaßen beschrieben:

Er erschien auf einer Wolke sitzend, wie auf einem feurigen Wagen, den Saum seines Purpurmantels hinter sich schleifend, gebieterisch und sanft, zwischen den halbgeöffneten Lippen Waldesmurmeln und Waldesschweigen, die langen Haare um den starken Hals flatternd wie eine Mähne und mit nackter Titanenbrust [...].[20]

---

[18] Wörtlich beinahe übereinstimmend „spricht" im *Zauberberg* „spirit" Holger, der sich als Dichter ausweist, während seiner „ ,lirischen' Improvisation" von der „Enge des Stundenglases, des ernsten, gebrechlichen Geräts" (5.1, S. 1006).

[19] Bei dem Viergespann könnte es sich um ein in den Text übertragenes Bildzitat handeln, nämlich um die berühmte Quadriga aus vergoldeter Bronze – die einzige aus der Antike erhaltene – an der Hauptfassade der Markuskirche. Erst in den 60er Jahren des 20. Jahrhunderts wurde das antike Original (heute im Museum der Markuskirche) durch Kopien ersetzt; Thomas Mann sah also noch das Original des Viergespanns.

[20] Gabriele d'Annunzio: Feuer, S. 70.

Es ist das Stichwort „Stil" gefallen. Betrachtet man die beiden Werke aus einer stilistischen Perspektive, fällt nicht nur ein beiden gemeinsamer klassizistischer und ästhetizistischer Tonfall auf, der zudem häufig mythologische Motive begleitet, sondern auch gemeinsame Leitvorstellungen wie z. B. Feuer, Wasser, Asche[21] sowie Rot-, Gelb- und Grautöne und, besonders häufig, substantivierte Adjektive bzw. Verben zur Charakterisierung Aschenbachs und Effrenas. Erscheint dieser immer wieder als „Bilderreicher"[22], „Beleber" bzw. „Wecker"[23], „Seher"[24], und „Hellseher"[25], so Aschenbach als „Alternder"[26], „Einsamer"[27], „Schauender"[28], „Betrachtender"[29], „Betörter"[30], „Berückter"[31], „Heimgesuchter"[32]. Bei diesen substantivierten Adjektiven und Verben (häufig in Form des Partizip Präsens) handelt es sich im Falle Thomas Manns keineswegs um eine bloße stilistische Besonderheit, sondern sie erscheinen vielmehr für die Komposition der Novelle entscheidend: liest man die zur Charakterisierung Aschenbachs eingesetzten substantivierten Formen in ihrer Reihenfolge, bezeichnen sie stichwortartig und *in nuce* die Geschichte des Helden. Gleichzeitig stellen sie ein wichtiges, vom Erzähler eingesetztes ‚Korrektiv' dar, welches mit der bereits erwähnten Tendenz, diesen mit der Perspektive Aschenbachs zu ersetzen, kontrastiert. Besonders bedeutsam erscheint der wiederholte Gebrauch von „Einsamer" – das häufigste Epitheton überhaupt –, „Alternder", „Schauender" (ergänzt durch „Betrachtender") und, als vierte

---

[21] Obwohl im *Tod in Venedig* das Wort „Asche" kein einziges Mal vorkommt, ist es doch im Namen des Helden und in den dadurch evozierten Assoziationen von der ersten bis zur letzten Seite präsent. Im *Fuoco* hingegen ist der Gebrauch von „cenere" (Asche) äußerst häufig.

[22] ebd., S. 10, 57. Im Italienischen in beiden Fällen „imaginifico", ein Epitheton, das d'Annunzio bekanntlich häufig auf sich selbst anwandte.

[23] ebd., S. 19, 82, 266, 380.

[24] ebd., S. 271, 273.

[25] ebd., S. 272. Vgl. ebd., S. 273: „Er sah, er war hellsichtig. Alles um ihn her verschwand, und seine Vision blieb als einzige Realität."

[26] 2.1, S. 515, 545, 557, 572, 581. Zweimal als Adjektiv „der alternde Künstler" (S. 553) und „sein alternder Leib" (S. 585).

[27] ebd., S. 555, 570, 573, 574, 575, 577, 581. Weiters „des Einsam-Stummen" (S. 528) und „der Einsam-Wache" (S. 559).

[28] ebd., S. 530, 534, 592.

[29] ebd., S. 530, 552.

[30] ebd., S. 566, 569.

[31] ebd., S. 560, 586.

[32] ebd., S. 555, 584. Vgl. in diesem Zusammenhang „Heimsuchung" (S. 565, 578) sowie „heimgesucht" (S. 533, 581) und Anm. 33. – Siehe im weiteren „der Wartende" (S. 502), „den Reiselustigen" (S. 516), „des Ruhenden" (S. 520), „des Aufbrechenden" (S. 544), „der Reisende" (S. 545), „den Gequälten" (S. 546), „den Wiederkehrenden" (S. 547), „der Enthusiasmierte" (S. 554), „der Verliebte" (S. 565), „dem Abenteuernden" (S. 567), „der Verwirrte" (S. 567), „den Verirrten" (S. 572), „der Grauhaarige" (S. 576), „der Starrsinnige" (S. 577), „der Träumende" (S. 584), „dem Fiebernden" (S. 586), „dem Nachfolgenden" (S. 587), „dem Hinabgesunkenen" (S. 592).

der Charakterisierung des Helden dienende Kategorie, all jene Epitheta, die
sich ideell aus dem Thomas Manns gesamtes Werk durchziehenden Schlüsselbegriff der „Heimsuchung" herleiten wie „Betörter", „Berückter", „Verwirr-
ter", „Verirrter", „Fiebernder".[33]

Aschenbach hat aber nicht nur mit seinem Kollegen Stelio Effrena Vieles
gemeinsam, sondern auch mit Gabriele d'Annunzio selbst – und nicht nur
deshalb, weil Effrena ja bekanntlich und ausdrücklich ein Selbstportrait seines Autors ist. Einen aufschlussreichen zusätzlichen Hinweis liefert dazu eine
Gestalt, die im *Tod in Venedig* ausdrücklich genannt wird: die „Sebastian-Gestalt" wird aus einem keineswegs gleichgültigen Grund eingeführt, sondern
zur Erläuterung von Aschenbachs ästhetischem Ideal. Diese Gestalt, so heißt
es, sei „das schönste Sinnbild wenn nicht der Kunst überhaupt, so doch gewiß
der in Rede stehenden Kunst" (2.1, S. 511). Nun gibt es im *Fuoco* zwar keine
Sebastian-Gestalt – dafür aber wird genau zu der Zeit, in der Thomas Mann
1911 seinen Italienurlaub verbringt, am 22. Mai d'Annunzios von Debussy
vertontes und Léon Bakst inszeniertes, Maurice Barrès gewidmetes lyrisch-

---

[33] Vgl. dazu die Stelle aus *On myself*, wo Thomas Mann u. a. aus dem Kapitel „In Schlangen-
not" von *Joseph in Ägypten* zitiert: „Auf das durchgehende, mein Gesamtwerk gewissermaßen zusammenhaltende Grund-Motiv aber, das die Geschichte vom kleinen Herrn Friedemann
zuerst anschlägt, habe ich viele Jahrzehnte später, in dem ägyptischen Buche meiner Josephs-
geschichte einmal hingewiesen: ‚Wie geringfügig ist, verglichen mit der Zeitentiefe der Welt,
der Vergangenheitsdurchblick unseres eigenen Lebens! Und doch verliert sich unser auf das
Einzelpersönliche und Intime eingestelltes Auge ebenso träumerisch-schwimmend in seinen
Frühen und Fernen wie das großartiger gerichtete in denen des Menschheitslebens – gerührt von
der Wahrnehmung einer *Einheit*, die sich in diesem wiederholt. So wenig wie der Mensch selbst
vermögen wir bis zum Beginn unserer Tage, zu unserer Geburt, oder gar noch weiter zurück-
zudringen: sie liegt im Dunkel vorm ersten Morgengrauen des Bewußtseins und der Erinnerung
– im *kleinen* Durchblick sowie im *großen*. Aber beim Beginn unseres geistigen Handelns gleich,
da wir in das Kulturleben eintraten, wie einst die Menschheit es tat, unseren ersten zarten Beitrag dazu formend und spendend, stoßen wir auf eine Anteilnahme und Vorliebe, die uns jene
Einheit – und daß es *immer dasselbe* ist – zu heiterem Staunen empfinden und erkennen läßt: es
ist die Idee der *Heimsuchung*, des Einbruchs trunken zerstörender und vernichtender Mächte
in ein gefaßtes und mit allen seinen Hoffnungen auf Würde und ein bedingtes Glück der Fassung verschworenes Leben. Das Lied vom errungenen, scheinbar gesicherten Frieden und des
den treuen Kunstbau lachend hinfegenden Lebens; von Meisterschaft und Überwältigung, vom
Kommen des fremden Gottes war im Anfang, wie es in der Mitte war. Und in einer Lebensspäte,
die sich im menschheitlich Frühen sympathisch ergeht, finden wir uns zum Zeichen der Einheit
abermals zu jener alten Teilnahme angehalten.'
    Im Anfang, wie in der Mitte: Vom *Kleinen Herrn Friedemann* zum *Tod in Venedig*, der viel
späteren Erzählung vom Kommen des ‚fremden Gottes' spannt sich der Bogen; und was ist die
Leidenschaft von Potiphars Frau für den jungen Fremdling anderes als abermals der Einsturz,
der Zusammenbruch einer mühsam, aus Einsicht und Verzicht gewonnenen hochkultivierten
Haltung: die Niederlage der Zivilisation, der heulende Triumph der unterdrückten Triebwelt"
(XIII, S. 135 f.). – Vgl. zu diesem Schlüsselbegriff die ausführlichen Überlegungen und Nach-
weise bei Eckhard Heftrich: Geträumte Taten, a. a. O., besonders S. 112–117 und 243–245.

dramatisches Werk *Le martyre de Saint Sébastien* am Théâtre du Châtelet in Paris uraufgeführt.[34]. D'Annunzios Sebastian, ein adonishaft schöner Jüngling, widersteht allen Verlockungen und bietet in trunkener Todessehnsucht seinen Leib den Bogenschützen, unter deren Pfeilen er in masochistischer Ekstase stirbt. Die Aufführung wird zu einem Skandal und sorgt für internationale Schlagzeilen: die Titelrolle wird von einer Frau, der russischen Tänzerin Ida Rubinstein, interpretiert, und dies noch dazu halbnackt. Unmittelbar darauf wird Ende Mai 1911 d'Annunzios gesamtes Werk von der Kirche auf den Index gesetzt. Nicht genug: gleichzeitig wird der gesamte Besitz (Möbel, Bilder, Hunde und Pferde) der Villa Capponcina, d'Annunzios Wohnsitz in Settignano bei Florenz, öffentlich versteigert. Dies alles geschieht während Thomas Manns Venedig-Aufenthalt und sorgt für Schlagzeilen in der Tagespresse.

Der Sebastian-Verweis führt uns zum entscheidenden Punkt dieser vergleichenden Lektüre von d'Annunzios *Fuoco* und Manns *Tod in Venedig*: nämlich zum Vergleich der Ästhetik Effrenas mit jener Aschenbachs. Für den Künstler Effrena ist die Stadt Venedig ein Ort, der selbst, gewissermaßen aus sich heraus, Kunst produziert:

[...] gewiß lebt in der Stadt von Stein und Wasser wie in der Seele eines reinen Künstlers ein unwillkürliches und nie versiegendes Sehnen nach idealen Harmonieen. Eine Art rhythmischer und dichterischer Intelligenz, scheint sie eifrig mit den Darstellungen beschäftigt, wie um sie einem Gedanken entsprechend zu gestalten und sie einem ersonnenen Ende nahe zu bringen. Sie scheint Wunderkraft in den Händen zu besitzen, um ihre Lichter und ihre Schatten zu einem beständigen Werk der Schönheit zu bilden, und sie scheint zu träumen, während sie ihr Werk schmückt, und aus diesem Traum – aus dem die vielfältige Erbschaft der Jahrhunderte in verklärtem Lichte leuchtet – spinnt sie das Gewebe der unnachahmlichen Allegorien, das sie einhüllt.[35]

---

[34] Nach einem Aufenthalt in Brioni, wo ihn am 18. Mai die Nachricht vom Tod Gustav Mahlers erreicht hatte, bleibt Thomas Mann vom 26. Mai bis zum 2. Juni in Venedig. – *Le martyre de Saint Sébastien*, d'Annunzios erstes während seines Frankreich-Aufenthalts (1910–1915) entstandenes Werk (die Niederschrift fällt in die Zeit vom Sommer 1910 bis März 1911), ist den mittelalterlichen Mysterienspielen verpflichtet. Es ist in einer sich großteils aus dem Altfranzösischen speisenden Sprache und in Alexandrinern verfasst. D'Annunzios ausgeprägtes Interesse für die Sebastian-Gestalt wird u. a. auch von Ida Rubinstein bestätigt, die sich an ihre erste Begegnung mit dem Dichter erinnert: „Er hatte sich in Arcachon niedergelassen, um sein *Mysterium* zu vollenden. [...] Sein Haus hatte er nach dem heiligen Dominikus benannt. Doch kaum hatte man die Schwelle überschritten, fand man sich inmitten der Reproduktionen aller heiligen Sebastiane die im Lauf der Jahrhunderte gemalt, gezeichnet oder gemeißelt worden sind. Stieg man die Treppe hoch, entdeckte man auf jeder Stufe den von Pfeilen durchbohrten Märtyrer" (zit. nach Annamaria Andreoli: Il vivere inimitabile. Vita di Gabriele d'Annunzio, Mailand: Mondadori 2000, S. 465. Übersetzung d. Verf.).

[35] Gabriele d'Annunzio, Feuer, S. 65 f. Vgl. dazu folgende Stelle im *Tod in Venedig*: „So dachte der Enthusiasmierte; so vermochte er zu empfinden. Und aus Meerrausch und Sonnenglast

In Stelio Effrenas Ausführungen wirkt die Stadt aber auch als ein künstlerisches Stimulans, welches zu immer neuen künstlerischen Schöpfungen anregt:

> Wahrlich, ich kenne keinen andern Ort der Welt [...] wo ein starker und ehrgeiziger Geist besser die Thatkraft seines Intellekts anregen und alles Drängen seines Wesens nach dem Höchsten bethätigen könnte, als auf diesem regungslosen Wasser. Ich kenne keinen Sumpf, der imstande wäre, in den menschlichen Pulsen ein heftigeres Fieber zu erzeugen, als jenes, das uns zuweilen plötzlich im Schatten eines schweigsamen Kanals überfällt.[36]

Die Erneuerung der Kunst, von der im Roman immer wieder die Rede ist, erwartet sich Effrena von einer programmatisch geforderten Wiederbelebung des Mythos: „Der Mythos müßte sich erneuern, [...] damit wir die neue Kunst schaffen könnten".[37] Als die dieser neuen Kunst angemessenste Ausdrucksform erscheint die Tragödie, der jedoch „eine neue Form" zu geben sei.[38] Diese wird angedeutet in der Vorstellung einer „dionysischen Dreieinigkeit", welche auf der Bühne in den Gestalten der Tragödin, der Sängerin und der Tänzerin erscheinen soll.[39] Die sich ganz klar an Nietzsche und Wagner anlehnende Ästhetik wird ins Nationalistische umgebogen, wenn in Effrenas Phantasien immer wieder die Vorstellung auftaucht, ein römisches Bayreuth auf dem Gianicolo zu schaffen.

Im Roman geht es aber mehr als um die endgültige Manifestation des neuen Kunstwerks um dessen Genese. Und diese vollzieht sich in Bildern und Musik. Die Synästhesie verdankt sich dem Ort des Geschehens: „Wie man in Venedig nur Musik empfinden kann", stellt Effrena fest, „so kann man nur Bilder denken".[40] Auch Aschenbach macht am Lido eine synästhetische Erfahrung. Dies geschieht, als er zum ersten Mal Tadzio am Strand sieht:

spann sich ihm ein reizendes Bild. Es war die Platane unfern den Mauern Athens [...]" (2.1, S. 554). Auch hier ein aus einer Traumdimension hervorgehendes, dem Subjekt unbewusstes künstlerisches Schaffen, das „die vielfältige Erbschaft der Jahrhunderte in verklärtem Licht" geradezu zum Gegenstand hat.

[36] Gabriele d'Annunzio, Feuer, S. 88f. Vgl. auch gleich am Eingang des Romans den Dialog zwischen Effrena und Foscarina/Perdita, der wie ein Motto am Anfang der Geschichte Aschenbachs stehen könnte: „„Kennen Sie, Perdita – fragte Stelio plötzlich – kennen Sie irgend einen anderen Ort der Welt, der zu gewissen Stunden imstande ist, die menschliche Lebenskraft anzuregen und alle Wünsche bis zum Fieber zu steigern, wie Venedig? Kennen Sie eine gewaltigere Verführerin?'" (ebd., S. 6) – Zu Venedig als Décadence-Topos vgl. Roger Bauer: Die schöne Décadence. Geschichte eines literarischen Paradoxons, Frankfurt/Main: Klostermann 2001, S. 179–218 und Hellmuth Petriconi: Das Reich des Untergangs. Bemerkungen über ein mythologisches Thema, Hamburg: Hoffmann und Campe 1958, S. 67–95.

[37] ebd., S. 254.
[38] ebd., S. 256.
[39] ebd., S. 377.
[40] ebd., S. 11.

Tadzio badete. Aschenbach, der ihn aus den Augen verloren hatte, entdeckte seinen Kopf, seinen Arm, mit dem er rudernd ausholte, weit draußen im Meer. [...] Er kehrte zurück, er lief, das widerstrebende Wasser mit den Beinen zu Schaum schlagend, hintübergeworfenen Kopfes durch die Flut; und zu sehen, wie die lebendige Gestalt, vormännlich hold und herb, mit triefenden Locken und schön wie ein zarter Gott, herkommend aus den Tiefen von Himmel und Meer, dem Elemente entstieg und entrann: dieser Anblick gab mythische Vorstellungen ein, er war wie Dichterkunde von anfänglichen Zeiten, vom Ursprung der Form und von der Geburt der Götter. Aschenbach lauschte mit geschlossenen Augen auf diesen in seinem Innern antönenden Gesang [...] (2.1, S. 539f.).

Hier, im Konzentrat aus klassischem Mythos und Plastik, setzt die mythisch überhöhte Wahrnehmung Tadzios ein. Tadzio, Bild und Melodie in einem, wird bekanntlich ausschließlich aus der Perspektive Aschenbachs dargestellt. Die Synästhesie kennzeichnet auch Stelio Effrenas dichterische Visionen – genau genommen deren drei –, die alle durch bildliche und akustische Wahrnehmung bestimmt sind.

Er sah eine Landschaft, die von dem trockenen, weißen Bette eines alten Stromes durchfurcht [...] war, an einem ungewöhnlich ruhigen und reinen Abend. Er sah ein verhängnisschweres, unausgesetztes, goldenes Blitzen, ein Grab voll von Leichen, [...] Cassandras Leiche, zwischen den Totenurnen bekränzt. Eine Stimme sprach: ‚Wie weich und locker ist ihre Asche!'[41]

Das Grundmotiv der Melodie war ihm aufgegangen, war jetzt sein eigen, unvergänglich zu eigen ihm und der Welt. [...] Bilder ferner Länder, über denen weite Himmel sich wölbten, tauchten vor seinem Geiste auf: Vorstellungen von Sand, von Bäumen, von Wassern und von Staub an sturmgepeitschten Tagen. [...]. Immer neue Bilder drängten sich.[42]

Der Kontext verstärkt die dichterische Vision. Kurz vorher steht Effrena vor San Marco: „Im letzten Abendscheine erglänzte schimmernd die goldene Basilika wie in einer Aureole". Er betrachtet „die Kreuze auf den Kuppeln" und liest unterhalb des Mosaiks der Auferstehung an der Hauptfassade eine lateinische Bogeninschrift: „En verus Fortis Qui Fregit Vincula Mortis".[43]

---

[41] ebd., S. 240.
[42] ebd., S. 259f.
[43] ebd., S. 252. „Sieh da! Ein wahrhaft Starker, der die Fesseln des Todes überwunden hat". Im oberen Gebäudesegment der Hauptfassade von San Marco befinden sich links und rechts vom Hauptportal insgesamt vier Lünetten, in welchen die Kreuzabnahme, der Abstieg ins Fegefeuer, die Auferstehung (dritte von links) und die Glorie des auferstandenen Jesus dargestellt sind. Die Mosaiken wurden in den Jahren 1617–1618 von Luigi Gaetano nach Kartonen von Maffeo da Verona ausgeführt. Die vollständige Inschrift auf der von d'Annunzio zitierten Lünette lautet: „Crimina qui purgo triduo de morte resurgo et mecum multi dudum rediere sepolti – En verus fortis qui fregit vincula mortis".

Unmittelbar darauf fällt ihm Richard Wagner ein, der „gerade in Venedig"
„sein erstes Zwiegespräch mit dem Tode hatte, vor mehr als zwanzig Jahren,
in der Zeit des *Tristan*. Von einer verzweifelten Leidenschaft aufgerieben, kam
er nach Venedig, um hier schweigend zu sterben; und hier komponierte er
diesen verzückten zweiten Akt, der ein Hymnus an die ewige Nacht ist."[44]
Daraufhin manifestiert sich ihm das Grundmotiv in der Vision der fernen
Länder – und dann heißt es: „Dicht an einem Pfeiler bemerkte er den Schatten
eines Mannes".[45]

Die ganze Szene mutet irgendwie bekannt an. Denn die im letzten Abend-
schein glänzende Basilika mit der Darstellung der Auferstehung und der
Inschrift erscheint, nur leicht abgewandelt, in der Beschreibung von Aschenbachs Erlebnis am Nördlichen Friedhof in München:

[...] das byzantinische Bauwerk der Aussegnungshalle lag schweigend im Abglanz
des scheidenden Tages. Ihre Stirnseite, mit griechischen Kreuzen und hieratischen
Schildereien in lichten Farben geschmückt, weist überdies symmetrisch angeordnete
Inschriften in Goldlettern auf, ausgewählte, das jenseitige Leben betreffende Schrift-
worte, wie etwa: ‚Sie gehen ein in die Wohnung Gottes' oder: ‚Das ewige Licht leuchte
ihnen'; und der Wartende hatte während einiger Minuten eine ernste Zerstreuung
darin gefunden, die Formeln abzulesen und sein geistiges Auge in ihrer durchschei-
nenden Mystik sich verlieren zu lassen [...] (2.1, S. 502).

Aschenbach nimmt im Portikus einen mit gekreuzten Füßen dastehen-
den Mann wahr[46] und unmittelbar darauf wird er von jener merkwürdigen

---

[44] ebd. Auch Effrenas dritte Vision steht in einem Kontext, in dem der Tod dominiert: „Sie
betraten den Campo di San Cassiano, der einsam an dem bleiernen Wasser lag [...]. Ein violetter
Schatten schien aus dem fieberdunstigen Wasser aufzusteigen und sich wie ein todbringender
Hauch in der Luft auszubreiten. Der Tod schien seit unvordenklichen Zeiten von diesem Ort
Besitz ergriffen zu haben. [...] Aber all diese Erscheinungen erfuhren im Gehirn des Dichters
phantastische Umwandlungen. Er sah vor sich eine einsame und wilde Stelle in der Nähe der
Gräber von Mykenä [...]. [...] Das Wasser des Perseusquells, aus den Felsen hervorsprudelnd,
sammelte sich in einem muschelartigen Becken, dem es entfloß, um sich in den steinigen Abgrün-
den zu verlieren. Dicht am Ufersaum lag am Fuße eines Gesträuches der Leichnam des Opfers
auf dem Rücken ausgestreckt, starr und weiß. In dem Todesschweigen hörte man das Rauschen
des Wassers und das Wehen des Windes in den Myrten, die sich neigten ..." (ebd., S. 264 f.). Auffallend erscheint die Übereinstimmung des Schauplatzes dieser Vision mit jenem einer weiteren
Vision Aschenbachs, der im IV. Kapitel bekanntlich Sokrates und Phaidros „unfern den Mauern
Athens" sieht und hört (2.1, S. 554 f.).

[45] Gabriele d'Annunzio: Feuer, S. 260.

[46] Diese spezifische Position, im V. Kapitel auch von Tadzio eingenommen und bekanntlich im *Zauberberg* als eine hervorstechende physische Eigenschaft Settembrinis wiederkeh-
rend, wurde von der Forschung mit Lessings *Wie die Alten den Tod gebildet* und mit einer für
Hermes-Mercurius angeblich typischen Körperhaltung in Verbindung gebracht. Zweifelsohne
sind einige der Requisiten des Fremden hermetischer Herkunft: der „breit und gerade geran-
dete Basthut" (2.1, S. 503) als *petasus*, der „landesübliche Rucksack" (ebd.) als *marsuppium*, der

Unruhe ergriffen, die seine „Begierde sehend" und seine „Einbildungskraft" schaffend werden lässt: das Objekt seiner dichterischen Vision ist – auch hier – eine ferne Landschaft.

> [...] er sah, sah eine Landschaft, ein tropisches Sumpfgebiet unter dickdunstigem Himmel, feucht, üppig und ungeheuer, eine Art Urwaldwildnis aus Inseln, Morästen und Schlamm führenden Wasserarmen, – sah aus geilem Farrengewucher, aus Gründen von fettem, gequollenem und abenteuerlich blühendem Pflanzenwerk haarige Palmenschäfte nah und ferne emporstreben, sah wunderlich ungestalte Bäume ihre Wurzeln durch die Luft in den Boden, in stockende, grünschattig spiegelnde Fluten versenken, wo zwischen schwimmenden Blumen, die milchweiß und groß wie Schüsseln waren, Vögel von fremder Art, hochschultrig, mit unförmigen Schnäbeln, im Seichten standen und unbeweglich zur Seite blickten, sah zwischen den knotigen Rohrstämmen des Bambusdickichts die Lichter eines kauernden Tigers funkeln – und fühlte sein Herz pochen vor Entsetzen und rätselhaftem Verlangen (2.1, S. 504).

Der visionäre Charakter der ganzen Stelle wird, ähnlich wie im Fall Effrenas, durch fünfmaliges Wiederholen des Verbs „sah" unterstrichen.[47] Sowohl

---

„graue Wetterkragen" (ebd.) als *chlamys* und der „mit eiserner Spitze versehene Stock" (ebd.) als *caduceum*. Diese für die Darstellung von Hermes-Mercurius typischen Kennzeichen kannte Thomas Mann großteils bereits seit seiner Kindheit aus Nösselts Mythologie-Buch (vgl. Friedrich Nösselt: Lehrbuch der griechischen und römischen Mythologie für höhere Töchterschulen und die Gebildeten des weiblichen Geschlechts. Fünfte verbesserte Auflage, Leipzig: Fleischer 1865, S. 143–145). Was hingegen die gekreuzten Füße betrifft, so kann diese Haltung nicht als für diese Gottheit typisch gelten, zumindest nicht, wenn man die Textquellen befragt. Um die Haltung dennoch als hermetisches Requisit erkennen zu können, muss auf eine Bildquelle rekurriert werden, wobei festzuhalten ist, dass gekreuzte Hermes-Füße auch in den bildlichen Darstellungen nicht häufig vorkommen, sondern sich vielmehr auf einen ganz bestimmten künstlerischen und kulturellen Kontext beschränken, nämlich auf die Renaissance. Der den Mercurius-Darstellungen der Renaissance gemeinsame Bezugspunkt scheint eine im Ersten Korridor der Uffizien ausgestellte Marmorskulptur zu sein (seit 1597 Teil der Sammlung), benannt „Satyr" doch allgemein als Mercurius geltend, eine römische Kopie (2.-3. Jh. n. Chr.) des griechischen Bronzeoriginals aus der zweiten Hälfte des 2. Jahrhunderts v. Chr. Zu Mercurius in der Kunst der Renaissance siehe Luba Freedman: The Revival of the Olympian Gods in Renaissance Art. Cambridge Univ. Press 2003, S. 156–160. – Die Bedeutung der Renaissance für das Werk Thomas Manns wurde bisher unzulänglich erkannt. Jenseits der Tatsache, dass sie ein weiteres Element in Manns Auseinandersetzung mit d'Annunzio darstellt, muss die Renaissance als für sein Denken und Werk grundlegender Aspekt gelten, der auf literarischer Ebene im Drama *Fiorenza* Ausdruck findet. Die für die Ausführung des Dramas notwendigen vertieften Studien vor Ort führen Thomas Mann im Frühjahr 1901 für drei Wochen nach Florenz. Die Briefe bezeugen, mit welchem Interesse und welcher Begeisterung er die Kunstdenkmäler und Museen der Stadt besichtigt hat (siehe Brief an Paul Ehrenberg vom 26.05.1901 und an Otto Grautoff vom 06.11.1901, in 21, S. 168 und 175).

[47] Es ist nicht ausgeschlossen, dass die Stelle über ihren Visionscharakter hinaus in der zeitgenössischen Malerei eine konkrete Vorlage hat. Und es ist mehr als wahrscheinlich, daß bereits der junge Thomas Mann – auch durch Paul Ehrenberg – zu den Münchner Künstlerkreisen Kontakt hatte; zudem kann ihm eines der wichtigsten Ereignisse, das genau zur Zeit seiner

Aschenbachs als auch Effrenas dichterischer Vision geht eine Reflexion über den Tod voraus. Auch im Falle Wagners erscheint (in Effrenas Vorstellung) die künstlerische Schöpfung (der zweite Akt von *Tristan*) als unmittelbare Folge seines ersten „Zwiegesprächs mit dem Tod". Bei Effrena und Wagner gibt es ein über die reine Vision hinausreichendes konkretes künstlerisches Resultat, ein Kunstwerk.

Und im Fall Aschenbachs? Er geht nach Venedig – in die Stadt, in der man laut Effrena „nur Musik empfinden" und „nur Bilder denken" kann. Und Bilder „denkt" er hier – vom III. bis zum V. Kapitel – viele, ja er tut geradezu nichts anderes als immer neue Bilder schaffen, sobald er am Lido ist. Im III. Kapitel – Aschenbach ist soeben angekommen und blickt durch das Fenster seines Hotelzimmers aufs Meer – gibt der Erzähler einen wichtigen Hinweis:

Die Beobachtungen und Begegnisse des Einsam-Stummen sind zugleich verschwommener und eindringlicher, als die des Geselligen, seine Gedanken schwerer, wunderlicher und nie ohne einen Anflug von Traurigkeit. Bilder und Wahrnehmungen, die mit einem Blick, einem Lachen, einem Urteilsaustausch leichthin abzutun wären, beschäftigen ihn über Gebühr, vertiefen sich im Schweigen, werden bedeutsam, Erlebnis, Abenteuer, Gefühl. Einsamkeit zeitigt das Originale, das gewagt und befremdend Schöne, das Gedicht. Einsamkeit zeitigt aber auch das Verkehrte, das Unverhältnismäßige, das Absurde und Unerlaubte (2.1, S. 528).

Hier wird nicht nur eine Poetik der „Bilder und Wahrnehmungen" gegeben, die mit dem Zustand der Einsamkeit zutiefst zusammenhängt, sondern auch ausdrücklich gesagt, dass eben dieser Zustand die Voraussetzung sei für das Entstehen eines Kunstwerks – des „Gedichts". Wenn man bedenkt, dass von allen Apostrophierungen Aschenbachs jene des „Einsamen" die am häufigsten zu seiner Charakterisierung angewandte ist – gefolgt von der des „Beobachters" bzw. „Schauenden" – so wird klar, dass hier noch ein Drittes vermittelt

Arbeit am *Tod in Venedig* auf dem Gebiet der Malerei stattfindet, nicht entgangen sein: die erste Ausstellung des Blauen Reiter in der „Modernen Galerie Heinrich Tannhauser" in München vom 19. Dezember 1911 bis zum 3. Januar 1912. Wassily Kandinsky und Franz Marc hatten beschlossen, bei dieser Gelegenheit erstmals in Deutschland ein Bild von Henri Rousseau le Douanier (1844–1910) auszustellen. Bereits damals war Rousseau für seine exotischen Urwaldbilder berühmt, welche in den ersten Jahren des 20. Jahrhunderts wiederholt in Paris ausgestellt worden waren, z. B. „Le lion ayant faim se jette sur l'antilope" (1905), „Charmeuse des serpents" (1907), „Les Flamants" (1907), „Le Rêve" (1910). Das Bild „Les Flamants" stellt eine Flusslandschaft vor dem Hintergrund einer dichten Vegetation dar, weiße Seerosen schwimmen auf dem Wasser – und „Vögel von fremder Art, hochschultrig, mit unförmigen Schnäbeln" stehen „im Seichten" und blicken „unbeweglich zur Seite": Aschenbachs Vision scheint ein Bildzitat zugrunde zu liegen. – Zu den exotischen Landschaften bei Henri Rousseau siehe Cornelia Stabenow: Die Urwaldbilder des Henri Rousseau, Phil. Diss. München 1980 und dies.: Henri Rousseau. Die Dschungelbilder, München: Schirmer-Mosel 1984.

wird: die programmatische Ankündigung eines aus diesen Entstehungs-
bedingungen hervorgegangenen Gedichts, welches denn auch wenig später
an der bereits zitierten Stelle, die Tadzio den Fluten entsteigend beschreibt,
als ein in Aschenbachs „Innern antönender Gesang" (2.1, S. 540) in genauer
Entsprechung erwähnt wird. Dieser dichterische „Gesang" stellt gleichzeitig
einen sowohl rückwärts als vorwärts gerichteten Verweis dar; er war bereits
an einer Stelle aufgetaucht, die sich bekanntlich auf Platen bezieht: während
sich Aschenbach vom Meer her Venedig nähert, gedenkt er „des schwermü-
tig-enthusiastischen Dichters, dem vormals die Kuppeln und Glockentürme
seines Traumes aus diesen Fluten gestiegen waren" und wiederholt „im stillen
einiges von dem, was damals an Ehrfurcht, Glück und Trauer zu maßvollem
Gesange geworden" (2.1, S. 521). Tadzio entsteigt für Aschenbach „dem Elemente" (2.1, S. 539) ganz so wie seinerzeit Venedig für Platen – und in beiden
Fällen wird das Entstiegene zum Kunstwerk, zum Gedicht.

Der in Aschenbachs „Innern antönende Gesang" verweist aber auch nach
vorwärts und ist das konzeptionelle Bindeglied, welches Ende des III. und
Anfang des IV. Kapitels unmittelbar miteinander verknüpft. Wie bereits bei seiner ersten Ankunft im Hotel, befindet sich Aschenbach nach der missglückten
Abreise erneut vor seinem Zimmerfenster und blickt hinaus; er entdeckt Tadzio
und erkennt, dass ihm um seinetwillen der Abschied so schwer gefallen war:

Er saß ganz still, ganz ungesehen, an seinem hohen Platze und blickte in sich hinein.
[…] Dann hob er den Kopf und beschrieb mit beiden schlaff über die Lehne des Sessels
hinabhängenden Armen eine langsam drehende und hebende Bewegung […]. Es war
eine bereitwillig willkommen heißende, gelassen aufnehmende Gebärde.

[Viertes Kapitel]
Nun lenkte Tag für Tag der Gott mit den hitzigen Wangen […] (2.1, S. 548 f.).

Am Übergang zum IV. Kapitel befindet sich Aschenbach demnach genau in
der bereits anlässlich seiner ersten Ankunft am Lido beschriebenen Situation des „Einsam-Stummen", welche, wie gezeigt, Voraussetzung ist für alles
Ästhetisch-Kreative. Dass sich dieses bereits vorbereitet und nun dabei ist,
durchzubrechen, zeigt sich, wenn man das „Dann" am Ende des III. Kapitels
mit dem „Nun" am Anfang des IV. miteinander verknüpft liest: das „Nun"
erweist sich nämlich in diesem Fall als unmittelbare Folge jener Gebärde, die
das, was kommt, „bereitwillig willkommen" heißt und einleitet. Und was
kommt, ist tatsächlich ein Gedicht – ein Gesang.

*Nun lenkte Tag für Tag der Gott mit den hitzigen Wangen*
nackend sein gluthauchendes Viergespann durch die Räume des Himmels,
*und sein gelbes Gelock flatterte im zugleich ausstürmenden*

*Ostwind. Weißlich seidiger Glanz lag auf den Weiten*
des träge wallenden Pontos (2.1, S. 549).

Nicht nur Ton und Wortwahl haben sich im Vergleich zum Bisherigen deutlich geändert. Der Prosarhythmus geht hier ganz klar in einen hexametrischen (zur besseren Kennzeichnung, auch im Folgenden, in kursiv gesetzt) über.[48] Bereits im III. Kapitel war ein Hexameter aufgetaucht: da sieht Aschenbach Tadzio und seine Familie am ersten Abend seines Aufenthalts in Venedig, wobei er nicht nur „mit Erstaunen" bemerkt, „daß der Knabe vollkommen schön war", sondern von ihm auch sogleich an „griechische Bildwerke aus edelster Zeit" erinnert wird (2.1, S. 529f.). Schon am darauf folgenden Morgen spricht ihn Aschenbach in Gedanken mit „kleiner Phäake" an, und rezitiert dann „bei sich selbst den Vers: ‚*Oft veränderten Schmuck und warme Bäder und Ruhe*'" (2.1, S. 534). Aschenbachs Assoziationen verlaufen sowohl auf bildlicher als auch auf literarischer Ebene konsequent: kommen ihm am Abend griechische Bildwerke in den Sinn, so denkt er am folgenden Morgen an Homers *Odyssee*. Der zitierte Hexametervers findet sich im achten Gesang

---

[48]  Im Herbst 1918, als er sich mit dem Plan zu einer in Hexametern verfassten Verserzählung trägt, vermerkt Thomas Mann am 27. Oktober 1918 im Tagebuch die „längst hervorgetretene Neigung zum Daktylus und Hexameter, [...] der im ‚T. i. V.' unverhüllt auftrat" (Tb, 27.10.1918, S. 47). Der Plan kommt bekanntlich in der 1919 veröffentlichten Idylle *Gesang vom Kindchen* zur Ausführung. Im „Vorsatz" findet sich die in unserem Zusammenhang wichtige Stelle:
„Weißt du noch? Höherer Rausch, ein außerordentlich Fühlen
Kam auch wohl über dich einmal und warf dich danieder,
Daß du lagst, die Stirn in den Händen. Hymnisch erhob sich
Da deine Seele, es drängte der ringende Geist zum Gesange
Unter Tränen sich hin. Doch leider blieb alles beim alten.
Denn ein versachlichend Mühen begann da, ein kältend Bemeistern, –
Siehe, es ward dir das trunkene Lied zur sittlichen Fabel.
[...]
Einen Silbenfall weiß ich, – es liebten ihn Griechen und Deutsche, –
Mäßigen Sinnes ist er, betrachtsam, heiter und rechtlich;
Zwischen Gesang und verständigem Wort hält er wohlig die Mitte,
Festlich und nüchtern zugleich. Die Leidenschaften zu malen,
Innere Dinge zu scheiden, spitzfindig, taugt er nicht eben.
Aber die äußere Welt, die besonnte, in sinnlicher Anmut
Abzuspiegeln in seinem Gekräusel, ist recht er geschaffen.
Plauderhaft gibt er sich gern und schweift zur Seite. [...]
Frühe fiel er ins Ohr mir, auf deutsch, übertragenerweise,
Als der Knabe den Sinn sich erhöht an den Kämpfen Kronions
Statt an Indianergeschichten. Die Weise blieb mir geläufig
Immer seitdem; sie geht mir bequem von der Lippe; und manchmal
– Ihr merket's schwerlich – schlich sie sich ein in meine Erzählung,
Wandelnd den ungebundenen Trott zum Reigen der Verse" (VIII, S. 1069f.).
Vgl. auch ebd., S. 1087f., wo Venedig als zweite Vaterstadt besungen wird.

(Vers 249).[49] Damit ist die Art der Wahrnehmung und der daraus folgenden Darstellung Tadzios durch Aschenbach von Anfang an eindeutig vorgegeben: Tadzio erfährt keine realistische Beschreibung, sondern eine idealistisch überhöhte, die am griechisch-klassischen Kanon orientiert ist, zumal Tadzio ja ausschließlich aus der Perspektive Aschenbachs dargestellt wird. Der Erzähler schweigt sich aus über Tadzio. Aschenbach ist es, der Schritt für Schritt das Bild – *sein* Bild – Tadzios formt und beschreibt, Seite um Seite das klassisch-apollinische Kunstwerk Tadzio in und aus seiner Vorstellung schafft. Welch vorherrschende Rolle dabei das Formbewusstsein spielt, zeigt sich auf zweifa-

---

[49] Die betreffende Stelle lautet:
„Aber die trefflichsten Läufer sind wir, und die trefflichsten Schiffer,
Lieben nur immer den Schmaus, den Reigentanz, und die Laute,
Oft veränderten Schmuck, und warme Bäder, und Ruhe."
Die intertextuellen Bezüge zur *Odyssee* sind ein wesentlicher Bestandteil des klassizistischen Tons der Novelle und kommen sowohl auf der stilistischen (Wortwahl und Hexameter) als auf der inhaltlichen Ebene zur Geltung: ausdrücklich werden die Phäaken (achter Gesang), die Elysischen Fluren (vierter Gesang), Eos und der von ihr entführte Orion (fünfter Gesang) erwähnt. Auch wird, zumindest in einem Fall, eine ganze Textpassage übernommen (vgl. Anm. 54). Daneben muss aber auch die Vermittlung Homers durch Erwin Rohdes *Psyche* beachtet werden; im Abschnitt „Entrückung. Inseln der Seligen" geht Rohde auf die drei erwähnten thematischen Elemente ein. Von Bedeutung erscheint in diesem Zusammenhang der Hinweis Rohdes, die Phäaken würden (dem Autor nach allerdings zu Unrecht) mitunter als „ein Volk von Todtenschiffern" gelten (Erwin Rohde: Psyche. Seelencult und Unsterblichkeitsglaube der Griechen, Bd. I, Darmstadt: Wissenschaftliche Buchgesellschaft 1974, S. 68–84, Zitat S. 83). Aufgrund dieser Quelle erweist sich Tadzio also bereits bei seinem allerersten Auftreten als der Totenführer und „liebliche Psychagog", als den ihn Aschenbach unmittelbar vor seinem Tod wahrnimmt. – Auch Jacob Burckhardt geht in seiner *Griechischen Kulturgeschichte* – bekanntlich eine weitere von Thomas Mann benutzte Quelle – auf die Phäaken ein: „Ganz besonders deutlich aber erscheint das Glück der Phäaken. Sie sind den Göttern nahe und von ihnen geliebt und besucht, in ewigem Überfluß, unter ewig mildem Himmel. Sie sind die freundlichen Fährleute für verschlagene Schiffer" (Jacob Burckhardt: Griechische Kulturgeschichte, Bd. III, München: Deutscher Taschenbuch Verlag 1977, S. 88). Wenn aber Aschenbach Tadzio bereits bei seinem ersten Auftreten als Phäaken wahrnimmt, so bedeutet dies möglicherweise nicht nur eine mythologische Travestie des jungen Polen. Der achte Gesang der *Odyssee* hat eine ganz spezifische textkompositorische Funktion: „Diese ganze Phäakenexistenz ist aber wohl nur deshalb so golden und breit ausgemalt, damit Odysseus seine Geschichte erzähle; sie ist der Rahmen um die große, vom IX. bis XII. Buch reichende Episode, in der *er* die Schicksale darstellen muß, die früher ohne allen Zweifel der Sänger berichtet hatte" (ebd., S. 79), kommentiert Burckhardt und weist somit dem Phäaken-Teil eine für das Gesamtepos entscheidende kompositorische Rahmenfunktion zu: die Geschichte der Phäaken ist der Rahmen für die im neunten Gesang einsetzende Erzählung des Helden selbst. Dazu kommt, dass sich im achten Gesang drei Erzähleinlagen des Sängers Demodokos eingeschoben finden: zwei beziehen sich auf den Trojanischen Krieg, eine weitere berichtet die Geschichte von Ares und Aphrodite. Gerade der achte Gesang ist also durch eine komplexe Erzählsituation – der Autor lässt gleich zwei seiner Figuren zu Erzählern werden – gekennzeichnet. Demnach ist es nicht auszuschließen, dass der Verweis auf den achten Gesang, so wie er sich im *Tod in Venedig* findet, auch mit dessen eigener narrativen Komplexität in Zusammenhang steht.

cher Ebene. Zum einen wird Tadzio vorwiegend als Statue beschrieben, zum andern wird die Sprache formal an den Gegenstand angepasst: wiederholt geht die ohnehin bereits stark rhythmische Prosa in einen hexametrischen Rhythmus über. Verschiedentlich setzt der dem apollinischen Kanon verpflichtete Aschenbach dazu an, Tadzio – gewissermaßen vor den Augen und Ohren des Lesers – als Bildwerk in ein Hexameter-Epos zu übersetzen.

Unmittelbar nachdem er bei sich den Vers aus der *Odyssee* zitiert hat, beschreibt Aschenbach den Knaben ausführlich. Dabei treten die angeführten Merkmale der Darstellung – Rekurs auf Plastik und Hexameter – klar zutage. Auf dem Kragen von Tadzios Anzug

*ruhte die Blüte des Hauptes in unvergleichlichem Liebreiz,*
– das Haupt des Eros, vom gelblichen Schmelze parischen Marmors, mit feinen und ernsten Brauen, Schläfen und Ohr vom rechtwinklig einspringenden Geringel des Haares dunkel und weich bedeckt (2.1, S. 534 f.).

Im weiteren tauchen mit dem Erscheinen Tadzios im IV. Kapitel konsequent immer wieder Hexameterrhythmen auf:

*Er sah ihn kommen, von links, am Rande des Meeres daher*
*sah ihn von rückwärts zwischen den Hütten hervortreten oder*
*fand auch wohl plötzlich, und nicht ohne ein frohes Erschrecken,*
daß er sein Kommen versäumt und daß er schon da war, [...] (2.1, S. 551).

*Standbild und Spiegel! Seine Augen umfaßten die edle Gestalt*
*dort am Rande des Blauen, und in aufschwärmendem Entzücken*
*glaubte er mit diesem Blick das Schöne selbst zu begreifen,*
*die Form als Gottesgedanken, die eine und reine Vollkommenheit,*
die im Geiste lebt und von der ein menschliches Abbild und Gleichnis hier leicht und hold zur Anbetung aufgerichtet war (2.1, S. 553).

Sonne und Seeluft verbrannten ihn nicht, seine Haut war marmorhaft
*gelblich geblieben wie zu Beginn; doch schien er blässer* (2.1, S. 562).

Doch nicht nur die Gestaltung Tadzios leitet sich von der klassischen Ästhetik her. Auch die Wahrnehmung und Beschreibung der Aschenbach umgebenden Wirklichkeit unterliegen einer Umsetzung ins Griechisch-Klassische, und der Alltag wird mythologisch überhöht.[50] Diese Umformung wird auf sprachlicher Ebene von einer ins Hymnische überfließenden Prosa begleitet, in die sich wiederholt Hexameterrhythmen eingeschoben finden:

---

[50] Erstes Auftauchen dieser Art der Wahrnehmung natürlich bereits im Kontext der Gondelfahrt.

Aber köstlich war auch der Abend, wenn die Pflanzen des Parks balsamisch dufteten, die Gestirne droben ihren Reigen schritten und das Murmeln des umnachteten Meeres, leise heraufdringend, die Seele besprach (2.1, S. 549).

*Manchmal vormittags, unter dem Schattentuch seiner Hütte,*
*hinträumend über die Bläue des Südmeers, oder bei lauer*
Nacht auch wohl, gelehnt in die Kissen der Gondel, die ihn vom Markusplatz, wo er sich lange verweilt,
*unter dem groß gestirnten Himmel heimwärts zum Lido*
führte – und die bunten Lichter,
*die schmelzenden Klänge der Serenade blieben zurück –* […] (2.1, S. 550).

*Noch lagen Himmel, Erde und Meer in geisterhaft glasiger*
*Dämmerblässe; noch schwamm ein vergehender Stern […]. […]*
*Ein Rosenstreuen begann da am Rande der Welt, ein unsäglich*
*holdes Scheinen und Blühen, kindliche Wolken, verklärt,*
*[…] lautlos, mit göttlicher Übergewalt*
*wälzten sich Glut und Brunst und lodernde Flammen herauf* […] (2.1, S. 558 f.).

In der Beschreibung des Sonnenaufgangs rekurriert der dem griechisch-klassischen Kanon verpflichtete Dichter Aschenbach nicht nur erneut auf die *Odyssee*,[51] sondern möglicherweise auch auf eine Bildquelle, die in den vorliegenden Kontext durchaus integrierbar erscheint: Botticellis *Geburt der Venus*, die verschiedene Elemente des Textes enthält: die „geisterhaft glasige Dämmerblässe",[52] das „Wehen" in Gestalt der Winde Zephir und Aura, das Nahen der „Göttin" Venus Anadyomene,[53] die hier nicht, wie der heute geläufige Titel irrtümlich suggeriert, im Moment ihrer Geburt dargestellt ist, sondern vielmehr als Protagonistin einer anderen Episode ihres Mythos, nämlich während sie sich auf einer Muschel der Insel Kythera „naht", und schließlich das „Rosenstreuen". Sowohl die Kontamination von literarischen und bildlichen Quellen, als auch die synkretistische Verschmelzung unterschiedlicher mythologischer Figuren bzw. Mythen im allgemeinen gehört zu Thomas

[51]  Der zweite, achte und zwölfte Gesang (hier ab Vers 8) wird jeweils mit einem neuen ‚rosenfingrigen' Tagesbeginn eingeleitet: „Als die dämmernde Frühe mit Rosenfingern erwachte"; Anfang des fünften Gesangs: „Und die rosige Frühe entstieg des edlen Tithonos Lager" (in der von Thomas Mann benutzten Übersetzung von Johann Heinrich Voß). Zu Eos vgl. auch Rohde I, S. 74 f.
[52]  Im Gegensatz zu den leuchtenden und kräftigen Farben des *Frühling* hat Botticelli hier eine besondere Farbmischung verwendet, der u. a. verdünntes Eiweiß hinzugefügt wurde und welche dem Gemälde seine außerordentliche „geisterhaft glasige" und freskoähnliche Transparenz verleiht.
[53]  Aufgrund ihrer zahlreichen Liebesabenteuer rückt Eos in die Nähe Aphrodites: „Eos erscheint in unserer Mythologie tatsächlich wie eine zweite, unersättliche Aphrodite" (Karl Kerényi: Die Mythologie der Griechen, Bd. I, München: Deutscher Taschenbuch Verlag 1966, S. 158).

Manns ureigensten poetischen Verfahrensweisen, und es verwundert deshalb nicht, dass er bei der Beschreibung von Aschenbachs Wahrnehmung analog kontaminierend und synkretistisch vorgeht.

Denkt Aschenbach an sein Haus in den Bergen, so beherrschen Gewitter, Wolken und Dunkelheit seine Vorstellung, und umso krasser erscheint ihm der Unterschied zu seinem gegenwärtigen Aufenthaltsort, an dem er sich – wiederum mit Rekurs auf Homer – entrückt fühlt

*ins elysische Land, an die Grenzen der Erde,*
wo leichtestes Leben den Menschen beschert ist,
*wo nicht Schnee ist und Winter, noch Sturm und strömender Regen,*
sondern immer sanft kühlenden Anhauch Okeanos aufsteigen
*läßt und in seliger Muße die Tage verrinnen, mühelos,*
*kampflos und ganz nur der Sonne und ihren Festen geweiht* (2.1, S. 550).[54]

Bezeichnenderweise nähert sich die Prosa auch dort dem klassischen Versmaß, wo es um Aschenbachs Reflexionen zum (eigenen) poetischen Verfahren geht. Kurz bevor er den Entschluss fasst, in Tadzios Gegenwart am Strand zu schreiben – „den Wuchs des Knaben zum Muster zu nehmen, seinen Stil den Linien dieses Körpers folgen zu lassen" (2.1, S. 556) –, heißt es:

*Glück des Schriftstellers ist der Gedanke, der ganz Gefühl,*
*ist das Gefühl, das ganz Gedanke zu werden vermag* (2.1, S. 555).

Neben dem am Beispiel von Plastik und Hexameter bzw. von ins Hymnische überfließender Prosa aufgezeigten klassischen Register spielt auch der Rückgriff auf die platonischen Dialoge eine wichtige Rolle für Aschenbachs Ästhetik. So werden z. B. nicht nur Teile des *Phaidros* paraphrasiert in den Text einmontiert, sondern Aschenbachs eigene Identität fließt für ihn selbst mit jener von Sokrates zusammen, und Tadzio wird zu Phaidros stilisiert:

Und aus Meerrausch und Sonnenglast spann sich ihm ein reizendes Bild. Es war die alte Platane unfern den Mauern Athens, – war jener heilig-schattige, vom Dufte der Keuschbaumblüten erfüllte Ort, den Weihbilder und fromme Gaben schmückten zu Ehren der Nymphen und des Acheloos. [...] Auf dem Rasen aber, der sanft abfiel, so, daß man im Liegen den Kopf hochhalten konnte, lagerten zwei, geborgen hier vor der Glut des Tages: ein Ältlicher und ein Junger, ein Häßlicher und ein Schöner, der Weise beim Liebenswürdigen. Und unter Artigkeiten und geistreich werbenden Scherzen belehrte Sokrates den Phaidros über Sehnsucht und Tugend (2.1, S. 554).

---

[54] Vgl. Rohde I, S. 69, wo die betreffende Stelle aus dem vierten Gesang der *Odyssee* (Vers 560 ff.) zitiert wird, offenbar jedoch nicht in der Voßschen Übersetzung. Thomas Mann übernimmt die Stelle unter leichter Abwandlung aus Rohde.

Aschenbach experimentiert also gewissermaßen nicht nur mit dem Versmaß des klassischen Epos, sondern auch mit der literarischen Gattung der platonischen Dialoge. Neben dem apollinischen und dem platonischen findet sich im überaus komplex konstruierten *Tod in Venedig* aber noch als drittes Element das dionysische. Es muß schon deshalb vorhanden sein, weil es sich ja um eine Tragödie handelt. Wie wird nun dieses Dionysische, das ja nicht dargestellt, sondern lediglich durch die Musik ausgedrückt werden kann, in den Text übertragen? Analog zum Apollinischen, nämlich sowohl auf inhaltlicher als auch auf stilistischer Ebene: der im klassischen Versmaß des Hexameters beschriebenen Plastik Tadzio wird – gemäß Nietzsches Bestimmung der Tragödie – das Dionysische zur Seite gestellt, welches inhaltlich im Traum des Bacchanals zum Ausdruck kommt. Auch in diesem Fall findet sich eine Entsprechung zwischen Inhalt und Form. Der Traum wird in einer stark rhythmischen Prosa beschrieben, wobei der Rhythmus mehrfach wechselt und anfangs etwas entschieden Gehetztes an sich hat:

Angst war der Anfang,
Angst und Lust
und eine entsetzte Neugier nach dem,
was kommen wollte.
Nacht herrschte
und seine Sinne lauschten;
denn von weither
näherte sich Getümmel,
Getöse und ein Gemisch von Lärm:
Rasseln, Schmettern und dumpfes Donnern,
schrilles Jauchzen dazu
*und ein bestimmtes Geheul im gezogenen u-Laut, –*
(2.1, S. 582).

In die freien Rhythmen eingeschoben findet sich plötzlich ein Pentameterrhythmus. Dem Anfang des Traums korrespondiert rhythmisch eine spätere Stelle, und auch hier wird der freie Rhythmus wiederholt durch einen hexametrischen gewissermaßen eingedämmt –, das überhand nehmende Dionysische apollinisch gebändigt:

Groß war sein Abscheu,
groß seine Furcht,
redlich sein Wille,
*bis zuletzt das Seine zu schützen gegen den Fremden*
den Feind des gefaßten und würdigen Geistes.
*Aber der Lärm, das Geheul, vervielfacht von hallender Bergwand,*
wuchs, nahm überhand, schwoll zu hinreißendem Wahnsinn.

*Dünste bedrängten den Sinn, der beizende Ruch der Böcke,*
*Witterung keuchender Leiber und ein Hauch wie von faulenden Wassern,*
dazu ein anderer noch, vertraut:
nach Wunden und umlaufender Krankheit.
Mit den Paukenschlägen dröhnte sein Herz,
sein Gehirn kreiste, Wut ergriff ihn,
Verblendung, betäubende Wollust,
und seine Seele begehrte,
sich anzuschließen dem Reigen des Gottes.
*Das obszöne Symbol, riesig aus Holz, ward enthüllt*
und erhöht: da heulten sie
zügelloser die Losung (2.1, S. 583).[55]

Zurück zu Aschenbachs Dichterkollegen Effrena. Wie gezeigt, decken sich die Kernpunkte seiner Ästhetik – Erneuerung des Mythos und Wiederbelebung der Tragödie – mit den inhaltlichen und formalen Grundaspekten des *Tod in Venedig*. Eine wichtige Metapher für die von Effrena zelebrierte Kunst ist die venezianische Kunst der Glasbläserei, die in seiner Beziehung zur Schauspielerin Foscarina eine bedeutende Rolle spielt und mit dem im Roman immer wieder auftauchenden Bild der toten Sommergöttin eng verknüpft ist:

In einer Trauerbarke ruht die Göttin des Sommers, in Gold gekleidet [...]; und der Trauerzug geleitet sie nach der Insel Murano, wo ein gebietender Geist des Feuers sie in einen opalschillernden Glasschrein betten wird, auf daß sie, in die Lagune versenkt, wenigstens durch ihre durchsichtigen Lider dem weichen Spiel der Algen zuschauen und sich einbilden kann, um den Körper noch immer das wollüstige Wogen ihres Haares zu spüren, während sie der Stunde der Auferstehung entgegenharrt.[56]

Etwas hinter oder unter Glas setzen bedeutet, es zu konservieren. Das Bild der hermetisch im Glasschrein eingeschlossenen toten Göttin steht also für ein dem Versiegeln verwandtes Verfahren, das sich der Zeit und der Vergänglichkeit widersetzt[57] – ein bereits an und für sich klassisches Ideal. Darin liegt für Effrena die Aufgabe der Kunst: das „geschriebene Wort" soll „eine reine Form der Schönheit" schaffen, „die das unbeschnittene Buch enthält und einschließt".[58] Die auch in diesem Bild sich ausdrückende Vorstellung vom Ver-

---

[55]　Vgl. 2.2, S. 252. Vgl. auch Josef Hofmiller: Thomas Manns neue Erzählung, in: Süddeutsche Monatshefte, Jg. 13, Heft 7 (April 1913), S. 218–232, erneut abgedruckt unter dem Titel: Thomas Manns „Tod in Venedig" in: Merkur, Jg. 9, Heft 6 (Juni 1955), S. 505–520. Angesichts ihres frühen Erscheinungsdatums muss Hofmillers immer noch lesenswerte Studie als durchaus besondere Interpretationsleistung gelten.

[56]　Gabriele d'Annunzio: Feuer, S. 8.

[57]　Zu diesem Aspekt vgl. Lea Ritter Santini: Il Cavaliere e la Malinconia. D'Annunzio, Dürer e Thomas Mann, a. a. O., S. 273 f.

[58]　Gabriele d'Annunzio: Feuer, S. 43.

siegeln einer ewiggültigen Formel, die Zeit und Ewigkeit überdauert, erinnert an Aschenbachs „Meisterlichkeit und Klassizität" (2.1, S. 514), an jenen sich „ins Mustergültig-Feststehende, Geschliffen-Herkömmliche, Erhaltende, Formelle, selbst Formelhafte" (2.1, S. 514 f.) wandelnden Stil seiner Reifezeit.

Aus diesen Überlegungen zu Effrenas bzw. Aschenbachs Ästhetik geht folgendes hervor: die künstlerische Laufbahn beider weist aufgrund ihrer Repräsentativität zahlreiche Parallelen auf. Ihre den künstlerischen Schöpfungen vorangehenden Visionen leiten sich aus einem ganz ähnlichen Kontext her (Reflexion über den Tod) und stimmen z. T. wörtlich überein. Musik und Mythos spielen für das Entstehen ihrer Schöpfungen eine entscheidende Rolle. Nietzsche und Wagner schließlich stehen in beiden Fällen im Ideenhintergrund.

Jenseits aller Parallelen gibt es jedoch den entscheidenden Unterschied: Aschenbach stirbt. Sein Tod hat nicht nur mit seiner dionysischen Ergriffenheit zu tun, sondern auch und mehr noch mit einem ästhetischen Unternehmen, das sich als unausführbar bzw. unhaltbar herausstellt. Aschenbachs verblüffend an Effrena bzw. Gabriele d'Annunzio erinnernder klassizistischer Ästhetizismus kann nicht die „neue Klassizität" sein, von der Thomas Mann in der *Auseinandersetzung mit Wagner* spricht – und wenn sie es doch sein sollte, so hat sie sich ihm mittlerweile als unpraktikabel erwiesen. Aschenbachs Versuch, den Mythus wie von Effrena/d'Annunzio gefordert zu erneuern, wird zur Tragödie in fünf Kapiteln bzw. Akten. Die von Thomas Mann wiederholt auf den *Tod in Venedig* angewandten Begriffe „Parodie" und „Mimikry" erweisen sich demnach nicht nur als Ausdruck des Willens zur Distanzierung des Autors von seinem Helden, sondern ebenso von Effrenas bzw. d'Annunzios Versuch, Mythos und Tragödie neu zu beleben. Denn in der literarischen Moderne kann der Mythos nicht einfach in klassizistische Form gekleidet übernommen, sondern allenfalls *um*-geschrieben werden – ein mythopoetisches Projekt, auf das Thomas Mann von nun an immer wieder experimentierend zurückkommen wird. Für ihn gehört die literarische Zukunft mit Sicherheit nicht Gabriele d'Annunzio. Und auch nicht dem Helden des *Tod in Venedig*, dessen Namensinitialen merkwürdig vertraut anmuten: Gustav von Aschenbach – Gabriele d'Annunzio.

# Siglenverzeichnis

| | |
|---|---|
| [Band arabisch, Seite] | Thomas Mann: Grosse kommentierte Frankfurter Ausgabe. Werke– Briefe – Tagebücher, hrsg. v. Heinrich Detering, Eckhard Heftrich, Hermann Kurzke, Terence J. Reed, Thomas Sprecher, Hans R. Vaget und Ruprecht Wimmer in Zusammenarbeit mit dem Thomas-Mann-Archiv Der ETH Zürich, Frankfurt/Main: S. Fischer 2002ff. |
| [Band römisch, Seite] | Thomas Mann: Gesammelte Werke in 13 Bänden, 2. Aufl., Frankfurt/Main: S. Fischer 1974. |
| Ess I–VI | Thomas Mann: Essays, Bd. 1–6, hrsg. v. Thomas Sprecher und Stephan Stachorski, Frankfurt/Main: S. Fischer 1993–1997. |
| Notb I–II | Thomas Mann: Notizbücher 1–6 und 7–14, hrsg. v. Hans Wysling und Yvonne Schmidlin, Frankfurt/Main: S. Fischer 1991–1992. |
| Tb, [Datum] | Thomas Mann: Tagebücher. 1918–1921, 1933–1934, 1935–36, 1937–1939, 1940–1943, hrsg. v. Peter de Mendelssohn, 1944–1.4.1946, 28.5.1946–31.12.1948, 1949–1950, hrsg. v. Inge Jens, Frankfurt/Main: S. Fischer 1977–1995. |
| Reg I–V | Die Briefe Thomas Manns. Regesten und Register, Bd. 1–5, hrsg. v. Hans Bürgin und Hans-Otto Mayer, Frankfurt/Main: S. Fischer 1976–1987. |
| Br I–III | Thomas Mann: Briefe 1889–1936, 1937–1947, 1948–1955 und Nachlese, hrsg. v. Erika Mann, Frankfurt/Main: S. Fischer 1962–1965. |
| BrAM | Thomas Mann – Agnes Meyer. Briefwechsel 1937–1955, hrsg. v. Hans Rudolf Vaget, Frankfurt/Main: S. Fischer 1992. |
| BrAu | Thomas Mann: Briefwechsel mit Autoren, hrsg. v. Hans Wysling, Frankfurt/Main: S. Fischer 1988. |
| BrBF | Thomas Mann: Briefwechsel mit seinem Verleger Gottfried Bermann Fischer 1932–1955, hrsg. v. Peter de Mendelssohn, Frankfurt/Main: S. Fischer 1973. |
| BrHM | Thomas Mann – Heinrich Mann. Briefwechsel 1900–1949, hrsg. v. Hans Wysling, 3., erweiterte Ausg., Frankfurt/Main: S. Fischer 1995 (= Fischer Taschenbücher, Bd. 12297). |
| BrAD | Theodor W. Adorno – Thomas Mann: Briefwechsel, hrsg. v. Christoph Gödde und Thomas Sprecher, Frankfurt/Main: Suhrkamp 2002. |
| DüD I–III | Dichter über ihre Dichtungen, Bd. 14/I–III: Thomas Mann, hrsg. v. Hans Wysling unter Mitwirkung von Marianne Fischer, München: Heimeran; Frankfurt/Main: S. Fischer 1975–1981. |
| Mat | Materialien des Thomas-Mann-Archivs der ETH Zürich. |

TMA          Thomas-Mann-Archiv der ETH Zürich
TM Jb        Thomas Mann Jahrbuch 1 (1988) ff., begründet von Eckhard Heftrich
             und Hans Wysling, hrsg. v. Thomas Sprecher und Ruprecht Wimmer,
             Frankfurt/Main: Klostermann
TMS          Thomas-Mann-Studien 1 (1967) ff., hrsg. vom Thomas-Mann-Archiv
             der ETH Zürich, Bern/München: Francke, ab 9 (1991) Frankfurt/
             Main: Klostermann.

# Thomas Mann: Werkregister

*Kursive* Seitenzahlen verweisen auf die Anmerkungen.

# Personenregister

# Die Autorinnen und Autoren

Prof. Dr. Manfred Dierks, Herrengasse 11, D-79359 Riegel.

Prof. Dr. Elisabeth Galvan, Istituto Universitario Orientale, Dipartimento di Studi Letterari e Linguistici dell'Europa, Palazzo Santa Maria Porta Coeli, Via Duomo 219, IT-80138 Napoli, Italien.

Dozent Dr. Markus Gasser, Imbisbühlhalde 5, CH-8049 Zürich, Schweiz.

Daniel Jütte, Institut für Geschichte, Straußweg 17, D-70184 Stuttgart.

Prof. Dr. Ulrich Karthaus, Ebelstr. 18, D-35392 Gießen.

Dr. Rainer-Maria Kiel, Universitätsbibliothek, Universitätsstraße 30, D-95447 Bayreuth.

Prof. Dr. Herbert Lehnert, Department of German, University of California, Irvine, CA 92697-3150, USA.

Prof. Dr. Stefan Müller-Doohm, Carl von Ossietzky Universität Oldenburg, Institut für Soziologie, D-26111 Oldenburg.

Prof. Dr. Holger Rudloff, Dannergasse 9, D-79227 Schallstadt.

Prof. Dr. Gert Sautermeister, Universität Bremen, Fachbereich 10, Postfach 33 04 40, D-28334 Bremen.

Dr. Anja Schonlau, Heinrich Heine Universität Düsseldorf Institut für Geschichte der Medizin, Universitätsstraße 1, D-40225 Düsseldorf.

Dr. Dr. jur. et phil. Thomas Sprecher, Thomas-Mann-Archiv der ETH Zürich, Schönberggasse 15, CH-8001 Zürich, Schweiz.

Prof. Dr. Hans Rudolf Vaget, Helen and Laura Shedd Professor of German Studies and Comparative Literature Emeritus, Smith College, Northampton, MA 01063, USA.

Prof. Dr. Ruprecht Wimmer, Katholische Universität Eichstätt-Ingolstadt, Ostenstraße 26, D-85072 Eichstätt.

# Auswahlbibliographie 2005–2006

zusammengestellt von Thomas Sprecher und Gabi Hollender

## 1. Primärliteratur

Mann, Thomas: Ansprache an die Jugend, in: Dittmann, „Ihr sehr ergebener Thomas Mann", S. 189–197.

Mann, Thomas: Bekenntnisse des Hochstaplers Felix Krull: der Memoiren erster Teil, limitierte Sonderausgabe, durchgesehen anhand der Erstausgabe 1954, Frankfurt/Main: Fischer-Taschenbuch-Verlag 2006, 398 S.

Mann, Thomas: Die Briefe an Adolf von Grolman, in: Dittmann, „Ihr sehr ergebener Thomas Mann", S. 53–88.

Mann, Thomas: Briefe an Jonas Lesser und Siegfried Trebitsch: 1939–1954, hrsg. von Franz Zeder, Frankfurt/Main: Klostermann 2006 (= Thomas-Mann-Studien, Bd. XXXVI), 234 S.

Mann, Thomas: Lübeck als geistige Lebensform, mit historischen Farbaufnahmen von Julius Hollos (1928), hrsg. von Peter Walther, Potsdam: Vacat-Verlag 2005, 117 S.

Mann, Thomas: Mitteilung an die Literarhistorische Gesellschaft in Bonn, in: Dittmann, „Ihr sehr ergebener Thomas Mann", S. 31–38.

Thomas Mann: Nietzsches Philosophie im Lichte unserer Erfahrung: Vortrag am XIV. Kongress des PEN-Clubs in Zürich am 3. Juni 1947, gedruckter Text und Tonaufnahme auf CD, hrsg. von David Marc Hoffmann [Nachdruck], Basel: Schwabe 2005 (= Beiträge zu Friedrich Nietzsche, Bd. 9), 43 S.

Mann, Thomas: Thomas Mann, Katia Mann – Anna Jacobson: ein Briefwechsel, hrsg. von Werner Frizen und Friedhelm Marx, Frankfurt/Main: Klostermann 2005 (= Thomas-Mann-Studien, Bd. XXXIV), 182 S.

Mann, Thomas: Der Tod in Venedig: Novelle, mit zahlreichen Illustrationen von Felix Scheinberger und einer Nachbemerkung von Erhard Göttlicher, Frankfurt/Main: Büchergilde Gutenberg 2005, 157 S.

Mann, Thomas: Der Tod in Venedig und andere Erzählungen, mit einem Nachwort von Reinhard Baumgart, Sonderausgabe, Frankfurt/Main: S. Fischer 2006, 367 S.

Mann, Thomas ... [et al.]: Über „Henri Quatre": unveröffentlichte Briefe von Otto Basler, Wilhelm Herzog, Max Herrmann-Neisse, Hermann Kesten, Thomas Mann, Ludwig Marcuse und Klaus Pinkus, hrsg. von

Wolfgang Klein, mit einer Bibliographie der zeitgenössischen Rezensionen zur „Jugend des Königs Henri Quatre" von Brigitte Nestler, in: Heinrich-Mann-Jahrbuch 2005, S. 167–185.

Mann, Thomas: Versuch über Schiller [Auszug], in: Flandziu, Jg. 2, H. 3, 2005, S. 41–49.

Mann, Thomas: Versuch über Schiller, Frankfurt/Main: S. Fischer 2005, 87 S. + CD.

Mann, Thomas: Vom zukünftigen Sieg der Demokratie: drei Essays, mit einem Nachwort von Matthias Wegner, Zürich: Europa Verlag 2005, 116 S.

Mann, Thomas: Weihnachten bei den Buddenbrooks, Vignetten von Reinhard Michl, mit einem Nachwort von Roland Spahr, Frankfurt/Main: Fischer-Taschenbuch-Verlag 2005 (= Fischer Schatzinsel), 89 S.

## 2. Sekundärliteratur

Ackermann, Gregor und Delabar, Walter: 5. Nachtrag zur Thomas-Mann-Bibliographie, in: Thomas Mann Jahrbuch 2006, S. 231–237.

Aeberli, Alexander P.: Thomas Mann: ein Nietzschebild nach dem „grossen Krieg", in: Aeberli, Alexander P.: Friedrich Wilhelm Nietzsche und das Dritte Reich: eine Dokumentation zur Wirkungsgeschichte Nietzsches, Zürich: Privatdruck 2006, S. 209–217.

Alt, Peter-André: Thomas Mann: Doktor Faustus: das Leben des deutschen Tonsetzers Adrian Leverkühn erzählt von einem Freunde, in: Schneider, Sabine (Hrsg.): Lektüren für das 21. Jahrhundert: Klassiker und Bestseller der deutschen Literatur von 1900 bis heute, Würzburg: Könighausen & Neumann 2005, S. 59–82.

Assmann, Jan: Thomas Mann und Ägypten: Mythos und Monotheismus in den Josephsromanen, München: Beck 2006, 256 S.

Baerlocher, René Jacques: Ein notwendiger Nachtrag zu einer Quellenedition des Thüringischen Hauptstaatsarchivs in Weimar „Das Kind in meinem Leib", Weimar: Freundeskreis des Goethe-Nationalmuseums 2005, 16 S.

Bättig, Joseph: Ärzte im Werk von Thomas Mann, in: Praxis: Schweizerische Rundschau für Medizin, Jg. 95, H. 1–2, 2006, S. 22–26.

Baldinger, Urs: Das Wesen der Liebe in Thomas Manns Erzählungen „Tristan" und „Der Tod in Venedig", Örebro: Urs Baldinger 2005, 34 S.

Bedenig, Katrin: Die Besucher und Benützer, in: Sprecher, Im Geiste der Genauigkeit, S. 425–438.

Bedenig, Katrin: Unsere ungeschriebenen Memoiren, in: Sprecher, Im Geiste der Genauigkeit, S. 303–330.

Benini, Arnaldo: Die Faszination des Todes bei Thomas Mann aus der Sicht eines Arztes, Praxis: Schweizerische Rundschau für Medizin, Jg. 95, H. 1–2, 2006, S. 35–39.

Berlin, Jeffrey B.: Additional reflections on Thomas Mann as a letter-writer, in: Oxford German Studies, Vol. 34, No. 2, 2005, S. 123–157.

Berlin, Jeffrey B.: On the nature of letters: Thomas Mann's unpublished correspondence with his American publisher and translator, and unpublished letters about the writing of „Doctor Faustus", in: European Journal of English Studies, Vol. 9, No. 1, 2005, S. 61–73.

Bermbach, Udo (Hrsg.): Getauft auf Musik: Festschrift für Dieter Borchmeyer, Würzburg: Königshausen & Neumann 2006, 395 S.

Bernini, Cornelia und Sprecher, Thomas: Die Ausstellungen, in: Sprecher, Im Geiste der Genauigkeit, S. 489–510.

Bernini, Cornelia und Sprecher, Thomas: Das Museum, in: Sprecher, Im Geiste der Genauigkeit, S. 367–424.

Bertschik, Julia: Thomas Mann: „Bekenntnisse des Hochstapler Felix Krull", in: Bertschik, Julia: Mode und Moderne: Kleidung als Spiegel des Zeitgeistes in der deutschsprachigen Literatur (1770–1945), Köln: Böhlau 2005, S. 147–156.

Besslich, Barbara: „Das wichtigste Buch!": zu Thomas Manns Spengler-Rezeption im „Zauberberg", in: Merlio, Linke und rechte Kulturkritik, S. 267–285.

Bishop, Paul: Reaction and revolution in Thomas Mann, in: Oxford German Studies, Vol. 34, No. 2, 2005, S. 158–172.

Bleicher, Joan Kristin: Die Manns – ein Jahrhundertroman (Heinrich Breloer), in: Bohnenkamp, Literaturverfilmungen, S. 215–229.

Blöcker, Karsten: Tatort Königstrasse 5: „die Sache mit Biermann" – ein Wirtschaftskrimi oder Tony Buddenbrooks dritte Ehe, in: Der Wagen 2006, S. 7–26.

Blödorn, Andreas (Hrsg.): Metaphysik und Moderne: von Wilhelm Raabe bis Thomas Mann: Festschrift für Børge Kristiansen, Wuppertal: Arco-Verlag 2006 (= Arco Wissenschaft), 386 S.

Blödorn, Andreas: Perspektivenwechsel und Referenz: zur Metaphorik des Todes in Thomas Manns frühen Erzählungen, in: Blödorn, Metaphysik und Moderne, S. 253–280.

Boa, Elisabeth: Global intimations: geography in „Buddenbrooks", „Tonio Kröger", and „Der Tod in Venedig", in: Oxford German Studies, Vol. 35, No. 1, 2006, S. 21–33.

Börnchen, Stefan: Kryptenhall: Allegorien von Schrift, Stimme und Musik in Thomas Manns „Doktor Faustus", München: Fink 2006, 347 S.

Bohnenkamp, Anne (Hrsg.): Literaturverfilmungen, Stuttgart: Reclam 2005 (= Universal-Bibliothek, Bd. 17527, Interpretationen), 368 S.

Brand, Thomas: Erläuterungen zu Thomas Mann, „Buddenbrooks", 3. Auflage, Hollfeld: Bange 2006 (= Königs Erläuterungen und Materialien, Bd. 264), 124 S.

Bussmann, Monika und Ermisch, Maren (Ausst.): Thomas Manns „Felix Krull": der Künstler als Hochstapler: Begleitheft zur Ausstellung Strauhof Zürich, 9. Juni – 3. September 2006, in Zusammenarbeit mit dem Thomas-Mann-Archiv der ETH Zürich und dem Buddenbrookhaus, Heinrich-und-Thomas-Mann-Zentrum Lübeck, Zürich: Strauhof 2006, 31 S.

Chamberlin, Rick: Coming out of his father's closet: Klaus Mann's „Der fromme Tanz" as an Anti-"Tod in Venedig", in: Monatshefte (University of Wisconsin Press), Vol. 97, No. 4, 2005, S. 615–627.

Cunningham, Michael: Am Lido, in: Neue Rundschau, Jg. 116, H. 2, 2005, S. 102–109.

Deighton, Alan: „Über den Sprachen ist Sprache": Thomas Manns Roman „Der Erwählte", in: Acta Germanica: German studies in Africa, Vol. 33, 2005, S. 37–49.

Delabar, Walter: Love, peace, and happiness: ein Kursus über Verächter und Verehrer Thomas Manns, über einige seiner Romane, über das Begehren als politische Kategorie, über die Jugend, die nicht zuhört, und die Wendung ins Mythische, in: Literaturkritik.de, Jg. 2005, H. 8 (August).

Dierks, Manfred: Abschied mit Thomas Mann, in: Blödorn, Metaphysik und Moderne, S. 370–376.

Dieterle, Regina: Martha Fritsch und Thomas Mann, in: Dieterle, Regina: Die Tochter: das Leben der Martha Fontane, München: Hanser 2006, S. 343–347.

Dittmann, Britta (Kom.): Die Briefe an Carl Enders, in: Dittmann, „Ihr sehr ergebener Thomas Mann", S. 39–52.

Dittmann, Britta (Kom.): Die Briefe an Georg Rosenthal, in: Dittmann, „Ihr sehr ergebener Thomas Mann", S. 171–188.

Dittmann, Britta, Rütten, Thomas und Wisskirchen, Hans (Hrsg.): „Ihr sehr ergebener Thomas Mann": Autographen aus dem Archiv des Buddenbrookhauses, Lübeck: Schmidt-Römhild 2006 (= Aus dem Archiv des Buddenbrookhauses, Bd. 1), 202 S.

Dittmann, Britta: Thomas Mann und die Literarhistorische Gesellschaft Bonn, in: Dittmann, „Ihr sehr ergebener Thomas Mann", S. 11–30.

Downing, Eric: Photography, psychoanalysis, and Bildung in Thomas Mann's

„The Magic Mountain", in: Downing, Eric: After images: photography, archaeology, and psychoanalysis and the tradition of Bildung, Detroit, Mich.: Wayne State University Press 2006 (= Kritik: German literary theory and cultural studies), S. 17–85.

Dürr, Thomas: Das grobe Muster: Georges Manolescu und Felix Krull, in: Thomas Mann Jahrbuch 2006, S. 175–200.

Dürr, Thomas: Mythische Identität und Gelassenheit in Thomas Manns „Joseph und seine Brüder", in: Thomas Mann Jahrbuch 2006, S. 125–157.

Dürr, Thomas: Thomas Manns lyrische Narratologie: ästhetische Fragestellungen im „Gesang vom Kindchen", in: Thomas Mann Jahrbuch 2006, S. 159–174.

Durrani, Osman: The Sorcerer's apprentice: Klaus Mann's input into „Doctor Faustus", in: Oxford German Studies, Vol. 34, No. 2, 2005, S. 173–179.

Eisenbeis, Manfred (Int.): Thomas Mann, „Tonio Kröger", „Mario und der Zauberer", Freising: Starck 2005, 112 S.

Engelhardt, Dietrich von: Krankheit und Heilung bei Thomas Mann, in: Praxis: Schweizerische Rundschau für Medizin, Jg. 95, H. 1–2, 2006, S. 13–21.

Engler, Tihomir: Der stille Beobachter Thomas Mann: Überlegungen zu einem sozial-revolutionären Aufschrei in Manns Erzählung „Gefallen", in: Zagreber germanistische Beiträge, Jg. 14, 2005, S. 15–29.

Erben, Johannes: Bemerkungen zum Sprachbewusstsein und sprachreflexiven Stil Thomas Manns, in: Zeitschrift für deutsche Philologie, Jg. 125, H. 1, 2006, S. 61–90.

Evans, Martin: Madness, medicine and creativity in Thomas Mann's „The Magic Mountain", in: Saunders, Corinne (Ed.): Madness and creativity in literature and culture, Basingstoke: Palgrave Macmillan 2005, S. 159–174.

Fischer, Hermann: Zur Dialektik der religiösen Vernunft: Spuren der Theologie Paul Tillichs in Thomas Manns „Doktor Faustus", in: Barth, Roderich (Hrsg.): Protestantismus zwischen Aufklärung und Moderne: Festschrift für Ulrich Barth, Frankfurt/Main: Lang 2005, S. 283–297.

Forte, Dieter: Der Zauberberg stimmt nicht: Roman und Realität, in: Neue Rundschau, Jg. 116, H. 2, 2005, S. 110–112.

Frizen, Werner: Aschenputtels neue Kleider: ein Werkstattbericht zur Neuedition von Thomas Manns „Lotte in Weimar", in: Deutsche Vierteljahrsschrift für Literaturwissenschaft und Geistesgeschichte, Jg. 79, H. 3, 2005, S. 505–528.

Frizen, Werner: „Den Mythos auf die Beine stellen": die Mensch-Werdung Goethes in Thomas Manns Roman „Lotte in Weimar", in: Hänsel-Hohenhausen, Markus von (Hrsg.): Im Namen Goethes!: Erfundenes, Erinnertes und Grundsätzliches zum 250. Geburtstag Johann Wolfgang von Goethes, Frankfurt/Main: August-von-Goethe-Literaturverlag 2005, S. 32–39.

Galvan, Elisabeth: Identifikation und Identität: Thomas Mann und Friedrich der Grosse, in: Merlio, Linke und rechte Kulturkritik, S. 287–302.

Gloystein, Christian: Moderne und Ambivalenz im „Zauberberg", in: Blödorn, Metaphysik und Moderne, S. 321–337.

Göller, Thomas: Lautlose Verlautbarung: Artikulationsformen in Thomas Manns „Der Zauberberg" am Beispiel Mynheer Peeperkorns, in: Schlette, Magnus (Hrsg.): Anthropologie der Artikulation: begriffliche Grundlagen und transdisziplinäre Perspektiven, Würzburg: Königshausen & Neumann 2005, S. 253–290.

Gremler, Claudia: „Die unvermeidlichen Sonette": Thomas Mann und Shakespeare, in: Oxford German Studies, Vol. 34, No. 2, 2005, S. 180–188.

Grosse, Wilhelm: Erläuterungen zu Thomas Mann, „Der Tod in Venedig", 3. Auflage, Hollfeld: Bange 2005 (= Königs Erläuterungen und Materialien, Bd. 47), 116 S.

Grosse, Wilhelm: Erläuterungen zu Thomas Mann, „Tonio Kröger", „Mario und der Zauberer", 4. Auflage, Hollfeld: Bange 2006 (= Königs Erläuterungen und Materialien, Bd. 288), 119 S.

Gut, Philipp: „One World", das muss nicht boredom heissen.": Thomas Manns politisches Denken zwischen „Nationalkultur" und „Weltzivilisation", in: Marosi, Silvia (Hrsg.): Globales Denken: kulturwissenschaftliche Perspektiven auf Globalisierungsprozesse, Frankfurt/Main: Lang 2006, S. 139–154.

Haas, Alois M.: Ich werde leben!, in: Schweizer Monatshefte, Jg. 86, H. 7–8, 2006, S. 47–52.

Hachenberg, Katja: Textualität der Emotionalität/des Emotiven und der Sinnlichkeit: Thomas Mann, „Buddenbrooks. Verfall einer Familie", in: Hachenberg, Katja: Literarische Raumsynästhesien um 1900: methodische und theoretische Aspekte einer Aisthetik der Subjektivität, Bielefeld: Aisthesis 2005, S. 171–207.

Hamacher, Bernd: Tabuzonen politischen Wissens: zur politischen Theologie des Faust-Mythos: von Goethe über Thomas Mann zu Hochhuth – und wieder zurück, in: Faust-Jahrbuch, Bd. 2, H. 2, 2005/2006, S. 111–126.

Hamacher, Bernd: Thomas Mann, Mario und der Zauberer, Stuttgart: Reclam 2006 (= Universal-Bibliothek, Erläuterungen und Dokumente, Bd. 16044), 118 S.

Hansen, Volkmar: Das Goethe-Bild von Kurt Martens und Thomas Mann, in: Hansen, Haupt- und Nebenwege zu Goethe, S. 301–314.

Hansen, Volkmar: Goethe und Heine als Paradigmen des Klassischen und

Modernen im Denken von Thomas Mann, in: Hansen, Haupt- und Nebenwege zu Goethe, S. 11–21.

Hansen, Volkmar: Haupt- und Nebenwege zu Goethe, Frankfurt/Main:
Lang 2005 (= Mass und Wert, Bd. 2), 373 S.

Hansen, Volkmar: Heilungskraft Goethe: Thomas Manns Goethe-Nachfolge,
in: Hansen, Haupt- und Nebenwege zu Goethe, S. 97–110.

Hansen, Volkmar: „Lebensglanz" und „Altersgrösse" Goethes in „Lotte von
Weimar", in: Hansen, Haupt- und Nebenwege zu Goethe, S. 22–51.

Heckner, Nadine und Walter, Michael: Erläuterungen zu Thomas Mann,
„Der Zauberberg", Hollfeld: Bange 2006 (= Königs Erläuterungen und
Materialien, Bd. 443), 107 S.

Heftrich, Eckhard: Zu Thomas Manns Scapinaden und Verfallsgeschichten,
in: Etudes germaniques, Vol. 61, No. 3, 2006, S. 433–450.

Heisserer, Dirk: Das „beste Witzblatt der Welt": Thomas Mann und der Simplicissimus, Bad Schwartau: WFB 2005 (= Literarische Tradition), 59 S.

Heisserer, Dirk: Die Thomas-Mann-Büste von Gustav Seitz: in der Universitätsbibliothek Augsburg, München: Peniope 2006 (= Thomas-Mann-
Schriftenreihe, Fundstücke, Bd. 2), 62 S.

Heisserer, Dirk: Thomas Manns Zauberberg: Einstieg, Etappen, Ausblick,
durchgesehene, aktualisierte und ergänzte Neuausgabe, Würzburg:
Königshausen & Neumann 2006, 134 S.

Hennig, Marina: Die Netzwerkanalyse literarischer Texte – am Beispiel Tho-
mas Manns „Der Zauberberg", in: Hollstein, Betina (Hrsg.): Qualitative
Netzwerkanalyse: Konzepte, Methoden, Anwendungen, Wiesbaden: VS
Verlag für Sozialwissenschaften 2006, S. 465–480.

Hetyei, Judit: Ein deutscher Künstler – Thomas Manns „Doktor Faustus",
in: Hetyei, Judit: Der Teufelsbündner Faust als Verführter im 20. Jahrhundert, Hamburg: Kovač 2005 (= Schriftenreihe Studien zur Germanistik,
Bd. 16), S. 113–126.

Hilscher, Eberhard: Abenteuer der Erkenntnis: Albert Einstein, Thomas
Mann und Weggefährten im Exil, in: Studia Niemcoznawcze, Jg. 32, 2006,
S. 325–331.

Hirn, Jan Alexander: Goethe-Rezeption im Frühwerk Thomas Manns, Trier:
Wissenschaftlicher Verlag Trier 2006, 115 S.

Hnilica, Irmtraud: Hofrat Behrens und Dr. Krokowski: [Thomas Manns Verhältnis zur Medizin], in: Hnilica, Irmtraud: Medizin, Macht und Männ-
lichkeit: Ärztebilder der frühen Moderne bei Ernst Weiss, Thomas Mann
und Arthur Schnitzler, Freiburg i.Br.: Fwpf 2006, S. 69–90.

Hobby, Blake G.: Translating music and supplanting tradition: reading, liste-
ning and interpreting in „Tristan", in: Nebula, Jg. 2, H. 4, 2005, S. 85–105.

Hörner, Unda: Thomas und Katia Manns Zauberberg: sich die Wirklichkeit zurechtmachen, in: Hörner, Unda: Hoch oben in der guten Luft: die Bohème in Davos, Berlin: Ed. Ebersbach 2005 (= Blue Notes, Bd. 26), S. 22–44.

Hollender, Gabi, Moos, Marc von und Sprecher, Thomas: Die Bestände, in: Sprecher, Im Geiste der Genauigkeit, S. 331–366.

Homes, Deborah: Politisierung eines Unpolitischen? Thomas Mann and socialism, 1918–1933, in: Oxford German Studies, Vol. 34, No. 2, 2005, S. 189–196.

Honold, Alexander: Die Uhr des Himmels: Zeitzeichen über dem Zauberberg, in: Bergengruen, Maximilian (Hrsg.): Gestirn und Literatur im 20. Jahrhundert, Frankfurt/Main: Fischer-Taschenbuch-Verlag 2006 (= Fischer, Bd. 16780), S. 277–294.

Jacobson, Karen F.: Obsessive-compulsive disorder in „Moby-Dick", „l'Assommoir", and „Buddenbrooks": interpreting novels through psychological categories, Lewiston, N.Y.: Edwin Mellen Press 2005 (= Studies in comparative literature, Vol. 66), 321 S.

Jäger, Manfred: Fachmann, Generalist und gebildeter Laie: Jürgen Kuczynski über Belletristik, Thomas Mann und „Die Buddenbrooks", in: Preusser, Heinz-Peter (Hrsg.): Kulturphilosophen als Leser: Porträts literarischer Lektüren, Göttingen: Wallstein Verlag 2006, S. 198–214.

Jonas, Klaus W. und Stunz, Holger: Thomas Mann auf vier Kontinenten: Gedenkstätten, Institutionen und private Sammlungen, in: Sprecher, Im Geiste der Genauigkeit, S. 43–90.

Jonas, Klaus W.: Thomas Mann und Cynthia Sperry: Versuch einer Dokumentation, in: Auskunft, Bd. 25, H. 3, 2005, S. 297–311.

Jung, Werner: „Ich pflege Wollust, scham- und gramvolle Wollust.": Anmerkungen zu Texten von Arthur Schnitzler und Thomas Mann, in: Josting, Petra (Hrsg.): „Laboratorium Vielseitigkeit": zur Literatur der Weimarer Republik, Bielefeld: Aisthesis 2005, S. 287–294.

Karnick, Manfred: Metaphysische Zeitdiagnosen: Elisabeth Langgässer (1899–1950), Alfred Döblin (1878–1957), Thomas Mann (1875–1955) ziehen den Satan ins Spiel, in: Barner, Wilfried (Hrsg.): Geschichte der deutschen Literatur von 1945 bis zur Gegenwart, München: Beck 2006 (= Geschichte der deutschen Literatur von den Anfängen bis zur Gegenwart, Bd. 12), S. 43–50.

Karst, Roman: Thomas Mann: eine Biographie: aus dem Polnischen von Edda Werfel, Kreuzlingen: Hugendubel 2006 (= Focus-Edition, Biographien), 367 S.

Keppler, Karl J.: Das Lachen der Frauen: das Dämonische im Weiblichen:

Goethe – Wagner – Thomas Mann, Würzburg: Königshausen & Neumann 2005, 231 S.

Kierdorf-Traut, Georg: Die Buddenbrooks und Ulten: zur Geschichte des Romans „Buddenbrooks" von Thomas Mann (1875–1955), in: Der Schlern, Bd. 79, H. 2, 2005, S. 66–69.

Kontje, Todd: Exotic Heimat: province, nation, and empire in Thomas Mann's „Buddenbrooks", in: German studies review, Vol. 29, No. 3, 2006, S. 495–514.

Koopmann, Helmut: „Professor Unrat" als „Anti-Thomas": eine Persiflage auf Kunst und Künstlertum Thomas Manns, in: Heinrich Mann Jahrbuch 2005, S. 45–63.

Koopmann, Helmut: Das Thomas-Mann-Archiv und die Thomas-Mann-Forschung, in: Sprecher, Im Geiste der Genauigkeit, S. 439–488.

Kraske, Bernd M.: „Es kenne mich die Welt …": Thomas Manns Tagebücher, Bad Schwartau: WFB Verlagsgruppe 2006 (= Literarische Tradition), 42 S.

Kraske, Bernd M.: Im Spiel von Sein und Schein: Thomas Manns Hochstapler-Roman „Felix Krull", Bad Schwartau: WFB 2005 (= Literarische Tradition), 47 S.

Kraske, Bernd M.: Revolution im Schulalltag in Thomas Manns „Buddenbrooks": erzählte Zeitgeschichte im Roman, Bad Schwartau: WFB 2005 (= Literarische Tradition), 47 S.

Kraske, Eva Maria: Betrug und Gnade: Thomas Manns Erzählung „Die Betrogene", Bad Schwartau: WFB 2005 (= Literarische Tradition), 45 S.

Kuch, Heinrich: Elemente des antiken Romans in den „Bekenntnissen des Hochstaplers Felix Krull", in: Das Altertum: Sektion für Altertumswissenschaft bei der Deutschen Akademie der Wissenschaften zu Berlin, Bd. 51, 2006, S. 43–50.

Kunisch, Johann: Thomas Manns Friedrich-Essays von 1915, in: Historische Zeitschrift, Bd. 283, H. 1, 2006, S. 79–101.

Kurzke, Hermann: Meister der konservativen Humanität: Thomas Mann und die Politik: ein Untadeliger provoziert die nachgeborenen Besserwisser, in: Literaturen: das Journal für Bücher und Themen, Jg. 2005, H. 7–8, 2005, S. 24–31.

Kurzke, Hermann: Thomas Mann verstehen: zu Geschichte und Gegenwart seiner Inanspruchnahme, in: Blödorn, Metaphysik und Moderne, S. 356–369.

Kuschel, Karl-Josef: „Ist es nicht jener Ideenkomplex bürgerlicher Humanität?": Glanz und Elend eines deutschen Rotariers – Thomas Mann, in: Thomas Mann Jahrbuch 2006, S. 77–124.

Kuschel, Karl-Josef: Weihnachten bei Thomas Mann, Düsseldorf: Patmos 2006, 190 S.

Laage, Karl Ernst: Theodor Storms Makler Jaspers in der Novelle „Carsten Curator": ein Vorbild für Thomas Manns Makler Gosch in den „Buddenbrooks", in: Thomas Mann Jahrbuch 2006, S. 71–76.

Lehnert, Herbert: Nietzsche-Vision und Nietzsche-Kritik in Thomas Manns Werk, in: Blödorn, Metaphysik und Moderne, S. 281–320.

Lentz, Michael: Thomas Mann, August 1955, in: Neue Rundschau, Jg. 116, H. 2, 2005, S. 99–101.

Liewerscheidt, Dieter: Lebensfreundliche Illumination und erschöpfte Ironie: zu Thomas Manns „Zauberberg", in: Revista de filologia Alemana, Vol. 14, 2006, S. 67–80.

Lilla, Joachim: Mehr als „that amazing family": Harold Nicolson und Thomas Mann, in: Thomas Mann Jahrbuch 2006, S. 23–49.

Lörke, Tim: „Mit der Menschheit auf du und du": die „Ästhetik des Wunderbaren" und die entzauberte Moderne: Ferruccio Busoni und Thomas Mann, in: Faust-Jahrbuch, Bd. 2, H. 2, 2005/2006, S. 127–140.

Loetscher, Hugo: Immer wieder Thomas Mann, in: Schweizer Monatshefte, Jg. 86, H. 7–8, 2006, S. 44–47.

Lüdeke, Roger: Der Tod in Venedig (Thomas Mann – Luchino Visconti): „Musiker unter den Dichtern": zum Stellenwert des Musikalischen, in: Bohnenkamp, Literaturverfilmungen, S. 158–168.

Madeira, Rogério Paulo: A cidade de Lisboa como texto em romances de Thomas Mann e de Hanns-Josef Ortheil, in: Scheidl, a cidade na literature de espressão alemã, S. 11–32.

Manguel, Alberto: „Exkurs über den Zeitsinn": aus dem Tagebuch eines Lesers: Thomas Mann, „Der Zauberberg", in: Neue Rundschau, Jg. 116, H. 2, 2005, S. 87–98.

Mann, Frido: Grusswort, in: Sprecher, Im Geiste der Genauigkeit, S. 11–14.

Mann, Golo: Briefe 1932–1992, hrsg. von Tilmann Lahme und Kathrin Lüssi, Göttingen: Wallstein 2006 (= Veröffentlichungen der Deutschen Akademie für Sprache und Dichtung Darmstadt, Bd. 87), 535 S.

Manzoni, Giacomo: Préface au „Docteur Faustus", traduit de l'italien par Laurent Feneyrou, in: Germanica, Jg. 36, 2005, S. 101–113.

Margetts, John: „Getting better all the time": the relationship between Thomas Mann and Oskar Maria Graf, in: Oxford German Studies, Vol. 35, No. 1, 2006, S. 34–44.

Martin, Nicholas: „Ewig verbundene Geister": Thomas Mann's re-engagement with Nietzsche, in: Oxford German Studies, Vol. 34, No. 2, 2005, S. 197–203.

Marx, Friedhelm: Der Heilige Stefan?: Thomas Mann und Stefan George, in: George-Jahrbuch, Jg. 6, 2006, S. 80–99.

Mayer, Hans: Briefe: 1948–1963, hrsg. von Mark Lehmstedt, Leipzig: Lehmstedt 2006, 630 S.

Mayer, Mathias: Thomas Manns „Heute": Ethik und Ironie der Menschlichkeit, in: Thomas Mann Jahrbuch 2006, S. 9–22.

Merlio, Gilbert (Hrsg.): Linke und rechte Kulturkritik: Interdiskursivität als Krisenbewusstsein, Frankfurt/Main: Lang 2005 (= Schriften zur politischen Kultur der Weimarer Republik, Bd. 8), 325 S.

Mehring, Reinhard: Apokalypse der deutschen „Seele": Thomas Manns „Doktor Faustus" als „Zeitroman", in: Weimarer Beiträge, Bd. 51, H. 2, 2005, S. 188–205.

Mertens, Volker: Gross ist das Geheimnis: Thomas Mann und die Musik, Leipzig: Militzke 2006, 272 S.

Mingocho, Maria Teresa Delgado: Veneza na novela de Thomas Mann „Der Tod in Venedig" e no romance „Im Licht der Lagune" de Hanns-Josef Ortheil, in: Scheidl, a cidade na literature de espressão alemã, S. 75–96.

Möller, Hildegard: Die Frauen der Familie Mann, ungekürzte Taschenbuchausgabe, München: Piper 2005, 418 S.

Müller-Salget, Klaus: Der Tod in Torre di Venere: Spiegelung und Deutung des italienischen Faschismus in Thomas Manns „Mario und der Zauberer", in: Müller-Salget, Klaus: Literatur ist Widerstand: Aufsätze aus drei Jahrzehnten, Innsbruck: Amoe 2005 (= Innsbrucker Beiträge zur Kulturwissenschaft, Germanistische Reihe, Bd. 69), S. 89–104.

Nilges, Yvonne: Goethe in Ägypten: der redliche Mann am Hofe: Weimar in Thomas Manns Josephsromanen, in: Bermbach, Getauft auf Musik, S. 93–114.

Olliges-Wieczorek, Ute: Ein „wahres Arkadien" – die Thomas-Mann-Sammlung Dr. Hans-Otto Mayer (Schenkung Rudolf Groth) in der Universitäts- und Landesbibliothek Düsseldorf, in: Jahrbuch der Heinrich-Heine-Universität Düsseldorf 2005/2006, S. 655–668.

Paefgen, Elisabeth K.: Das gelbe New York und das goldene On: beschriebene und erzählte Städte bei Thomas Mann und Uwe Johnson, in: Klotz, Peter (Hrsg.): Beschreibend wahrnehmen – wahrnehmend beschreiben: sprachliche und ästhetische Aspekte kognitiver Prozesse, Freiburg i. Br.: Rombach 2005 (= Rombach Wissenschaften, Reihe Litterae, Bd. 130), S. 229–246.

Papp, Kornélia: Deutschland von innen und von aussen: die Tagebücher von Victor Klemperer und Thomas Mann zwischen 1933 und 1955, Berlin: WVB 2006, 293 S.

Patzelt, Herbert: Oswald Brüll – Thomas Mann: eine Freundschaft, in: Maser,

Peter (Hrsg.): „Kirchengeschichte in Lebensbildern": Lebenszeugnisse aus den evangelischen Kirchen im östlichen Europa des 20. Jahrhunderts, Münster: Verein für ostdeutsche Kirchengeschichte 2005, S. 93–101.

Porombka, Stephan: FiktionsDokumentationsFiktion: Thomas Manns „Enstehung des Doktor Faustus" als Making-of, in: Non Fiktion: Arsenal der anderen Gattungen, H. 1–2, 2006, S. 123–141.

Pringsheim-Dohm, Hedwig: Häusliche Erinnerungen: 11 Feuilletons der Schwiegermutter von Thomas Mann in der „Vossischen Zeitung" 1929 bis 1932, Berlin: Nicola Knoth 2005, 118 S.

Rassidakis, Alexandra: Von Liebe und Schuld: Inzest in Texten von Hartmann von Aue, Thomas Mann und Jeffrey Eugenides, in: Literatur für Leser, Jg. 28, H. 1, 2005, S. 65–84.

Rath, Norbert: Thomas Manns Nietzsche-Deutungen, in: Vogel, Beatrix (Hrsg.): Die Auflösung des abendländischen Subjekts und das Schicksal Europas, München: Allitera-Verlag 2005 (= Mit Nietzsche denken, Bd. 3), S. 487–508.

Rauch-Rapaport, Angelika: Melancholia in Thomas Mann's „Unordnung und frühes Leid": feeling envy for the young and dancing, in: Oxford German Studies, Vol. 34, No. 2, 2005, S. 204–210.

Reed, Terence James: „Der König hat geweint": loneliness, eros, and caritas in Thomas Mann, in: Oxford German Studies, Vol. 35, No. 1, 2006, S. 45–54.

Ridley, Hugh: Nochmals Herr Beissel: Thomas Mann und Amerika im Kontext von „Doktor Faustus", in: Vogt, Jochen (Hrsg.): Das Amerika der Autoren: von Kafka bis 09/11, München: Fink 2006, S. 169–179.

Riedl, Peter Philipp: Epochenbilder – Künstlertypologien: Beiträge zu Traditionsentwürfen in Literatur und Wissenschaft 1860 bis 1930, Frankfurt/Main: Klostermann 2005 (= Das Abendland, N.F., Bd. 33), 803 S.

Riedl, Peter Philipp: Die „hysterische Renaissance" bei Heinrich und Thomas Mann, in: Riedl, Epochenbilder – Künstlertypologien, S. 555–602.

Riedl, Peter Philipp: Leibliche Vollkommenheit im Frühwerk Thomas Manns: „Gladius Dei", „Fiorenza" und „Der Tod in Venedig", in: Riedl, Epochenbilder – Künstlertypologien, S. 372–406.

Riedl, Peter Philipp: Narzissmus und Eklektizismus: Schrift, Verzierung und Ausstattung in Thomas Manns Novelle „Tristan", in: Riedl, Epochenbilder – Künstlertypologien, S. 442–447.

Riedl, Peter Philipp: Stiltypologie und Ideologie auf dem Zauberberg, in: Riedl, Epochenbilder – Künstlertypologien, S. 648–666.

Robertson, Ritchie: Sacrifice and sacrament in „Der Zauberberg", in: Oxford German Studies, Vol. 35, No. 1, 2006, S. 55–65.

Robles, Ingeborg: Ähnlichkeit und Differenz in Thomas Manns frühen Erzählungen, in: Thomas Mann Jahrbuch 2006, S. 51–70.

Rudloff, Holger und Liche, Helmut: „Nicht wahr, Sie beneiden mich um die Gräfin?": zur Gräfin Löwenjoul in Thomas Manns Roman „Königliche Hoheit" auf dem Hintergrund zeitgenössischer Materialien, in: Wirkendes Wort, Jg. 56, H. 1, 2006, S. 1–14.

Ruehl, Martin A.: A master from Germany: Thomas Mann and the Faustian charm of Albrecht Dürer's „Ritter, Tod und Teufel", in: Görner, Rüdiger (Ed.): Images of words: literary representations of pictoral themes, München: Iudicum 2005 (= London German Studies, Vol. 10), S. 11–64.

Rütten, Thomas (Kom.): Thomas Manns Briefe an Adolf von Grolman, in: Dittmann, „Ihr sehr ergebener Thomas Mann", S. 89–131.

Ruge, Nikolaus: Methodische Bemerkungen zur Untersuchung der so genannten Bindestrichkomposita Thomas Manns, in: Wirkendes Wort, Jg. 56, H. 3, 2006, S. 475–488.

Schädlich, Michael: Oswald Brüll – Textilfabrikant und Thomas-Mann-Verehrer, in: Marginalien, H. 183, 2006, S. 32–35.

Schede, Hans-Georg: Thomas Mann, „Der Tod in Venedig", Stuttgart: Reclam 2005 (= Universal-Bibliothek, Bd. 15358), 96 S.

Scheidl, Ludwig (Coor.) und Madeira, Rogério (Text.): A cidade na literatura de espressão alemã, Voimbra: Centro Interuniv. de Estudos Germanisticos 2005 (= Cadernos do cieg, Bd. 14), 96 S.

[Schmid, Christian]: Davos ehrt den Verfasser des „Zauberbergs", in: Davoser Revue, Jg. 81, H. 3, 2006, S. 60–63.

Schönbohm, Bärbel: Edvard Munch und Thomas Mann: Malen und Schreiben zur Festigung des Selbst, in: Sommer, Achim und Ohmert, Claudia (Hrsg.): Munch-Symposium: Kunstvermittlung in Schule und Museum: 4. bis 6. November 2004, Emden: Kunsthalle in Emden 2005, S. 98–121.

Schonfield, Ernest: Tea at the Ritz: the aesthetics of the Grand Hotel in Thomas Mann's „Felix Krull", in: Friends of Germanic studies at the IGRS: Friends Newsletter 2006, S. 7–12.

Schulenburg, Silke, Wefing, Heinrich und Eick, Simone (Text): Pacific palisades: Wege deutschsprachiger Schriftsteller ins kalifornische Exil 1932–1941, Hamburg: Marebuchverlag 2006 (= Ausstellungsreihe Editon DAH), 80 S.

Schulze-Berge, Sibylle: Heiterkeit im Exil: ein ästhetisches Prinzip bei Thomas Mann: zur Poetik des Heiteren im mittleren und späten Werk Thomas Manns, Würzburg: Königshausen & Neumann 2006 (= Epistemata, Reihe Literaturwissenschaft, Bd. 560), 257 S.

Schwarzbauer, Michaela: Der Widerhall meiner Klage: Reflexionen zur Gestalt des Echos in Thomas Manns „Doktor Faustus", in: Coelsch-Foisner, Sabine (Hrsg.): Metamorphosen: Akten der Tagung der Interdisziplinären Forschungsgruppe Metamorphosen an der Universität Salzburg in Kooperation mit der Universität Mozarteum und der Internationalen Gesellschaft für Polyästhetische Erziehung, Heidelberg: Winter 2005 (= Wissenschaft und Kunst, Bd. 1), S. 141–151.

Seibt, Gustav: Der Roman von Gott: Mythos und Monotheismus in Thomas Manns „Josephs"-Tetralogie, in: Sinn und Form, Jg. 57, H. 3, 2005, S. 331–343.

Selyem, Zsuzsa: Der Roman, in dem „die Neunte Symphonie zurückgenommen worden sei": über die Funktion der Rücknahme in den Romanen „Liquidation" von Imre Kertész bzw. „Doktor Faustus" von Thomas Mann, in: Weimarer Beiträge, Jg. 52, H. 1, 2006, S. 63–81.

Siegel, Jonah: Speed, romance, desire: Forster, Proust, and Mann in Italy, in: Siegel, Jonah: Haunted museum: longing, travel, and the art romance tradition, Princeton, N.J.: Princeton Univ. Press 2005, S. 195–225.

Sørensen, Bengt Algot: Thomas Manns „Tristan" im Kontext der europäischen Dekadenz, in: Blödorn, Metaphysik und Moderne, S. 235–252.

Solovieva, Olga V.: Polyphonie und Karneval: Spuren Dostoevskijs in Thomas Manns Roman „Doktor Faustus", in: Poetica: Zeitschrift für Sprach- und Literaturwissenschaft, Jg. 37, H. 3–4, 2005, S. 463–494.

Sprecher, Thomas: Besser spät als noch später: Davos ehrt Thomas Mann, in: Davoser Revue, Jg. 81, H. 4, 2006, S. 11–13.

Sprecher, Thomas (Hrsg.): Im Geiste der Genauigkeit: das Thomas-Mann-Archiv der ETH Zürich 1956–2006, Frankfurt/Main: Klostermann 2006 (= Thomas-Mann-Studien, Bd. XXXV), 576 S.

Sprecher, Thomas: Literarische Archive, in: Sprecher, Im Geiste der Genauigkeit, S. 19–42.

Sprecher, Thomas: Thomas Mann als Patient, in: Praxis: Schweizerische Rundschau für Medizin, Jg. 95, H. 1–2, 2006, S. 27–34.

Sprecher, Thomas: Das Thomas-Mann-Archiv der ETH Zürich, in: Schweizer Monatshefte, Jg. 86, H. 7–8, 2006, S. 42–44.

Sprecher, Thomas: Das Thomas-Mann-Archiv 1956–2006, in: Sprecher, Im Geiste der Genauigkeit, S. 91–302.

Sprecher, Thomas: Die Thomas Mann Gesellschaft Zürich 1956–2006, in: Blätter der Thomas-Mann-Gesellschaft Zürich, Nr. 31, 2004–2005, S. 5–48.

Stachorski, Stephan (Hrsg.): Fragile Republik: Thomas Mann und Nachkriegsdeutschland, überarbeitete Ausgabe, Frankfurt/Main: Fischer-Taschenbuch-Verlag 2005, 249 S.

Swales, Martin: Diagnostic form: reflections on generic issues in Thomas Mann's narrative work, in: Oxford German Studies, Vol. 34, No. 2, 2005, S. 211–216.

Swales, Martin: New media, virtual reality, flawed utopia?: reflections on Thomas Mann's „Der Zauberberg" and Hermann Hesse's „Der Steppenwolf", in: Cornils, Ingo (Ed.): Hermann Hesse today = Hermann Hesse heute, Amsterdam: Rodopi 2005 (= Amsterdamer Beiträge zur neueren Germanistik, Bd. 58), S. 33–39.

Tamura, Kazuhiko: Der „gesunde" Strand: Thomas Manns „Der Tod in Venedig" im Licht der Hygiene, in: Kaji, Tetsuro (Hrsg.): Literatur und Naturforschung, München: Iudicium 2005 (= Neue Beiträge zur Germanistik, Internationale Ausgabe, Bd. 4, H. 6), S. 70–86.

Thomas Mann Jahrbuch 2006, hrsg. von Thomas Sprecher und Ruprecht Wimmer, in Verbindung mit der Deutschen Thomas-Mann-Gesellschaft Sitz Lübeck e.V., Frankfurt/Main: Klostermann 2006 (= Thomas Mann Jahrbuch, Bd. 19), 277 S.

Vaget, Hans Rudolf (Kom.): Im Schatten Wagners: Thomas Mann über Richard Wagner: Texte und Zeugnisse 1895–1955, zweite durchgesehene und ergänzte Auflage, Frankfurt/Main: Fischer-Taschenbuch-Verlag 2005 (= Fischer-Taschenbücher, Bd. 16634, Forum Wissenschaft, Literatur und Kunst), 367 S.

Vaget, Hans Rudolf: Seelenzauber: Thomas Mann und die Musik, Frankfurt/Main: S. Fischer 2006, 512 S.

Vaget, Hans Rudolf: Ein unwissender Magier?: noch einmal der politische Thomas Mann, in: Neue Rundschau, Jg. 117, H. 2, 2006, S. 148–165.

Vaget, Hans Rudolf: Wider die „stehengebliebene Wagnerei": Ernest Newman, Thomas Mann, Adorno, in: Bermbach, Getauft auf Musik, S. 353–372.

Wahl, Volker: „ ... für ein gedeihliches Fortwirken Ihres Instituts und stolz auf meine Verbundenheit mit ihm ...": Thomas Mann und die Deutsche Schillerstiftung, in: Deutsche Schillerstiftung von 1859 (Hrsg.): Ehrungen, Berichte, Dokumentationen, Weimar: Deutsche Schillerstiftung (von 1859) 2005, S. 121–127.

White, Alfred D.: Tonio Kröger: anthropology and creativity, in: Oxford German Studies, Vol. 34, No. 2, 2005, S. 217–223.

Wieland, Klaus: Die Konstruktion von männlichen Homosexualitäten im psychiatrisch-psychologischen Diskurs um 1900 und in der deutschen Erzählliteratur der Frühen Moderne, in: Scientia poetica, Jg. 9, 2005, S. 217–262.

Wimmer, Ruprecht: Die „perspektivenschöne Hauptstadt": München im „Doktor Faustus", in: Blödorn, Metaphysik und Moderne, S. 338–355.

Wolbold, Matthias: Reden über Deutschland: die Rundfunkreden Thomas Manns, Paul Tillichs und Sir Robert Vansittarts aus dem Zweiten Weltkrieg, Münster: Lit 2005 (= Tillich-Studien, Bd. 17), 380 S.

Zeder, Franz: „Eine Ohrfeige für die deutsche Literatur": Paul Ernst, Thomas Mann und der Literaturnobelpreis, in: Der Wille zur Form: Zeitschrift der Paul-Ernst-Gesellschaft, Jg. 3, H. 6, 2006, S. 99–139.

Zeller, Regine: Cipolla und die Masse: zu Thomas Manns Novelle „Mario und der Zauberer", St. Ingbert: Röhrig Universitätsverlag 2006, 121 S.

Zemella, Tresina: Eclettismo architettonico e armonia dello spirito nei „Buddenbrooks": dalla Mengstrasse alla spiaggia di Travemünde, in: Torri di Babele, Vol. 3, 2005, S. 55–70.

Zimmermann, Jan: „Ich hatte allerlei auf dem Herzen, was ich der Jugend bei dieser Gelegenheit sagen möchte": Thomas Manns Teilnahme an der 400-Jahrfeier des Katharineums zu Lübeck im September 1931, in: Dittmann, „Ihr sehr ergebener Thomas Mann", S. 133–170.

# Mitteilungen der Thomas Mann Gesellschaft Zürich 2007

Die Mitgliederversammlung der Thomas Mann Gesellschaft Zürich fand dieses Jahr zum erstenmal im Literaturhaus Zürich statt, in den schönen Räumen
der Museumsgesellschaft am Limmatquai. Durch den Nachmittag führte als
Präsident der TMGZ Manfred Papst. Im geschäftlichen Teil der Jahrestagung
wurden die Herren Jürg Raissig und Jürg Kaufmann mit Dank aus dem Vorstand verabschiedet; die übrigen Mitglieder wurden für die Amtszeit 2007 bis
2011 ohne Gegenstimme bestätigt. Der Vorstand beabsichtigt, die Zahl seiner Mitglieder wie früher wieder auf sieben zu beschränken und deshalb von
Zuwahlen abzusehen. Die TMGZ zählte Ende 2006 bei 337 Mitglieder.

Die wiederum ausserordentlich gut besuchte Tagung drehte sich, nachdem 2004 die Söhne des Dichters das Thema gewesen waren, dieses Jahr um
„Thomas Mann und seine Töchter". Die Zürcher Germanistin Ursula Amrein
widmete sich dem komplexen Verhältnis des Schriftstellers zu seiner ältes-
ten Tochter Erika, während der Bamberger Literatur- und Religionswissen-
schafter Clemens Marx sich mit der Beziehung des Familienclans Mann zur
ungeliebten Tochter Monika befasste. Der Rechtsanwalt und Notar Wolfgang
Clemens aus Büdingen widmete sich schliesslich Elisabeth Mann Borgese,
der jüngsten Tochter, die als engagierte Meeresbiologin am weitesten aus dem
Schatten des Vaters trat.

Die Tagung des Jahres 2008 wird unter dem Titel „Thomas Mann und die
Religion" stehen. Sie ist auf den 31. Mai angesetzt.